ASSOCIATION DES PUBLICATIONS DE LA FACULTE
DES LETTRES, ARTS ET SCIENCES HUMAINES DE NICE

C.R.L.P.
CENTRE DE RECHERCHES LITTERAIRES
PLURIDISCIPLINAIRES
DE L'UNIVERSITE DE NICE-SOPHIA ANTIPOLIS

AUTOBIOGRAPHIE
ET FICTION ROMANESQUE

AUTOUR DES CONFESSIONS DE JEAN-JACQUES ROUSSEAU

ACTES DU COLLOQUE INTERNATIONAL

Nice, 11-13 Janvier 1996

organisé par **Jacques DOMENECH**

Etudes publiées par Jacques Domenech

Cet ouvrage a été publié avec le concours de l'Université de Nice-Sophia Antipolis, de l'U.F.R. Lettres et Sciences Humaines de Nice, du C.R.L.P. et de l'Association des Publications de la Faculté des Lettres, Arts et Sciences Humaines de Nice.

AVANT-PROPOS

Jacques DOMENECH
Université de Nice-Sophia Antipolis

Le projet d'un tel colloque "Autobiographie et fiction romanesque autour des *Confessions* " a été lancé au Caire en 1991. Reporté à la suite d'une conjoncture défavorable (guerre du Golfe), ce Colloque devait faire suite au Colloque International consacré à la *Réception de Voltaire et Rousseau en Égypte,* organisé en 1990 par le Centre d'Etudes Françaises du Caire[1]. Cette mise au point initiale permet d'expliquer la diversité des communications, favorisée par le Centre de Recherche organisateur, à vocation pluridisciplinaire.

Il est évident que la recherche sur Rousseau et sur l'autobiographie a évolué depuis 1991. Le projet de Colloque s'est trouvé enrichi et même redéfini par de nouvelles études sur l'autobiographie et par l'apport de nombreux travaux récents sur Rousseau et ses proches ou lointains épigones. La "nouveauté" des *Confessions*, saluée notamment par Jean Starobinski, coïncide avec une "attitude nouvelle" qu'adoptera la littérature du XX° siècle. Le lien consubstantiel entre les *Lettres à Malesherbes, la Nouvelle Héloïse* et une entreprise autobiographique sans véritable précédent, devenue palimpseste de l'oeuvre, a suscité bien des rapprochements ultérieurs. La belle édition de *Monsieur Nicolas,* préparée par Pierre Testud, permet de montrer un autre exemple de la complexité de l'écriture, devenue tissage inextricable entre volonté autobiographique et fiction romanesque, dans l'oeuvre polygraphique du "Rousseau du ruisseau", Rétif de la Bretonne. Plus récemment, après la tenue de ce colloque, le nouvel établissement du texte de *Dix années d'exil* de Madame de Staël

---

[1] *Actes* publiés en 1991. Voir également le Dossier Egypte des *Etudes Jean-Jacques Rousseau,* n°6, Musée Jean-Jacques Rousseau , Montmorency, 1995.

par Simone Balayé dévoile le code utilisé aux dépens de la censure impériale, déguisement du texte, maquillage de l'autobiographie, bien différent de l'usage autobiographique dans la pratique romanesque de cette émule de Rousseau, auteur de *Delphine* et de *Corinne*. Mais l'autobiographie, que l'on connaît mieux depuis les études de Philippe Lejeune, auxquelles il a été fait référence dans plusieurs des communications publiées ici, a-t-elle encore la place privilégiée réservée autrefois à une *terra incognita* de la recherche ? Ces cinq dernières années ont marqué une évolution de l'appréciation portée sur le genre autobiographique. Réagissant peut-être contre la médiocrité de certaines oeuvres publiées, mais aussi contre la prolifération mercantile d'une appellation non contrôlée, critiques et romanciers, comme ceux qui s'exprimèrent dans la revue *Esprit* en 1992, ont protesté contre la dénaturation d'un genre, voire la perversion d'une écriture. Prolifération et médiocrité contrastent avec l'insolite aventure rousseauiste. Rousseau par la nature originale de sa démarche est devenu très tôt un parangon sans que l'expérience ne cesse de se renouveler. Mais suffit-il de suivre la règle du jeu ? Après la parution des *Confessions*, bien des épigones de Rousseau étudiés ici, comme Casanova ou Rétif de la Bretonne, se définissent d'abord contre lui. Le respect ou le ralliement à un pacte autobiographique bien défini suffisent-ils à garantir l'authenticité du "je" ? permettent-ils le renouvellement de l'écriture du "moi" ? Le pacte conçu par Philippe Lejeune en 1973-1975 a été réexaminé de sa propre initiative au cours du Colloque de Nanterre "Autofictions et Cie" fin 1992. Les conditions fondamentales du pacte autobiographique se trouvaient en théorie et en pratique modifiées ; les "cases vides" de la grille proposée autrefois se remplissaient, par défi littéraire, notamment celui lancé par Serge Doubrovsky, inventeur du néologisme "autofiction" et auteur d'*Autobiographiques (de Corneille à Sartre)*. D'autre part, les recherches dix-huitièmistes ont contribué au renouveau de l'interprétation de l'autobiographie, citons par exemple la lecture des "revies" de Rétif de la Bretonne (Pierre Testud, Pierre Bourguet), et bien des travaux récents dont ces *Actes* veulent illustrer la diversité, à propos de Parny, de Sade ou de Chateaubriand, mais en premier lieu de Rousseau lui-même.

Sur l'autobiographie, on peut mentionner la diversité des approches les plus récentes, même si elle ne portent pas directement sur le thème de notre colloque : une intéressante investigation de l'Equipe de recherche sur l'hellénisme post-classique autour d'un Colloque de 1990 *L'invention de l'autobiographie d'Hésiode à Saint-Augustin, Actes* publiés en 1993 par les Presses de l'E.N.S., apporte une connaissance

Avant-propos : Jacques DOMENECH

nouvelle d'une littérature qui précède la rédaction des *Confessions* par l'évêque d'Hippone. Antérieure à cette initiative qui participe d' "une archéologie du savoir" autobiographique, une approche psychanalytique doit être mentionnée, ce sont les VI° Rencontres psychanalytiques d'Aix-en-Provence de 1987, dont les *Actes* , *Autobiographiques* , ont été publiés en 1990, par Les Belles Lettres. L'exploration de l'autobiographie par la psychanalyse n'a pas semblé épuisée. Plus récemment Jean-François Chiantaretto a fait paraître une étude intitulée *De l'Acte Autobiographique. La psychanalyse et l'écriture autographique* (Collection L'Or d'Atalante, 1995, Champ Vallon). A Nice, peu après notre colloque, la revue *Les Mots La Vie* a consacré un volume à *L'Autobiographie : du désir au mensonge*, publiée par Colette Guedj (L'Harmattan, 1996), avec des études consacrées à l'écriture de la vie, la part du masque et de la mise en scène, dans la poésie contemporaine : les surréalistes, Michel Leiris, Saint-John Perse...Sur un genre et un corpus autres, la question de l'authenticité de la démarche et du statut véritable de la fiction se retrouvent et l'exemplarité - faut-il dire la modernité ? - de la démarche rousseauiste demeurent. Le rapport de Jean-Jacques à l'écriture autobiographique et romanesque constitue toujours une référence. Cette démarche nouvelle rejoint les préoccupations et les doutes de ses contemporains et des nôtres, avec un questionnement légitime et renouvelé sur la véracité des faits et sur les critères qui déterminent l'authenticité de l'écriture de soi, exigence éthique que l'on s'impose à soi-même, inspiration ou confession créatrices qu'il est parfois difficile de déceler dans les méandres mensongers de la fiction.

Le Colloque "Autofictions et Cie" de 1992[1] avait exploré du nouveau, il ouvrait des pistes. Presque uniquement consacrée à la littérature du XX°, cette interrogation collective était contagieuse. Il y avait une réflexion à mener sur les liens complexes tissés depuis toujours entre autobiographie et fiction romanesque. Comment ne pas revenir sur la genèse de l'autobiographie ? Le retour aux sources, aux *Confessions,* et aux différents écrits autobiographiques de Rousseau s'imposait. Avouée, récusée, toujours avérée, la référence à Rousseau demeure constante, même dans les entreprises autobiographiques qui se démarquent ostensiblement de son propos, sinon de son écriture.

---

[1] *Actes*, RITM, Université de Paris X Nanterre, 1993.

Avant-propos : Jacques DOMENECH

Aussi bon nombre de communications de ces *Actes*, regroupées dans la **Première Partie**, proposent une approche nouvelle du thème de l'autobiographie dans les écrits de Rousseau. Dans sa communication "L'aire de la romance" François Jacob veut nous faire écouter une musique dont les couplets préparent l'union des éléments mémoriels et donnent à l'oeuvre - dont on a souvent admiré le lyrisme - une unité mélodique ainsi perceptible. De l'écriture épistolaire à l'autobiographie il y a un chemin qu'emprunte Rousseau : Anne Chamayou analyse la genèse des *Confessions* que constituent *Les Lettres à Malesherbes*. Laboratoire poétique et émergence de l'épanchement, de l'apologie du moi, ces *Lettres* préparent l'autobiographie avec un effet de réel. Pauvre en événements, comme cela a été maintes fois constaté, la fiction de *La Nouvelle Héloïse* crée une nouvelle forme de romanesque qui s'accorde avec l'éthique de Rousseau, grand contempteur du genre. Ni réalité ni fiction, les *Lettres*, comme *la Nouvelle Héloïse*, illustrent la supériorité de l'imagination édifiante sur le réel. Constat des déficiences du réel, les deux oeuvres parviennent à la compensation imaginaire des *Confessions*. Laurence Viglieno montre dans sa communication "Les voix de Jean-Jacques et la voix de l'autre dans *Les Dialogues* " comment le prénom représente un idéal du moi, l'image de l'homme naturel que Rousseau veut retrouver en lui-même. La nature atteste son aspiration à l'authenticité, garantit la pureté. N'y a-t-il pas surenchère par rapport à l'exigence éthique qu'impliquent déjà les *Confessions* ? Jean-François Perrin poursuit l'analyse et l'extension du corpus autobiographique dans son intervention "La régénération de Benjamin : du *Lévite d'Ephraïm* aux *Confessions* ". Dans ce récit transparaît l'élément autobiographique de Jean-Jacques persécuté. Le lévite et sa femme, dans une relecture du scénario biblique, vivent dans un paradis montagnard qui transpose les Charmettes. Ce mythe annonce l'allégorie de l'entreprise des *Confessions - intus et in cute* - comme démembrement pathétique de l'être vis-à-vis des lecteurs. Le thème du fils maudit qui a tué sa mère en venant au monde anticipe l'ouverture des *Confessions*, de même qu'apparaît le thème de la régénération par l'oeuvre autobiographique même. C'est avec une démarche spécifique que Frédéric S. Eigeldinger situe également une autre oeuvre, *Les Lettres à Sara*, "entre fiction et autobiographie". Notre collègue de Neuchâtel montre l'intérêt de ce texte de Rousseau et suggère un parallèle avec de véritables lettres, la correspondance avec Sophie d'Houdetot. La communication d'Anna Jaubert étudie "l'énonciation de l'identité" et s'attache à analyser "quelques stratégies de discours significatives" chez Rousseau. De la stratégie à l'artifice, voire la falsification des faits : Paule Adamy-Fernandez revient sur un des aspects les plus controversés de la vie du Citoyen de Genève et s'interroge sur la part de vérité et de fiction à propos des cinq enfants abandonnés par Jean-Jacques. Regrettons, pour cette intervention comme pour les autres, de ne pas pouvoir rendre compte fidèlement des débats, parfois très animés, toujours fructueux. Certains participants y font référence dans les textes publiés ici.

Après avoir examiné exclusivement l'oeuvre de Rousseau, on en vint, dans la **Deuxième Partie** à l'étude des oeuvres de ses épigones ou détracteurs. Exception faite pour Voltaire : son "autoportrait dans la *Paméla* ", étudié par Marie-Hélène Cotoni, se définit surtout contre Frédéric II. Antérieur aux *Confessions*, ce texte est construit par souci hagiographique à partir de lettres à sa nièce Mme Denis ; Voltaire se démarque par rapport à sa propre *Correspondance* dont il délaisse les traits spontanés et pittoresques. Le thème de la défiguration de l'écrivain, la pose en victime pathétique, l'éclairage rétroactif réparateur... nous découvrons un Arouet curieusement affecté de certains travers qu'il a reprochés à Jean-Jacques, le frère ennemi. La communication de Geneviève Goubier-Robert revient directement à Rousseau en étudiant la controverse autour des *Confessions* qu'a suscitée la publication des *Mémoires de Madame de Warens et de Claude Anet* par Doppet ; ce texte polémique constitue une "fiction autobiographique", genre à la mode au XVIIIe siècle - citons rapidement les oeuvres de précurseurs comme Prévost, Crébillon fils ou Duclos - qui s'épanouit après la parution des *Confessions* - contre les *Confessions* ? Aucune intervention n'a étudié les *Mémoires de Madame de Montbrillant*, pseudo-autobiographie de Madame d'Epinay à l'usage polémique que l'on sait : ces "*Contre-Confessions*", rééditées par Elisabeth Badinter sous ce titre non original, ne constituent pas une autobiographie véritable, du moins la fiction (et Diderot) ont presque tout enrobé et voilé... Avec le personnage de Casanova paraît un exemple avéré d'autobiographie et de fiction romanesque. Gérard Lahouati étudie *Histoire de ma vie* et montre l'importance du modèle rousseauiste dont Jacques-Jérôme, Citoyen de Venise, avant tant d'autres, s'efforce toujours de se distinguer. Il en fut de même pour Rétif de la Bretonne. Frédéric Bassani examine sa complexe entreprise autobiographique, souvent indissociable d'une création romanesque abondante, avec, inconsciente ou délibérée, une facture apologétique : côté face, l'autobiographie reconnue, Monsieur Nicolas ; côté pile, la fiction souvent encanaillée, *Le Paysan Perverti* et le personnage négatif d'Edmond. Dans sa communication consacrée aux *Poésies érotiques* de

Parny, Catriona Seth montre l'importance de l'autobiographie dans une oeuvre qui doit beaucoup à Jean-Jacques et à son *Héloïse* ; son ouvrage poétique, l'un des plus inspirés du siècle, est aussi un "roman en vers". Presque aussi polygraphe que le "Rousseau du ruisseau", Sade inclut également des éléments autobiographiques dans son oeuvre, avec un manichéisme plus manifeste ; le divin marquis mêle "biographie personnelle et fiction romanesque", comme le montre Michel Delon qui analyse la difficulté de Sade à se représenter, en bourreau - le grand seigneur libertin - ou en victime - l'homme de lettres emprisonné. Recours nécessaire, les romans constituent la forme la moins imparfaite pour une impossible autobiographie : ce qui vaut pour la singularité sadienne se vérifiera pour bien d'autres écrivains, pour des écritures peu comparables à celles de Sade.

Dans la communication qui commence la **Troisième Partie**, Béatrice Didier met en évidence la rupture dans l'autobiographie que constituent les textes où Chateaubriand se situe par rapport à l'histoire. La constance du questionnement éthique, hérité des *Confessions*, perpétué aussi bien par la mauvaise conscience de Rétif que par l'immoralisme de Sade, disparaît lorsque le moi considère qu'il n'est redevable qu'à l'Histoire. Avec le Vicomte, auteur de *Génie du christianisme*, libéré du souci d'édification par sa *Vie de Rancé*, viendrait paradoxalement le temps de la laïcisation de l'autobiographie. C'est un chemin que veut déjà emprunter Louvet de Couvray dans ses *Mémoires* : ne compte-t-il pas parmi les acteurs de la Révolution française, engagé dans le camp girondin ? L'auteur d'*Une année de la vie du Chevalier de Faublas*, lecteur des *Confessions* et rousseauiste comme son adversaire Robespierre, mêle la fiction à la vérité des faits dans le récit des heures sombres qu'il a vécues. Le dossier qu'il constitue pour l'histoire est aussi une fiction romanesque, montre Huguette Krief. La démarche qui conduit des *Confessions* aux *Rêveries* peut-elle se prêter à des comparaisons ? Les écrits intimes d'un philosophe français comme Maine de Biran illustrent l'influence des *Confessions* comme texte fondateur de l'autobiographie et aussi comme modèle de la quête personnelle d'une éthique du moi. Carmela Ferrandes montre quels sont chez ce philosophe, épigone méconnu de Rousseau, "les charmes de l'écriture et de la réflexion". Un siècle après Jean-Jacques, un autre citoyen de Genève, Amiel, grand lecteur de Rousseau, cousin par la géographie, l'esprit et le coeur, produit une oeuvre dont sont évidentes les affinités avec les *Confessions*, si l'on

Avant-propos : Jacques DOMENECH

tient compte d'un contexte différent, comme le précise Marie-Claire Grassi. La question de considérer les *Rêveries du promeneur solitaire* comme des "*Confessions* extrêmes" a été alors abordée, suscitant des réactions diverses, ce qui montre notamment une prise en compte de l'importance mais aussi de la singularité de chacun des écrits du corpus autobiographique du rêveur solitaire.

Quatre communications consacrées au XX° siècle traitent de la diversité de l'approche autobiographique "au-delà des *Confessions*" : Roger Chemain montre le paradoxe du recours nécessaire à l'artifice pour faire entendre l'inaudible de l'expérience concentrationnaire. Tanguy L'Aminot envisage l'autobiographie à travers l'exemple peu commun de la collection "Taglaïts" de récits autobiographiques, mêlés d'apologie politique. Béatrice Bonhomme étudie "la nouvelle autobiographie" du *nouveau roman*.. Autofiction ? Une telle appellation devrait convenir. L'importance de la fiction est même revendiquée, l'écriture exigeant la suppression de ce qui est trop personnel, dans l'expérience - tant recherchée par Rousseau - de l'universalité. Anca Sirbu étudie "la poétique de la confession chez Julien Green", faisant apparaître l'importance de la notion d'authenticité, chez Heidegger, mais n'est-elle pas consubstantielle de toute entreprise, de toute ambition autobiographique ?

La **Quatrième Partie** évoque "le domaine étranger autour des *Confessions* ". Cette ultime étape de notre parcours correspond à la dernière séance qui fut présidée par Béatrice Didier. Elle est tout d'abord constituée par l'étude d'une vie d'artiste, l'autobiographie de Benvenuto Cellini, dont on a pu constater les inexactitudes, notamment à propos des faits et des dates qui relatent la création de son oeuvre de sculpteur et d'orfèvre. Pierre Barucco étudie "l'avènement de l'unique selon Cellini"; cette *virtù* où s'affirme le primat de l'esthétique rencontre une démarche moderne comme celle de Michel Foucault "faire de sa vie une oeuvre d'art". Autre vie d'artiste, celle des *Mémoires* de Goldoni que l'homme de théâtre met en scène, qu'il a rédigée en français, après avoir rendu visite à Jean-Jacques et avoir lu ses *Confessions* , sans jamais être tenté toutefois par une telle expérience d'écriture autobiographique, comme le montre Renée Moliterno. Au contraire, Moritz et Jean Paul veulent reprendre à leur propre compte, à la suite de Rousseau, "l'autobiographie de l'homme intérieur", comme le présente l'étude d'Alain Montandon consacrée aux émules célèbres de Jean-Jacques dans la littérature germanique. Influence plus lointaine, plus approximative, mais indéniable, celle de Jean-Jacques sur "les

qu'étudie Evanghélia Stead. Dans la prolifération des titres où apparaît le mot "confession" en France comme à l'étranger, l'oeuvre de George Moore s'inscrit dans l'art de la réécriture, mais cet auteur anglais revendique la tradition des *Confessions* et même la comparaison avec l'évêque d'Hippone. Parodie ou authenticité ? La réponse ne fait guère de doute pour la "menée autobiographique d'Edith Södergran", communication de Pierre Grouix sur un auteur scandinave pour qui l'autobiographie, "écriture-femme" par excellence, devient le parcours de l'essentiel, une éthique de la dénudation, une poésie où le "Je" omniprésent s'efface devant l'autre, idéalisation du moi.

La littérature égyptienne, dont nous avons déjà essayé de montrer la permanence d'un héritage rousseauiste, découvre l'autobiographie au XX° siècle, avec sa propre optique, comme l'indique Oussama Nabil, de l'Université d'El Azhar (celle de Taha Hussein, l'auteur de la première autobiographie *Le livre des jours* [1]) : le roman *Sarah* constitue une autobiographie déguisée de l'écrivain Abbas Al Akkad, écriture de soi dont le sujet est la femme aimée. Auteur d'un roman autobiographique et poétique *Etoile d'août* , membre d'une génération héritière du Prix Nobel de Littérature Naguib Mahfouz, Sonallah Ibrahim présente une autobiographie non tournée vers l'autre, mais écrite à travers l'autre, par l'autre. Adel Takla montre "la part d'autobiographie dans *Les Années de Zeth*." Le prénom même de Zeth, l'héroïne de ce roman à la première personne, n'existe pas, le mot "Zeth" n'est pas un prénom égyptien, il signifie "le soi". La fiction romanesque intervient ainsi pour rendre mieux compte de la vie de l'auteur. Comment appliquer autrement la devise *Vitam impendere vero* ? Comme dans certaines expériences littéraires évoquées précédemment, une écriture autobiographique se met en mots à l'aide d'un procédé romanesque qui révèle une forme de quête d'authenticité inattendue. Ce roman traduit récemment en français par Richard Jacquemond[2] illustre l'évolution du thème retenu pour le Colloque, une problématique dont la pertinence se joue peut-être des chronologies. Sans proposer une synthèse réductrice, on peut s'interroger avant de clore cette présentation : n'est-ce pas l'un des enseignements essentiels à tirer de l'ensemble des communications ? La remise en question de l'authenticité de toute écriture personnelle (la leur ou celle de leur prédécesseur ou modèle) par les écrivains eux-mêmes a renouvelé les formes de la création : autobiographique, elle donne des gages, recourt

---

[1] Gallimard, L'Imaginaire, 1983 (1° éd. 1947, préface d'André Gide).
[2] Actes Sud, 1993.

Avant-propos : Jacques DOMENECH

paradoxalement à la fiction romanesque pour s'affirmer plus proche de l'expérience vécue initiale. Il s'est produit une interaction fructueuse entre roman, poésie et autobiographie. La complexité des rapports entre l'écriture et la vie laisse bien des pages blanches... Rousseau en a découvert (et révélé) la force d'inspiration créatrice, la diversité des formes, le charme de l'écriture de soi.

Réparties en quatre parties, les vingt-huit communications des *Actes* de ce Colloque International se présentent donc au lecteur sous une forme qui reflète presque exactement les thèmes proposés pour les cinq demi-journées de ce mois de janvier 1996. La pluie, implacable jusqu'à la clôture du samedi matin, nous rendit tous, public et intervenants, studieux, attentifs, parfois même passionnés...

Remercions le Centre de Recherches Littéraires Pluridisciplinaires et son directeur Jean Emelina, le Département de Lettres Modernes, la Faculté des Lettres Arts et Sciences Humaines et l'Université de Nice-Sophia Antipolis, ainsi que le Service Culturel de Suisse *Pro Helvetia* qui ont participé à l'organisation de ce Colloque International[1].

---

[1] Nous remercions également la Bibliothèque publique et universitaire de Genève qui a autorisé la reproduction de l'illustration de couverture de ce livre (photocomposition d'après original de M. Charlet). (Rousseau en arménien, gravé par Taraval, dessiné par Watelet).

.I. ROMAN ET AUTOBIOGRAPHIE
CHEZ ROUSSEAU

LES *CONFESSIONS*, OU L'AIRE DE LA ROMANCE

François JACOB
Université de Franche-Comté

Au milieu du choeur des parents, éloignés ou non, qui rythment la vie du jeune Jean-Jacques dans le premier livre des *Confessions*, une voix se trouve comme isolée, investie, à quarante ans de distance, d'une émotion particulière. Si les "exemples de douceur"[1] qui s'offrent à l'admiration du jeune genevois créent une aura d'amour propice à la transparence des coeurs[2], c'est auprès de Tante Suson, et d'elle seule, que naît non pas seulement le goût, mais bien la "passion pour la musique"[3] qui fera de Rousseau l'auteur des *Muses galantes* et du *Devin de village*. A la naissance de cette vocation correspond d'ailleurs l'assurance d'une sécurité, d'une tranquillité liées, dans le corps du texte, au chant qui les motive :

> "Elle savait une quantité prodigieuse d'airs et de chansons qu'elle chantait avec un filet de voix fort douce. La sérénité d'âme de cette excellente fille éloignait d'elle et de tout ce qui l'environnait la rêverie et la tristesse."[4]

Les pleurs versés à la simple évocation des amours de Tircis, dont les paroles échappent en partie au narrateur vieillissant, peuvent certes attendrir le lecteur, fût-il des moins bienveillants. Mais ils marquent surtout la trop nette prise de conscience, dès les premières touches d'un portrait nécessairement fuyant, aux couleurs noyées, d'une déchirure, d'un écart. Le souvenir, qui atteste la distance, l'assortit d'un sentiment de douleur. La tristesse que les chansons de tante Suson se faisaient fort d'éloigner ne peut, à la lumière d'un temps

---

[1] "Comment serais-je devenu méchant, quand je n'avais sous les yeux que des exemples de douceur, et autour de moi que les meilleures gens du monde ?" *Confessions*, in *Oeuvres complètes*, Bibliothèque de la Pléiade, tome I, p.10.

[2] "Mon père, ma tante, ma mie, mes parents, nos amis, nos voisins, tout ce qui m'environnait ne m'obéissait pas à la vérité, mais m'aimait ; et moi je les aimais de même." *Ibid*.

[3] *Op. cit*, p.11.

[4] *Ibid*.

nouveau - celui, au départ, de l'écriture - que renaître, pour, dans le déploiement de la phrase, se dévoiler à tous les témoins de la scène. Bientôt reconnue, très vite adoptée, voire adaptée aux tableaux qu'elle imprègne, ou inspire, elle devient alors nécessaire à la préservation d'une image qu'il s'agit de fixer au plus vite, afin d'en éviter le partage. C'est ainsi que la "seconde moitié des paroles"[5] de tante Suson se doit d'être, pour le plus grand profit du narrateur, irrémédiablement perdue :

> "J'ai cent fois projeté d'écrire à Paris pour faire chercher le reste des paroles, si tant est que quelqu'un les connaisse encore. Mais je suis presque sûr que le plaisir que je prends à me rappeler cet air s'évanouirait en partie si j'avais la preuve que d'autres que ma pauvre tante Suson l'ont chanté."[6]

Si tel est le prix du souvenir qu'il faille le morceler, ou le maculer, pour en garder la substance heureuse, comment ne pas comprendre l'importance que revêtiront, aux yeux de l'écrivain, ceux qui, parce qu'ils produisent une incessante oscillation entre rêve et vérité, entre réalité d'un moment et conscience d'un leurre, lui permettent d'abolir l'irrémédiable distance ? Certaines figures, certains instants privilégiés le seront d'autant plus qu'ils échapperont, pour avoir déjà dépassé les limites de la réalité, à la monotonie du souvenir. Nul sentiment de retard, nulle sensation d'étirement, d'écartèlement ne viendront en grever le rappel. Ils provoquent, de par leur constante proximité, au moment même de leur convocation, un bonheur immédiat.

Il n'est que de songer, par exemple, aux instants du réveil, nouvel éveil à la vie auquel le souvenir, fût-ce par un simple effet d'écho, participe pleinement. Ils échappent, en effet, eux aussi, à la dégradation, au morcellement imposés par le temps, et leur convocation fixe, au moment de l'écriture, leur caractère profondément transitoire. C'est précisément parce qu'ils permettent un flottement, une indécision ultimes entre réalité sensible et sensation pure, inachevée, ou imaginée, qu'ils peuvent, dès le quatrième livre, être retracés dans toute leur plénitude.

C'est dans le quatrième livre, en effet, qu' absorbé dans sa "douce rêverie"[7], Rousseau vient à s'endormir "sur la tablette d'une espèce de niche ou de fausse porte enfoncée dans un mur de terrasse"[8].

---

[5] *Ibid.*

[6] *Op. cit*, p.12.

[7] *Op. cit*, p.169.

[8] *Ibid.*

Au cocon que le jeune voyageur se crée sur les bords du Rhône répondent bientôt les accords d'un rossignol : "je m'endormis à son chant"[9]. Au spectacle qui s'offre à lui alors qu'il est déjà "grand jour"[10], Rousseau manifeste sa joie en un chant d'allégresse qui (re)produit en même temps qu'il prolonge, tant sur la route qu'il emprunte que sur les voies, plus tardives, de la réminiscence, un bonheur entier :

> "J'étais de si bonne humeur que j'allais chantant tout le long du chemin, et je me souviens même que je chantais une Cantate de Batistin intitulée *les Bains de Thoméry* que je savais par coeur." [11]

Il est un autre morceau que Jean-Jacques ne peut oublier, tant il est lié pour lui à l'extase d'un réveil similaire, à la conscience d'un état intermédiaire qui échappe à la prise du temps : c'est, bien sûr, l'air *"Conservami la bella"* que le jeune homme entend au théâtre de Saint-Chrysostome, et qui entre en opposition avec les airs "bruyants et brillants"[12] perçus auparavant. Encore ceux-ci peuvent-ils se prêter au jeu d'une paronomase qui, si elle les écarte d'entrée, marque du moins leur futilité. Tel n'est pas le cas de la "douce harmonie"[13] de l'air du réveil, dont l'identité, toujours intacte ou, du moins, la reconnaissance, ne souffrent, chez le rédacteur des *Confessions*, aucun partage:

> "Jamais cet air divin ne peut être exécuté que dans ma tête, comme il le fut en effet le jour qu'il me réveilla."[14]

La cantate de Batistin, l'air de Saint-Chrysostome, et quelques autres moments encore (notamment le départ de la rue de Grenelle et l'arrivée à l'Ermitage, qui ouvrent le neuvième livre), s'ils aident le lecteur à cerner Jean-Jacques dans toute la vérité de sa nature, le tiennent cependant suffisamment éloigné pour que le narrateur puisse, une ultime fois, jouir en solitaire d'une sensation de bonheur inaccessible à tout autre. Quant à imaginer qu'il pût décrire dans l'instant les "sentiments délicieux"[15] et les objets charmants dont ses voyages furent à la fois la source et le cadre, voici la réponse :

> "Pourquoi m'ôter le charme actuel de la jouissance pour dire à d'autres que j'avais joui ? Que m'importaient des lecteurs, un public,

---

[9] *Ibid.*

[10] *Ibid.*

[11] *Ibid.*

[12] *Ibid.*

[13] *Ibid.*

[14] *Ibid.*

[15] *Op. cit,* p.162.

et toute la terre, tandis que je planais dans le Ciel ? D'ailleurs, portais-je avec moi du papier, des plumes ?"[16]

La contemplation des bords du Rhône (ou de la Saône : premier morcellement, première rupture du souvenir) ne laisse pourtant pas, avant l'épisode de la niche, de laisser libre cours au regret d'une incomplétude, d'un isolement évidemment peu propre à l'épanchement du coeur :

> "Je me promenais dans une sorte d'extase livrant mon coeur et mes sens à la jouissance de tout cela, et soupirant seulement un peu du regret d'en jouir seul."[17]

S'il ne s'agit pas de demander au lecteur du texte des *Confessions* de comprendre, ni même de participer, de communier à une émotion nécessairement tardive, et, de par son éloignement, forcément fictive, il s'agit encore moins de lui arracher l'indulgence d'une approbation. Le narrateur ne cherche ni à convier, ni à convaincre. Eloquence, donc, et non rhétorique. Conformité à une oeuvre déjà parsemée d'appels à la prudence tel celui que Rousseau adresse à Burney, dans ce qu'Olivier Pot n'hésite pas à nommer le "testament musical"[18] du philosophe. Il y est question, rappelons-le, de laisser bavarder "..sur la musique en belles phrases, ceux qui, sans en savoir faire, ne laissent pas d'étonner le Public de leurs savantes spéculations"[19].

Or, c'est précisément sinon à une lecture exclusivement musicale, ce qui n'aurait guère de sens, du moins à la découverte d'un texte très fortement empreint de motifs rythmiques et d'une mélodie très savamment organisée - et non pas, bien entendu, *orchestrée* - que les *Confessions* semblent, parfois, inviter le lecteur. Celui-ci n'assiste pas, au fil du texte, à la justification ou au portrait d'un homme peint "d'après nature"[20], mais bien au spectacle d'une sensibilité blessée,

---

[16] *Ibid.*

[17] *Op. cit*, p. 169.

[18] "Par leur date tardive, la richesse et la diversité des matières traitées qui se présentent souvent sous la forme de rubriques numérotées, la *Lettre à M. Burney* et les *Fragments d'observations sur l'Alceste de Gluck*...pourraient passer sans grandes modifications pour le testament musical de Rousseau: craignant de se trouver désormais privé de mémoire, Jean-Jacques s'empresse tant de récapituler ses "vieilles rêveries musicales" que de proposer "quelques idées encore fraîches". Olivier Pot : *Introduction à la Lettre à M. Burney*, in J.J.Rousseau : *Oeuvres complètes*, Bibliothèque de la Pléiade, tome V, p. ccv.

[19] *Lettre à M. Burney*, in *Oeuvres Complètes, op. cit*, V, p. 433.

[20] *Confessions*, in *Oeuvres complètes, op. cit*, I, p. 3.

propre à l'attendrissement, au partage, non d'une fiction, mais d'une affliction. Mélopée, si l'on veut, proche, en ses effets, de la scène lyrique de *Pygmalion*, telle que l'analyse du moins Coignet, dans sa lettre au *Mercure de France* de janvier 1771 :

> "Les paroles ne se chantent point, et la Musique ne sert qu'à remplir les intervalles des repos nécessaires à la déclamation. M. Rousseau voulait donner, pour ce spectacle, une idée de la Mélopée des Grecs, de leur ancienne déclamation théâtrale : il désirait que la musique fût expressive, qu'elle peignît la situation et, pour ainsi dire, le genre d'affection que ressentait l'Acteur."[21]

Affection, affliction : l'heure est à la progression, à la propagation d'un sentiment de tristesse, mais, peut-être, d'une tristesse heureuse, de celle qui, parce qu'elle fait verser des pleurs, restitue à l'homme sensible la double certitude de son isolement et de son appartenance à une communauté d'êtres semblables, susceptibles, eux aussi, de s'attendrir. C'est par là, sans nul doute, que les *Confessions* tiennent davantage de la musique que de la peinture. Qui ne se souvient, d'ailleurs, du parallèle établi au seizième chapitre de l'*Essai sur l'Origine des Langues*, et où la musique, "art humain"[22] par excellence, apporte à l'homme isolé la consolation d'une présence diffuse, mais, pour son bonheur, irrémédiablement autre :

> "...sitôt que des signes vocaux frappent votre oreille, ils vous annoncent un être semblable à vous, ils sont, pour ainsi dire, les organes de l'âme, et, s'ils vous peignent aussi la solitude, ils vous disent que vous n'y êtes pas seul. Les oiseaux sifflent, l'homme seul chante, et l'on ne peut entendre ni chant ni symphonie sans se dire à l'instant, un autre être sensible est ici."[23]

Si certains moments particuliers échappent donc, dans les douze livres des *Confessions*, à la nécessité d'une écoute, ou d'une lecture, si leur propos n'est pas d'atteindre, par le biais d'un texte qui serait, d'abord, *texture* musicale, un coeur prêt à l'attendrissement, tel ne sera certes pas le cas de l'oeuvre même, prise dans sa globalité. Elle ne cesse en effet de dessiner ce cadre au sein duquel, au mépris d'une temporalité fixe, qu'il s'agit de constamment transgresser, Jean-Jacques rencontrera véritablement son lecteur. C'est au sein d'un espace libre de toute entrave liée à la fuite du temps, et là seulement, qu'il sera possible de s'adonner à l'écoute -libre, cette fois- d'une mélodie connue,

---

[21] *Mercure de France*, janvier 1771, p. 198-199. Cité par Olivier Pot, *Oeuvres complètes, op. cit*, V, p. 1601.

[22] *Essai sur l'Origine des Langues*, in *Oeuvres complètes, op. cit.*, tome V, p. 421.

répétée, retrouvée, d'un air à la fois prescience d'une aire d'infinité, aux frontières abolies, et conscience d'un univers clos, d'un monde mort, où ne perce plus qu'une voix.

Or, cette voix s'apparente, dans quelques-uns de ses effets, à la définition que Rousseau donnait, dans son *Dictionnaire de musique,* de la romance. Celle-ci, rappelons-le, est d'abord "...un air sur lequel on chante un petit Poème du même nom...duquel le sujet est pour l'ordinaire quelque histoire amoureuse et souvent tragique". Les contours de la romance, et son étendue, sont ensuite esquissés en quelques traits :

> "Comme la *Romance* doit être écrite d'un style simple, touchant, et d'un goût un peu antique, l'Air doit répondre au caractère des paroles; point d'ornements, rien de maniéré, une mélodie douce, naturelle, champêtre, et qui produise son effet par elle-même, indépendamment de la manière de la chanter."

L'écho qu'elle produit, et qu'elle reçoit, se doit d'être imperceptible dans son déroulement, inexplicable dans son achèvement:

> "Une *Romance* bien faite, n'ayant rien de saillant, n'affecte pas d'abord ; mais chaque couplet ajoute à l'effet des précédents, l'intérêt augmente insensiblement, et quelquefois on se trouve attendri jusqu'aux larmes sans pouvoir dire où est le charme qui a produit cet effet... Il ne faut, pour le Chant de la *Romance*, qu'une Voix juste, nette, qui prononce bien, et qui chante simplement."[23]

Chaque épisode particulier, chacun des vestiges traduits et transmis par l'écriture est donc à la fois différent et cohérent. Unité autonome, tant dans sa forme, ou sa formulation, que dans l'effet qu'il génère, il s'intègre néanmoins à une structure qui le dépasse et le recrée, de nouveau, le présente, une seconde fois, à l'attention du lecteur. Les couplets successifs de la romance appellent nécessairement - ou rappellent, suivant ce schème d'une double lecture qui, en fin de compte, pourrait s'étendre à l'oeuvre entière - "l'union" des "éléments"[24] mémoriels que les *Confessions* organisent en un phrasé plus ample :

> "En remontant de cette sorte aux premières traces de mon être sensible, je trouve des éléments qui, semblant quelquefois incompatibles, n'ont pas laissé de s'unir pour produire avec force un effet uniforme et simple, et j'en trouve d'autres qui, les mêmes en apparence, ont formé par le concours de certaines circonstances de si

---

[23] *Dictionnaire de musique,* in *Oeuvres complètes, op. cit.,* tome V, p. 1028.

[24] *Confessions,* in *Oeuvres complètes, op. cit,* I, p. 19.

différentes combinaisons, qu'on n'imaginerait jamais qu'ils eussent entre eux aucun rapport."[25]

Cette apparente hétérogénéïté des éléments du récit, lesquels restent néanmoins solidaires de l'architecture dans laquelle, par force, ils s'inscrivent, ne peut qu'amplifier le caractère discontinu d'une lecture dont le narrateur cherche au contraire à masquer les accrocs, les détours possibles. C'est donc non plus dans la rugosité de faits simplement relatés, mais bien dans la redécouverte, à chaque page, d'une mélodie particulière, qu'il faudra retrouver l'unité d'une pensée d'emblée fragmentée, réfractaire à tout souci d'ordonnancement, ou d'organisation. L'air le plus simple alors s'impose, ou s'imprime, à l'esprit d'un écrivain déjà trop engagé, par ailleurs, sur la voie de l'attendrissement. Les toutes premières pages des *Confessions* ne trahissent que trop cette identité lâche du souvenir. Il n'est, pour s'en convaincre, que de songer au tableau des plus surprenants que Jean-Jacques nous offre, en ouverture, et qui raconte, en des traits certes *romancés*, les amours idylliques de ses parents.

Tout commence, on s'en souvient, après une déclaration d'état civil des plus brusques, par l'évocation du bien de ses père et mère :

> "Un bien fort médiocre à partager entre quinze enfants ayant réduit presque à rien la portion de mon père, il n'avait pour subsister que son métier d'horloger, dans lequel il était à la vérité fort habile. Ma mère, fille de M. Bernard, était plus riche ; elle avait de la sagesse et de la beauté : ce n'était pas sans peine que mon père l'avait obtenue."[26]

Cette inégalité de départ, présentée sous forme d'un syllogisme aux deux propositions savamment disproportionnées, autorise rapidement, voire appelle une transformation radicale des éléments du récit. Celui-ci se prête désormais au suivi d'une fable dont l'effet, qui seul importe, apporte au lecteur, sans toutefois les lui imposer, les premières mesures d'une mélodie empreinte de regret, propre à l'attendrissement. Les amours d'Isaac Rousseau et de Suzanne Bernard dépassent d'ailleurs le cadre trop étroit qui leur est offert et gagnent, par le biais d'une transcendance des plus opportunes, le droit à l'atemporalité. C'est ainsi que lesdites amours "...avaient commencé presque avec leur vie"[27]. L'image des deux enfants se promenant ensemble sous la Treille et semblant voués, de par quelque mystérieuse prédestination, l'un à l'autre, est l'un des premiers d'une série de

---

[25] *Ibid.*

[26] *Confessions, op. cit*, p.6.

[27] *Ibid.*

tableaux identiques, *naturellement* romanesques, et similaires quant à leurs effets. Impossible évidemment de ne pas songer, six ans après la publication du texte des *Confessions,* au devenir de Paul et Virginie, que la nuit "...surprenait souvent couchés dans le même berceau, joue contre joue, poitrine contre poitrine, les mains passées mutuellement autour de leurs cous, et endormis dans les bras l'un de l'autre"[28]. Les amours gémellaires sont et seront la marque d'une fusion des sentiments qui n'aura de pair que la confusion familiale à laquelle, en général, elle donne lieu. C'est ainsi que Gabriel Bernard épousant l'une des soeurs d'Isaac Rousseau, la situation décrite, ou réécrite, par Jean-Jacques, permet, en même temps qu'une réelle centralisation du sentiment, une très forte concentration de la charge émotive du texte :

> "Ainsi mon oncle était le mari de ma tante, et leurs enfants furent doublement mes cousins germains."[29]

Henriette était, pareillement, dans les dernières parties de *La Nouvelle Héloïse*, le jouet d'un incessant va-et-vient, l'objet malheureux sur lequel se greffait la quête permanente d'une identité, fût-ce d'une identité d'amour. D'abord offerte à Julie, à qui l'Inséparable "résigne"[30] ses droits maternels, elle en arrive, poussée par l'intraitable Wolmar, à se substituer concrètement à sa petite Maman. Semblable à elle par les traits, habillée "...le plus à l'imitation de Julie qu'il fut possible"[31], et "instruite"[32] par un Wolmar qui se substitue, quant à lui, au pédagogue absent, elle joue "parfaitement"[33] son rôle. Elle le joue, du moins, jusqu'à l'ultime jaillissement d'une voix trop chère encore à la folle cousine :

> "Mais enhardie par le succès... elle s'avisa de porter la main sur une cuillère et de dire dans une saillie : Claire, veux-tu de cela ? Le geste et le ton de voix furent imités au point que sa mère en tressaillit."[34]

---

[28] Bernardin de Saint-Pierre, *Paul et Virginie,* éd. de Pierre Trahard, Garnier, 1968, p. 89.

[29] *Confessions, op. cit,* p.6.

[30] "La voilà, cette aimable enfant; reçois-la comme tienne ; je te la cède, je te la donne ; je résigne en tes mains le pouvoir maternel.", *La Nouvelle Héloïse,* in *Oeuvres complètes, op. cit,* II, p. 439.

[31] *Op. cit,* p. 739.

[32] *Ibid.*

[33] *Ibid.*

[34] *Ibid.*

Les mères de Bernardin, enfin, ne seront pas moins désireuses d'opérer, à travers l'union de leurs enfants, celle des sentiments qui animent toute la petite communauté de l'Ile de France :

> "Mon amie, disait Madame de la Tour, chacune de nous aura deux enfants, et chacun de nos enfants aura deux mères."[35]

Or, ces diverses collusions familiales ou sociales[36], qui toutes aboutissent à une séparation, ou n'en sont que l'expression imagée, cristallisent, dans le constat même de leur échec, cet appel à l'expansion d'une sensibilité autre, dégagée des contraintes du temps et, par là même, renouvelable à l'infini. Le double mariage Rousseau/Bernard n'empêche nullement la dispersion d'une famille dont le noyau éclate si bien que nul, dans le cercle plus restreint du seul Jean-Jacques, ne résidera très longtemps à Genève ; c'est paradoxalement en recevant des nouvelles de sa famille - une vieille tante sensible à la seule crainte de la mort - que Madame de la Tour distillera le poison du départ de Virginie ; enfin, le jeu d'Henriette, excessif de vérité, ou de vraisemblance, excède effectivement Claire, qui manque de s'étouffer. La leçon qu'en tire immédiatement Wolmar est alors des plus significatives :

> "Dès ce moment, je résolus de supprimer tous ces jeux, qui pouvaient allumer son imagination au point qu'on n'en serait plus maître. Comme on guérit plus aisément de l'affliction que de la folie, il vaut mieux la laisser souffrir davantage, et ne pas exposer sa raison."[37]

Prolonger la souffrance. S'assurer, par la continuité d'un sentiment reconnu, la pérennité d'un souvenir, d'une présence, d'une image. Telle est peut-être l'une des singularités des *Confessions* que de pré-texter à cette rencontre de deux sensibilités, de deux effusions - celle, à la fois immédiate et irréversible, du scripteur, et celle, au contraire irrésolue parce que médiate, du lecteur. Effusions, ou épanchements. Les invites à la cohérence, à la cohésion des coeurs, s'ils parsèment l'ensemble des douze livres, vont en effet jusqu'à interrompre parfois le récit d'un acte alors doublement manqué, puisque manqué dans son accomplissement et dans son rappel, mais marque, du même coup, d'un achèvement d'une autre nature, de son élévation, par la seule force de l'écriture, au rang d'une affliction partagée, d'une fiction. Le jeune Jean-Jacques vient-il à laisser tomber deux quartiers de

---

[35] *Paul et Virginie*, op. *cit*, p. 88.

[36] A la famille élargie du petit monde de Clarens, dans la *Julie*, correspond en effet la communauté étendue aux deux esclaves marrons, dans *Paul et Virginie*.

[37] *La Nouvelle Héloïse*, op. *cit*, p.740.

pomme au fond d'une remise : "Lecteur pitoyable, partagez mon affliction"[38]. Vient-il à jeter une pierre contre un arbre afin d'établir avec certitude le pronostic de son salut: "Vous autres grands hommes qui riez surement, félicitez-vous, mais n'insultez pas à ma misère ; car je vous jure que je la sens bien."[39] Prend-il conscience, de retour de Montpellier, que Maman lui a trouvé un remplaçant :

"Quel prompt et plein bouleversement dans tout mon être! Qu'on se mette à ma place pour en juger. En un moment je vis évanouir pour jamais tout l'avenir de félicité que je m'étais peint."[40]

Un *moment* qu'il s'agit de fixer, d'ériger, une fois encore, par le souvenir. Car c'est à ce carrefour d'un espace mémoriel où cesse de vivre ce qui fut, d'un espace imaginaire où ce qui devait être n'est déjà plus que rêve, et d'un état de bonheur dû précisément à la coexistence de ces mondes antithétiques, que l'impression, la sensation trouvent leur intensité maximale, leur plus haut degré d'acuité. Qu'importe alors si, dans l'euphorie de la réminiscence, l'invention -disons plutôt la fable- l'emporte sur la simple vérité événementielle ? Qu'importe si l'histoire des parents de Jean-Jacques, romance originelle, participe davantage d'une fiction heureuse que de la relation plus authentique de faits éphémères, voués à l'oubli ? L'écrivain peut certes effacer tout ou partie des paroles que chantait tante Suzon : l'air seul importe, cet air que nous ne connaîtrons jamais, mais dont tout nous invite à mesurer, au travers du temps, l'inaltérable empreinte.

Cependant, si la vérité se mêle parfois à l'illusion, si les contours vaporeux du rêve et ceux, à peine plus décelables, de la réalité, se perdent encore dans l'imprécision douloureuse du souvenir, ils ne répondent en cela à nulle velléité d'organisation. La voix sera certes identique tout au long des douze livres, avec ses refrains, ses mélodies perdues, ses phénomènes d'écho, mais elle rencontre l'illusion plus qu'elle ne la recherche. Les *Confessions* s'intègreraient mal à un système qui voulût faire d'une masse de souvenirs un ensemble consciemment cohérent, accessible à l'investigation rationnelle. Romance, donc, et non romancement[41]. Retour, et non détour. Rêve, peut-être, mais dont personne, le lecteur moins qu'un autre, n'est dupe.

Et les images, alors, se succèdent, générant une réelle unité de ton, recréant, le temps de leur énonciation, la mélancolie que leur

---

[38] *Confessions, op. cit,* p. 34.

[39] *Op. cit,* p. 243.

[40] *Op. cit,* p. 263.

[41] Terme emprunté à Michel Crouzet.

imprécision même accentue, au fil des pages, et reproduisant, sans cesse, le schème d'un récit où la réalité s'estompe, au profit de tous. La "vérité"[42] des *Confessions* réside bien moins dans l'authenticité historique des éléments qui en constituent la trame que dans la cohérence des événements qui en prolongent le drame, et l'étendent, ou le rendent, au lecteur. Celui-ci, rappelons ce simple exemple, est amené à participer non certes aux repas du jeune genevois, mais bien à la jouissance anticipée que de tels repas lui procurent, de par leurs implications symboliques ou simplement sociales. C'est ainsi qu'après avoir posé comme postulat de départ, dès le premier livre, qu'il ne pouvait goûter les plaisirs de la table "qu'avec un ami"[43], de peur de voir son "imagination" s'occuper "d'autre chose", le narrateur dresse la liste de ses commensaux : au vin de Monsieur de Frangi succèdent les envois discrets de Mme Basile, à la petite table ; la table de l'office de Mlle de Breil, quant à elle, fait par avance écho à la petite chambre de M. Molichon. On conçoit quelle diversité, voire quelle disparité de sensations pouvait accompagner chacun de ces repas dont il ne s'agit plus, au moment de l'écriture, que de reconstituer le plaisir qu'ils produisaient *a priori* afin, *a posteriori*, de le partager, non sans une pointe de regret, avec le lecteur. L'écriture élude les dernières marques de matérialité de chacune des scènes en même temps qu'elle les élève, dans une cène ultime, au rang de souvenirs. A la consommation d'une petite brioche et d'une bouteille de vin d'Arbois répond la consolation d'un coeur à la recherche des vestiges d'un bonheur perdu. L'oralité, dans cette dernière communion, devient Verbe.

Quelques-uns de ces vestiges, aussi bien parce qu'ils dépassent le seul champ de l'expérience individuelle du narrateur que parce qu'ils vont à la rencontre, ou à la recherche, de celle du lecteur, s'imposent alors comme des objets incontournables, comme les monuments même de cette "tristesse heureuse" propre à bon nombre de souvenirs des *Confessions*. Ils prolongent ce sentiment double, cette sensation trouble qui prévalait à l'oubli des paroles de tante Suzon et en constituait - apparent paradoxe - le charme. Parmi eux s'étend naturellement l'aire très vaste de tout le rapport entretenu par Jean-Jacques avec l'Antiquité, et notamment avec le monde romain[44]. Il y a

---

[42] C'est en effet la "vérité" du portrait qui compte. Cf *Confessions, op. cit.* p.3.

[43] *Op. cit*, p.36. De même pour les deux termes qui suivent.

[44] Voir à ce sujet l'article d'Yves Touchefeu : "Rousseau et Homère", in *Dix-huitième siècle*, n°27, 1995.

certes Plutarque, dont chacun sait combien la lecture, des plus précoces, contribua à la formation intellectuelle du jeune genevois. Mais il y a surtout cette volonté de faire d'un simple écho intertextuel le lieu magique d'une représentation, d'un retour qui abolît enfin sinon la conscience, du moins la pregnance de toute marque temporelle :

> "Sans cesse occupé de Rome et d'Athènes ; vivant, pour ainsi dire, avec leurs grands hommes, né moi-même Citoyen d'une République, et fils d'un père dont l'amour de la patrie était la plus forte passion, je m'en enflammais à son exemple ; je me voyais Grec ou Romain ; je devenais le personnage dont je lisais la vie : le récit des traits de constance et d'intrépidité qui m'avaient frappé me rendait les yeux étincelants et la voix forte."[45]

Tout ce court récit s'organise en effet selon un système de gradation qui, en mêlant tour à tour sensation de l'instant présent et rappel des origines, crée l'un des motifs rythmiques les plus présents, par la suite, dans l'ensemble du texte. A la dyade conférant à Rome et à la République de Genève une apparente conformité politique qu'autorise, dès l'ouverture des séquences, une harmonie syntaxique (récurrence de la forme participiale, redondance de la même construction prépositive), s'oppose la double confirmation d'un statut personnel qui ne permet pas encore l'affirmation d'une identité. Celle-ci n'est d'ailleurs guère mieux assurée par la succession des trois verbes à l'imparfait, qui l'éludent au contraire systématiquement au profit de la *fiction* envisagée. C'est au visage, dont la force métonymique reste essentielle, qu'aboutira le regard final. Rythme binaire, là encore, comme s'il fallait, décidément, que tout s'accomplît par une seule modulation -ou un seul éclat : Jean-Jacques, en cet instant, a "la voix forte"[46].

La représentation, néanmoins, s'achève. Le court moment, dont la cohésion stylistique avait sous-tendu la cohérence de mondes sinon antagonistes, du moins diachroniques, fait place à un dénouement au rire nécessairement contenu, aux protagonistes diffus, évanouis, eux aussi, dans la nuit du souvenir :

> "Un jour que je racontais à table l'aventure de Scevola, on fut effrayé de me voir avancer et tenir la main sur un réchaud pour représenter son action."[47]

Les " motifs " romains seront présents, comme on sait, d'un bout à l'autre des *Confessions* et assureront, dans des conditions

---

[45] *Confessions, op. cit*, p. 9.
[46] *Ibid.*
[47] *Ibid.*

similaires, la prise de conscience d'un vertige, d'une incontournable
béance. Le meilleur exemple en sera sans nul doute, dans le sixième
livre, la découverte du Pont du Gard :

> "C'était le premier ouvrage des Romains que j'eusse vu. Je
> m'attendais à voir un monument digne des mains qui l'avaient
> construit. Pour le coup l'objet passa mon attente, et ce fut la seule
> fois en ma vie. Il n'appartenait qu'aux Romains de produire cet effet.
> L'aspect de ce simple et noble ouvrage me frappa d'autant plus qu'il
> est au milieu d'un désert où le silence et la solitude rendent l'objet
> plus frappant et l'admiration plus vive; car ce prétendu pont n'était
> qu'un aqueduc."[48]

Le rythme binaire qui préside à la description de l'effet produit
sur le narrateur et, par suite, reportée, ou reproduite, jusqu'au lecteur,
ne laisse pas de s'achever brusquement, dès lors que l'identité même du
vestige - un aqueduc - est révélée. Peut-être cette identité tire-t-elle le
conteur du passé glorieux des Romains pour le transporter, le temps
d'un leurre, à la gloire non moins réelle de l'épisode du noyer de la
terrasse, où l'orgueil, rappelons-le, le cède à la vanité:

> "Jusque là j'avais eu des accès d'orgueil par intervalles quand j'étais
> Aristide ou Brutus. Ce fut ici mon premier mouvement de vanité bien
> marquée. Avoir pu construire un aqueduc de nos mains, avoir mis une
> bouture en concurrence avec un grand arbre me paraissait le suprême
> degré de la gloire. A dix ans j'en jugeais mieux que César à trente."[49]

Le pont du Gard, s'il provoque "l'admiration" du
contemplateur, le renvoie, en un écart qui est d'abord un écho, aux
vestiges de son propre passé. L'auteur de l'*Essai sur l'origine des
langues* usait déjà d'une formule des plus denses lorsqu'il s'agissait,
dans le seizième chapitre ("Fausse analogie entre les couleurs et les
sons") de rendre compte de cette activité de l'observateur :

> "Que toute la nature soit endormie, celui qui la contemple ne dort pas,
> et l'art du musicien consiste à substituer à l'image insensible de l'objet
> celle des mouvements que sa présence excite dans le coeur du
> contemplateur."[50]

Sans doute Rousseau n'a-t-il nullement songé à faire d'abord,
dans l'élaboration de son long plaidoyer, oeuvre de musicien. Mais
c'est bien le regret de souvenirs seulement entrevus, c'est bien la
conscience de mondes distincts, que le temps se plaît à écarteler, et dont

---

[48] *Confessions, op. cit,* pp. 255-256.
[49] *Confessions, op. cit,* p. 24.
[50] *Essai sur l'origine des langues,* in *Oeuvres complètes, op. cit,* V,
p. 422.

l'écriture seule pourrait, le temps d'un partage, assumer l'impossible cohérence, qui donnent aux *Confessions* leur tonalité particulière. Peut-il alors être question de chant, de mélopée, de romance ? Ne s'agirait-il au contraire que d'un simple romancement, du simple désir de voir -ou d'entendre- la réalité dépassée par ce qui n'est plus, au vu et su de tous, qu'une *fiction* ? A moins que le charme des *Confessions* ne réside précisément dans cette indécision, cette imprécision ? Comme s'il fallait, une ultime fois, que nous parvînt la voix de tante Suzon. Une voix, non un discours. Un air, mais un air sans paroles. Une aire. Celle, peut-être, de la *romance.*

DU SUJET ÉPISTOLAIRE AU SUJET AUTOBIOGRAPHIQUE L'INVENTION DU MYTHE DANS *LA NOUVELLE HELOISE*

Anne CHAMAYOU

Université d'Artois

Introduction

Les années 1760 semblent représenter une sorte de foyer épistolaire dans la création de Rousseau : en 1758 paraît la *Lettre à d'Alembert sur les spectacles*, en 1761, *La Nouvelle Héloïse* et au mois de janvier 1762 sont écrites à Malesherbes quatre lettres qui forment le premier moment de résolution du projet autobiographique. En confrontant ces trois textes, il apparaît que la modalité épistolaire correspond ici à une forme privilégiée pour le dépassement d'un certain nombre de conflits esthétiques qui se posent à Rousseau comme à son siècle. Mais selon un parcours propre à Rousseau, les lettres représentent aussi une sorte de laboratoire poétique qui a favorisé l'émergence d'une nouvelle conduite d'écriture, celle qui s'épanouira dans les oeuvres autobiographiques des dernières années.

La lettre chez Rousseau, celle du roman, celle de l'engagement philosophique ou celle de l'échange social, est utilisée à des fins d'épanchements et peut servir une visée apologétique. On peut invoquer à cela deux raisons : l'une d'origine biographique, l'autre de nature poétique. D'une part, la situation personnelle de Rousseau l'a fait échapper à la rhétorique des collèges qui enseignait l'art d'écrire dans une perspective entièrement tournée vers autrui. D'autre part, et plus profondément, la situation épistolaire représente pour lui un type idéal de communication : fondée sur une séparation, elle situe les partenaires de l'échange dans un espace tout à fait particulier, une sorte de présence-absence dans laquelle la relation réelle est tout à la fois située, figurée, et tenue à distance. L'autre s'offre dès lors comme médiateur privilégié et catalyseur éphémère d'une présence du sujet écrivant à lui-même. Ce type de médiation est à l'oeuvre dans les lettres de *La Nouvelle Héloïse* : il qualifie la correspondance amoureuse des héros de *Julie* comme il éclaire les relations de Rousseau et de ses personnages.

Dans la perspective de notre colloque, nous nous attacherons à *La Nouvelle Héloïse* : les *Confessions* fournissent des révélations sur la genèse de *Julie*, et l'on va d'ordinaire du Livre IX des *Confessions* vers le roman de 1761. Nous suivrons le trajet inverse pour montrer que la forme épistolaire a correspondu à une sorte d'apprentissage de la posture d'écriture qui sera celle du récit de vie. Dans *La Nouvelle Héloïse*, la lettre a permis en effet une redéfinition des rapports du réel et de la fiction qui engage bien plus que la légitimité du roman : d'elle dépend aussi le projet de vérité des écrits autobiographiques chez Rousseau.

1 - Fictions et fiction

En 1761, Rousseau, grand contempteur des romans, donne *La Nouvelle Héloïse*. C'est une contradiction, une de plus, mais celle-là, Rousseau la partage avec un large courant de son siècle, du moins chez les écrivains et le public lettré. La forme épistolaire vaut ici comme un indice : ce qui est évalué, à travers elle, c'est la légitimité du genre romanesque.

Au XVIIIe siècle, le développement du roman épistolaire répond, on le sait, à une régulation des excès déréalisants de la fiction : en effet, les lettres favorisent l'illusion d'une histoire prise sur le vif et d'un texte en train de s'écrire. De pseudo-éditeurs ou traducteurs construisent cette illusion, à grands renforts de preuves et de dénégations toujours semblables, dans des préfaces qui accompagnent systématiquement ce type d'oeuvres. Il est peu probable que ce dispositif ait été autre chose qu'une convention tacite. Néanmoins l'authentification des manuscrits prétendument trouvés signale un processus de légitimation de la fiction narrative.

Or dans *La Nouvelle Héloïse*, on retrouve bien ce même dispositif préfaciel, mais perpétuellement désamorcé par des affirmations contradictoires. Que les lettres des deux amants habitant au pied des Alpes soient "vraies" ou "fausses", peu importe : cette publication ne fait aux yeux de Rousseau que confirmer la corruption d'un siècle frivole dont les romans ont favorisé la dégradation morale. *La Nouvelle Héloïse* repose donc sur un double paradoxe : d'une part la lettre y est utilisée au rebours d'une tradition qui a consacré sa charge "réaliste", elle ne vient pas servir ici de garantie d'authenticité pour le récit, même pour sacrifier à une convention esthétique. D'autre part, dans la préface de *Julie*, la forme romanesque est à la fois énoncée et dénoncée :

Quoique je ne porte ici que le titre d'éditeur, j'ai travaillé moi-même à ce livre et je ne m'en cache pas. Ai-je fait le tout et la correspondance entière est-elle une fiction ? Gens du monde que vous importe ? C'est sûrement une fiction pour vous."

Cette précision du préfacier montre toute l'ambiguïté du projet. La notion de fiction change en effet de sens d'une occurrence à l'autre. Si elle désigne d'abord le statut des lettres présentées, texte authentique ou création romanesque, elle interroge dans la deuxième occurrence la recevabilité morale du récit. *Fiction* est aux yeux du monde non pas un ouvrage d'imagination mais *une vérité morale qui ne peut pas se faire entendre*. Le débat ouvert par cette préface signale un déplacement qui est aussi un conflit entre une représentation esthétique et une représentation morale, entre les fictions et la fiction, entre le roman et la lettre.

En réalité Rousseau ne succombe pas à la fascination d'un genre réprouvé comme on pourrait le croire, il invente un romanesque de type nouveau auquel sa conscience et son imagination puissent ensemble s'accorder. En effet, ce n'est pas la fiction elle-même que Rousseau dénonce dans le roman mais la nature de cette fiction. L'*Entretien sur les romans* montrera que la condamnation porte moins sur l'opposition de l'artifice littéraire et de la vie réelle que sur l'écart entre les fictions et la réalité vécue, c'est-à-dire la réalité *sociale* de ceux qui les lisent. Ce sont l'urbanisation de l'univers romanesque et le type social des héros[1] qui "troublent les têtes". La question de la plausibilité de l'intrigue se trouve ainsi redéfinie comme la question de sa pertinence sociale. Le réalisme sociologique du roman impose une nouvelle esthétique sans que pour autant l'imaginaire perde ses droits. Chez Rousseau la fiction sera donc chimérique et bourgeoise.

2 - La "romance" épistolaire

La contribution apportée par *La Nouvelle Héloïse* au développement du roman ne peut pas être mise sur le compte d'un quelconque "réalisme". A l'école de Richardson, la narration épistolaire permet assurément de donner accès à du "vécu"[2]. Pourtant, cet effet de

---

1 "Les gens du bel air, les femmes à la mode, les grands, les militaires: voilà les acteurs de tous vos romans" (*La Nouvelle Héloïse*, p.578).

2 Dans le roman épistolaire, l'identité assumée par les personnages se constitue selon une échelle temporelle bien graduée puisque la chaîne des événements est

réel dont bénéficie parfois le roman de Rousseau ne sert absolument pas le réalisme de l'oeuvre. D'une part, comme le fait remarquer sarcastiquement l'interlocuteur de R. dans l'*Entretien sur les romans*, la trame comporte nombre d'invraisemblances, comme celle-ci "*Un mari débonnaire et hospitalier empressé d'établir dans sa maison l'ancien amant de sa femme*"... D'autre part, *La Nouvelle Héloïse* est pauvre en événements : c'est une tendance du roman épistolaire, où comme l'a noté Jean Rousset, "l'instrument du récit l'emporte sur le récit"[3]. Mais dans *La Nouvelle Héloïse* cette dimension s'inscrit dans l'économie profonde de l'oeuvre. Le seul événement véritable est en effet la *coïncidence des coeurs* à la fois obtenue et prouvée par la transparence des langages et l'unisson des styles.

La logique interne de l'oeuvre est en effet d'ordre musical : c'est celle qui conduit du grand duo d'amour de Saint-Preux et Julie à la polyphonie sociale de Clarens. Ce passage s'opère du point de vue de l'intrigue par des revirements et des chutes, des départs et des retours. Mais en réalité, on ne peut invoquer de progression pour cette oeuvre : l'union sociale qui régnera à Clarens est de même nature que l'union sentimentale des héros et elle en procède. Elle en est comme l'ultime émanation. Ce qui mène du couple des amants à la communauté des belles âmes dans la fin du roman, c'est moins une sublimation morale ou psychologique qu'une amplification de cette nouvelle langue de la sensibilité qui s'exprimait dans le duo lyrique.

A cet effet Rousseau réinvente la lettre. La polyphonie épistolaire ne sera guère exploitée ici pour faire valoir la diversité des points de vue comme dans les *Lettres persanes* ; elle ne servira pas non plus à enrichir la composition des personnages, comme le pratiquera admirablement Laclos par exemple. Rousseau le reconnaît dans la *Seconde Préface*:"*Les amis confondant leurs âmes confondent aussi leur manière de penser, de sentir, de dire*". Au royaume de l'alter ego, la polyphonie feint d'orchestrer la pluralité des voix pour mieux faire entendre la mélodie qui organise l'union des âmes.

---

contemporaine de la rédaction des lettres. Ce sont des circonstances particulières qui forment l'intrigue, la trame pouvant intégrer jusqu'aux détails de la vie domestique. Enfin, le langage des personnages serre au plus près les émotions et les situations, fût-ce au prix d'un gauchissement du style.

[3] *Forme et signification, Une forme littéraire: le roman par lettres*, Paris, Corti, 1962.

La question du roman dépend donc en réalité d'un ensemble de représentations où se conjuguent des présupposés théoriques, des dispositions personnelles, et une poétique de l'épistolaire. C'est nécessairement que Rousseau, lorsqu'il se tourne vers le roman, rencontre le type de narration dans laquelle personnages et événements n'existent qu'à l'état de discours. L'impression d'authenticité des lettres se fonde sur la vérité stylistique de l'énonciation non sur la vraisemblance des faits. La forme épistolaire du roman vient répondre pour Rousseau à une double aspiration : elle déplace le centre de gravité du réel, de l'extérieur vers l'intérieur du sujet, des objets vers le langage ; et elle permet d'alléger la fiction de ses aspects les plus inessentiels – événements ou caractères qui forment l'intrigue – : la narration ne s'y soutient que par le sentiment devenu *un état musical du langage*. Elle rejoint ainsi non le roman mais *"la longue romance"* (*Entretien sur les romans*), cette "romance" que le *Dictionnaire de la Musique* définit comme "une voix juste et nette qui chante simplement". Et au-delà, elle apparente l'échange épistolaire à l'état primitif de l'échange des hommes tel que l'*Essai sur l'origine des langues* s'est plu à le reconstituer. En réorganisant la polyphonie épistolaire comme une distribution mélodique des voix, Rousseau consacre toute l'énergie de la lettre à l'expression d'une vérité du coeur : celle des personnages qui dialoguent dans la fiction et celle des figures intimes de l'auteur qui dialoguent grâce aux voix des personnages.

A l'intérieur du système romanesque, les lettres opèrent une redistribution des catégories antagonistes de la réalité et de la fiction. Elles ne représentent pas une espèce de compromis – un peu de réalité, un peu de fiction –, mais elles oeuvrent à un dépassement : *ni* réalité, *ni* fiction, le roman épistolaire répond chez Rousseau à la nécessité d'une *fictionnalisation de la vérité intérieure*.

Le statut de la fiction ainsi redéfinie s'inscrit dans une plus large méditation : c'est en fait la relation du sujet et du monde qui est en jeu ici. A la connaissance de la réalité, Rousseau oppose une imagination du réel qui favorise ce que nous reconnaissons dans les lettres comme une écriture du mythe.

3 - Le mythe ou l'imagination du réel

L'expérience entière de Rousseau lui a démontré la supériorité totale de l'imagination sur le réel. Quelles que soient les situations de l'existence, le secret du bonheur comme du plaisir ne réside pas pour lui dans la réalité mais dans les désirs que souvent elle éveille et qu'elle est impuissante à combler. Cette déficience du réel déclenche un processus de compensation imaginaire maintes fois repérable dans les *Confessions*. L'imagination néanmoins ne se borne pas à exercer une fonction de suppléance : elle peut aller jusqu'à opérer la révocation du réel qui est chez Rousseau l'acte fondamental de l'écriture :

> "Ma mauvaise tête ne peut s'assujettir aux choses. Elle ne saurait embellir, elle veut créer. [...] Si je veux peindre le printemps il faut que je sois en hiver; si je veux décrire un beau paysage il faut que je sois dans des murs, et j'ai dit cent fois que si jamais j'étais mis à la Bastille, j'y ferais le tableau de la liberté" (les *Confessions*, Livre IV, p.172).

Si bien que, par un double renversement assez audacieux, le souvenir est l'occasion de la vraie possession et de la véritable actualité des événements ; et l'inexistence provoque l'intensité intérieure : comme l'écrivait Julie, *"il n'est rien de beau que ce qui n'est pas"*[4]. Pour Rousseau aussi, "la vraie vie est absente", c'est-à-dire dans l'absence, par la struture même de son énonciation, la forme épistolaire favorise ce type de renversement : elle permet de hanter la distance des deux partenaires sous prétexte de la réduire, elle entretient par l'absence, sous prétexte de l'abolir, un désir entièrement tendu vers l'autre et voué à demeurer intérieur. L'autre à qui on s'adresse ne sera ni tout à fait rejoint ni complètement perdu : il accède à une sorte de *présence poétique*, en se confondant avec les signes d'une écriture qu'il a provoquée mais qui le dépasse et qui lui survit.

On le voit chez les personnages de *Julie*. L'état parfait de leur amour est celui qu'ils ont connu avant de le faire. Toute la logique du roman vise à les restaurer dans cette perfection et pas seulement pour les laver de la faute charnelle : le renoncement de Julie permet aux deux amants de perdurer dans l'intensité de leur passion : passion d'absence et d'écriture, *un amour par correspondance*. La mort de Julie répond à la même nécessité: à la fin de *La Nouvelle Héloïse*, le retour de Saint-Preux à Clarens comporte le risque d'une réévaluation de l'univers amoureux, d'un compromis à trouver entre l'existence et le langage, entre l'amour et les lettres ; or ce compromis est profondément impossible. C'est pourquoi la mort de Julie est une absolue nécessité : non pas, comme l'indique le début de sa dernière lettre parce qu'elle *"met [son] honneur à couvert"*, mais parce qu'elle lui offre la chance *"d'acheter au prix de [sa] vie le*

---

[4] *La Nouvelle Héloïse*, Lettre VIII, Sixième partie.

droit d'aimer [Saint-Preux] toujours sans crime et de le lui] <u>*dire*</u> *encore une fois"* (nous soulignons). Cette dernière lettre porte le don de la morte à l'absent ; elle procède à une double révélation : Julie n'a pas cessé un seul instant d'aimer d'amour ; et Julie doit mourir avant que Saint-Preux ne revienne à Clarens, *parce que* la communication amoureuse ne peut exister que *par* la communication épistolaire. Il ne reste donc qu'à mourir pour pouvoir écrire.

Chez Rousseau, en effet, l'imagination révèle l'être dans la profondeur de sa *"vérité morale cent fois plus respectable que celle des faits"* (*Les Rêveries du promeneur solitaire*, IVe Promenade). Cette notion de *vérité morale* est capitale on le voit : non seulement elle oriente le projet autobiographique mais encore elle renvoie à l'évidence d'une cohérence personnelle qui, ne pouvant se démontrer, ne peut que se *"sentir"* et se dire, et précisément se sentir dans le moment où elle s'écrit. La vérité morale est prise dans les replis d'une âme dont elle assume toutes les contradictions en les transcendant. Quelles que soient les recréations des événements auxquelles elles s'abandonne, elle invente toujours juste quand elle invente selon son ordre. Ainsi l'homme vrai *"ne veut jamais être faux quoiqu'il soit souvent fabuleux"*.

Cette distinction proposée par *Les Rêveries* permet de cerner le statut de la fiction dans l'univers romanesque de *La Nouvelle Héloïse* : pourvu qu'elle respecte les mots du coeur, la fiction *fait justice* à la vérité morale et le problème de sa justesse, le sens des proportions par exemple, est relégué au second plan. La fiction ne dénature pas mais accomplit cette vérité du coeur sensible, et la sensibilité chez Rousseau, c'est avant tout une langue : à travers les voix épistolaires se module cette vérité – ni vraie ni fausse – des coeurs coïncidant harmonieusement avec leur propre langage.

Entre la fiction et la vérité, *La Nouvelle Héloïse* prend pour territoire cet espace dont la littérature se souviendra sous les termes d'un "mentir-vrai"· Les antagonismes de la vérité et de la fiction sont dépassés par la forme épistolaire comme expression musicale de la vérité du coeur. Ces antagonismes se résorbent en ce que nous pourrions appeler *le mythe*. La vérité, celle des significations et non celle de l'histoire, s'expose dans le mythe en des figures spirituelles que la narration dégage de toute implication. Présente et dérobée, éclairante et indémontrable, discours venu de nulle part, la vérité du mythe est dans la langue[5]. La notion de mythe nous permet de cerner le romanesque particulier de *La Nouvelle Héloïse*, mais il nous semble nécessaire de suggérer que ce traitement des rapports du réel, de la vérité et de la fiction pourrait caractériser une posture du sujet écrivant qui concerne l'ensemble de la poétique rousseauiste.

Le champ s'en dessine tout particulièrement à travers le registre épistolaire : en tenant à l'écart le réel, en substituant à la vérité du monde la vérité musicale d'un langage venu du coeur, en s'alimentant à des passions imaginaires qui lui servent d'univers, le roman de 1761 manifeste et prépare cette écriture que nous appelons mythe. Le sacrifice de celui qui écrit n'y manque pas : Rousseau est en effet "passé de l'autre côté" depuis ce jour de 1756 où dans la retraite il a choisi de mourir à un certain monde, et *La Nouvelle Héloïse* a germé dans les premiers temps de cette retraite. Dans la retraite Rousseau n'y est plus pour personne, et dans l'oeuvre l'auteur s'est congédié. Bien sûr il continue d'écrire mais le talent s'est enfui. Les "*érotiques transports*" qu'il éprouve pour les deux cousines de son rêve lui permettent de vivre, à travers les fantômes du roman, des amours défuntes ou jamais accomplies. Retiré et malade, définitivement absent, l'écrivain par sa disparition assure la vérité d'un dire qui ne subsiste que par lui-même.

Conclusion

La forme épistolaire semble ainsi représenter une étape sur la voie qui mène Rousseau à confondre sa vie et son écriture : contrepoints symboliques d'une existence dont elles se réapproprient les virtualités et dont elles étendent les significations, les lettres initient à cette pure jouissance que connaîtra enfin Rousseau dans la coïncidence de soi à soi, par la médiation du langage. La liquidation de la littérature comme art, par la voie du mythe, n'aura pas eu l'effet escompté par Rousseau : nous reconnaissons là au contraire ce que nous appelons Littérature, à la lumière de ce qu'en ont fait Chateaubriand, Hugo, Nerval ou Proust : l'échec imposé au réel par la vérité intérieure, l'échec imposé à l'histoire par le mythe, l'accomplissement somptueux d'un dire de l'être qui devient à lui seul la prose du monde.

---

5 "Mythe est le nom de tout ce qui n'existe et ne subsiste qu'ayant la parole pour cause", Paul Valéry, *Petite lettre sur les Mythes, Variété II.*

LES VOIX DE JEAN-JACQUES
ET LA VOIX DE L'AUTRE
DANS *LES DIALOGUES*

Laurence VIGLIENO
Université de Nice-Sophia Antipolis

Le livre XII des *Confessions* se ferme sur le constat d'un échec. En lisant à haute voix son autobiographie, Rousseau n'a pu, comme il l'espérait, amener ses auditeurs à débattre avec lui de son cas. La déclaration qu'il adresse à son public retombe dans un pesant silence[1]. Il aura donc de nouveau recours au "supplément" de l'écriture puisque l'échange direct avec autrui lui est refusé, mais en adoptant la forme la plus proche de la communication orale, celle du dialogue. C'est la première fois qu'il aborde dans une oeuvre de longue haleine ce genre qui ne paraît pas particulièrement approprié à son génie[2]. En effet le dialogue d'idées dont on sait la vogue au dix-huitième siècle[3], sans être la transcription fidèle d'une discussion parlée, tire néanmoins son agrément de "l'esprit de conversation" qui requiert concision, finesse malicieuse, don de répartie[4]. Or Rousseau ne s'est jamais senti de disposition pour les ouvrages "qui veulent être faits avec une certaine légèreté"[5] et, dans la situation cauchemardesque où il croit se trouver, il ne saurait débattre du pour et du contre sur le ton de la bonne compagnie. En dépit de ses efforts pour trouver une logique à la conduite de ses ennemis, il risque sans cesse d'être submergé par ses fantasmes. Sous la poussée de l'indignation, de l'angoisse, le cadre habituel du dialogue explose : Rousseau écrit une oeuvre longue,

---

[1] Il est vrai que cette déclaration apparaissait plutôt comme un défi, une provocation qu'une réelle invitation à la discussion, tout contradicteur éventuel étant jugé "un homme à étouffer", *Oeuvres complètes*, I, Bibliothèque de la Pléiade, 1959, p. 656.

[2] Il y avait eu recours occasionnellement pour illustrer ses propos pédagogiques dans l'*Emile* ou à des fins déjà apologétiques dans la Seconde Préface *de La Nouvelle Héloïse* comme plus tard dans *Les Lettres écrites de la Montagne*.

[3] Maurice Roelens a recensé plus de 250 oeuvres dialoguées entre 1700 et 1789. "Le dialogue d'idées au XVIIIe siècle" in *Histoire Littéraire de la France*, Les Editions Sociales, 1976, tome 6, p. 259.

[4] Il suffit de penser aux *Dialogues* de Voltaire ou aux débats pleins de verve du *Neveu de Rameau*.

[5] *Confessions*, éd. citée, p. 114.

touffue, tourmentée, à l'accent pathétique. Il est d'ailleurs parfaitement conscient de la difficulté qu'il rencontre à maîtriser la conduite d'une discussion qui l'affecte trop vivement :

> "Voyant l'excessive longueur de ces dialogues j'ai tenté plusieurs fois de les élaguer, d'en ôter les fréquentes répétitions, d'y mettre un peu d'ordre et de suite ; jamais je n'ai pu soutenir ce nouveau tourment"[6].

Mais, en dernier ressort, il se félicite de n'avoir pas réussi à rendre plus attrayants, plus animés, des entretiens qui portent sur le drame de sa destinée :

> "J'éviterai du moins cette dernière indignité que le tableau des misères de ma vie soit pour personne un objet d'amusement" (D. 666).

Ainsi la lecture des *Dialogues* ne pourra être "profanée", comme l'a été celle des *Confessions* (D. 859). Seuls ceux qui aiment sincèrement la justice et la vérité auront le courage de s'aventurer dans ce "cahos de désordre et de redites" (D. 666) pour y découvrir la pensée de l'auteur. En conclura-t-on qu'en dépit de la forme qu'il revêt, cet ouvrage ne conserve aucun caractère d'un échange oral, ne donne pas à entendre de voix ? C'est ce que suggère Michel Foucault :

> "La conversation des *Dialogues* est aussi écrite que Les *Confessions* en leur monologue étaient parlées"[7].

Il est de fait que Rousseau ne se raconte plus directement au lecteur : il est devenu l'objet du discours de deux interlocuteurs qui expriment tour à tour leur point de vue dans des tirades souvent longues et ne se coupent qu'exceptionnellement la parole l'un à l'autre[8]. Il n'use donc guère apparemment du style de la conversation. Néanmoins s'il poursuit obstinément sa pénible entreprise, c'est dans un effort désespéré pour faire entendre sa vraie voix et contraindre l'adversaire à se faire entendre à son tour. A force de méditer sur les persécutions qu'il a subies, sur les péripéties de son séjour en Angleterre, les tracasseries qu'on lui a fait supporter à Trye, à Bourgoin, il a fini par se convaincre qu'un mystérieux jugement non écrit le désignait au public comme un monstre, un scélérat[9]. Mais on ne lui permet pas de se défendre et on refuse de lui

---

[6] *Rousseau juge de Jean Jacques, Oeuvres complètes*, T.I., Bibliothèque de la Pléiade, p. 665. Dans la suite de cet article nous désignerons par D cette édition.

[7] *Rousseau juge de Jean Jacques, Dialogues.* Texte présenté par Michel Foucault, Armand Colin, 1962, p. VIII.

[8] Ainsi dans le *Second Dialogue,* l'exposé du personnage Rousseau occupe plus de 26 pages, sans aucune interruption de son interlocuteur, D. pp. 802-829.

[9] Le terme de "monstre" figure 26 fois dans le *Premier Dialogue,* celui de scélérat 35 fois. (D'après l'Index Slatkine 1977). Les deux termes sont déjà associés

faire entendre sa vraie voix et contraindre l'adversaire à se faire entendre à son tour. A force de méditer sur les persécutions qu'il a subies, sur les péripéties de son séjour en Angleterre, les tracasseries qu'on lui a fait supporter à Trye, à Bourgoin, il a fini par se convaincre qu'un mystérieux jugement non écrit le désignait au public comme un monstre, un scélérat[9]. Mais on ne lui permet pas de se défendre et on refuse de lui donner communication du verdict. Le silence qu'on lui impose comme celui dont on l'entoure représente donc un déni de justice intolérable. Rousseau se doit à lui-même de dénoncer l'étouffement de la voix dont il est victime et de susciter la voix de la partie adverse. Ecrire les *Dialogues* c'est avant tout se battre pour percer le mur du silence. Mais comment faire parler un homme "à qui l'on a ôté la voix" (D. 767) et comment obliger à répondre qui a résolu de rester muet par pure méchanceté ? Les deux personnages que Rousseau fait dialoguer l'aident à contourner ces difficultés.

D'abord le dédoublement de Rousseau et de Jean-Jacques annoncé par le titre : *Rousseau juge de Jean-Jacques*[10] présente notamment l'avantage de maintenir une part de la personnalité de l'écrivain à l'abri des accusations ignominieuses. Rousseau en tant qu'interlocuteur du Français dans *Les Dialogues* ne s'est pas vu retirer le droit à la parole et à l'information comme Jean-Jacques. Il apporte une réponse à la question angoissée que posait l'auteur en préliminaire :

> "Mais celui qui se sent digne d'honneur et d'estime et que le public défigure et diffame à plaisir, de quel ton se rendra-t-il seul la justice qui lui est dûe ?" (D. 665)

Pour parler dignement de lui-même, Jean Jacques Rousseau devra faire entendre sa voix d'ailleurs :

> "Il fallait nécessairement que je disse de quel oeil, si j'étais un autre, je verrais un homme tel que je suis" (D. 665).

Dans cette position d'un équilibre périlleux "le grand écart" total dont parle Philippe Lejeune[11], le double prend appui sur le nom de Rousseau fièrement assumé, ce nom que l'auteur mettait jadis en tête de ses écrits les plus hardis. On sait que peu avant de regagner Paris en février 1770,

---

9 Le terme de "monstre" figure 26 fois dans le *Premier Dialogue,* celui de scélérat 35 fois. (D'après l'Index Slatkine 1977). Les deux termes sont déjà associés dans *La Lettre à Christophe de Beaumont* : "un scélérat, un monstre exécrable", *Oeuvres complètes*, Bibliothèque de la Pléiade, IV, p. 965.

10 Sur le caractère insolite de ce titre qui englobe le nom de l'auteur et l'objet du livre, voir la Postface de Michel Launay à l'*Index de Rousseau juge de Jean-Jacques,* Slatkine, 1977, p. 241-254.

11 *Je est un autre,* Seuil, 1980, p. 56.

pour y soutenir sa cause, Rousseau a voulu reprendre son nom, un nom "que je n'aurais jamais dû quitter", écrit-il à Mme de Berthier et à Moultou[12]. Il avait pourtant d'abord accepté de bonne grâce de se cacher derrière un pseudonyme, comme le lui demandait le Prince de Conti. En se faisant appeler Renou, il devait nourrir l'illusion de commencer une autre vie, ou plutôt de retrouver la vie paisible et innocente qui avait été la sienne avant ses débuts dans la carrière des Lettres. Mais cette clandestinité lui a paru finalement avilissante. Renoncer à un nom célèbre, c'était faire le jeu de ceux qui voulaient le réduire au silence. En revenant sous son véritable nom dans la capitale où il est toujours sous le coup d'un décret de prise de corps, il met au défi ses ennemis. Toutefois, dans "*Du sujet et de la forme de cet écrit*", ce n'est pas au pseudonyme de Renou, qui n'eut jamais droit de cité dans son oeuvre, qu'il oppose le nom de Rousseau, mais à son nom de baptême par lequel le public a pris l'habitude de le désigner. Nous serions tentés de croire aujourd'hui que c'était le plus beau titre de gloire de Rousseau de s'être fait un prénom au prestige déjà mythique : seul parmi ses contemporains il a bénéficié de ce privilège. Mais à l'époque des *Dialogues* toute marque d'attention, d'admiration lui est suspecte : il y flaire la dérision. Ajoutons qu'il a toujours eu une attitude ambivalente à l'égard de ceux qui se montraient familiers avec lui, partagé entre le désir et la crainte de leurs "enlacements". Bien peu de ses intimes en tout cas semblent avoir été autorisés à l'appeler par son prénom[13]. Peut-être appréhendait-il de profaner les souvenirs de sa petite enfance genevoise. A la fin de la *Lettre à d'Alembert* comme au Premier Livre des *Confessions*, c'est la voix du père qui interpelait l'enfant par son prénom. La douce voix de tante Suzon le nommait sûrement ainsi tout comme celle compatissante de sa mie Jacqueline. Lorsque Rousseau s'apostrophe par son nom de baptême dans les *Confessions*, il s'adresse souvent à l'enfant qui est demeuré en lui, avec une nuance d'attendrissement teinté parfois d'ironie : "Pauvre Jean-Jacques" est dans ce cas, sa formule favorite[14]. Mais le prénom symbolise aussi parfois, au lieu de l'inexpérience puérile, un idéal du moi constitué au temps des lectures héroïques avec le père auquel l'adulte est sommé de se conformer.

---

12 Le même jour : 17 février 1770, *Correspondance complète*, Leigh, t. XXXVII, p. 220 et 230.

13 Des femmes surtout : Mme de Créqui, Mme de la Tour Franqueville, et pas de manière constante.

14 *Confessions*, éd. citée, p. 149 ou encore 442.

"Jean-Jacques se laissera-t-il subjuguer à ce point par l'intérêt et la curiosité"[15].

En faisant appel à Jean-Jacques, Rousseau trouve en définitive un garant de la pureté de ses intentions, qui le libère du poids de ses actions.

"Jamais un seul instant de sa vie, Jean-Jacques n'a pu être un homme sans sentiment, sans entrailles, un père dénaturé"[16].

En bref Jean-Jacques est l'homme naturel que Rousseau porte en lui, qui atteste la permanence de son moi. Mais dans *Les Confessions* le dédoublement entre Rousseau et Jean-Jacques est seulement esquissé : les différentes voix de l'auteur alternent sans réelle dissonance. L'atmosphère de procès qui pèse sur *Les Dialogues* (Rousseau ne s'y institue-t-il pas "juge" de Jean-Jacques !) exige un tout autre effort de dissociation. Pour pouvoir juger Jean-Jacques, Rousseau doit d'abord prendre les plus grandes distances à l'égard de son alter ego, le traiter comme un inconnu. Il ne met pas en doute les révélations aberrantes du Français sur "l'autre", au moins dans un premier temps. Il rejette indigné toute possibilité de contact avec le scélérat qu'on lui a dépeint.

"Que m'osez-vous proposer, Moi que j'aille chercher un pareil monstre! Que je le voye ! que je le hante" (D. 690).

S'étant aussi clairement désolidarisé de Jean-Jacques l'homme célèbre, Rousseau ne sera pas soupçonné de partialité s'il met en cause les méthodes employées contre le coupable, s'il dénonce la conspiration du silence qui prive l'accusé de son droit légitime à se défendre.

En fait la hantise de ne pouvoir faire entendre sa voix tourmente depuis longtemps l'auteur des *Dialogues*. Dès 1762 il s'est senti atteint dans sa liberté d'expression. Le verdict rendu contre *Emile*, lui donne pour la première fois matière à se plaindre d'être condamné sans avoir été entendu, d'où ses sarcasmes contre "cette terre hospitalière [...] où l'on donne des fers à l'étranger avant de l'entendre"[17]. Il n'aura pas plus à se louer de Genève, comme en témoignent les *Lettres écrites de la Montagne* où il utilise l'argument juridique qu'il reprendra et illustrera d'anecdotes significatives dans *Les Dialogues*.

"Car quand toute la ville aurait vu un homme en assassiner un autre, encore ne jugerait-on point un assassin sans l'entendre, ou sans l'avoir mis à portée d'être entendu"[18].

---

[15] *Op. cit.*, p. 339.
[16] *Op. cit.*, p. 357.
[17] *Lettre à Christophe de Beaumont*, éd. cit., p. 930.
[18] *Oeuvres complètes III*, éd. citée, p. 793.

Du moins était-il en mesure dans les années 1762-1765 de faire appel par ses écrits devant l'Europe pensante des condamnations injustes prononcées contre lui et d'obtenir un soutien souvent enthousiaste[19]. Mais il ne semble pas que cette compensation ait suffi à apaiser son angoisse du jugement d'autrui. On ne lui a pas laissé assumer sa devise, alors qu'il en avait expressément manifesté l'intention[20], on ne lui a pas laissé briguer cette gloire du martyre à laquelle il aspirait obscurément depuis son enfance. Finalement il en a a voulu à ses protecteurs, trop zélés ou trop pusillanimes qui l'ont frustré de la parole vive qu'il brûlait de faire retentir devant les tribunaux, et l'ont pressé de fuir. Les conditions de clandestinité auxquelles il s'est trouvé soumis à son retour en France en 1767, après des années d'exil aux péripéties souvent dramatiques ne pouvaient qu'aviver en lui le sentiment d'être victime d'un interdit intolérable. Ce n'est plus seulement devant les tribunaux qu'on lui retire le droit à la parole, mais, croit-il, dans toutes les circonstances de sa vie. On lui a attaché un "baillon" infâmant (D. 756), on l'a voué à l'impuissance. Ce qui pouvait passer autrefois pour précaution légitime, geste de protection des "bienfaiteurs" de Jean-Jacques, est devenu traitement inique, supplice inouï, qu'illustre de façon saisissante l'aventure de Lazarillo de Tormes :

> "Quand le pauvre Lazarillo de Tormes attaché dans le fonds d'une cuve, la tête seule hors de l'eau, couronnée de roseaux et d'algue, était promené de ville en ville comme un monstre marin, les spectateurs extravagaient-ils de le prendre pour tel, ignorant qu'on l'empêchait de parler, et que s'il voulait crier qu'il n'était pas un monstre marin, une corde tirée en cachette le forçait de faire à l'instant le plongeon ?" (D. 768).

Il revient alors au personnage Rousseau de se faire l'écho, l'amplificateur d'une voix véhémente dont on cherche à étouffer les protestations :

> "Parlez haut, traîtres que vous êtes ; me voilà. Qu'avez vous à dire ?" (D. 760).

En provoquant fièrement ses persécuteurs Jean-Jacques donne déjà une preuve de son innocence. Car, ainsi que l'écrivait Rousseau à Dusaulx dans une surprenante lettre aux accents shakespeariens :

---

[19] *La Lettre à Christophe de Beaumont* a obtenu un vif succès, comme le rappelle Marie-hélène Cotoni, *La Lettre de Jean Jacques Rousseau à Christophe de Beaumont*, Etude linguistique, Les Belles Lettres, C.E.L., 1977.

[20] "Mais, cher Moultou, si la devise que j'ai prise n'est pas un pur bavardage, c'est ici l'occasion de m'en montrer digne, et à quoi puis-je mieux employer le peu de vie qui me reste ?" *Correspondance complète*, T. XI, p. 36.

"Jamais on n'a vu, jamais on ne verra le mensonge marcher fièrement à la face du soleil en interpelant à grands cris la vérité, et celle-ci devenir cauteleuse, craintive, et traîtresse, se masquer devant lui, fuir sa présence, n'oser l'accuser qu'en secret, et se cacher dans les ténèbres"[21].

Pour méprisable qu'il soit, le silence de l'ennemi n'en constitue pas moins une muraille étouffante. Contre des accusateurs reconnus, contre des accusations explicitement formulées, Rousseau saurait se défendre. Mais on lui prodigue des éloges mielleux qui sonnent comme autant d'outrages :

"Le mot d'admiration surtout, d'un effet admirable auprès de lui exprime assez bien dans un autre sens l'idée des sentiments qu'un pareil monstre inspire, et ces doubles ententes jésuitiques si recherchées de nos messieurs leur rendent l'usage de ce mot très familier avec Jean-Jacques et très commode en lui parlant" (D. 770).

C'est sans doute dans le sentiment de culpabilité qui taraude Rousseau qu'il faut chercher la source de cette conviction douloureuse qu'on le loue par dérision. Songeons à l'aveu qu'il risquait au sujet de Marion dans le manuscrit de Neuchâtel :

"Cent fois j'ai cru l'entendre me dire au fond de mon coeur, tu fais l'honnête homme et tu n'es qu'un scélérat. Je ne saurais dire combien cette idée a empoisonné d'éloges que j'ai reçus, et combien souvent en moi-même elle me rend tourmentante l'estime des hommes"[22].

Accuser ses admirateurs d'hypocrisie permet peut-être à Jean-Jacques d'apaiser ses remords. Il n'a plus à craindre d'usurper une estime imméritée. De plus c'est lui qui dénonce la comédie des autres au lieu de rougir de sa propre duplicité. Le personnage du Français lui permet de démystifier les agissements de la Ligue. Rousseau obtient de lui l'aveu qu'il a vainement sollicité de ses correspondants : Oui, il existe bien un complot contre Jean-Jacques, dans lequel est entrée toute une génération. Mais le Français n'appartient pas au petit clan des Messieurs qui dirigent les manoeuvres, il n'est qu'un "suiveur", non exempt des défauts que Rousseau prête à ses compatriotes : la satisfaction de soi, le manque d'esprit critique. Sa voix retransmet l'écho d'une rumeur propagée dans la nation, ce qui enlève toute consistance à l'argument du consentement universel invoqué contre Jean-Jacques :

"Si du nombre de ces bruyantes voix on ôtait les échos qui ne font que répéter celles des autres et que l'on comptât celles qui restent dans le silence, faute d'oser se faire entendre, il y aurait peut-être moins de disproportion que vous ne pensez" (D. 698).

---

[21] *Correspondance complète*, T. XXXVIII, n° 6832, 17 février 1771, p. 172.

[22] Ed. citée, p. 111.

Avec une sombre ironie l'auteur prête à cet homme crédule un éloge béat du plan "admirable" des persécuteurs de Jean-Jacques, de leurs "soins généreux", (D. 716) à son endroit. Dès longtemps Rousseau a constaté amèrement que ses adversaires avaient le don de prendre le beau rôle et de lui laisser l'apparence de tous les torts. Les réactions du Français illustrent de façon convaincante cette observation. Mais le personnage Rousseau en feignant de partager l'enthousiasme de son interlocuteur fait ressortir l'hypocrisie de ces prétendus bienfaiteurs :

> "Ah quelle douceur d'âme ! Quelle charité ! Le zèle de vos messieurs n'oublie rien" (D. 715).

Cet effort de l'écrivain pour maintenir une distance humoristique à l'égard des persécuteurs est vite étouffé par l'indignation. Derrière la voix comiquement extasiée du badaud perce la voix pathétique de Jean-Jacques traqué[23]. Dans la tirade du Français qui évoque en raccourci les pérégrinations de l'exilé, l'apologie des Messieurs se retourne en réquisitoire contre leurs procédés inhumains, ponctuée par la question douloureusement dérisoire qui revient comme un refrain lancinant après l'énoncé de chaque nouveau sévice : "Quel mal lui a-t-on fait ?" (D. 710).

Le Français ne tardera d'ailleurs pas à se détacher du troupeau docile aux instructions des auteurs du Complot. C'est un homme de bonne foi[24] qui ne s'est jamais mêlé aux flagorneurs qui encensent Jean-Jacques tout en le méprisant. La lecture des ouvrages de l'écrivain, le compte-rendu des visites du personnage Rousseau au persécuté le guériront de cette surdité mentale dont sont affectés ses contemporains. Sa "conversion" est le signe du pouvoir de la voix de la conscience qui parle en faveur de la justice (D. 972). Toutefois l'auteur évite d'idéaliser son personnage : ce n'est pas un Don Quichotte. Il refuse de se compromettre pour Jean-Jacques, même une fois convaincu de l'innocence de ce dernier :

> "J'ai un état, des amis à conserver, une famille à soutenir, des patrons à ménager" (D. 946).

Il a rompu la loi du silence pour le seul Rousseau et en y mettant de strictes conditions sur lesquelles il ne reviendra pas à la fin des entretiens. Mais peut-être permet-il ainsi à son créateur oppressé par

---

[23] James F. Jones s'est particulièrement intéressé à la notion de dialogisme utilisée par Bakhtin dans sa riche étude : *Rousseau's Dialogues' an interpretive essay,* Droz, 1991.

[24] Rousseau s'adresse à lui sur le ton que prenait Wolmar avec Saint-Preux : "Homme véridique et franc, je n'en veux pas davantage", *Nouvelle Héloïse,* éd. citée, II, p. 497.

l'universel silence qui l'entoure, de définir une zone de silence tolérable, préservée de l'hypocrisie et du mépris, d'éviter de rompre avec tous ceux qui se taisent :

> "[...] et si je ne puis lui révéler les mystères de ses ennemis il verra du moins que forcé de me taire je ne cherche pas à le tromper" (D. 975)

Reste que la confrontation indispensable entre Jean-Jacques et ses accusateurs ne peut avoir lieu : même dans l'espace fictif des *Dialogues*, elle est irréalisable, bien que constamment appelée :

> "Ce qu'il faudrait, c'est la discussion contradictoire des faits par les parties elles-mêmes, en sorte que les accusateurs et l'accusé soient mis en contradiction et qu'on l'entende dans ses réponses" (D. 938).

La voix de l'accusation échappe à toute prise : c'est un murmure insidieux dont on ne peut capter la source. Contre les ruses de l'ennemi la bonne foi de l'accusé demeure sans effet :

> "Eux au contraire ont toujours esquivé, fait le plongeon, parlé toujours entre eux à voix basse, lui cachant avec le plus grand soin leurs accusations, leurs témoins, leurs preuves, surtout leurs personnes, et fuyant avec le plus évident effroi toute espèce de confrontation" (D. 947).

Silence tactique donc que celui des maîtres du complot, selon l'interprétation qu'en propose Rousseau. Mais on peut se demander si, de son côté, ce dernier désire vraiment percevoir cette voix maléfique et la donner à entendre au lecteur. La parole du "méchant" a toujours provoqué chez Jean-Jacques un mouvement de rejet angoissé. Déjà lors de la grande crise de l'Ermitage, il n'avait pu lire jusqu'au bout la lettre accusatrice de Grimm, la lui avait renvoyée, sans en prendre copie, contrairement à son habitude, refusait de la résumer à Mme d'Houdetot, comme s'il avait voulu effacer toute trace de ce verdict qui continuait pourtant à retentir en lui :

> "Grand Dieu, suis-je un scélérat ? un scélérat moi ! Je l'apprends bien tard"[25].

Il est sûrement de bonne foi lorsqu'il définit sa méthode dans "*Sujet et forme de cet écrit*" :

> "Epuiser tout ce qui pouvait se dire en leur faveur [celle de ses adversaires] était le seul moyen que j'eusse de trouver ce qu'ils disent en effet, et c'est ce que j'ai tâché de faire, en mettant de leur côté tout ce que j'y ai pu mettre de motifs plausibles et d'arguments spécieux, et cumulant contre moi toutes les charges imaginables Malgré tout cela, j'ai souvent rougi, je l'avoue, des raisons que j'étais forcé de leur prêter" (D. 663).

Tous les efforts d'objectivité, de logique ne peuvent venir à bout d'une

---

25 Lettre du 2 novembre 1757. *Correspondance complète*, IV, n° 560, p. 332.

résistance intérieure : la voix de l'ennemi demeure inaudible, inimaginable même pour un habitant du "monde enchanté".

> "l'expresse volonté de nuire, la haine envenimée, l'envie, la noirceur, la trahison, la fourberie y sont inconnues" (D. 671).

Mais si Jean-Jacques se résigne, à la rigueur, à l'échec de ses efforts pour faire parler l'autre, il lui est en revanche intolérable que sa propre voix soit altérée, déformée par des manoeuvres sournoises. Faire reconnaître avec certitude l'authenticité de la voix de l'auteur de *La Nouvelle Héloïse* ou de *l'Emile*, tel est finalement l'enjeu des *Dialogues*. Il revient au personnage Rousseau lecteur attentif et convaincu de l'écrivain dont il rêve de devenir l'ami, de poser la question cruciale : s'est-il laissé captiver par la voix d'un Tartuffe : [...], qui ne sentait rien de ce qu'il disait avec tant d'ardeur et de véhémence" (D. 755).

Certes en liant de façon indissociable sa vie à ses écrits Jean-Jacques a pris de grands risques : comment éviter toute dissonance entre l'oeuvre et la conduite ? Le Français, endoctriné par les Messieurs se plait à souligner l'écart entre les prétentions édifiantes des livres et les forfaits de l'homme qu'il a dévoilés à son interlocuteur :

> "Et notez bien que c'est ce même homme dont les pompeuses productions vous ont si charmé, si ravi par les beaux préceptes de vertu qu'il y étale avec tant de faste" (D. 667).

A cette confrontation malveillante entre les productions littéraires et le vécu de l'auteur, "la défense", en la personne de Rousseau, va opposer le témoignage intérieur d'un lecteur de bonne foi. L'oeuvre se juge aux effets qu'elle produit sur l'âme de celui qui la découvre. Pour apprécier la sincérité de l'écrivain, il faut d'abord s'interroger sur ses propres impressions de lecture :

> "Pour cela, lisez vous-même les livres dont il s'agit et sur les dispositions où vous laissera leur lecture jugez de celle où était l'auteur en les écrivant, et de l'effet naturel qu'ils doivent produire quand rien n'agira pour le détourner" (D. 697).

De fait quand le Français se sera décidé à lire pour la première fois les écrits de Jean-Jacques, il sera convaincu de l'authenticité de cette voix :

> "Dans tout ce que je lisais de l'original je sentais la sincérité, la droiture d'une âme haute et fière mais franche et sans fiel qui se montre sans précaution, sans crainte, qui censure à découvert, qui loue sans réticence et n'a point de sentiment à cacher" (D. 941).

Encore faut-il ne pas rompre le déroulement du chant de Rousseau en usant de citations tronquées. Une lecture intégrale de l'oeuvre aurait tôt fait de confondre les détracteurs :

> "Pour toute réponse à ces sinistres interprétateurs et pour leur juste peine, je ne voudrais que leur faire lire à haute voix l'ouvrage entier

> qu'ils déchirent ainsi par lambeaux pour les teindre de leur venin ; je
> doute qu'en finissant cette lecture il s'en trouvât un seul assez impudent
> pour oser renouveler son accusation" (D. 695).

Une lecture comparée des écrits de Rousseau et des réponses de ses
adversaires permet d'affirmer sans hésitation qui est le méchant,
l'imposteur. (D. 941).

> "Croyez vous qu'il se trouve dans l'univers un mortel assez impudent
> pour dire que c'est Jean-Jacques ?" (D. 941).

Le mythe du monde enchanté évoqué dès le début du Premier *Dialogue*
vient à l'appui de la démonstration. "Initié" de ce monde le personnage
Rousseau a reconnu sans hésitation un frère dans l'auteur d'*Emile* et
d'*Héloïse*. "L'accent" des écrits de Jean-Jacques est impossible à
contrefaire parce qu'il est celui d'un être d'une constitution particulière.
L'argument vaut également pour authentifier les compositions
musicales:

> "Si connaissant déjà Jean-Jacques, j'avais vu pour la première fois *Le
> Devin du Village* sans qu'on m'en nommât l'auteur, j'aurais dit sans
> balancer, c'est celui de *La Nouvelle Héloïse*, c'est Jean-Jacques et ce ne
> peut être que lui" (D. 867).

Car Rousseau lutte aussi pour faire reconnaître sa "voix de chant". Il ne
peut souffrir qu'on lui dénie la paternité du *Devin du Village*. Il est
significatif que le Premier *Dialogue* consacré au complot pose d'emblée
la question des prétendus plagiats musicaux de Jean-Jacques. Pas plus
qu'on ne sait lire l'écrivain, on ne sait écouter le musicien. Le public
s'engoue de façon suspecte pour "le moderne Orphée" (D.681). C'est
encore le personnage Rousseau qui enseigne comment il faut
appréhender la musique de Jean-Jacques :

> "Quant au Devin, quoique je sois bien sûr que personne ne sent mieux
> que moi les véritables beautés de cet ouvrage, je suis fort éloigné de
> voir ces beautés où le public engoué les place. Ce ne sont point de
> celles que l'étude et le savoir produisent, mais de celles qu'inspirent le
> goût et la sensibilité [...] (D. 682).

Le récitatif et les airs sont du même ton, "le ton de la chose et rien de
plus" (D. 685). C'est cette profonde unité de l'ensemble, unité des
parties au tout, accord de la voix du musicien et de celle du poète-
librettiste, qui constitue le meilleur argument à opposer à tous ceux qui
accusent le compositeur de pillage ! Pas plus que l'écrivain n'est un
Tartuffe, le musicien n'est un charlatan.

Reste à confronter cette certitude intérieure du lecteur, de
l'auditeur de bonne foi, au contact des faits, à la réalité de l'homme
Jean-Jacques. A la faveur du dédoublement sur lequel reposent les
Dialogues, Rousseau fait au Français le récit de ses visites à l'individu
tant calomnié. Rien de plus saisissant que cette tentative de l'écrivain

pour donner à entendre sa propre voix du dehors, pour s'écouter parler comme si sa voix ne sortait pas de lui-même mais d'un autre[26]. Rousseau va recueillir les propos de Jean-Jacques dans l'intimité, à l'abri des manoeuvres de la ligue. Une certaine bonhomie enveloppe l'évocation du solitaire occupé à ses copies de musique, à ses herbiers, dans sa petite cuisine au milieu de ses pots et de ses écuelles. La couleur naïve de cette description contraste avec l'atmosphère sinistre du complot. L'accusation même d'empoisonnement peut alors être traitée sur le mode humoristique. Rousseau se souvient sans doute de son cher Plutarque citant les propos familiers de ses hommes illustres. Ne pense-t-il pas aussi à Platon rapportant les entretiens de Socrate avec ses disciples, ou même aux *Evangiles* ? Toutefois le personnage Rousseau se présente d'abord chez Jean-Jacques en enquêteur et même en Juge (comme l'indique le titre de l'ouvrage). Il n'aborde pas un maître admiré mais un homme soupçonné de forfaits. De son côté Jean-Jacques ne se pare pas de l'autorité d'un philosophe célèbre. Observant la manière de parler de son hôte, le visiteur se dit surpris par le manque d'éclat de sa conversation. Il note avec amusement sa balourdise, son peu d'à-propos:

> "Que s'il lui vient par hasard quelque mot heureusement trouvé, il en est si aise, que pour avoir quelque chose à dire il le répète éternellement" (D. 800).

Même lorsqu'il s'anime sur un sujet qui l'intéresse, il ne parvient pas à communiquer de l'énergie à ses paroles :

> "Il élève beaucoup la voix ; mais ce qu'il dit devient plus bruyant sans être plus vigoureux" (D. 801).

Notons que ceux qui ont pu écouter Jean-Jacques rue Platrière, tels le Comte de Crillon, De Croy, Le Prince de Ligne, ou encore Prévost ne semblent pas avoir partagé ce point de vue sévère. Mais si l'observateur du *Second Dialogue* ne fait pas chorus avec tous ces admirateurs c'est qu'il cherche d'abord à laver son hôte des imputations de vanité littéraire et de perfidie. La gaucherie de Jean-Jacques dans la conversation dénote sa candeur, son naturel. Il n'a aucun des travers des gens de Lettres "[...] sentencieux comme des oracles, subjugant tout par leur docte faconde et par la hauteur de leurs décisions"(D. 800). C'est dans l'après-coup de l'écrit que passe la voix idéale de Jean-Jacques, celle qu'il entend en lui-même mais ne peut directement extérioriser. D'où la conclusion de Rousseau observateur de Jean-Jacques :

> "J'ai compris par là comment cet homme pouvait quand son sujet

---

26 Philippe Lejeune parle à ce propos "d'auto-interview", in l'*Autobiographie*. VIe Rencontres psychanalytiques d'Aix-en-Provence, 1987, Les Belles Lettres, 1988.

échauffait son coeur écrire avec force, quoiqu'il parlât faiblement, et comment sa plume devait mieux que sa langue parler le langage des passions" (D. 802).

Néanmoins consigner les propos tenus par l'écrivain dans l'intimité contribue à la connaissance de l'homme. En rapportant au style direct les paroles de Jean-Jacques, le personnage Rousseau donne à entendre au Français (et au lecteur), comme en une sorte d'enregistrement, la voix non "truquée", la voix authentique de Jean-Jacques, dont ni le son ni l'accent ne sont d'un monstre. Notons qu'il ne nous cite aucun exemple des traits de gaieté qui animaient la conversation du solitaire[27]. Le ton des propos retransmis est désabusé, amer, même parfois :

"Vous me demandez, disait-il, pourquoi je fuis les hommes ? Demandez-le à eux-mêmes, ils le savent encore mieux que moi" (D. 827).

Seulement la pointe de cette répartie est émoussée par le commentaire élégiaque de Rousseau :

"Mais une âme expansive change-t-elle ainsi de nature, et se détache-t-elle ainsi de tout ?" (D. 827).

La voix accusatrice et la voix chargée de tendresse alternent en une sorte de duo qui traduit les incertitudes, les déchirements de Jean-Jacques[28]. L'épisode de l'épreuve musicale à laquelle Rousseau soumet son hôte, donne même matière à un trio : le récit de l'observateur est ponctué par les interventions ironiques du Français ; la voix de Jean-Jacques exprime l'inquiétude, puis la joie après le succès (D. 868-869). Mais c'est surtout en deux longues tirades que Jean-Jacques s'exprime directement : la première est une apologie de son mode d'existence, la seconde, une profession de foi (D. 952-954). Jadis Rousseau donnait la parole à Fabricius ou au vicaire savoyard, désormais il ne peut la donner qu'à lui-même, et uniquement pour sa défense :

"Il ne m'est plus permis sans me manquer à moi-même de traiter aucun autre sujet". (D. 840).

La voix mise "en abyme" par le procédé du dédoublement donne une gravité particulière aux affirmations fortement scandées de l'écrivain :

"Je vends le travail de mes mains mais les productions de mon âme ne sont point à vendre" (Ibidem).

---

27 On pourrait à la rigueur citer cette exclamation joyeuse : "Grâce au ciel, s'écria-t-il dans un transport de joie, je n'aurai plus besoin de savoir l'heure qu'il est". D. p. 846, mais elle provient d'un passé lointain, cf. *Confessions,* éd. citée, p. 363.

28 Wiliam Acher fait observer l'omniprésence de la dialogie et de la prosopopée chez Rousseau. *Jean-Jacques Rousseau créateur et l'anamorphose d'Apollon,* Nizet, 1980.

La prosopopée est peut-être le dernier recours pour vaincre l'angoisse de ne plus être entendu. Mais elle procure aussi la jouissance narcissique de s'écouter filer son propre "chant du cygne"[29]. Jean-Jacques dans la tirade du *Troisième Dialogue* parle déjà comme un mourant. Une ouverture solennelle qui reprend les thèmes récurrents à toute l'œuvre, du voile (obstacle) et de l'innocence (transparence) prélude à ces "*ultima verba* ".

> "Au reste il ne doute point que malgré tant d'efforts, le temps ne lève enfin le voile de l'imposture et ne découvre son innocence" (D. 952).

Le ton n'est plus celui du défi, de la provocation, comme dans le *Prologue des Confessions*, mais de la résignation mélancolique. Jean-Jacques abandonne en quelque sorte sa dépouille terrestre à ses ennemis, repousse tout désir de vengeance. Ce détachement ne va pas sans quelque sentiment de supériorité ironique :

> "qu'ils continuent à disposer de moi durant ma vie, mais qu'ils se pressent. Je vais bientôt leur échapper" (D. 954).

Sa confiance en la Providence lui permet d'écarter la cruelle crainte d'être méconnu par la postérité. Il retrouve les accents fervents de Julie pour annoncer le rétablissement de l'ordre voulu par Dieu :

> "Un jour viendra, j'en ai la juste confiance, que les honnêtes gens béniront ma mémoire et pleureront sur mon sort. Je suis sûr de la chose quoique j'en ignore le temps". (Ibidem).

Le personnage Rousseau se fait l'écho de cette prédiction, prolongeant ainsi son retentissement : "Un temps viendra (…)" (D. 956), "le moment viendra" (...) (D. 974).

Mais la voix du Français ne s'associe pas à cet hymne d'espoir. Il semble que l'auteur des *Dialogues* se soit débarrassé sur ce personnage, plus éloigné de lui, de ses derniers doutes, de la crainte de voir retomber définitivement la chape du silence et du mensonge. A la voix confiante de Jean-Jacques "qui se sent digne du prix des âmes justes" (D. 968) s'oppose le mutisme du mourant, "sans repentir ni remord" (D. 969). L'athéisme doctrine du silence ferme les bouches à la vérité.

Ce n'est pourtant pas sur cette note sombre que s'achèvent *Les Dialogues*. L'authenticité de la voix de Jean-Jacques s'est du moins imposée à deux interlocuteurs de bonne volonté. Le solitaire a gagné deux amis sûrs. Mais cette petite société n'est plus constituée d'êtres réels (comme celle par exemple que Rousseau avait envisagé de former avec Milord Maréchal et ironie du sort, avec Hume).

---

[29] Rousseau employait cette expression, on s'en souvient, à propos de la dernière lettre que Julie adresse à Saint-Preux avant son accident mortel, éd. citéé, p 694.

Elle ressemble plutôt à celles dont Jean-Jacques peuple ses rêveries, s'entourant d'"êtres selon son coeur" (D. 858). N'est-ce pas finalement sa propre voix que Rousseau et le Français converti renvoient à l'auteur des *Dialogues* ? L'ami rencontré c'est celui qu'il porte en lui, le seul avec lequel un dialogue soit possible, comme il le pressent depuis longtemps. S'il a interrompu ses entretiens avec les plantes pour parler à un homme[30], c'était en fait pour se parler à lui-même en écrivant *Les Dialogues*. Après un dernier effort pathétique pour faire parler l'autre il pourra s'abandonner sans réserve à son penchant le plus irrésistible :

"Livrons nous tout entier à la douceur de converser avec mon âme"[31].

---

[30] Le personnage Rousseau constate que Jean-Jacques se détourne de la botanique. "Peut-être nos liaisons ont-elles contribué à l'en détacher" (D. 974).

[31] *Première Promenade*, éd. citée, p. 999.

LA RÉGÉNÉRATION DE BENJAMIN :
DU *LÉVITE D'EPHRAIM* AUX *CONFESSIONS*

Jean-François PERRIN
Université de Grenoble III

On lit ceci à la fin du livre XI des *Confessions* :

> "*Le Lévite d'Ephraïm*, s'il n'est pas le meilleur de mes ouvrages en sera toujours le plus chéri. Jamais je ne l'ai relu, jamais je ne le relirai sans sentir en dedans l'applaudissement d'un cœur sans fiel qui loin de s'aigrir par ses malheurs s'en console avec lui-même et trouve en soi de quoi s'en dédommager." (586)[1]

Aux yeux de Rousseau, ce texte vaut donc moins par ses qualités littéraires que pour le témoignage qu'il procure de sa vérité intérieure; mais si la lecture qu'il en demande recoupe donc le projet central des *Confessions* : rendre son âme transparente à ses lecteurs, il y a quelque paradoxe à l'avoir fait par la médiation de la réécriture d'un épisode particulièrement sombre de la Bible, marqué au sceau du viol, du massacre et du rapt. C'est pourtant en creusant le rapport de l'histoire de Rousseau aux données bibliques exhumées par le récit du *Lévite*, qu'on parvient à des résultats intéressant concernant les enjeux autobiographiques profonds de ce texte où se dessine en filigrane ce qui constituera le cœur du projet des *Confessions*, entendues comme histoire de la réévaluation d'un destin maudit. Je rappellerai d'abord les circonstances de la rédaction et les enjeux de leur inscription dans les *Confessions*; puis j'indiquerai comment Rousseau médite à travers cette réécriture d'un épisode des temps patriarcaux, les problèmes posés par ce dernier terme de l'état de nature qui ne connaît pas encore la loi mais commence à sentir son besoin. Ce cadre posé, j'examinerai ce qu'on peut tirer de la manière dont Rousseau a accommodé la donnée biblique, pour comprendre ce qui du projet profond des *Confessions* se trouve déjà complètement dessiné ici.

Quelles sont donc les circonstances de la rédaction du *Lévite d'Ephraïm* ? En juin 1762, menacé de prise de corps comme auteur d'*Emile* par le Parlement de Paris, Rousseau s'enfuit pour la Suisse ; en fait les enjeux politiques de l'affaire le dépassent : l'Etat en crise trouve un bouc émissaire dans l'auteur de la *Profession de foi*; à Genève on brûle ses livres, *Le Sentiment des Citoyens* le proclame père dénaturé et

---

1. J.-J. Rousseau, *Oeuvres complètes I*, Bibliothèque de la Pléiade, Gallimard, 1959. Toutes les références aux *Confessions* renvoient à cette édition.

la population de Môtiers lapide un Antéchrist. L'ostracisé relève le gant en reniant hautement sa citoyenneté genevoise, en défendant sa pensée dans sa *Lettre à Christophe de Beaumont*, et en se posant en accusateur de l'oligarchie genevoise dans les *Lettres de la montagne*. Il entreprend enfin de rectifier l'image de sa vie que donnent ses adversaires en rédigeant ses mémoires dont il écrit, dans le récit de sa fuite, qu'il avait déjà "accumulé beaucoup de lettres et autres papiers" dans leur perspective (582).

Le *Lévite d'Ephraïm* apparaît à la fin du livre XI, à la charnière de l'Eden et de l'exil : l'Eden étant sa retraite protégée auprès des Luxembourg; auparavant, Rousseau a raconté comment malgré rumeurs et conseils, il reste sûr de son droit et de ses appuis. La veille encore, il s'est promené dans la plus grande insouciance. Il s'est endormi tard après avoir lu le livre des Juges, qui se termine sur l'histoire du lévite d'Ephraïm. Vient alors le récit de son réveil en catastrophe et des circonstances de sa fuite. Enfin, après un bref résumé de son voyage, l'improvisation du *Lévite d'Ephraïm* durant celui-ci est donnée comme témoin de son bon naturel foncier. Comme dans le préambule des *Confessions*, il défie encore ici la collectivité de trouver un homme meilleur que lui :

> "Qu'on rassemble tous ces grands philosophes si supérieurs dans leurs livres à l'adversité qu'ils n'éprouvent jamais (...) et que dans la première indignation de l'honneur outragé on leur donne un pareil ouvrage à faire : on verra comment ils s'en tireront." (587)

Un peu plus haut, Rousseau articule cette distraction qu'il se donne aux singularités de son imagination et de sa mémoire :

> "J'épuise en quelque façon mon malheur d'avance ; plus j'ai souffert à le prévoir, plus j'ai de facilité à l'oublier; tandis qu'au contraire sans cesse occupé de mon bonheur passé, je le rappelle et le rumine, pour ainsi dire, au point d'en jouir derechef quand je veux." (585)

Du point de vue de l'architecture générale des *Confessions*, *Le Lévite d'Ephraïm* s'inscrit ainsi dans un paradigme où figurent notamment le récit du bonheur à Bossey au livre I, et la réminiscence de la pervenche au livre VI. Dans les deux cas en effet, l'oubli du malheur est la conséquence d'une mémoire spontanée du bonheur. Dans ce paradigme où les réminiscences heureuses de la vieillesse effacent le malheur du temps, l'épisode de la rédaction du *Lévite* se distingue cependant, puisqu'il met en scène l'effacement quasiment immédiat du malheur récent de l'auteur par une réminiscence jaillie du plus proche passé de sa mémoire de lecteur :

> "Dès le lendemain de mon départ, j'oubliai si parfaitement tout ce qui venait de se passer (...) que je n'y aurais pas même repensé de tout mon voyage, sans les précautions dont j'étais obligé d'user. Un

> souvenir qui me vint au lieu de tout cela fut celui de ma dernière lecture la veille de mon départ. Je me rappelai aussi les Idylles de Gessner (...). Ces deux idées me revinrent si bien et se mêlèrent de telle sorte dans mon esprit, que je voulus les réunir en traitant à la manière de Gessner le sujet du Lévite d'Ephraïm." (586)

Or la difficulté littéraire d'allier un style bucolique à un sujet tragique se trouve levée par l'inspiration :

> "Ce style champêtre et naïf ne paraissait guère propre à un sujet si atroce, et il n'était guère à présumer que ma situation présente me fournît des idées bien riantes pour l'égayer. Je tentai toutefois la chose, uniquement pour m'amuser (...) et sans aucun espoir de succès. A peine eus-je essayé que je fus étonné de l'aménité de mes idées, et de la facilité que j'éprouvais à les rendre. Je fis en trois jours les trois premiers chants de ce petit poème (...)." (586)

Le Lévite s'inscrit donc dans la chaîne des grands moments d'écriture inspirée qui l'ont précédé, depuis la Prosopopée de Fabricius "écrite au crayon sous un chêne"(351) jusqu'aux Lettres à Malesherbes en passant par la Julie : ouvrages qui, sans préjudice de leurs enjeux spécifiques, se laissent analyser dans la perspective autobiographique, à la manière dont Rousseau lui-même relisait sa Lettre sur les Spectacles : "sans m'en apercevoir, j'y décrivis ma situation actuelle" (496).

Mais un autre parallèle s'impose : parlant de sa lenteur de pensée au livre III, Rousseau évoque une écriture mentale qu'il associe à l'insomnie : "c'est la nuit dans mon lit et durant mes insomnies que j'écris dans mon cerveau" (114) ; le processus de décantation progressive du chaos inspiré est comparé aux changements de scène de l'opéra italien où "l'on est tout surpris de voir succéder à (un) long tumulte un spectacle ravissant. Cette manoeuvre, dit-il, est à peu près celle qui se fait dans mon cerveau quand je veux écrire" (114). Or dans la genèse du Lévite, c'est la lecture qui remplace l'écriture mentale de l'insomnie : "ce soir là me trouvant plus éveillé qu'à l'ordinaire je prolongeai longtemps ma lecture, et je lus tout entier le livre qui finit par le Lévite d'Ephraïm (...) (580). Le changement de scène ici, c'est son réveil brutal : "Cette histoire m'affecta beaucoup, et j'en étais occupé dans une espèce de rêve, quant tout à coup j'en fus tiré par du bruit et de la lumière". Toute la suite sera effectivement chaotique, jusqu'au moment où une double réminiscence déclenche une écriture inspirée.

Cela dit, il n'y a pas que des raisons conjoncturelles pour que cet épisode de la Bible focalise la pensée de Rousseau à cette époque. Il l'évoque en effet déjà dans l'Essai sur l'origine des langues, achevé en 1761. En voici l'argument : un lévite de la montagne d'Ephraïm est parti retrouver sa femme à Bethléem après que celle-ci l'ait quitté ;

d'abord retenus quelques temps par le père, il s'en vont finalement et choisissent de faire étape dans la cité benjamite de Gabaa plutôt qu'à Jérusalem, considérée comme cité étrangère par le Lévite. Nulle hospitalité pourtant, sinon celle d'un vieillard lui-même originaire d'Ephraïm ; dans la nuit, une bande vient exiger le lévite afin d'en abuser ; au nom de l'hospitalité, le vieillard le leur refuse et propose en échange sa fille et la femme du jeune homme ; celui-ci prend alors l'initiative de leur livrer lui-même sa femme, dont ils usent toute la nuit, la laissant morte au matin. L'ayant découverte, le lévite l'emporte chez lui et la découpe en douze morceaux qu'il envoie aux douze tribus d'Israël comme témoignage d'un crime qui n'a pas d'équivalent depuis la sortie d'Egypte ; celles-ci se rassemblent alors et entendent son récit, sur quoi Israël décide de punir la cité. Pour la suite, je laisse la parole au Voltaire du *Sermon des cinquante*, qui donne l'épisode comme exemple de la barbarie des temps bibliques :

> "Il fallait punir les coupables : point du tout. Les onze tribus massacrent toute la tribu de Benjamin; il n'en échappe que six cents hommes; mais les onze tribus sont enfin fâchées de voir périr une des douze, et, pour y remédier, ils exterminent les habitants d'une de leurs propres villes pour y prendre six cents filles qu'ils donnent aux six cents Benjamites survivants pour perpétuer cette belle race."[2]

En fait, ce nouveau massacre ne livre que quatre cents femmes ; les anciens d'Israël décident alors que les deux cents qui manquent encore feront l'objet d'un rapt le jour de la fête du seigneur à Silo, sur quoi chaque tribu retourne à ses affaires. "En ce temps-là, conclut la Bible, il n'y avait point de Roi en Israël ; mais chacun faisait ce qu'il lui plaisait"[3].

Ce qui a frappé le Rousseau de l'*Essai sur l'origine des langues*, c'est le type de langage utilisé par le lévite : "quand le lévite d'Ephraïm, écrit-il, voulut venger la mort de sa femme, il n'écrivit point aux tribus d'Israël il divisa le corps en douze pièces et le leur envoya"[2]. Autrement dit, il pratique le langage des signes, comme ce langage "plus énergique" que la parole et l'écriture, "où le signe a tout dit avant qu'on parle". C'est le langage des Anciens, dont l'efficacité se manifeste dans la réaction immédiate d'Israël, que Rousseau oppose aux tergiversations qu'eût provoqué l'affaire à l'époque moderne. La lecture de l'épisode au XVIII° siècle est en effet surdéterminée par un conflit

---

2. Voltaire, *Mélanges*, Bibliothèque de la Pléiade, Gaillard, 1961, p. 258.
3. *Juges*, XXI, 24, trad. Lemaistre de Sacy. Le scénario complet est donné en annexe.

d'interprétations concernant la valeur des temps primitifs. Le Voltaire du *Sermon* voit l'affaire comme un exemple de leur barbarie, alors que Rousseau projette dans les temps patriarcaux sa propre mythologie des origines, où l'époque des patriarches correspond grosso modo à la dernière étape de l'état de nature quand l'homme s'éveille à lui-même sans avoir encore pénétré dans l'ordre de la Loi. Voici d'ailleurs la paraphrase qu'il donne au prologue du *Lévite*, de la phrase biblique : "en ce temps-là, il n'y avait point de roi dans Israël ; mais chacun faisait ce qu'il lui plaisait" :

> "Dans les jours de liberté où nul ne régnait sur le peuple du Seigneur, il fut un temps de licence où chacun, sans reconnaître ni magistrat ni juge, était seul son propre maître et faisait tout ce qui lui semblait bon. Israël, alors épars dans les champs, avait peu de grandes villes, et la simplicité de ses moeurs rendait superflu l'empire des lois." (1209)

Néanmoins, cette bonté primitive inconsciente d'elle-même n'exclut pas toute agressivité puisque "tous les coeurs n'étaient pas également purs, et (que) les méchants trouvaient l'impunité du vice dans la sécurité de la vertu". C'est que le problème posé dans le récit des Juges est au fond moral et politique avant la lettre.

Cette dimension, qui est celle de la constitution d'une volonté générale, s'esquisse déjà dans l'unanimité qui préside à la décision de punir la cité coupable ; mais elle apparaît surtout avec la nouvelle version que Rousseau donne du rapt des filles de Silo dans son quatrième chant, où apparaît une problématique de la liberté. Si l'opération se déroule sans états d'âme dans la Bible, dans la version de Rousseau en revanche, les jeunes filles et leurs parents résistent au point que décision est finalement prise de les laisser se prononcer librement. Tout se concentre alors autour de trois personnages de son invention : Axa et Eliacin qui sont promis l'un à l'autre par le père de la première, lequel est aussi le vieillard qui a suggéré la solution du rapt. Au nom de l'honneur et du salut d'Israël, celui-ci convainc sa fille de consentir à prendre un époux benjamite ; sur quoi ses compagnes l'imitent tandis que son fiancé se voue à Dieu. C'est la Bible relue par Corneille et la *Nouvelle Héloïse*, évidemment, mais c'est aussi sans doute l'esquisse de l'intervention régulatrice du Législateur dans une collectivité d'avant la Loi, perturbée par une crise ponctuelle[4].

---

4. Cet aspect est plus largement développé par Thomas M. Kavanagh, *"Rousseau's Le Lévite d'Ephraïm : Dream, texte, and synthesis"*, Eighteenth-century Studies, vol 16, n° 2, 1982-83, p. 141-161. Pour une approche

Venons en maintenant au traitement auquel Rousseau soumet le récit biblique. Tout d'abord, il en change le titre, concentrant l'intérêt sur l'histoire du lévite. D'autre part, il le segmente en quatre chants, et munit le premier d'une sorte de prologue en forme d'invocation à la "Sainte colère de la vertu"(1208). Enfin, si le scénario biblique est globalement conservé, le premier Chant se distingue de la Bible en développant le récit de l'idylle et de sa rupture, le second dramatise considérablement la séquence du viol collectif ainsi que la réaction du lévite, et le quatrième propose une version cornélienne de la séquence du rapt, comme on l'a vu. Ces modifications sont lourdes de signification pour qui lit ce récit avec les *Confessions* en tête. C'est ce que je voudrais montrer.

C'est ainsi le récit de la vie aux Charmettes qui se trouve anticipé au début du chant I ; voici en effet le paradis montagnard où se déroule l'idylle :

> "Là, coulant une douce vie, si chère aux coeurs tendres et simples, il goûtait dans sa retraite les charmes d'un amour partagé ; là (...) il chantait souvent les charmes de sa jeune épouse. Combien de fois les coteaux du mont (...) retentirent-ils de ses aimables chansons ? Combien de fois il la mena sous l'ombrage dans les vallons (...) cueillir des roses champêtres et goûter le frais au bord des ruisseaux ? (...)"(1209)

Pour faire apparaître ce palimpseste, il m'a suffi de supprimer les termes hébreux de la description. Quant à la rupture de l'idylle, voici comment Rousseau évoque la douleur du jeune homme : "Tout lui rappelait dans sa solitude les jours heureux qu'il avait passés auprès d'elle, leurs jeux, leurs plaisirs, leurs querelles, et leurs tendres raccommodements" (1210) ; en filigrane se dessine déjà ici la manière dont il décrira son propre désespoir d'avoir été évincé par Wintzenried aux Charmettes : "en repensant à elle, à nos plaisirs, à notre innocente vie, il me prenait des serrements de coeur" (270).

Je passe au récit de l'agression. Ici, le scénario biblique est intégralement conservé car il fournit une excellente allégorie de l'histoire récente de   l'auteur ; cependant l'écriture dramatise le récit du viol et de la réaction du lévite, les chargeant d'un potentiel mythico-épique absent de la Bible, et qu'il faut interroger. Le scénario donc : c'est toute l'affaire de sa persécution que Rousseau y lit. D'abord,

---

féministe des enjeux idéologiques du *Lévite,* **voir Judith Still : "***Rousseau's Lévite d'Ephraïm : the imposition of meaning (on women)***",** French studies, 104, n° 4, 1989, p. 12-30.

l'histoire de son accueil par les Luxembourg après ses déboires avec ses amis philosophes, suivie du réveil en catastrophe provoqué en pleine nuit par l'annonce de sa "prise de corps" imminente, avec les connotations érotiques violentes que peut y entendre un lecteur du livre des Juges ; ensuite, ses démêlés avec Genève qui fait tout pour le chasser de   Suisse : le vieillard qui recueille le lévite est alors une allégorie de Mylord Maréchal, ce "vénérable vieillard" sur qui Rousseau s'appuie au Val-de-Travers ; les agresseurs seraient ici ces habitants de Môtiers qui lapident sa demeure, le forçant à s'en aller. Quant à l'amante retrouvée puis froidement abandonnée à la meute, elle figurerait bien la citoyenneté genevoise que Rousseau répudie à cette époque. C'est enfin un étrange personnage qui se promène au Val-de-Travers, coiffé d'un bonnet fourré et revêtu d'une longue robe d'Arménien - une lévite peut-être ?

Cela posé, reste ce que révèlent les modifications apportées par Rousseau au matériau biblique, qu'il a considérablement dramatisé. Une comparaison épique élargit ainsi la signification biblique du viol collectif :

> "(...) les hommes de cette ville, enfants de Bélial, sans joug, sans frein, sans retenue, et bravant le Ciel comme les Cyclopes du Mont Etna, vinrent environner la maison (...)." (1213)

Quant à l'épisode du viol, c'est le carnage d'"un troupeau de loups affamés" déchirant une "faible génisse", et dont les "hurlements ressemblent au cris de l'horrible hyène"(1214).

Par ailleurs, on accède aux pensées du lévite, que Rousseau tire vers le pathétique. En effet, si le récit insiste sur sa froideur apparente lorsqu'il livre sa jeune femme et que : "sans lui dire un seul mot, sans lever les yeux sur elle, (il) l'entraîne jusqu'à la porte, et la livre à ces maudits" (1214), ce n'était qu'une apparence, puisqu'il passe la nuit, "à remplir la maison de son hôte d'imprécations et de pleurs", qu'on évoque ensuite son désespoir à la découverte de la morte, et qu'il s'en fait enfin le vengeur furieux : (...) (il) ne lui survécut que pour la venger (...) il fut sourd à tout autre sentiment ; (...) tout en lui se change en fureur (1215).

Mais ce héros du Tasse ou de l'Arioste est aussi un prêtre barbare démembrant la morte avec le savoir-faire du sacrificateur :

> "(...) sans hésiter, sans trembler, le barbare ose couper ce corps en douze pièces; d'une main ferme et sûre il frappe sans crainte, il coupe la chair et les os, il sépare la tête et les membres (...)." (1215)

La Bible se passait de tels effets, qui convoquent en revanche dans l'esprit du lecteur une terrible mythologie : Thot découpant Osiris en morceaux, Atrée faisant manger ses fils à Thyeste par exemple.

Amplifiant ainsi la donnée biblique par dramatisation épique et mythologisation, Rousseau pousse à son comble la dimension tragique de toute l'affaire, qui culmine en véritable sacrifice rituel.

Pour interpréter cela, il faut se rappeler que si au bout du compte l'affaire du décret de prise de corps est allégoriquement présentée dans le *Lévite* comme un viol, il y a dans les *Confessions* l'histoire dramatique du viol supposé d'un interdit à forte connotation sexuelle, pour lequel un innocent sera cruellemment châtié par la communauté qui l'avait recueilli, avant d'en être chassé. C'est l'affaire du peigne brisé, à Bossey. On sait quelle catastrophe elle représente dans la vie de Rousseau. A la sexualité volcanique des agresseurs du lévite, répond alors au livre I ce "tempérament combustible" qu'éveillent les fessées de Mlle Lambercier (16), dont les fameux peignes étaient du reste mis à sécher "à la plaque" (18), soit dans une niche de la cheminée ; d'un autre côté, à la froideur du sacrificateur répond la brutalité du châtiment infligé à l'enfant par ceux qu'il chérissait : "exécution (...) terrible", "châtiment effroyable" dont il sort "en pièces" et "mis dans l'état le plus affreux" (19) : c'est ce qu'on lit dans les *Confessions* ; et Rousseau d'en disséquer avec soin les effets moraux :

> "Quel renversement d'idées ! quel désordre de sentiments ! quel bouleversement dans son coeur, dans sa cervelle, dans tout son petit être intelligent et moral !" (19, je souligne)

Or ce démembrement pathétique de l'être signe la perte du sens : "je dis qu'on imagine tout cela, s'il est possible, ajoute-t-il ; car pour moi, je ne me sens pas capable de démêler, de suivre, la moindre trace de ce qui se passait alors en moi". Ce labyrinthe obscur, l'auteur des *Confessions* y erre toujours à l'ouverture du livre XII, quand il s'y montre livré à "l'oeuvre de ténèbres" de la persécution : "Dans l'abîme de maux où je suis submergé, je sens les atteintes des coups qui me sont portés, j'en aperçois l'instrument immédiat, mais je ne puis voir la main qui le dirige" (588). Ce sens qui se dérobe à l'auteur, c'est au lecteur qu'il confie désormais la tâche de le construire, à partir des pièces détachées de son existence qu'il lui livre en les lui détaillant minutieusement, car "ce bizarre et singulier assemblage, écrit-il, a besoin de toutes les circonstances de ma vie pour être bien dévoilé"[5], à charge donc pour le lecteur "d'assembler ces éléments" et d'en faire "son ouvrage" (175).

"Je voudrais pouvoir en quelque façon rendre mon âme transparente aux yeux du lecteur" écrit-il ; mais nous avons vu que le corps démembré de la victime était à ses yeux le type même du message

---

5. Manuscrit de Neuchâtel, *O.C, I, op. cit*, p. 1153.

immédiatement transparent aux yeux de ses destinataires. On lit alors dans ce cadavre découpé pour faire message à toutes les tribus d'un crime sans exemple dans la mémoire d'Israël, l'allégorie anticipée de cette "entreprise qui n'eut jamais d'exemple" par laquelle l'auteur des *Confessions* livrera, *"intus et in cute"*, l'écorché démembré de sa propre existence à ses lecteurs futurs, pour qu'en le reconstituant dans son intégrité ils y retrouvent non seulement l'identité vivante du mort qui leur parle[6], mais surtout la vérité du genre humain[7]; exactement comme dans *Le Lévite d'Ephraïm*, où c'est comme "peuple de Dieu" que les tribus d'Israël s'assemblent pour écouter le récit de celui qui les a convoquées :

> "Cependant vous eussiez vu tout le peuple de Dieu, s'émouvoir, s'assembler, sortir de ses demeures (...) comme un nombreux essaim d'abeilles se rassemble en bourdonnant autour de leur Roi (...) Ils vinrent tous (...), d'accord comme un seul homme depuis Dan jusqu'à Beersabée, et depuis Galaad jusqu'à Maspha." (1216, je souligne)

Ce à quoi nous assistons ici, en lisant cette fiction biblique revisitée par les *Idylles* de Gessner, c'est tout simplement à la naissance du préambule des *Confessions* :

> "Etre éternel, rassemble autour de moi l'innombrable foule de mes semblables : qu'ils écoutent mes confessions (...)."(5)

Mais si j'ai jusqu'ici interprété le couple du lévite et de sa femme

---

6. Cette image de la "dissection" revient dans la correspondance, à propos d'une réédition de ses *Oeuvres* chez Duchesne, où il craint que le tome renfermant les dossiers de ses différentes "affaires" depuis Môtiers ne comporte aucun texte de lui à leur propos : "C'est ainsi qu'on me dissèque de mon vivant ou plutôt qu'on dissèque un autre corps sous mon nom" (*Rousseau à H. Laliaud*, 9 février 1769,*Correspondance complète de J.J. Rousseau*, t. XXXVII, Voltaire foundation, Genève/Oxford, 1965-). Son oeuvre est donc effectivement ce corps démembré livré au public, dont il lui importe seulement que ce soit bien le sien propre et non son double "défiguré", comme le prouve la *Déclaration relative à différentes réimpressions de ses ouvrages* datée du 23 janvier 1774, où il ne reconnaît comme authentiques que les éditions originales de ses écrits (*O.C, I, op. cit*, p. 1186). Sur l'équivalence métaphorique de l'écriture et du démembrement, voir J. Starobinski, *"Rousseau's happy days"*, *New Literary History*, n°1, vol 11, University of Virginia, 1979, p. 163-64 : "The central épisode in the history of thé Lévite (...) may have taken on the value of a metaphor for Rousseau, a mythic and hyperbolical representation of writing activity, the activity which won him fame and misery (...); the dismemberment is an act of accusation (...); for Rousseau, writing was first and foremost the denouncing of evil, the naming of crime and vice (...)".

7. Ou encore celle de la Cité du *Contrat social* : "nous recevons en *corps* chaque *membre* comme partie *indivisible* du tout" (*O.C, IV, op. cit*, p. 361, je souligne).

profondeur des enjeux autobiographiques de ce texte, prendre en compte un autre support identificatoire. En effet, une fois prise la décision de châtier le crime, le lévite meurt en glorifiant Israël au début du chant III. Or je voudrais montrer que c'est la tribu de Benjamin qui le relaie. Rousseau trouvait en effet dans la Bible de quoi identifier ses origines à celles des fils de Benjamin. Revenons au prologue du chant I, où une voix prophétique maudit les crimes de la tribu :

> "Benjamin, triste enfant de douleur, qui donnas la mort à ta mère, c'est de ton sein qu'est sorti le crime qui t'a perdu ; c'est ta race impie qui put le commettre, et qui devait trop l'expier." (1208)

Pourquoi Benjamin est-il qualifié de "triste enfant de la douleur" ? C'est la *Genèse* qui apporte la réponse :

> "Rachel étant en travail, et ayant grand peine à accoucher, elle se trouva en péril de sa vie. La sage-femme lui dit : "Ne craignez point, car vous aurez encore ce fils-ci". Mais Rachel, qui sentait que la violence de la douleur la faisait mourir, étant près d'expirer, nomma son fils Bénoni, c'est-à-dire le fils de ma douleur ; et le père le nomma Benjamin, c'est-à- dire le fils de la droite."[8]

Mais nous savons tous comment Rousseau raconte sa propre naissance:

> "(...) je naquis infirme et malade ; je coûtai la vie à ma mère, et ma naissance fut le premier de mes malheurs." (7)

Il suffit maintenant d'insérer ces lignes dans le passage précédemment cité du Prologue, pour comprendre comment le destin de Benjamin s'identifie à celui de l'auteur des *Confessions* :

> *"Je naquis infirme et malade ; triste enfant de douleur qui donna la mort à sa mère, c'est de mon sein qu'est sorti le crime qui m'a perdu ; ma naissance fut le premier de mes malheurs et je devais trop l'expier."*

J. Starobinski a écrit que "ses premiers livres étaient des *Confessions* anticipées."[9] Il faut ajouter qu'on ne trouve nulle part dans l'oeuvre de Rousseau avant le *Lévite*, ce thème du fils maudit pour avoir tué sa mère en naissant qui ouvre les *Confessions* ; ce récit est donc d'une importance capitale dans la genèse de l'écriture

---

[8] *Genèse*, **35**, 16-18, trad. Lemaître de Sacy. F. Van Laere fait elle aussi le rapprochement (*"J.-J. Rousseau, du phantasme à l'écriture, les révélations du lévite d'Ephraïm"*, *Archives des Lettres modernes*, Minard, 1967, p. 32-33); pour elle cependant, l'identification n'a guère de portée: "On voit ici Rousseau prêter un instant aux Benjaminites, c'est à dire à ses persécuteurs, le visage de son propre destin, assumant, l'espace d'une phrase, le rôle du bourreau en même temps que celui de la victime (...)".

[9] J. Starobinski, *La Transparence et l'obstacle*, Gallimard, 1971, p. 323.

autobiographique chez Rousseau, pour l'éclairage biblique qu'il donne au topos tragique du fils du malheur, tel qu'il court en Occident depuis *Oedipe-roi* jusqu'à *Tristan* ou *Cleveland*. Or dans cette perspective, qui est au fond celle de la *felix culpa*, le malheur présent cache un bien à venir ; en effet, comme Jacob conjure la malédiction de Rachel, le récit du *Lévite* aussi bien que les *Confessions,* racontent l'histoire d'une régénération.

Reprenons la fin du chant IV : lorsqu'Israël exécute les habitants d'une de ses Cités qui n'a pas combattu pour fournir en filles les Benjamites survivants, le narrateur rappelle une prophétie de Jacob annonçant un grand destin pour Benjamin : "Benjamin est un loup dévorant ; au matin il déchirera sa proie, et le soir il partagera le butin" (1221). Ceci peut se lire de deux manières ; on peut ironiser sur le démenti apparent apporté par les faits : loin de partager du butin, le loup dévorant est brèche-dents et il en est réduit aux restes... Mais on peut aussi comprendre que le matin auquel fait allusion la prophétie figure le viol meurtrier de la jeune fille : c'est ce que pense Rousseau, qui l'a précisément comparée à une génisse dévorée par des loups, comme on l'a vu ; dans cette perspective, le soir glorieux est l'avenir de la tribu de Benjamin, réintégrée dans le sein d'Israël après expiation ; le livre de Samuel, qui suit celui des Juges, raconte en effet comment Saül, un benjamite, devient le premier *roi* d'Israël : c'est donc lui qui partagera le butin de la prophétie, mais pour Israël tout entier, dont le destin même exige donc la régénération de cette "Tribu bénite" (1221) ; et Rousseau *d'expliquer* ce que la Bible tait, car voici ce que diront les Anciens d'Israël aux gens de Silo pour justifier les benjamites qui auront enlevé leurs filles :

> "(...) quand les pères et les frères des jeunes filles viendront se plaindre à nous, nous leur dirons ; ayez pitié d'eux pour l'amour <u>de nous et de vous-mêmes</u> qui êtes leurs frères ; (...) nous serons <u>coupables</u> de leur perte si nous les laissons périr sans descendants."
> (1221-22, je souligne)

Ce récit fait donc l'histoire de la régénération du fils du deuil en *fils de la droite* ; Jacob voit que le destin du fils de Rachel ne le maudit comme meurtrier de sa mère que pour mieux le glorifier par la suite. Voilà à quoi rêve celui dont la naissance "fut le premier de (s)es malheurs". Mais pour que la gloire de Benjamin se révèle destin latent de Bénoni, il aura fallu que le lévite d'Ephraïm et sa femme supportent dans leur chair et jusqu'à la mort, le poids d'une malédiction qui doit aller à son terme sacrificiel pour qu'Israël divisé retrouve son intégrité.

Dans les *Confessions*, Rousseau se décrit saisi d'une soudaine inspiration en faisant ses adieux à Thérèse : "un transport, hélas, trop prophétique" écrit-il (583), lui révèle le destin de "fugitif sur la terre" qui l'attend ; ce que dit la voix qui inspire l'exilé dans la chaise de poste qui roule vers Yverdun, c'est bien la justesse de sa prophétie ; mais elle lui dit aussi que si le bouc émissaire doit subir la violence du peuple, s'il doit expier sous le regard de tous, c'est qu'il a vocation a régénérer la communauté tout entière par son sacrifice. On l'a bien compris : cela va se faire "intus et in cute", c'est à dire *dans le vif*. Ce seront les *Confessions*, où l'auteur trouvera finalement sa vérité dans la mémoire heureuse du fils de la nature, contre le récit qui l'assignait en fils du malheur.

Annexe : résumé de l'épisode du lévite d'Ephraïm dans la Bible (*Juges*, XIX-XXI, trad. Lemaître de Sacy, R. Laffont, 1990, pp. 305-310).

Ch. XIX. *Outrage fait à la femme d'un Lévite par ceux de Gabaa.* Un lévite de la montagne d'Ephraïm prend femme dans le clan de Juda à Bethléem ; peu après, celle-ci le quitte pour retourner chez son père. Au bout de quatre mois, le lévite part la chercher, accompagné d'un serviteur et de deux ânes. Il est bien accueilli et demeure trois jours comme invité ; le père réussit même à retarder son départ de deux autres jours; mais au soir du cinquième rien ne peut retenir le lévite, qui repart avec sa femme. Comme ils s'approchent de Jérusalem vers le soir, le serviteur propose d'y passer la nuit; mais le lévite refuse de demeurer chez une tribu étrangère à Israël et décide de poursuivre jusqu'à Gabaa, cité Benjaminite, où ils s'arrêtent au coucher du soleil et s'installent sur la Place. Personne ne leur offre l'hospitalité ; c'est un vieillard, lui-même originaire d'Ephraïm, qui les accueille finalement chez lui. Cependant, des coups retentissent à la porte : la maison est cernée ; des "enfants de Bélial, c'est-à-dire sans joug", veulent "abuser" du jeune homme... Tout hôte est sacré leur répond le vieillard, qui propose de leur livrer sa fille vierge et "la concubine" de son hôte; mais le lévite offre lui-même "sa femme" à la bande, qui "abuse" d'elle toute la nuit. Au matin, alors qu'il va reprendre sa route, le lévite la trouve morte à la porte. L'ayant ramenée chez lui, il la découpe en douze morceaux, qu'il fait envoyer à chaque tribu d'Israël ; chacun s'exclame qu'un tel crime n'a jamais été commis depuis la sortie d'Egypte.

Ch. XX. *Les Israélites vengent sur ceux de Benjamin l'insulte faite au Lévite.* Les Tribus s'assemblent alors pour entendre le récit du lévite, qui raconte que les Benjaminites voulaient le tuer et qu'ils ont abusé mortellement de sa femme, crime sans précédent sur lequel il demande que l'assemblée se prononce. Il est décidé de punir la cité ; auparavant cependant, des émissaires iront demander à la tribu de Benjamin qu'elle leur livre les coupables. Sur son refus, la guerre se prépare : quatre cent mille hommes d'Israël dirigés par Juda, qu'a désigné Dieu, affonteront vingt-six mille Benjaminites. A la première bataille, comme à la seconde, Israël est vaincu ; mais Dieu lui promet la victoire au troisième jour. Grâce à la ruse d'une fuite simulée qui attire le gros des forces adverses loin de la ville, Israël les piège dans une embuscade puis se retourne contre Gabaa. Tout Benjamin est massacré, hormis six cents hommes qui sont parvenus à se réfugier au rocher de Remmon.

Ch. XXI. *Ruine de Jabès-Galaad. Filles données aux Benjaminites.* Mais Israël se repent de ce triomphe, qui lui "retranche" l'une de ses tribus ; pour que celle-ci renaisse, il faudrait que les survivants épousent des Israélites ; or serment a été prêté avant le combat de ne jamais donner une fille en mariage à un Benjaminite, sous peine de mort. On finit par découvrir qu'une cité n'a pas combattu : Jabès-Galaad ; ses habitants seront massacrés, à l'exception des vierges ; quatre cents jeunes filles sont ainsi données comme épouses aux Benjaminites survivants. Restent deux cents hommes à marier... On leur ordonne alors de profiter de la fête du Seigneur à Silo, pour y monter une embuscade où ils captureront les filles de ce clan : Israël se chargera de les justifier. Tout se déroule ainsi, et chaque tribu retourne à ses affaires : "*En ce temps-là, il n'y avait point de roi dans Israël ; mais chacun faisait ce qu'il lui plaisait*".

LES *LETTRES A SARA* DE ROUSSEAU, ENTRE FICTION ET AUTOBIOGRAPHIE

Frédéric S. EIGELDINGER
Université de Neuchâtel, Suisse

A la mémoire de Paul Hoffmann

Parmi les satellites de la planète *Julie*, il en est qu'on observe à l'œil nu et qui ont une histoire, telles les *Lettres morales*, mais pour en apercevoir d'autres, il faut un télescope! C'est du moins l'impression que laisse la critique rousseauiste qui ne s'est guère penchée sur les *Lettres à Sara*, soit parce qu'on n'y voit, comme Jean-Louis Lecercle, qu'«un exercice de virtuosité[1]», soit plus probablement parce que Rousseau lui-même n'en parle ni dans son œuvre autobiographique ni dans sa correspondance. De fait, on ne trouve sous sa plume qu'une seule mention du titre, quand il projette d'éditer en 1765, sous ses yeux, ses *Œuvres complètes* à Neuchâtel, afin de se procurer le moyen matériel de renoncer à l'écriture. Le 24 janvier, il dresse à l'intention de Du Peyrou une «Note des pièces qui composeront le recueil». Pour le 5e tome, il prévoit de réunir, entre autres textes inédits: «*Pygmalion*, scène lyrique. / *Émile et Sophie ou les Solitaires*. Fragment. / *Le Lévite d'Éphraïm*. / *Lettres à Sara*. / *La Reine Fantasque* Conte[2]». Si les quatre premiers tomes constituent des unités claires (politique, roman, pédagogie), ce cinquième volume contient des *varia* difficiles à réunir dans un ensemble cohérent. Cependant l'attachement de Rousseau aux textes mentionnés est réel. J'ai publié récemment un feuillet inédit[3] sur lequel Rousseau a noté deux allusions aux *Lettres à Sara* et à *La Reine Fantasque* et deux esquisses pour des textes en chantier, un fragment du *Lévite* et la didascalie initiale de *Pygmalion*. Ces quatre œuvres sont donc associées dans sa pensée, sans qu'il soit évident d'en cerner le contour commun.

Devant le désintérêt de la critique, on en est réduit à des conjectures. Hâtivement, on a voulu dater les *Lettres à Sara* de 1762 pour faire correspondre le demi-siècle de Rousseau avec les cinquante

---

[1] *Rousseau et l'art du roman,* Paris, 1969, p. 362.

[2] *CC* 3921, t. XXIII, p. 182.

[3] «Quatre notes inédites de J.-J. Rousseau», *Bulletin de l'Association J.-J. Rousseau,* 47, 1995, p. 20-27.

ans avoués de l'auteur fictif des lettres. Courtois s'interroge en les faisant remonter, sans preuves, à avril 1762 : «Faut-il dater de ce séjour [au château de Montmorency] et rattacher à une objection des Luxembourg sur l'âge de Wolmar "près de cinquante ans" [...] la composition des *Lettres à Sara* [...]?» Et il ajoute prudemment: «Faut-il de plus voir Rousseau dans cet amoureux d'un demi-siècle ?[4]» On sait bien que Wolmar a, dans l'esprit de Rousseau, une cinquantaine d'année au moment de son mariage avec Julie. Mais Charly Guyot donne facilement tort à Courtois en remarquant que Wolmar n'est pas l'amant, mais le futur mari de Julie, tout en retenant le millésime de 1762 pour dater le texte[5], comme les éditeurs des *Confessions* dans la Pléiade: «C'est peu après (1760), si l'on s'en remet à la date qu'il donne lui-même par deux fois en fixant son âge, que Rousseau écrit ses *Lettres à Sara*, sorte d'adieu à l'amour, qui sont plus un exercice et une gageure qu'un vrai document autobiographique[6]». Depuis lors, la date n'a pas été remise en question, laissée dans le vague, et on ne s'est guère intéressé à ces pages. Il est temps de jouer au «ravaudeur littéraire» qu'appelle Stendhal pour ses œuvres. Un bref résumé n'est donc pas inutile[7].

La trame romanesque de ces quatre lettres se réduit à un amour impossible d'un barbon de 50 ans pour une jeune fille de 20 ans, et cela durant six mois. Dans la **première lettre**, le barbon s'adresse à la jeune Sara pour le reprocher de l'épier souvent, comme si elle voulait jouir des misères d'un amoureux. Elle devrait plutôt avoir pitié d'un homme qui se sent ridicule et ne pas chercher à jouer avec le feu. Il lui déclare son amour, mais refuse de s'humilier à ses genoux. Il est même capable d'aimer par procuration: «J'aimerais mon rival même si tu l'aimais[8]». La **deuxième lettre** nous apprend que Sara n'a pas répondu à l'avance, mais que son auteur l'a vue lire sa déclaration; or

---

[4] *Chronologie critique, Annales de la Société J.-J. Rousseau*, XV, 1923, p. 125, n. 1.

[5] *OC* II, p. 1948.

[6] *OC* I, p. 1537, n. 2 de la p. 544.

[7] Le texte des *Lettres à Sara* figure arbitrairement dans les «Mélanges de littérature et de morale» du tome II des *OC*, p. 1291-1298. Le texte édité par Charly Guyot, d'après la copie et le brouillon autographes conservés à la BPU de Neuchâtel (MsR 8 et 9), comporte une coquille et une faute de transcription: p. 1292, ligne 3, au lieu de «feindre ne n'avoir», lire «feindre de n'avoir»; p. 1297, ligne 12, au lieu de «trop pour moi de», lire «trop pour toi de».

[8] *OC* II, 1291.

elle continue à feindre l'ignorance pour mieux le voir à ses pieds. Il sait le trouble de Sara, mais se fait une gloire de résister, lui reprochant son dédain, sa coquetterie, son impassibilité: «Barbare!... insensible à mon état, tu dois l'être à tout sentiment honnête.» Avec la **troisième lettre**, on apprend que l'entretien tant attendu a eu lieu. Le barbon est tombé aux genoux de l'enfant. Pendant deux heures, il a «fait l'amour[9] en jeune homme» et Sara s'est montrée consolatrice compréhensive. Tout en revivant les ravissements éprouvés, il s'irrite d'avoir cédé et reconnaît sa difficulté à jouer le rôle de père devant sa fille, comme le lui a demandé Sara. Néanmoins la pitié dont elle a fait preuve a pour lui les charmes de l'amour et lui redonne la jeunesse. Dans une **quatrième lettre** écrite au lendemain de ces deux heures d'effusion, le barbon déifie l'être aimé, pour ne pas profaner l'idole par des désirs charnels. C'est elle qui est l'image de la sagesse: elle lui a fait comprendre leur différence d'âges sans l'humilier; elle lui a fait comprendre la faute intérieure comme si elle avait été un miroir. Il se doit de ne plus la voir pour résister à la tentation. Lui écrira-t-il encore? Non! «Bannis-moi, méprise-moi, si tu revois jamais ton amant dans l'ami que tu t'es choisi[10].»

Tout concourt à l'évidence à assimiler Jean-Jacques au barbon, à commencer par l'avertissement à ces lettres: «Je n'ai pas besoin de dire ici mes raisons, on peut les sentir en lisant ces lettres[11].» J'y reviendrai. Mais si le barbon est Rousseau, qui se cache derrière cette Sara au prénom à résonance biblique? Alors qu'il vient d'épouser Thérèse en 1768, Rousseau écrit à Jean-Pierre Boy de la Tour: «Mlle Renou est devenue ma sœur Sara, et [...] je suis son frère Abraham[12].» Mais l'identification de Sara avec Thérèse est à exclure pour de nombreuses raisons évidentes à tout rousseauiste. On pourrait alors faire naître Sara des «amours fantasques» qui s'imposent à Jean-Jacques dans le «pays des chimères», des «créatures parfaites aussi célestes par leurs vertus que par leurs beautés», au moment où il s'engage dans la rédaction de *La Nouvelle Héloïse*. C'est l'avis d'Henri Guillemin, quand il publie en 1946 dans la *Revue de Paris* un fragment d'une cinquième lettre[13]. Il se refuse à voir un visage humain sous le prénom de Sara, au contraire d'Hermine de Saussure qui déclare nettement en 1974: «Sara, c'est

---

[9] Voir la note de Ch. Guyot dans *OC* II, p. 1950.

[10] *OC* II, p. 1297.

[11] *OC* II, p. 1290.

[12] 2 septembre 1768, *CC* 6417, t. XXXVI, p. 73.

[13] Septembre 1946, p. 100-107.

Sophie[14].» Raymond Trousson me suggère de son côté que Sara
pourrait être la comtesse de Boufflers[15]. A l'appui de cette hypothèse,
un passage elliptique à la fin du Livre X des *Confessions*: «Elle venait
me voir assez souvent avec le chevalier de Lorenzy. Elle était belle et
jeune encore. [...] Je faillis me prendre; je crois qu'elle le vit [...]. Mais
pour le coup je fus sage, et il en était temps à cinquante ans[16].» Et Jean-
Jacques d'ajouter aussitôt: «Plein de la leçon que je venais de donner
aux barbons dans ma lettre à d'Alembert, j'eus honte d'en profiter si
mal». On peut estimer cependant que Rousseau ne devait pas souhaiter
faire cocu son nouveau protecteur le prince de Conti. La galanterie de
1760 l'a flatté, mais la leçon reçue trois ans auparavant devait le garantir
de toute nouvelle aventure. Le passage cité a le mérite de faire référence
à la *Lettre à d'Alembert* et de fixer à 1758 un possible *terminus ante
quem* de rédaction. R. y fustige les auteurs qui ridiculisent au théâtre
les vieillards pour en faire «des personnages odieux» : «Puisque
l'intérêt y est toujours pour les amants, il s'ensuit que les personnages
avancés en âge n'y peuvent jamais faire que des rôles en sous-ordre.
Ou, pour former le nœud de l'intrigue, ils servent d'obstacle aux vœux
des jeunes amants, et alors ils sont haïssables; ou ils sont amoureux
eux-mêmes, et alors ils sont ridicules. *Turpe senex miles*. On en fait,
dans les tragédies, des tyrans, des usurpateurs; dans les comédies des
jaloux, des usuriers, des pédants, des pères insupportables que tout le
monde conspire à tromper[17].» Mais le théâtre seul n'est pas
responsable: «[...] à Paris les vieillards contribuent à se rendre
méprisables en renonçant au maintien qui leur convient, pour prendre
indécemment la parure et les manières de la jeunesse. [...] ils aiment
encore mieux être soufferts à la faveur de leurs ridicules, que de ne
l'être point du tout.» Il est à noter qu'à l'origine Rousseau avait donné
aux *Lettres à Sara* le titre de: «Le Barbon amoureux ou Lettres à Sara»,
titre qu'il a pris soin de biffer dans la copie pour ne garder que le sous-
titre, comme s'il voulait ôter tout caractère de comédie à ses lettres. Il lui
importe qu'il n'y ait pas d'ambiguïté, comme il le souligne dans
l'«Avertissement»: «On demandait si un amant d'un demi-siècle pouvait
ne pas faire rire. Il m'a semblé qu'on pouvait se laisser surprendre à

---

[14] *Étude sur le sort des manuscrits de J.-J. Rousseau*, Neuchâtel, 1974,
p. 61.
[15] Voir aussi son *Jean-Jacques Rousseau*, t. II, *Le deuil éclatant du
bonheur,* Paris, 1989, p. 58 et n. 102.
[16] *OC* I, p. 543-544.
[17] *OC* V, p. 46-47.

tout âge, qu'un barbon pouvait même écrire jusqu'à quatre lettres d'amour[18].»

Tout concourt à identifier Sara avec Sophie. Trois textes me servent pour cela de références essentielles: 1° la lettre à Sophie (non envoyée) du [10] octobre 1757[19]; 2° la première des *Lettres morales* [20]; 3° le texte rétrospectif du Livre IX des *Confessions*[21]. Une première constante s'impose: l'obsession de l'âge. Dans les pages des *Confessions* consacrées à la genèse de *La Nouvelle Héloïse*, Rousseau se voit déjà à ce moment «sur le déclin de l'âge» (il a 45 ans en 1757, Sophie en a 28): «Dévoré du besoin d'aimer sans jamais l'avoir pu bien satisfaire, je me voyais atteindre aux portes de la vieillesse, et mourir sans avoir vécu[22].» Et la nostalgie lui fait évoquer le cortège des houris de sa jeunesse: «voilà le grave Citoyen de Genève, voilà l'austère Jean-Jacques à près de quarante cinq ans redevenu tout à coup le berger extravagant», ajoutant aussitôt: «Cette ivresse, à quelque point qu'elle fut portée, n'alla pourtant pas jusqu'à me faire oublier mon âge». C'est par Saint-Preux interposé qu'il vivra sa passion : «je m'identifiais avec l'amant [...]; mais je le fis aimable et jeune». Dans le récit de sa passion pour Sophie, il reprend la formule : «Si j'eusse été jeune et aimable [...][23]», et il reconnaît «le ridicule [...] de brûler à [son] âge de la passion la plus extravagante.» Cette obsession reparaît évidemment dans la lettre à Sophie d'octobre 1757 et dans la première des *Lettres morales*, mais plus discrètement, car il ne veut pas se dévaloriser devant l'être réel à qui sont destinées les lignes: «ma jeunesse qui fuit de plus en plus tandis que la tienne est dans sa fleur» et «Près du terme de ma courte carrière [...][24]». Les *Lettres à Sara* sont en revanche plus insistantes ou explicites, parce qu'elles appartiennent à la fiction. C'est «un amant d'un demi-siècle» qui écrit, un «barbon qui ne s'en impose pas sur son âge»; c'est «un soupirant en cheveux gris», «un amant grison» qui s'irrite de se voir à son «âge à genoux» devant «trente ans de différence». Au moment où il concevait la *Julie*, R. avoue que ses sens insatisfaits le travaillaient et qu'il devait constamment refouler le désir. Les fréquentes visites de Mme d'Houdetot ranimaient la braise:

---

[18] *OC* II, p. 1190.

[19] *CC* 533, t. IV, p. 273-281.

[20] *OC* IV p. 1081-1086.

[21] *OC* I, p. 438-449.

[22] *OC* I, p. 426.

[23] *OC* I, p. 441, et lettre à Sophie du 10 octobre 1757.

[24] *CC* 533, t. IV, p. 279 et *OC* IV, p. 1083.

«Et qu'on n'aille pas s'imaginer qu'ici mes sens me laissaient tranquille [...]», tout comme le barbon brûle devant les charmes de l'exquise Sara.

Que ce soit dans la fiction ou dans la réalité, la situation amoureuse pour Rousseau est toujours celle du dominé : «Etre aux genoux d'une maîtresse impérieuse, obéir à ses ordres, avoir des pardons à lui demander, étaient pour moi de très douces jouissances.» C'est dans cette relation masochiste que la comparaison des *Lettres à Sara* avec les faits historiques et les récits autobiographiques s'impose le mieux. Plus encore, la passion du barbon pour Sara comme la passion de Jean-Jacques pour Sophie s'inscrivent dans ce combat avec la raison, sans lequel la vertu serait un vain mot. Paul Hoffmann définit justement la vertu «par une tension inapaisée entre le désir de la faute et la volonté de rectitude[25]». Malgré leur âge, les deux amants sont possédés par le désir passionné d'obéir à un code naturel que le code moral leur interdit d'enfreindre. C'est particulièrement sensible dans les *Lettres à Sara*, où le barbon, tout en avouant sa passion, refuse de s'humilier, de se déshonorer: «Tu n'auras pas cette gloire, ô Sara, ne t'en flatte pas: tu ne me verras point à tes pieds [...].» Il veut «échapper à l'indigne bassesse» et pourtant il cédera. Devant les agaceries et les rendez-vous secrets de Mme d'Houdetot, Jean-Jacques n'a pas éprouvé d'autre sentiment. Il s'est mis à ses pieds: «que d'enivrantes larmes je versai sur ses genoux!» C'est à ce moment précis que la fiction rejoint l'histoire recomposée. Pendant «deux heures», l'amant (le barbon ou Rousseau) «fait l'amour» à sa bien-aimée; il cède au désir et éprouve aussitôt le sentiment de la faute. Le pardon lui vient de la femme qui éprouve de la pitié et qui lui donne une leçon de sagesse et de vertu. *Lettres à Sara*: : «La pitié ferme [ton cœur] à l'amour, je le sais, mais elle en a pour moi tous les charmes.» *Les Confessions* : «Elle eut pitié de ma folie; sans la flatter elle la plaignit et tâcha de m'en guérir.» La lettre à Sophie d'octobre 1757 : «tes yeux inquiets cherchaient dans les miens si cette pitié ne t'ôteraient point mon estime». Enfin mentionnons le fragment inédit précité: «Un homme déjà barbon dans les transports amoureux qu'il se reproche avec douleur aux pieds d'une jeune personne, belle et vertueuse, qui l'exhorte, qui le console, et lui marque de l'attendrissement et de la pitié[26].»

Les textes qui nous intéressent ici s'articulent autour de quatre temps définis par les quatre *Lettres à Sara*: 1° Les charmes de Sara ont

---

[25] *Dictionnaire de Rousseau,* article «Faute» (à paraître).
[26] Art. cit., p. 24-25.

opéré, elle le sait, mais elle jouit en secret de la misère du barbon qui refuse de s'humilier, tout en lui déclarant son amour. 2° Sara a lu la lettre, mais feint de l'ignorer, comme pour attendre de voir le barbon à ses pieds. 3° Le barbon a cédé, il a reçu la tendresse qu'il attendait, mais en échange il doit désormais adopter l'attitude d'un père (d'un ami). 4° Pour vaincre sa passion impossible, le barbon divinise l'être adoré.

Les Confessions relatent les trois premiers points dans un récit où les événements sont multipliés et étendus diversement dans le temps, mais dans une même durée de six mois (mai-octobre 1757). 1° La deuxième visite de Mme d'Houdetot jette Rousseau dans un «trouble inexprimable qu'il était impossible qu'elle ne vît pas». L'auteur laisse entendre qu'il a perçu Sophie, ainsi que Sara, comme artificieuse: «la trouvant trop vive pour être vraie, n'allai-je pas me fourrer dans la tête que l'amour désormais si peu convenable à mon âge, à mon maintien, m'avait avili aux yeux de Madame d'Houdetot[27]». 2° Lors de leurs fréquents rendez-vous au Mont-Olympe, il écrit «avec son crayon des billets» enflammés: «elle en trouvait quelqu'un dans la niche dont nous étions convenus»; c'est aussi ce que laisse entendre la lettre du 10 octobre: «Ressouviens-toi des ces mots écrits en crayon sous un chêne.» 3° La scène du «bosquet» est celle de l'effusion des sentiments; la leçon vient plus tard, mais elle appartient au même temps narratif dans les Lettres à Sara. Le quatrième temps n'apparaît pas dans Les Confessions, mais on peut imaginer que le projet de Pygmalion y répond: le sculpteur donne vie à ses fantômes sous la forme d'une Galathée à laquelle il déclare: «je ne vivrai plus que par toi[28]».

La lettre à Sophie, écrite après l'aveu de Rousseau à Saint-Lambert, se situe dans un moment de refroidissement, de «circonspection», de la part de l'être adoré, mais elle évoque rétrospectivement l'«heureux temps», les souvenirs «délicieux» de la transparence des cœurs, au troisième temps du «bosquet de la cascade», et, consécutivement, du «délire», des «ravissements», des «extases» d'un homme rendu à sa jeunesse, «plus respectueux, plus soumis, plus attentif à ne jamais t'offenser»: «ta personne me fut sacrée!»

La première des Lettres morales est aussi postérieure au troisième temps, après la leçon reçue: «Le premier fruit de tes bontés fut de m'apprendre à vaincre mon amour par lui-même, à sacrifier mes plus

---

[27] «Les femmes ont trouvé l'art de cacher leur fureur, surtout quand elle est vive» (OC I, p. 446).

[28] OC II, 1231. Dans Les Confessions, Rousseau parle de Claire et Julie comme de «charmantes filles dont je raffolais comme un autre Pygmalion» (OC I, p. 436).

ardents désirs à celle qui les faisait naître, et mon bonheur à ton repos.» Dans sa culpabilité rétrospective, il regarde Sophie comme une personne «sacrée» dont l'image «inviolable» reste au fond de son cœur. Mais la déification prend une autre forme: «vous ne m'en êtes que plus chère depuis que j'ai cessé de vous adorer. Mes désirs, loin de s'attiédir en changeant d'objet n'en deviennent que plus ardents en devenant plus honnêtes.» Rousseau-Mentor transcende ses désirs en communiquant à l'être aimé la «perfection» de ses sentiments: «Puisse mon zèle aider à vous élever [...] au-dessus de moi [...]». La voix qui parle n'est pas celle d'«un vil séducteur», mais celle du «vice humilié» qui se tait «au nom sacré de la vertu» et qui retourne à l'être aimé des leçons encore plus sublimes que celles qu'il a reçues. Seul un «scélérat» désire «plier la morale à ses passions». Dès lors que Sophie lui a accordé son amitié, elle acquiert un statut supérieur. La soumission amoureuse de Rousseau trouve sa justification dans la perfection de l'être aimé.

Depuis que Bernard Guyon a mis en garde contre de trop faciles rapprochements textuels entre *La Nouvelle Héloïse* et les écrits autobiographiques[29], on hésite à avancer des arguments lexicologiques. Néanmoins je n'ai pas résisté à confronter le vocabulaire de ces quatre textes. En exceptant les termes conventionnels du langage amoureux, il est frappant d'y relever des paires antithétiques qui fondent une thématique commune: coupable, crime, criminel / innocence, pureté — déshonoré / honneur — honte, humiliation, indigne / digne, dignité — faute / vertu — séducteur / pitié, etc. Ce sont là évidemment des mots-clés de la sphère morale rousseauiste.

Si les similitudes entre les textes évoqués sont patentes, il y a pourtant une différence narrative essentielle entre les *Lettres à Sara* et les trois autres à caractère biographique plus marqué. Rousseau y a gommé Saint-Lambert, l'amant de Sophie! Sara est jeune, désirable, mais elle est «libre». Dans la première lettre, le barbon suggère l'éventualité : «J'aimerais mon rival même si tu l'aimais» (ces mots évoquent naturellement les relations de Rousseau avec Saint-Lambert). Et dans le projet de 5e lettre, il se pose en adorateur d'une idole insensible: «mon cœur est plein, le tien est vide, il ne peut l'être longtemps et ce n'est pas moi qui peux le remplir. Tu aimeras, Sara, si déjà tu n'aimes. [...] Mon désespoir n'est pas de n'être point aimé, mais qu'un autre doive l'être.» Si ce gommage de l'amant n'a rien de romanesque, il n'en est que plus significatif. En vidant le cœur de Sara, l'écrivain accentue la faute du barbon devant l'innocence de celle qu'il aime. Il risque vraiment de n'être qu'un «vil séducteur» en profitant de

---

[29] «Introduction» à *La Nouvelle Héloïse*, *OC* II, p. XLVII-XLIX.

son âge, de son expérience, pour corrompre la jeunesse. Sophie ne lui a-t-elle pas dit après sa déclaration: «vous êtes l'amant le plus tendre dont j'eusse l'idée; non, jamais homme n'aima comme vous», ou «Non, jamais homme ne fut si aimable, et jamais amant n'aima comme vous[30]». Il est donc capable d'être un séducteur, encore faut-il prouver qu'il n'est pas un don Juan, que sa passion est droite. L'angoisse d'être méjugé est poignante: «Non, Sophie, je puis mourir de mes fureurs, mais je ne vous rendrai point vile»; «souiller la divine image eût été l'anéantir»; «Ne laisse plus profaner ton image par des désirs formés malgré moi. [...] je vous ferai voir que je ne porte point un cœur bas[31].» L'être aimé (Sophie ou Sara) agit alors comme un révélateur ou un miroir de la conscience morale. S'il est naturel qu'on puisse «se laisser surprendre à tout âge», il est en revanche immoral de confondre les générations. Sophie ou Sara font résonner «cette voix terrible qui ne trompe pas», ces «cris intérieurs d'une âme épouvantée». Sous le regard de Saint-Lambert, Sophie demande à Jean-Jacques une pure amitié. La vertu de Sophie est garantie par son amour pour Saint-Lambert; Rousseau reconnaît: «Où est le crime d'écouter un autre amour, si ce n'est le danger de le partager.» Or Sophie lui déclare nettement: «Ou rompons tout à fait, ou soyez tel que vous devez être. Je ne veux plus rien cacher à mon amant.» Et Jean-Jacques d'ajouter: «Ce fut là le premier moment où je fus sensible à la honte de me voir humilié par le sentiment de ma faute devant une jeune femme dont j'éprouvais les justes reproches, et dont j'aurais dû être le Mentor». Mais Sara n'est-elle pas plus sublime, puisque, sans amant pour la justifier, elle donne une leçon naturelle au barbon en le ramenant à son état de père: «cette tendresse de père que tu me demandais d'un ton si touchant, ce nom de fille que tu voulais recevoir de moi me faisaient bientôt rentrer en moi-même. [...] Mon mépris pour moi m'empêchait de voir toute l'indignité de ma démarche». Dans les deux cas, c'est la *pitié* (vertu naturelle) de la femme aimée qui ramène l'homme de 50 ans à la raison. Comme l'écrit justement Henri Coulet, c'est finalement «sur ses désirs profonds que Rousseau fonde sa morale[32]». Et si Julie s'est *fixée* sur Sophie, Sophie semble bien avoir donné naissance à Sara.

Reste à déterminer la date des *Lettres à Sara.* Le fragment que j'ai publié rassemble quatre titres, apparemment de dates différentes,

---

[30] *CC* 533, p. 274 et *OC* I, p. 444. Et encore: «mais avilir ma Sophie! ah cela se pouvait-il jamais» (*OC* I, p. 444).

[31] *CC* 509, p. 226, *OC* I, p. 444 et *OC* II, p. 1295.

[32] «Introduction» à *La Nouvelle Héloïse*, éd. Folio, Paris, 1993, p. 13.

mais il pose la question de leur origine commune. Tous semblent remonter à une période antérieure à celle du Mont-Louis. Le sujet du *Lévite* n'est-il pas déjà évoqué dans l'*Essai sur l'origine des langues* ?[33] Par ailleurs quand Rousseau déclare dans *Les Confessions*: «je sentais trop le ridicule des galants surannés pour y tomber», il renvoie indirectement à un passage d'*Émile* où il a développé le thème du vil suborneur, d'«un vieux satire usé de débauche» dont le seul espoir de plaire est de «suppléer à tout cela chez une jeune innocente en gagnant de vitesse sur l'expérience et lui donnant la première émotion des sens»; et il ajoute : «Je n'irais point offrir ma barbe grise aux dédains railleurs des jeunes filles; je ne supporterais point de voir mes dégoûtantes caresses leur faire soulever le cœur [...]. Que si des habitudes mal combattues avaient tourné mes anciens désirs en besoins, j'y satisferais peut-être, mais avec honte, mais en rougissant de moi[34]». Ces lignes, comme d'ailleurs celles de la *Lettre à d'Alembert*, supposent un renoncement indigné à une tentation écartée précédemment. Il est donc sûr que notre texte est antérieur à 1762. Qu'il ait été mis au net à Môtiers, rien de plus probable : dans la stérilité créatrice consécutive à la proscription, Rousseau consacre ses premiers temps à remanier des œuvres en chantier. Mais tout concourt à dater les *Lettres à Sara* de la fin de 1757 ou du début de 1758, contemporaines des *Lettres morales* et compensatrices des lettres d'amour à Sophie que Rousseau a dû accepter à contre cœur de voir détruire: «Non l'on ne met point au feu de pareilles lettres. On a trouvé brûlantes celles de la *Julie*. Eh Dieu! qu'aurait-on donc dit de celles-là ? Non, non, jamais celle qui peut inspirer une pareille passion n'aura le courage d'en brûler les preuves[35].»

---

[33] Voir *OC* V, p. 377.
[34] *OC* IV, 684-685.
[35] *OC* I, p. 463.

COMMENT S'ENONCE L'IDENTITE ?
DES STRATÉGIES DE DISCOURS SIGNIFICATIVES

Anna JAUBERT
Université de Nice-Sophia Antipolis
INALF

Les questions cruciales que l'on se pose souvent face aux écrits autobiographiques tournent, évidemment, autour de la problématique identitaire. Sous des reformulations diverses, il s'agit toujours d'expliciter et de légitimer la coïncidence entre le "je" du texte et celui dont le nom figure sur la couverture de l'ouvrage ; des questions directement induites par ce que Philippe Lejeune appelle le "pacte autobiographique"[1]. En vertu de ce pacte, on se demande souvent quelle part de fictionnel peut s'infiltrer dans l'élan, ou les recoins, d'une écriture qui sélectionne, et réciproquement qui occulte des pans de vie, voire qui la (re)compose pour en dégager du sens, à des degrés de visibilité divers. Composition ou recomposition, manifestation modulée du sens, toutes opérations qui ne manquent pas d'intéresser la stylistique. Dans la foulée, mais remontant en amont, je me suis demandé ce que pouvait signifier pour tel ou tel auteur, *le fait-même de "raconter sa vie"*, d'en projeter un tracé accompli, ou simplement une esquisse ciblée, c'est-à-dire au fond que l'on prenne la formule *"raconter sa vie"* au sens littéral, ou au sens métaphorique, l'option ayant une traduction linguistique, comme on le verra.

Je me propose donc d'expliciter par quel projet énonciatif passe l'entreprise autobiographique, quelle *visée* sous-tend la dominance de telle ou telle stratégie discursive ? D'où le titre de cet exposé, *Comment s'énonce l'identité? Des stratégies de discours significatives.*

Ce retour aux sources linguistiques ne surprendra pas ; un de ses domaines d'application au moins est familier, c'est celui de la temporalité. En effet à la question que j'ai posée, on va le plus souvent chercher des réponses dans le jeu des temps verbaux, associés à

---

[1] Questions développées dans dans des ouvrages aux titres éloquents, *Le Pacte autobiographique, Je est un autre, Moi aussi....*

d'autres indices d'une temporalité homogène ou non, conforme ou non à notre horizon d'attentes. Rien de plus normal : la temporalité est une détermination capitale de l'écriture autobiographique, par définition puisque c'est du donné pour vécu qui est raconté, du passé présumé réel, mais revisité par une conscience présente (qui tire des leçons de ce passé, ou du moins en dégage l'exemplarité). Comme ce point sensible a été abondamment étudié, et que j'ai moi-même fourni déjà quelques développements sur le sujet, je n'y reviendrai pas aujourd'hui. Aujourd'hui, c'est plus profondément au cœur des énoncés, au niveau micro-syntaxique, que je détaillerai la constitution même, la "fabrication" de l'image du "je".

Car la syntaxe est sémantique[2], et il y a manière et manière de décliner son identité. Dans la construction des énoncés se lit un mode de présentation des contenus : les choix syntaxiques révèlent une présélection des structures liée au *but de la communication*[3]. Les constructions signifiantes qui seront analysées déterminent une certaine *option* du discours autobiographique, avec la demande de reconnaissance particulière qui s'y attache, l'*autobiographie introspective*, ou si l'on préfère, ouvertement introspective. Il faut d'abord expliquer ce lien entre types d'énoncés et grandes options du discours autobiographique, j'aborderai ensuite précisément l'étude des stratégies remarquables du dire de l'identité.

I. Préambule : les grandes options du discours autobiographique

Un point de vue est particulièrement pertinent, me semble-t-il, pour apprécier le discours autobiographique, il s'attache à la qualité de la relation à soi-même; J. Starobinski, dans un article déjà ancien, évitait de parler d'un style, ou d'une forme autobiographique, et préférait se rapporter à des conditions générales de l'autobiographies satisfaites diversement "et plus que partout" disait-il, selon autant de styles que

---

[2] Les sémanticiens le savent et ne cessent de nous le rappeler. A.-J. Greimas écrivait déjà dans *Sémantique structurale* (1966) "Grâce au symbolisme linguistique, c'est notre vision du monde et notre façon de l'organiser [...] que nous developpons ainsi devant nous au moyen des règles syntaxiques". B. Pottier, F. Rastier aujourd'hui, et d'autres encore, en font la démonstration.

[3] Interaction cette fois de la sémantique et de la pragmatique. Pour un développement de ce point, voir Jaubert 1990.

d'individus (Starobinski 1970). *Styles*, au pluriel, désignant l'expression adaptée aux circonstances, telle que la perçoivent les uns ou les autres. Et c'est sans doute ce qui faisait dire à Rousseau "mon style *inégal et naturel*, tantôt rapide et tantôt diffus, tantôt sage et tantôt fou, tantôt grave et tantôt gai fera lui-même partie de mon histoire" (*Ébauches des Confessions*, O.C. Pléiade, T.I. p. 1154).

Mais la variable la plus déterminante dans la façon de se révéler à autrui, étant entendu que tout discours s'adresse à autrui, y compris, et peut-être surtout le discours sur soi, cette variable la plus déterminante concerne le *statut de la subjectivité*, le degré d'adhésion, ou au contraire de distanciation, affiché à l'égard du moi développé. Là nous reconnaissons d'expérience deux grands types de développements, deux grands types de *visions* : une vision de l'intérieur, centrée sur un inventaire de soi, disséquant caractère et états d'âme, opposée à une vision de l'extérieur, qui raconte des événements, des faits et gestes, sans préjudice naturellement de la cohabitation des deux visions, diversement dosées. *Les Confessions*, à l'honneur dans ce Colloque, nous offrent un bel exemple de cette cohabitation.

Or cette dualité pousse ses racines dans l'organisation même des énoncés. L'autobiographie mobilise un discours de type narratif, on le sait; il faut savoir aussi qu'il existe une homologie entre la phrase, avec son noeud verbal, et le récit; c'est là une des grandes propositions de la narratologie contemporaine, que déjà Greimas formulait en ces termes :

> "Le noeud verbal, que l'on trouve au centre de la plupart de nos langue européennes, exprime tout *un petit drame*. Comme un drame en effet, il comporte obligatoirement un *procès*, et le plus souvent des *acteurs* et des *circonstances*. Transposés du plan de la réalité dramatique, sur celui de la syntaxe structurale, le procès, les acteurs et les circonstances deviennent respectivement le *verbe*, les *actants*, et les *circonstants*" (Greimas,1966, p. 102).

Le verbe étant perçu comme le pivot de la phrase, l'association logique qui la constitue, l'association sujet-prédicat, correspond au modèle Syntagme nominal + Syntagme verbal; il se trouve que ce modèle connaît deux réalisations, la réalisation de la phrase en *être* et la réalisation de la phrase en *faire*, avec bien-sûr leurs modalités.

Dans la mesure où il y a *récit* autobiographique, le modèle en *faire* devrait dominer. En effet, lui seul peut assumer une dynamique narrative, la transformation, sans laquelle justement le récit n'a pas lieu. Mais la transformation n'est autre que le *changement d'état*; dans le récit autobiographique, énoncés en être et énoncés en faire se complètent. Ce qui est vrai de tout récit, l'est *a fortiori* dans la mise en scène du sujet dans son devenir. Le dire de l'identité est à la fois *un point d'ancrage et la finalité* du discours autobiographique : son investissement n'est rien moins qu'indifférent.

II. Les stratégies du dire de l'identité.

Ici le sujet est en même temps l'objet du discours. Si l'on se reporte à la structure de base de la phrase, la bipartition élémentaire sujet-prédicat (annoncée ci-dessus), bipartition logique et qui remonte aux sources de la réflexion grammaticale en Occident, et si l'on examine ce qui lui correspond dans un ordre "banalisé" des énoncés, on dira que le *thème* l'élément posé, présenté comme connu, et le *rhème* (ou propos), à savoir l'élément informatif, se rejoignent, ou plutôt tendent à se rejoindre, ce que manifeste, conformément à nos intuitions linguistiques, la structure très sollicitée : *Sujet-Verbe-Attribut du sujet.*

II. I. La phrase attributive et sa limite de rendement

En l'absence d'emphase, dans le cadre d'une syntaxe apparemment neutre, la phrase attributive est celle, qui patiemment tisse le lien entre le sujet dans son statut de thème, et un propos qui va de la caractérisation de ce sujet à l'assertion d'une identité, qui n'est autre qu'une tentative de définition. Pour illustrer ce processus, je ferai appel à un texte qui représente non pas une autobiographie "constituée", mais simplement une amorce autobiographique, induite par le désir d'une rencontre de l'autre, l'autre en question étant justement Rousseau, amorce qui, par sa situation même, est révélatrice des enjeux profonds du discours sur soi. Ce texte est celui des lettres d'une jeune femme, dont on ne connaît que le prénom Henriette***, et qui pendant un an (mars 1764 - mars 1765) a désespérément tenté de nouer un contact avec celui qui n'était pas encore l'auteur des *Confessions.* Dire ce que l'on est, qui l'on est, sont les indispensables premiers pas[4].

A) Avec un attribut adjectival.

Dans la phrase attributive, le verbe qui assure la cohésion des éléments est dit verbe "copule"; la relation qu'il institue entre le sujet et le terme attribut est une relation intrinsèque. Avec un attribut adjectif, le

---

[4] Pour de plus amples détails sur cette étrange correspondance, voir Jaubert 1987.

sujet se présente comme le siège d'une description que le verbe médiatise (une médiatisation qui évidemment n'est pas neutre). Dès les premières lignes on peut lire :

> "... il vous paraîtra singulier sans doute que je fasse la démarche de vous écrire; peut-être même *vous paraîtrai-je ridicule*..."(L. 3192, CC. Leigh, T. XIX, p. 240)[5]
>
> "... Je connus assez de choses dans le coeur humain, pour désespérer que le mien *fût jamais content*" (*ibid.*, p. 242),
>
> "... mon coeur *devint si mort,* mon esprit *si abattu* ..." (*ibid.*)

On pourrait sans peine multiplier les exemples, dans la première lettre encore, et dans les suivantes ; tous donnent clairement à lire, dans la convergence sémantique des attributs, le projet introspectif. Même négativée, la présence de l'énonciateur inscrit sa trace; dans l'exemple suivant, en réponse à une accusation de Rousseau, Henriette se défend d'être une femme qui "s'affiche" :

> " Personne ne peut *être moins affichée*..." (L. 3493, p. 124),

écrit-elle, et l'on remarque l'accord au féminin du participe passé affich*ée*, alors que l'indéfini *personne* neutraliserait plutôt l'opposition des genres.

On observe au passage que dans cette construction se joignent aux adjectifs, les adverbes, adjectivisés de ce fait, les participes passés bien-sûr, et les syntagmes prépositionnels :

> " Quoique je fusse assez bien de figure et de taille..." (L. 3192, p. 242),
>
> " [la place] où je puis être pour moi le moins mal" (ibid. p. 247)
>
> " je ne me sens pas *disposée à l'effroi*..." (L. 3493, p. 123), enfin :
>
> " Je suis sans fortune, c'est-à-dire que je suis *fort au dessous de la médiocre*..." (L. 3192, p. 241),

ou, dans une autre construction locative métaphorique, assimilable à une phrase attributive :

> "Je restai plus de quatre années *dans un état de maladie*..." (*ibid.*, p. 242).

Versant dans l'attribut et l'image de l'être pour soi et l'image de son être pour autrui, Henriette mobilise tous les supports de la caractérisation du sujet. La médiatisation par le verbe permet de modaliser le lien attributif (sembler, paraître, rester...), mais l'élément véritablement signifiant du prédicat est l'adjectif, ou ses équivalents. Là,

---

[5] Les lettres de l'échange épistolaire Henriette***-Rousseau sont signalées par un L. suivi de leur numéro, les références sont celles de la CC. R.A. Leigh (T. XIX,XX, XXI, XXII, XXIII, XXIV et XXXVIII.)

réside l'intérêt de la construction : dans la phrase attributive, la caractérisation a le privilège de *faire partie intégrante et irréductible du propos*; le sujet est en quelque sorte gratifié d'une qualité expressément énoncée et syntaxiquement inaliénable[6]. Ainsi le verbe copule commence-t-il à oeuvrer en faveur de l'identification du sujet, un dessein supposé s'accomplir avec l'attribut nominal.

B) Avec l'attribut investi par un syntagme nominal, le sujet tente cette fois de se définir. Mais c'est là le terme d'un parcours beaucoup moins uni qu'on pourrait le croire, et qui marque dans notre texte des étapes significatives.

Par exemple on observera un attribut intermédiaire *entre* le syntagme nominal et le syntagme adjectival :

> "...il me paraît égal d'être *homme ou femme* pourvu qu'on soit *heureux.*"(*ibid.*, p. 124).,

et plus loin dans le même moule syntaxique,

> "je me suis seulement considérée *comme être isolé...*" (*ibid.*)

Les substantifs introduits dans les énoncés *sans actualisateur* (sans article ni autre déterminant), ne désignent plus des êtres du monde, mais les qualités qui leur sont attachées. C'est si l'on veut une "transition incomplète" entre le statut adjectival et le statut nominal[7], dont on remarquera une réalisation flottante :

> "... encore est-ce avec un air timide parce que je *la* suis" (*ibid.*, p. 124).

Le pronom personnel "la", relais attendu d'un attribut nominal, prend ici la place du neutre "le", reprise orthodoxe pour l'adjectif "timide". L'infraction encore courante (quoique condamnée) à l'époque classique, s'était suffisamment raréfiée au XVIIIe pour être remarquée, Henriette du reste l'avait corrigée dans la copie de ses lettres, destinée à la publication. Le plus souvent la transition se fait naturellement par des emplois co-occurrents, emboîtés parfois, notoirement dans la première lettre :

> " je suis *une fille*, Monsieur, *qui n'est plus ni bien jeune ni bien jolie...*" (L 3192, p. 241),

et plus loin :

> " Moi isolée, je ne suis *d'aucun sexe*, je suis seulement *un être pensant et souffrant*, qui reste là [...] Elle n'est *ni pierre d'angle, ni pierre*

---

[6] Dit autrement, sa suppression porte atteinte à la grammaticalité de l'énoncé.

[7] G. Guillaume, *Le Problème de l'article et sa solution dans la langue française,*
A.G. Nizet, Paris, rééd. Roch Valin, 1975, p. 84.

d'appui [...] elle n'est seulement qu'une pierre..." (*ibid.*, p. 247),
exemple qui manifeste toutes les étapes du processus qui va de la
qualification vers l'identification. *À quand l'identification à part entière ?*
Certes, un attribut référentiel émerge, mais c'est dans une assertion
négative :

"... je ne suis point *une de ces femmes savantes...*" (*ibid.*, p. 240),
ou *virtualisée* dans un irréel du passé :

"j'*aurais donné* tout au monde pour devenir *une de ces dévotes
passionnées*" (*ibid.*, p. 248).

Un point de résistance se profile : longue est encore la route de la
définition positive du sujet, d'où l'aveu révélateur :

"il est nécessaire de vous dire *ce que* je suis..." (*ibid.*, p. 241),
et non pas *qui je suis*. Inversement, l'identification par la structure
attributive progresse... si le sujet consent à réduire son extension :

"toute ma vie n'a été qu'une agonie continuelle qu'une mort qui s'est
renouvelée à chaque instant" (*ibid.*, p. 251).

La seule exception, (mais en est-ce une ?) se trouve dans la formule de
politesse invariable, conventionnelle, c'est-à-dire à l'abri des questions,
et de la véritable référentialité :

" j'ai l'honneur d'être, Monsieur,
votre très humble obéissante servante
Henriette."

La structure d'équivalence semble se dérober au dire de l'identité,
*comme si le sujet, qui peut fort longuement se décrire, n'arrivait pas à
se saisir dans une structure globalisante,* ce qui, en y regardant de près,
réduirait de fait au chômage technique l'autobiographie! À peine
commencée, elle serait déjà finie. Manifestement, elle n'en est pas
menacée, et comme pour suggérer cet indicible du langage (qui n'atteint
pas le langage poétique, voir "Je suis le Ténébreux, le Veuf,
l'Inconsolé..."), Henriette, elle, vient à bifurquer sur l'emploi absolu du
verbe *être*, un emploi très marqué :

"j'ai dit, me voilà, j'existe, je ne sais pas pourquoi mais *enfin je suis*"
(L. 3493, p. 124),
emploi qui énonce purement et simplement l'existence, et qui
indirectement dénonce la limite de rendement de la phrase attributive.

Ainsi une structure grammaticale des plus productives, et habilitée
à réunir dans une relation intrinsèque le sujet et ce que l'énonciateur
entend lui attribuer, qualités ou statut, dessine-t-elle une spirale plutôt
qu'un cercle. *L'attribut n'épuise pas l'identité du sujet*, singulièrement
quand ce dernier est l'énonciateur lui-même. Le privilège d'une
description ou d'une définition inscrites comme des constituants
inaliénables de l'énoncé, s'avère en deuxième analyse une limite. C'est-

à-dire que, par un retour d'appréciation, le privilège signalé tout à l'heure est un handicap, car l'obstacle justement relève du statut prédicatif, officiellement prédicatif de l'attribut. L'intervalle qui persiste entre le sujet et l'attribut et qui empêche la boucle de se boucler, est lié à son inscription dans le syntagme verbal. Inséré dans l'espace temporel déclaré par le verbe, l'attribut donne forme d'existence effective mais contingente, à ce qui se voudrait plutôt une expression de l'essence du moi. L'énonciateur n'en finit pas de se dire avec toujours la conscience d'être *au-delà* de son énonciation, quand, en bout de parcours, l'énoncé circulaire serait perçu, lui, comme une infraction au principe conversationnel de pertinence. En effet, "Je suis moi" implique toujours une dérivation, à moins que lien attributif lui-même ne soit modalisé "je ne suis plus moi-même", ou virtualisé comme chez Henriette, "je serai plus longtemps moi". (C.C. Leigh, T. XIX, p. 247). On comprend *a contrario* pourquoi la poésie ignore cette contrainte. C'est qu'elle développe un autre espace du langage où la relation d'identité peut dessiner un être mythique annulant d'emblée les clauses ordinaires de l'actualisation.

Il reste au dire de l'identité, qui a épuisé un énoncé canonique à reconquérir latéralement une place à la mesure de son sujet.

II.II. Vers un autre équilibre syntaxique. Préasserter l'identité.

La deuxième stratégie à laquelle je m'attacherai, sachant qu'il en existe d'autres, *est celle qui soustrait de la façon la plus radicale la saisie de l'être à la prédication circulaire*. Quand l'assertion attributive s'est avérée défaillante, j'en ai décelé l'explication dans la prédication verbale, qui inscrit dans le temps, c'est-à-dire dans la contingence, la relation d'identité. Pour affecter le sujet en profondeur, des appositions caractérisantes ou identifiantes se développeront *en amont du prédicat*, et en séries, souvent très généreuses, qui prennent la forme de participiales en tête de phrase. On retrouve là les formules célèbres des discours introspectifs qui pour mieux faire valoir les qualités de l'être viennent à court-circuiter la copule. Le théâtre classique en a fait bon usage, à commencer par les stances du *Cid* :

> *"Percé jusques au fond du coeur*
> *D'une atteinte imprévue aussi bien que mortelle,*
> *Misérable vengeur d'une juste querelle,*
> *Et malheureux objet d'une injuste rigueur;*

Je demeure immobile et mon âme abattue..." (*Le Cid*, I,VI)

Ainsi sont disposées les premières touches d'un auto-portrait moral. Ici, l'équilibre sujet-prédicat, ordinairement à l'avantage du second, est modifié par un autre équilibre, celui du thème et du rhème, qui dans le discours fonctionnent respectivement comme le support, et comme l'apport d'information. Il se trouve qu'en amplifiant considérablement le terme initial, *le thème*, l'information fait glisser dans un donné pour acquis, parmi ces "éléments qui, au moment de la parole, appartiennent déjà au champ de la conscience" (Martin , 1983 : 214-218), une bonne part de ce qui devrait logiquement revenir au second, le rhème. On entre alors dans *une nouvelle hiérarchie informationnelle* qui permet de combiner dans le discours de l'être description et explication, orientation du trait et bilan. Un mixte particulièrement bienvenu dans le discours introspectif. La prose de Rousseau lui a largement fait honneur, surtout dans les *Rêveries du Promeneur solitaire*, analysant le moi du passé :

> "Enfant encore et livré à moi-même, alléché par des caresses, séduit par la vanité, leurré par l'espérance, forcé par la nécessité, je me fis catholique..." (O.C., T. I., p. 1013),

ou le moi plus actuel :

> "*Forcé de m'abstenir de penser, de peur de penser à mes malheurs malgré moi : forcé de contenir les restes d'une imagination riante mais languissante, que tant d'angoisses pourraient effaroucher à la fin; forcé de tâcher d'oublier les hommes, qui m'accablent d'ignominie et d'outrages, de peur que l'indignation ne m'aigrît contre eux*, je ne puis cependant me concentrer tout entier en moi-même..." (ibid., p. 1066).

On trouvait des rythmes analogues chez Henriette :

> "... dégoûtée d'un monde trompeur, souffrante du mauvais état de mes affaires, fatiguée de démarches inutiles pour les arranger, rebutée de mille fausses espéances, détachée d'amis en qui je ne trouvai que de la fausseté ou de la faiblesse, j'avais formé la résolution de me retirer dans quelque campagne éloignée des villes..." (L. 3192, p. 248).

Les exemples sont ici légions, l'apposition alliant les valeurs descriptives et circonstancielles.

On observe que le tour favorise la quasi-coréférence entre *je* et *mon âme* :

> "*Mon âme n'étant point dominée par ces sombres passions de l'envie et de la jalousie, également exempte de la soif des richesses et de l'ambition des honneurs*, pourquoi ne pourrais-je pas être plus heureuse que ceux en qui elles règnent?" (L. 4209, p. 322).

Leçon d'une époque, plutôt que celle de Rousseau, qui avait prêté cette tournure de plume à sa Julie (1761), mais n'avait pas encore publié ses grands textes autobiographiques ? Leçon d'un genre, le discours sur soi ? Il faut y regarder de plus près. Certes, le succès d'une formule est porté par sa réponse à une attente : la plus adéquate est celle que l'on retient. Restent à analyser les causes de cette adéquation.

J'ai souligné l'effet de quasi-coréférence entre *Je* et *mon âme*. J'ajouterai que même une hétéro-référence explicite, acceptée encore à l'époque classique ("Captive, toujours triste, importune à moi-même,/ Pouvez-vous souhaiter qu'Andromaque vous aime?" *Andromaque*, I, IV), cette hétéro-référence n'ôte rien à l'effet. Ce point est intéressant car il montre que *la disparité des sujets n'est perçue que comme une variante superficielle* dans une stratégie qui, en profondeur, se lit comme une *thématisation*. Le processus est le suivant : par l'apposition antéposée, les prédicats adjectivaux (toutes bases confondues pour l'instant, adjectifs, participes passés ou participes présents) *surgissent avant la dénomination* : ainsi, au moment où l'énoncé bascule du thème au propos, de ce qui est posé à l'information drainée sous la forme du syntagme verbal, ces prédicats préalables ont déjà pénétré et modifié le sujet en attente dans l'esprit, ils lui appartiennent, comme ils appartiennent de fait au thème dont ils ont gonflé le volume en investissant la branche ascendante de l'énoncé. *Ainsi, la caractérisation échappe à la contingence du prédicat officiel qui vient après*, gratifie le sujet comme "par hypothèse" d'un ensemble de traits échus dans une existence antérieure.

Alors s'explique aisément la fusion des valeurs descriptives et circonstancielles. Si le thème est le point d'ancrage pour une énonciation, toute cette capitalisation prédicative engrangée produit un résultat à double détente : premièrement, elle concentre sur le sujet en attente la pertinence de l'énonciation, deuxièmement elle spécifie l'orientation de cette pertinence. "Pourquoi ces choses et non pas d'autres ?", disait Figaro à l'issue du célèbre monologue de l'acte V du *Mariage, presque entièrement construit sur cette formule*; fausse naïveté du personnage mais probablement vraie conscience linguistique de l'auteur : toutes les touches de l'auto-portrait sont sélectionnées pour leur incidence prêtée à la suite de l'énoncé, et c'est bien pourquoi elles exhibent sa pertinence ; ici, il y a effort pour *livrer un être intelligible*, et l'on mesure dans les *Rêveries* l'ultime et pathétique effort de Rousseau pour "s'expliquer". En somme, l'énonciation *assure* les traits de l'être censés fonder l'essentiel, par une série de préassertions. J'ai parlé en termes métaphoriques "d'existence antérieure", pour une analyse en termes logiques des liens entre le thème et la présupposition, je renvoie aux travaux de R. Martin[8]. Mais pour comprendre le dispositif, il faut avoir présent à l'esprit que thème et présupposition ont ceci de précieux qu'ils échappent à la mise en question de l'énoncé.

Par le biais de ces appositions antéposées, les énoncés peuvent donc exhiber un constituant sujet à l'expansion *illimitée*. Une sollicitation débridée de ce tour apparaît dans un long auto-portrait d'Henriette, gardé pour la bonne bouche :

> "Les passions fortes et vives, cependant douce et complaisante, le caractère facile, aimant le plaisir, naturelle et vraie, pleine d'amour-propre, d'une sensibilité extrême, l'imagination trop active, le coeur trop tendre [...]; ambitieuse de la considération et de l'estime, indifférente à la gloire qui ne se tire que du faste des richesses, désirant de la fortune, mais n'en faisant cas qu'autant qu'elle donne plus d'indépendance, qu'elle facilite tous les moyens de tirer parti de soi [...]; toujours prête cependant à en sacrifier les intérêts à ceux du coeur. Dure et sèche quand je suis blessée... "(L. 3192, p. 244).

Dans cette juxtaposition fleuve (considérablement abrégée ici!), les traits de la personnalité s'addtionnent sans la résolution d'un commentaire... en éternel suspens. De ce fait ils restent épars, ne rimant à rien comme l'existence dont se plaint la jeune femme, évoquant ainsi une physionomie morale désemparée. Une séquence aussi spectaculaire se retrouve dans les *Amours de Milord Edouard Bomston* (1780). Récit à la 3e personne, ce texte présente l'avantage heuristique de sortir la construction du contexte autobiographique :

> "Il passa plusieurs années ainsi partagé entre deux maîtresses; flottant sans cesse de l'une à l'autre; souvent voulant renoncer à toutes deux et n'en pouvant quitter aucune, repoussé par cent raisons, rappelé par mille sentiments, et chaque jour plus serré dans ses liens par ses vains efforts pour les rompre : cédant tantôt au penchant et tantôt au devoir, allant de Londres à Rome et de Rome à Londres sans pouvoir se fixer nulle part. Toujours ardenbt, vif, passionné, jamais faible ni coupable, et fort de son âme grande et belle quand il ne pensait l'être que de sa raison. Enfin tous les jours méditant des folies, et tous les jours revenant à lui, prêt à briser ses indignes fers." (O.C. T. II, p. 759).

Grâce à ce point de comparaison externe, on appréciera sans l'interférence de la conjoncture particulière, l'écriture à la première personne, le signifié *propre* de la structure syntaxique. Celle-ci, on le voit dépasse la vocation autobiographique. Mais qu'elle s'applique ou non à un "je", lui-même réel ou imaginaire, l'expansion infinie d'un

---

[8] R.Martin , *Pour une logique du sens*, PUF, Paris 1983, pp. 208-214.

sujet en attente induit une thématisation qui semble ne plus connaître de bornes tant elle excède par son développement le cadre formel de la phrase. Dans la culmination du processus, les énumérations semblent se suffire à elles-mêmes, et la suite de l'énoncé avec un sujet et un prédicat verbal en bonne et due forme, est non seulement différée, mais dérobée au profit d'une pure et simple caractérisation d'un *sujet latent*. Cette thématisation dont le pendant rhématique peut se perdre dans une lointaine introduction, dévoile simultanément son mécanisme linguistique et sa portée littéraire. Si elle permet aux énoncés d'ajourner leur propos, c'est qu'elle devient par une *prédication intégrée*, (que les linguistes appellent aussi "prédication seconde") un substitut de propos. Fondamentalement, une perception profonde de l'actant qui est au centre du discours, une vision de l'intérieur d'autant plus sensible qu'elle implique ici la complicité du narrateur omniscient.

Distendue par ces exploitations extrêmes, le constituant privilégié dévoile sa visée : installer dans le discours la primauté du sujet, et consacrer le dire de l'être dans sa *prédéfinition*. Moule reconnu dans bien des discours psychologisants, il a pu passer pour un trait de langue classique. Mais le constat historique, l'allégation d'un héritage latin, ne tiennent pas lieu d'explication : j'ai évoqué tout à l'heure la réponse à une attente, la vision profonde du sujet est peut-être la manifestation d'une pensée essentialiste. Ce qui est sûr, c'est que la mise en place de pareille organisation syntaxique n'est pas neutre à l'égard du message et qu'elle intéresse directement le statut de la subjectivité dans le discours. Ce fait reconnu, j'avancerai en guise de prolongement à l'analyse et de bilan illustratif, une observation fondée sur les affinités *sélectives* de l'écriture autobiographique pour cette formule remarquable.

Dans le rayonnement du sujet, le propre de cette thématisation est de dominer le clivage du statique et du dynamique. Construite autour de d'adjectis ou de participes présents (que volontairement dans cette première approche j'ai traité ensemble), elle semble devoir refléter la dichotomie annoncée de l'être et du faire. Et sans doute pourrait-on affiner les analyses en notant la répartition des uns et des autres. Mais le participe présent est *déjà* une forme verbale atténuée, et le groupe qu'il constitue a valeur adjectivale. Que la gratification préalable du sujet privilégie une caractérisation de l'ordre de la permanence, ou une qualification conjoncturelle, adjectifs antéposés ou participes présents s'enchaînent sur le même plan, "en série", et l'énonciation conserve ce rythme qui fige dans l'antériorité de l'être, intangible, les comportements (participes présents) comme les traits du caractère (adjectifs qualificatifs). Ainsi se constitue un être mythique en faveur duquel *l'existence se fait oublier au profit de l'essence*. Revenant aux deux grands types de vision annoncés au début de l'exposé, on peut dire que la vision de l'intérieur favorise non seulement l'inventaire des états d'âme mais un inventaire globalisant, saisissant l'être dans une totalité signifiante. Elle s'oppose à la vision de l'extérieur qui, elle, règle la tonalité picaresque, l'inventaire des aventures, tenues à distance, mises bout à bout par un "je" manifestement narrateur, relais de l'auteur, ou ex-héros de la fiction, qui est, à tous les sens du termes, *revenu* de ses aventures. Dans ces textes-là, très significativement, le constituant privilégié n'est plus le thème mais le rhème. Le sujet, qui a beaucoup à apprendre du monde, ne se constitue que progressivement dans le fur et à mesure de ses actes, et dans l'approximation. On comprend mieux l'intérêt d'une vision alternée, qui, dans des proportions modulées selon les oeuvres, ménage et le tissu narratif, le tracé d'une vie, et le dire de l'identité qui, précisément, le finalise.

RÉFÉRENCES BIBLIOGRAPHIQUES

Adam, J.-M., 1985, *Le texte narratif. Précis d'analyse textuelle*, Nathan.
Brès, J. 1989,"Praxis, production de sens / d'identité, récit", *Langages* n°93, pp.23-44.
— , 1994, *La Narrativité*, Duculot, Champs Linguistiques.
Chabrol, C., 1973, *Sémiotique narrative et textuelle*, Larousse.
Combe, D., 1989, "La marquise sortit à cinq heures... Essai de définition linguistique du récit", *Le français Moderne*, 3/4, pp. 155-166.
Communications 8, 1966, Seuil.
Courtès, J. , 1976, *Introduction à la sémiotique narrative et discursive*, Hachette.
Greimas, A.-J., 1966, *Sémantique structurale*, Larousse
— , 1970, *Du Sens*, Seuil.
Guillaume, G., 1975 (rééd. Roch Valin),*Le Problème de l'article et sa solution dans la langue française*, A. G. Nizet, Paris.
Jaubert, A. 1987, *La correspondance entre Henriette*** et J.-J. Rousseau. La subjectivité dans le discours*, Slatkine-Champion, Genève-Paris.
— , 1990 , *La lecture pragmatique*, Hachette, HU.
Lejeune, Ph., 1975, *Le Pacte autobiographique*, Seuil.
— 1980, *Je est un autre*, Seuil
Martin, R., 1983, *Pour une logique du sens*, PUF, Paris.
Pottier, B., 1992 (2e éd.), *Théorie et Analyse en Linguistique*, Hachette.
Rastier, F.,1971, "Situation des récits dans une typologie des discours", *L'Homme* IX, 1, pp. 68-82.
Ricoeur, P. 1988, "L'identité narrative", *Esprit* 7-8, pp. 295-314.
Starobinski, J. 1970, "Le style de l'autobiographie", *Poétique* 3, pp. 257-265.Van Dijk T.A., 1973, "Grammaires textuelles et structures narratives", in *Chabol 1973.*, pp. 177-207.

LES ENFANTS DE ROUSSEAU :
RÉALITÉ OU FICTION ?

Paule ADAMY-FERNANDEZ
Vanves

Rousseau affirme avoir eu, puis abandonné, cinq enfants : « de ces liaisons [avec Thérèse] sont provenus cinq enfants, qui tous ont été mis aux Enfants-Trouvés » (lettre à la maréchale de Luxembourg, 12 juin 1761). Sceptique, le lecteur se souvient de la difficile initiation amoureuse de Rousseau, de Zulietta, du roman d'amour avorté avec Mme d'Houdetot ; le lecteur se souvient du dangereux supplément.

Pourquoi cet îlot de cinq enfants, signes en effet d'une vie amoureuse naturellement féconde, dans un océan de difficultés sexuelles ? Dès le vivant de Rousseau circule une rumeur d'impuissance. Barruel-Beauvert[1] cite cette épigramme :

" [[Madame de Boufflers]
Avait vainement concerté,
Dans l'intérieur de son âme,
Le projet de toucher le coeur
Du vertueux Saint-Preux, ou bien de son auteur.

Qu'arriva-t-il ? C'est que Madame
N'obtint, dit-on, que des respects,
Et de profonds salamalecs,
Qui la flattaient beaucoup, sans apaiser sa flamme
[...]
Les rocs de Meillerie, au milieu des hivers,
Sont aussi congelés qu'il [Rousseau] le fut pour B*** [Boufflers]."

Et Chamfort[2] : « J.-J. Rousseau passe pour avoir eu Mme la comtesse de Boufflers, et même (qu'on me passe ce terme) pour l'avoir manquée, ce qui leur donna beaucoup d'humeur l'un contre l'autre ». La rumeur est transmise par George Sand[3] qui rapporte des propos tenus par sa grand-mère, deuxième épouse de Dupin de Francueil :

---

[1] *Vie de Jean-Jacques Rousseau,* par M. le comte de Barruel-Beauvert, A Londres et se trouve à Paris, 1789.
[2] Chamfort, *Oeuvres principales,* Pauvert, 1960, p. 178.
[3] George Sand, «A propos des Charmettes», *Revue des Deux Mondes*, XXIIIe année, seconde période, t. 48, Paris, 1863, p. 360.

« une fois elle dit en haussant les épaules : "Est-ce que Rousseau pouvait avoir des enfants ?"».

On partira de cette hypothèse : Rousseau répond à une rumeur d'impuissance sexuelle par une autre rumeur délibérément élaborée et répandue par lui, celle d'une fécondité presque exubérante. Cette rumeur, qui est en même temps un secret, est destinée à un cercle d'amis : « je le dis à tous ceux à qui j'avais déclaré nos liaisons ; je le dis à Diderot, à Grimm, je l'appris dans la suite à Mme d'Épinay, et dans la suite encore à Mme de Luxembourg » (*Confessions*, t. I, p. 357)[4]. La rumeur échappe à son auteur ; le 20 avril 1751, Rousseau écrit à Mme de Francueil, c'est une reconnaissance à demi officielle de sa paternité (trois enfants). Puis Rousseau reçoit de plein fouet *Le Sentiment des citoyens* de Voltaire (décembre 1764) ; il est obligé de se défendre publiquement et déplace la question de la réalité des enfants sur le terrain de la différence entre enfants exposés et enfants abandonnés. La fable de Rousseau qu'il avait lui-même créée et dont il pensait rester maître lui revient de l'extérieur, transformée en une histoire méprisante : la source est corrompue. C'est le même mécanisme que celui du sentiment de persécution, où un être bon, naturel et innocent est transformé en un monstre de noirceur.

La rumeur construite par Rousseau est celle d'une fécondité que l'on ne pourra nier à cause de l'ampleur de la paternité : cinq enfants se succèdent mécaniquement et sont tout aussi mécaniquement abandonnés : « [mon premier enfant] fut déposé par la sage-femme au bureau des Enfants-Trouvés [...]. L'année suivante, même inconvénient et même expédient au chiffre près qui fut négligé » (*Confessions*, p. 344-45). Puis : « mon troisième enfant fut donc mis aux Enfants-Trouvés, ainsi que les premiers, et il en fut de même des deux suivants; car j'en ai eu cinq en tout » (*Confessions*, p. 357). Le paragraphe s'achève sur le mot *cinq*, chiffre superlatif que Rousseau veut imprimer dans l'esprit et la mémoire du lecteur. Or, si le lecteur refuse de se laisser entraîner par la puissance de conviction de Rousseau, il a le sentiment d'un *decrescendo* ontologique dans l'existence des enfants. L'aîné a une existence affermie par l'accumulation des détails concrets : Rousseau fabrique un chiffre, il choisit une sage-femme dont il donne le nom au lecteur, il va voir Thérèse sur le point d'accoucher ; le second enfant n'a déjà plus droit à un signe distinctif dans ses langes, le

---

4 Les textes de Rousseau sont cités dans l'édition de la Bibliothèque de la Pléiade, mais avec une orthographe modernisée.

troisième est une pâle répétition du deuxième ; quant aux derniers, c'est à peine s'ils existent. Rousseau a concentré ses efforts sur l'invention (la conception...) de l'aîné dont les quatre enfants qui le suivent ne sont que des imitations presque platoniciennes.

Entrons dans le jeu de Rousseau : si un homme ne désire pas avoir des enfants au gré de la nature, *a fortiori* s'il a déjà abandonné un ou deux enfants, il a recours à la contraception[5]. Rousseau aurait pu apprendre la technique du *coïtus interrruptus* dans *Thérèse philosophe* (1748). Il fait lui-même allusion au coït anal[6] : «combien de moyens honteux d'empêcher la naissance des hommes et de tromper la nature ? Soit par ces goûts brutaux et dépravés qui insultent son plus charmant ouvrage [...]» (*Discours sur l'inégalité*, note IX, t. III, p. 204). Les hommes pouvaient utiliser les redingotes d'Angleterre ou condoms, et les femmes connaissaient une forme rudimentaire de stérilet, une éponge, parfois imbibée de jus de citron en guise de spermicide, placée au fond du vagin[7]. Mais Rousseau, de même qu'il a calqué les quatre derniers enfants sur le modèle de l'aîné, reproduit de manière tout aussi répétitive le destin de ces enfants.

Toute rumeur est à la fois excessive et sans preuve : à des propos de son entourage sur son impuissance, Rousseau répond par une affirmation explicite symétrique, sans preuve : s'il place, dans sa fable, ses enfants aux Enfants-Trouvés, c'est parce que personne ne pourra, pense-t-il, les retrouver. Et l'accusation, en effet caricaturale et excessive, d'impuissance, Rousseau pense la détruire par un affirmation tout aussi excessive : il n'a pas eu un ou deux enfants, mais cinq ; et il les a eus en un laps de temps resserré.

L'histoire inventée par Rousseau serait cruelle si elle n'avait comme un parfum mythique de Petit Poucet. Rousseau juxtapose des tonalités contradictoires. À la dissertation guindée de la lettre à Mme de Francueil s'oppose la légèreté de la narration des *Confessions*. Rousseau écrit avoir éprouvé des remords, mais il prend soin d'indiquer à la maréchale de Luxembourg où il a marqué dans son oeuvre la réalité de ses

---

5 Voir d'H.Bergues et al., *La Prévention des naissances dans la famille*, INED, Travaux et Documents, cahier n° 35, P.U.F. 1960.
6 La pratique était passée en proverbe : « la demoiselle Vestris se met en quatre. Elle a tout à la fois, M. Brissart, M. Hocquert, M. de Sainte-Foy et un comte vénitien : et sa maxime est : Ou n'en flattez aucun, ou contentez-les tous. Mais elle sait aussi qu'*une souris qui n'a qu'un trou est bientôt prise.* » ([Imbert], *La Chronique scandaleuse*, 1791, t.V, p. 83).
7 Voir *Le Rideau levé ou l'Éducation de Laure* [1786] attribué au comte de Mirabeau, Babel, 1994, p. 148.

remords : «vous y trouverez dans le livre 1er [d'*Émile*], un passage qui peut vous indiquer cette disposition [la conscience d'avoir mal agi]» (lettre à la maréchale de Luxembourg, 12 juin 1761). Dans la première version d'*Émile*, il n'y a aucune mention de ce genre, c'est donc que Rousseau a rajouté délibérément cette phrase qui confirmera sa paternité par l'existence même du remords. Puis, la seule réaction sincère, ni cynisme, ni remords affectés, est le mutisme : «l'aînée qui était mariée et qui était grosse s'avisa de me demander brusquement et en me fixant si j'avais eu des enfants. Je répondis en rougissant jusqu'aux yeux que je n'avais pas eu ce bonheur. Elle sourit malignement [...]» (*Rêveries*, t. I, p. 1034). Rousseau est bien pris à son propre piège : s'il dément être père, il se déjuge lui-même et reconnaît avoir menti ; et reconnaître l'existence de ses enfants non par sa plume mais de vive voix et devant une femme enceinte est impossible.

Peut-on prendre Rousseau en défaut ? Pour la naissance du premier enfant, Rousseau donne deux dates. L'une dans les *Confessions* : «en 1747 nous allâmes passer l'automne en Touraine, au château de Chenonceaux [...]. Quand j'y revins [à Paris] je trouvai l'ouvrage que j'avais mis sur le chantier plus avancé que je ne l'avais cru» (*Confessions*, p. 342-43). Dans la lettre à la maréchale de Luxembourg du 12 juin 1761, la date est différente : «[L'aîné] doit être né, ce me semble, dans l'hiver de 1746 à 47, ou à peu près».

Si la date donnée à la maréchale était bonne, La Roche, l'homme de confiance à qui fut confié le soin de rechercher au moins l'aîné aux Enfants-Trouvés, aurait dû retrouver la trace de l'enfant. Apprenant que les démarches sont infructueuses, Rousseau répond : «au bout de douze ou quatorze ans seulement, si les registres des Enfants-Trouvés étaient bien en ordre, [...] ce chiffre [la marque mise dans les vêtements] n'eût pas dû être introuvable» (*Confessions*, p. 558). Or, ces registres étaient bien tenus et devaient l'être, parce des jeunes femmes riches, donc influentes, abandonnaient un enfant adultérin momentanément pour le reprendre plus tard.

Frederika Macdonald[8], se référant à la date de 1746, a cru avoir retrouvé le premier enfant de Rousseau, et c'est cet enfant qui fit revenir (en apparence) Jules Lemaître[9] sur sa certitude que jamais Rousseau n'avait eu d'enfant. Frederika Macdonald, consultant les registres des

---

8 Revue bleue,1912, p. 783-789 et p. 809-817.
9 Jules Lemaître, *Jean-Jacques Rousseau,* Calmann-Lévy, 1907. Voir aussi «Jean-Jacques Rousseau et le théâtre», article du 29 juin 1891, recueilli dans *Impressions de théâtre*, Boivin et Cie, sixième série, s.d.

Enfants-Assistés[10], a trouvé la déclaration de naissance suivante : «Joseph Catherine Rousseau nouveau-né, admis par procès-verbal du commissaire Delafosse le 21 novembre 1746». Aux registres s'ajoutent, seconde source d'archives pour nous, les procès-verbaux d'admission des enfants abandonnés aux Enfants-Trouvés. Le procès-verbal d'admission du petit Joseph Catherine Rousseau est un imprimé utilisé pour les femmes accouchant à l'Hôtel-Dieu et y abandonnant leur enfant qui était immédiatement confié à l'hôpital des Enfants-Trouvés. Le texte porte : «un enfant masle, trouvé à la salle des accouchées de l'Hôtel-Dieu, a été envoyé à la Couche des Enfants-Trouvés». Cet enfant ne correspond pas à la description donnée par Rousseau puisque, selon lui, Thérèse a accouché chez une sage-femme, Mlle Gouin.

J'ai refait les recherches de F. Macdonald et j'ai trouvé, dans le registre n° 61 (juillet-décembre 1746) des Enfants-Assistés et dans les procès-verbaux d'admission, cinq enfants que l'on peut retenir :
"- 1798 bis. Louise Geneviève Rousseau âgée de six mois, procès-verbal 12 juillet 1746.
- 2718 bis. Joseph Rousseau nouveau-né, procès verbal du 22 octobre 1746. Exposé rue de la Tannerie. Mort le 11 décembre 1746.
- 2975 bis. Joseph Catherine Rousseau nouveau-né, procès-verbal du 21 novembre 1746.
- 3087 bis. Marie Jeanne Renous novembre 1746. Née dans la salle des accouchées à l'Hôtel-Dieu et abandonnée.
- 3113 bis. Jean Joseph Rousseau. nouveau né, procès-verbal du 11 décembre 1746. Né dans la salle des accouchées de l'Hôtel-Dieu ; sa mère s'appelle Marie Rousseau."

Le premier est abandonné à l'âge de six mois : il n'est plus un nouveau-né. Le second est exposé ; le troisième, celui qu'a choisi F. Macdonald, est né à l'Hôtel-Dieu ; le quatrième (que j'ai retenu parce que *Renou* était le nom de la mère de Thérèse) est également exposé, tout comme le cinquième : aucun de ces enfants n'a été abandonné par une sage-femme. Rappelons également que *Rousseau* était un nom de famille très répandu. Si l'on insiste tant sur cet enfant que madame Macdonald a cru retrouver, c'est que des traces en sont restées dans la mémoire collective. Ainsi F. Mauriac[11], qui croit à l'impuissance de Rousseau et fait semblant de s'incliner, comme J. Lemaître, devant des

---

10 Les registres des Enfants-Trouvés, dénommés registres des Enfants-Assistés, se trouvent aux Archives de Paris, 18, boulevard Serrurier, à Paris 19e. Les procès-verbaux d'admission sont aux archives déposées à Villemoisson-sur-Orge (3, route de Corbeil).
11 Préface de François Mauriac pour les *Confessions,* Le Livre de Poche, 1964.

preuves qui ne lui paraissent pas décisives, transmet malgré lui la rumeur de l'enfant retrouvé en l'amplifiant : «les spécialistes [assurent] avoir retrouvé les traces *des petits abandonnés* [je souligne]».

La recherche dans les registres des Enfants-Assistés fut refaite par Albert Dupoux[12], directeur de l'hôpital Saint-Vincent-de-Paul, sur une période plus grande : il est formel : «dans aucun des dossiers des années 1746-47 et 1748, nous n'avons relevé un abandon fait par la Gouin».

Voici une deuxième invraisemblance. Dans la lettre à Mme de Francueil (avril 1751), Rousseau distingue, à juste titre, les enfants exposés et les enfants placés aux Enfants-Trouvés, dits *abandonnés* : «ce mot d'Enfants-Trouvés vous en imposerait-il, comme si l'on trouvait ces enfants dans les rues, exposés à périr si le hasard ne les sauve ? Soyez sûre que vous n'auriez pas plus d'horreur que moi pour l'indigne père qui pourrait se résoudre à cette barbarie» (Lettre à Mme de Francueil, 20 avril 1751). Selon Rousseau, ses enfants furent abandonnés. Mais Rousseau, dit-il, a mis une marque dans les langes de l'aîné : «je lui portai [à Thérèse, sur le point d'accoucher chez la sage-femme] un chiffre que j'avais fait à double sur deux cartes, dont une fut mise dans les langes de l'enfant, et il fut déposé par la sage-femme au bureau des Enfants-Trouvés dans la forme ordinaire» (*Confessions*, p. 344-45). Or, une telle procédure ne s'emploie que pour les enfants exposés[13]. Voici, par exemple, la description d'un enfant exposé avec un signe matériel, qui est ici un billet : «De l'ordonnance de Nous Louis Poget Conseiller du Roy, Commissaire au Châtelet de Paris, [...] a été levé un enfant masle nouvellement né

---

12 A. Dupoux, «Jean-Jacques Rousseau a-t-il abandonné ses enfants ?» dans *Revue d'information et de documentation de l'Assistance publique,* janv-déc. 1952, p. 160-66. Signalons que malgré ces résultats, l'auteur continue à croire à l'existence des enfants de Rousseau. Cet article n'est pas cité dans la note écrite par M. Raymond pour l'édition des *Confessions* dans la Bibliothèque de la Pléiade (t. I, note pour la page 345).

13 Voir de L. Lallemand, *Histoire des enfants abandonnés et délaissés [...],* Paris, 1885. Pour des études plus récentes (quoique le livre de Lallemand soit la référence obligatoire), on consultera A. Dupoux, *Sur les pas de Monsieur Vincent,* Paris, 1958. De C. Delasalle, «Abandons d'enfants à Paris au XVIIIe siècle», Annales E.S.C., n°1, janvier-février 1975, p. 187. Un numéro intitulé : «L'Enfant abandonné», Histoire Economie et Société, 3e trimestre 1987. A la bibliothèque de l'Assistance publique (service de la documentation et des archives, 7, rue des Minimes, Paris 3e), on trouve une très riche documentation sur les enfants délaissés, et en particulier sur l'abandon des enfants de Rousseau.

trouvé exposé rue de Seine paroisse Saint-Sulpice sous le pas de la porte du Sieur Lanneau [...] dans les langes duquel après l'avoir fait démailloter s'est trouvé un billet contenant ces mots; *lanfant que lon presante a esté batissé andré.*». Présenter un enfant «dans la forme ordinaire» exclut le dépôt de marque ou signe dans les vêtements de l'enfant délaissé.

Comment se passe un abandon ? La sage-femme présente l'enfant au commissaire du Châtelet qui dresse un procès-verbal signalant toutes les indications permettant d'identifier ultérieurement l'enfant, et ce n'est qu'alors que l'enfant est accepté aux Enfants-Trouvés. Peut-on penser à une troisième voie, où l'enfant aurait été déposé (donc non exposé) avec une marque, dans le tour ? Non, car selon Lallemand (*op. cit.*, p. 237) s'il y eut bien, au XVIIIᵉ siècle, des tours, il n'y en avait qu'en province (en 1717, à Bordeaux, par exemple). Rappelons que le tour est la forme rationalisée des coquilles Saint-Jacques qui, devant les églises, recueillaient les enfants exposés; c'est un cylindre de bois creux qui pivote, on y dépose l'enfant en tout anonymat, et celui-ci est recueilli par une soeur de charité.

Les abandons d'enfants étaient-ils, chez les libertins, aussi faciles que le dit Rousseau ? Je me suis amusée à rechercher des exemples de courtisanes ou de semi-courtisanes qui abandonnaient leurs enfants ; il y a en effet beaucoup d'exemples, mais les abandons ne se font pas à la légère, et souvent ce n'est que temporairement que les enfants sont placés aux Enfants-Trouvés. Voici, *a contrario*, un abandon pur et simple : «Aubry, mauvais sujet [... vit] avec une demoiselle Wandre [...]. Elle vient tout récemment d'accoucher d'un garçon qui a été porté aux Enfants Trouvés» (rapport de l'inspecteur Meusnier, 12 juin 1753, dans C. Piton, *Paris sous Louis XV [...]*, 4ème série, p. 159). Mais voici un abandon fait avec réticence : «elle [la demoiselle Hipolite] aurait voulu mettre [son] enfant en nourrice mais comme elle n'a pas d'entreteneur qui puisse pourvoir à sa subsistance et qu'elle est en outre greluchonnée par Boule [...] elle l'a envoyé au bout de trois jours aux Enfants-Trouvés» (G. Capon, *Les Maisons closes au XVIIIe siècle*, Daragon, 1903). Voici le cas fréquent d'un retrait : «pressée par sa conscience la demoiselle Beauchamp a déjà fait plusieurs tentatives pour retirer des Enfants Trouvés la seconde fille dont elle est accouchée le 3 avril 1752, (car la première est avec elle) ; mais les obstacles qu'elle y rencontre et l'argent que la maison demande pour remettre cet enfant aux personnes qui le réclament, lui font désespérer de pouvoir accomplir une si belle oeuvre» (rapport de l'inspecteur Meusnier du 3 janvier 1754 dans C. Piton, *Paris sous Louis XV [...]*, 4ème série, p. 102). Les libertins pouvaient donner de l'argent pour leurs enfants illégitimes : «il [Philibert, un banquier] est garçon et a vécu pendant quelques années avec la demoiselle Picherd, demeurant sur le Boulevard, près la porte Saint-Honoré, à laquelle il a fait 800 livres de rentes. Il a d'elle un garçon d'environ quatre ans dont il prend soin» (rapport de l'inspecteur Meusnier, 15 mars 1752, dans C. Piton, *Paris sous Louis XV [...], 4ème série, p. 234). Et enfin, les libertins peuvent, personnes de bonne compagnie, s'arranger entre eux : «la petite fille [mademoiselle Audinot, danseuse de l'Opéra] m'aimait beaucoup, et voulut quitter M. de Soubise ; je l'en empêchai ; il l'apprit, et m'en sut bon gré, et trouva bon qu'elle me gardât. Il se chargea de l'état d'un enfant dont elle accoucha, et qui mourut peu de temps après» (*Mémoires du duc de Lauzun*, Firmin et Didot, 1929 [écrits en 1783], p. 51).

À ces exemples tirés de la chronique du temps, on ajoutera deux exemples littéraires, où l'abandon est un acte grave : «Il est vrai que je ne suis pas née d'un mariage légitime ; [...] Il est vrai que j'ai été exposée ; il est vrai que j'ai été retirée de l'hôpital à l'âge de huit ans ; [...] mais, Monsieur, il faut vous dire comment cela se fit. [...] il [le marquis de Buringe] lui faisait le détail d'une amourette qu'il avait eue avec une demoiselle de sa mère, de qui il avait eu une fille ; mais que n'étant pas en état d'en avoir soin, étant cadet de trois enfants et fort jeune, et outre cela destiné à l'ordre de Malte, il avait été obligé de la faire exposer, n'ayant qui que se fût à se confier, la mère de cet enfant étant morte en couches. Il lui cita le jour, l'heure, l'endroit et toutes les marques qui pouvaient me faire reconnaître. Il la priait de retirer cet enfant [...]» (Robert Challe, *Les Illustres Françaises* (1ère éd., 1713), éd. nouvelle par F. Deloffre et J. Cormier, Droz, 1991, p. 339-40). Voici le deuxième exemple littéraire : «la femme que j'avais vue entrer [...] portait avec elle l'enfant qui venait de naître [...] elle mit l'enfant à une porte et gagna une rue détournée. Ce n'était pas de moi que cette petite créature devait attendre du secours ; je lui en donnai cependant, [...] je le remis [l'enfant] à la femme chez qui je logeais sans avoir eu la force de le regarder [...]» (Madame de Tencin, *Le Siège de Calais, nouvelle historique* (1ère éd., 1739, anonyme), Desjonquères, 1983, p. 47-48). Ce nourrisson est exposé, certes, mais immédiatement recueilli par le narrateur de l'épisode, et confié à une nourrice. L'auteur du *Siège de Calais* avait, on le sait, exposé son enfant, celui qui finit par choisir comme nom : d'Alembert. Cette exposition joue un rôle romanesque, puisque monsieur de Châlons est amoureux de mademoiselle de Mailly, et la méprise pour avoir eu cet enfant exposé avec milord d'Arundel : «mon coeur a besoin d'estimer ce qu'il ne peut s'empêcher d'aimer» (*op. cit.*, p. 50). Dans le roman, tout s'arrange, le lecteur apprend que ce n'est pas l'aimée, mademoiselle de Mailly, qui est la mère, mais sa protégée, mademoiselle de Roye ; et la naissance de l'enfant n'est pas illégitime, puisque ses parents sont unis par un mariage secret : nous sommes bien dans un univers romanesque et, faut-il l'ajouter, conventionnel et vertueux. Il serait hasardeux de voir dans l'exposition de l'enfant de mademoiselle de Mailly devenue madame d'Arundel, une transcription exacte de l'exposition du petit Jean-le-Rond le 17 novembre 1717[14]. Cependant, l'exposition fictive (celle de l'enfant par mademoiselle de Mailly) et la réelle (par madame de Tencin) ont en commun le souci de ne pas abandonner l'enfant exposé à son sort[15]. Le père supposé du futur d'Alembert, Destouches-Canon, sans le reconnaître officiellement, s'occupa de lui jusqu'à sa mort : le petit Jean avait alors neuf ans.

Rousseau a-t-il tout inventé ? Il est difficile de le croire. Mon hypothèse est que lorsque Rousseau fit la connaissance de Thérèse, la jeune femme était enceinte («elle me fit en pleurant l'aveu d'une faute unique au sortir de l'enfance, fruit de son ignorance et de l'adresse d'un séducteur» - *Confessions*, p. 331) ; c'est cet enfant qui aurait été confié aux Enfants-Trouvés, après que Thérèse, puisqu'ils étaient pauvres tous les deux, eut accouché dans la salle Saint-Joseph de l'Hôtel-Dieu.

On ne sait pas exactement quand Rousseau a rencontré Thérèse ; il est vraisemblable que ce fut après son retour de Venise en octobre 1744. Dans une lettre à la maréchale de Luxembourg, du 12 juin 1761, Rousseau écrit : «depuis seize ans j'ai vécu dans la plus grande intimité avec cette pauvre fille». L'hypothèse est : Rousseau fait, en 1745, la connaissance de Thérèse ; elle lui dit être enceinte et, dans un premier temps, Rousseau promet de prendre en charge le futur enfant. Puis, il a peur de se charger d'un enfant dont, après tout, il n'est pas le père et demande à Thérèse d'abandonner cet enfant. On expliquerait ainsi que Rousseau se fût senti redevable à toute la famille de Thérèse : il n'a pas tenu sa parole, et en échange, il subvient à leurs besoins.

Si donc Thérèse était enceinte avant de connaître Rousseau, elle a dû accoucher en 1745. J'ai consulté les registres (registre des Enfants-Assistés, n° 60) et les procès-verbaux d'admission, et j'ai retenu ces enfants :

---

14 Voir de René Vaillot, *Qui étaient Madame de Tencin... et le cardinal ?*, Le Pavillon Roger Maria éditeur, 1974.

15 On sait que madame de Tencin est décrite par Marivaux dans *La Vie de Marianne,* sous le nom de madame Dorsin. Or, celle-ci s'occupe, avec amour, de Marianne, enfant abandonnée. Est-ce une image inversée et idéale des rapports (inexistants) de madame de Tencin et son fils, d'Alembert ?

- Nicolas Rousseau, procès-verbal du 26 janvier 1745. Né dans la salle des accouchées de l'Hôtel-Dieu ; sa mère s'appelle mariane rouceaux : Thérèse aurait pu changer son prénom.
- Marie Madelaine Rousseau procès-verbal du 11 février 1745. Née le 10 février dans la salle des accouchées de l'Hôtel-Dieu ; sa mère s'appelle anne rousseaux.
- En revanche, si l'on trouve une Marie nicolle levasseur nouvellement née, procès-verbal du 11 février, Levasseur est le nom du père, l'enfant est fille de Pierre toussain Levasseur et de Jeanne Élisabeth Doucet.
-Est exclu un petit Honoré Rousseau (6 mars 1745), appelé ainsi parce qu'il fut trouvé exposé rue Saint-Honoré dans l'allée de Rousseau bonnetier.
-Anne vasseur, née dans la salle des accouchées de l'Hôtel-Dieu ; procès verbal du 25 juin 1745. Sa mère est Marie Marguerite Vasseur.
-Marie madeleine Vasseur, née dans la salle des accouchées de l'Hôtel-Dieu. 28 juillet 1745.
-Marie françoise Rousseau, née dans la salle des accouchées de l'Hôtel-Dieu 9 novembre. Sa mère s'appelle charlote roussot.

Aucun de ces enfants ne peut être dit avoir Thérèse Levasseur pour mère : mais chacun d'entre eux pourrait être l'enfant de Thérèse abandonné. Ce que l'on peut retenir, c'est que si l'enfant abandonné fut de Thérèse et non de Rousseau, il sert à Rousseau de base réelle à sa fable, mais, bien entendu, Rousseau doit rendre impossible qu'on le retrouve : aussi s'écarte-t-il, en deux étapes, et de plus en plus, de l'année 1745, où ses relations avec Thérèse n'avaient pas le statut d'un concubinage. Et s'il choisit comme version définitive l'année 1747, c'est qu'à cette date, il vivait bien avec Thérèse et pouvait être tenu pour un père.

Peut-on apporter des arguments plus probants ?
- Une phrase de Rousseau intrigue : après avoir évoqué l'abandon d'un troisième enfant, il écrit : «jamais un seul instant de sa vie J.J. n'a pu être un homme sans sentiment, sans entrailles, un père dénaturé» (*Confessions*, p. 357). La phrase ne peut s'entendre que si elle est ainsi interprétée : j'ai bien abandonné un enfant, mais je n'ai pas été un père dénaturé, l'enfant était celui de Thérèse et non le mien.
- Le point de départ des *Solitaires* est la naissance d'un enfant adultérin : Sophie a trompé Émile et attend un enfant de son amant ; Émile ne peut pas se résoudre à accepter l'enfant comme s'il avait été conçu par lui. Ce peut être la transposition d'une situation réelle passée : la grossesse de Thérèse et le refus de Rousseau de prendre en charge cet enfant.

- Thérèse a été coupable de faire un enfant, mais Rousseau est également coupable d'avoir rejeté cet enfant et obligé Thérèse à l'abandonner. On peut ainsi expliquer la phrase de la lettre de Rousseau (12 août 1769) à Thérèse : «nous avons des fautes à pleurer et à expier».

- Après la mort de Rousseau, Grimm semble dénoncer avec rancoeur la grossesse de Thérèse : «[Thérèse aurait dû consacrer le bénéfice de la nouvelle édition des Oeuvres de son mari à faire] une fondation pieuse dans la maison des Enfants-Trouvés, et à réparer ainsi, autant qu'il est en son pouvoir, la faute cruelle qui coûta tant de larmes et de remords à son malheureux époux» (Grimm, *Correspondance littéraire* [...], p.p. M. Tourneux, Garnier Frères, 1880, t. XII, p. 444).

Reste une question : pourquoi cet appétit de reconnaissance de paternité ? La notion d'impuissance sexuelle est vague ; en revanche, si le mot *impuissance* est un euphémisme pour désigner l'attirance d'un homme pour les personnes de son sexe, la perspective change. Mon hypothèse est que Rousseau avait le goût des hommes, mais qu'il préférait passer pour un père barbare plutôt que le reconnaître. S'il arrive à faire croire qu'il a eu cinq enfants, il ne sera pas tenu pour pédéraste. Position naïve, puisque des pédérastes peuvent être pères de famille; c'est néanmoins la seule explication que l'on puisse trouver à cette confession insensée que personne ne lui demandait : «[je fis l'aveu de l'existence des enfants] sans aucune espèce de nécessité et pouvant le cacher à tout le monde» (*Confessions*, p. 357). Étrange aveu, puisque d'autres confidences le contrediront. Le docteur Tronchin, persuadé que Rousseau avait eu des enfants, écrit à Grimm : «Il [Rousseau] a aussi protesté à ce même Moultou sur tout ce qu'il y a de plus sacré qu'il n'a jamais eu d'enfants, et que ce qu'on en a dit est une calomnie». (lettre[16] du 20 juin 1763, citée dans les *Annales de la Société J.-J. Rousseau*, t. I, p. 53-54) ; pour Tronchin, cet désaveu de Rousseau n'est qu'un indice de sa scélératesse ; le lecteur, lui, a l'occasion d'apprendre que Rousseau s'est rétracté, et sous la foi du serment. Bernardin de Saint-Pierre[17], ami intime, ne savait pas que Rousseau était tenu pour avoir été père, aucune confidence ne lui a été faite : «il avoit epousé Mlle le vasseur du pays de bresse, de la religion catholique - dont il n'a point eu d'enfans.» Puis, il raye le dernier membre de phrase.

---

16 Cette lettre se trouve également dans *Un médecin du XVIIIe siècle, Théodore Tronchin*, p.p. Henry Tronchin, Paris, 1906.
17 Voir dans la préface de M. Souriau (p. XII) pour *La Vie et les ouvrages de Jean-Jacques Rousseau*, de Bernardin de Saint-Pierre, S.T.F.M., 1907, la phrase citée avec ses corrections.

Pourquoi Rousseau aurait-il caché son attirance physique pour les hommes ? En vérité, ce goût est par lui reconnu dans la jeunesse, quand *enfance* rime avec *innocence* ; quand l'amour masculin pour des hommes est travesti sous le mot *engouement*. Ce stade de la vie dépassé, Rousseau est ambigu et contradictoire. Dans l'enfance, on peut imaginer des jeux sexuels avec le jeune cousin Abraham Bernard. Rousseau s'exhibe avec lui sur la place publique sur le modèle du couple amoureux de ceux qui n'étaient pas encore ses parents. Inversons les termes : Rousseau invente rétrospectivement le couple amoureux de ses parents encore enfants sur le modèle de son propre couple amoureux avec son cousin : «dès l'âge de huit à neuf ans ils [son père et de sa mère] se promenaient ensemble tous les soirs» (*Confessions*, p. 6). Voici les deux jeunes amis : «à force de nous voir inséparables on y prit garde» (*Confessions,* p. 26). Rappelons que Rousseau et son cousin partageaient le même lit chez Mlle Lambercier et son frère.

À l'hospice de Turin, Rousseau se laisse embrasser avec bonne grâce par un catéchumène qui «voulut passer par degrés aux privautés les plus malpropres» (*Confessions*, p. 67). Bien entendu, Rousseau nie avoir répondu aux avances du maure et affirme avoir tiré une leçon de cette expérience : «cette aventure me mit pour l'avenir à couvert des entreprises des chevaliers de la manchette» (*Confessions*, p. 69). Et si ce fut une véritable expérience ? une initiation à une sodomie effective et surtout, une révélation du plaisir physique ? Et si l'expérience avait été renouvelée avec l'abbé de Lyon ? Rousseau écrit *Le Lévite d'Éphraïm*, le plus chéri de ses ouvrages (*Confessions*, p. 586), avec facilité malgré l'horreur du sujet : quel en est le thème ? le viol collectif d'un jeune lévite, prémédité par une tribu et voué à l'échec. Dans cette histoire par lui récrite, Rousseau semble avoir dominé, par l'écriture salvatrice, un épisode vécu à l'hospice de Turin en un mélange insupportable de honte et de plaisir.

Il est impossible d'étudier en peu de phrases[18] la pédérastie de Rousseau ; il est impossible également de déterminer sans nuances la part d'amour physique dans ses amitiés masculines. Rappelons que Diderot et Rousseau se sont aimés et haïs comme un amant et sa maîtresse. Saint-Preux écrit à Julie ses promenades solitaires et dédiées à celle qu'il aime : «je vous conduisais partout avec moi. Je ne faisais pas un pas que nous ne le fissions ensemble. Je n'admirais pas une vue

---

18 Voir ma thèse, non publiée, intitulée : «Les Corps de Rousseau», dirigée par Jean Deprun. et soutenue le 13 avril 1995 (Université de Paris I, U.F.R. de philosophie).

sans me hâter de vous la montrer» (*Nouvelle Héloïse*, t. II, p. 83). Rousseau écrivant cette lettre d'amoureux reprend les termes d'une de ses propres lettres : «en me promenant ce matin dans un lieu délicieux j'y ai mis mon ami Diderot à côté de moi et en lui faisant remarquer les agréments de la promenade, je me suis aperçu qu'ils s'augmentaient pour moi-même» (lettre de Rousseau à Mme d'Épinay, [12 avril 1756]). Dans ce cas précis, minuscule référence, je le reconnais, Rousseau est pris en flagrant délit : décrivant une attitude amoureuse, c'est à Diderot qu'il pense en le plaçant dans la situation de l'objet d'amour. Rappelons pour mémoire Altuna, Sauttersheim (Sauttern), milord Maréchal ; et Grimm, bien sûr. Quelles sont les relations du Vicaire savoyard et du jeune homme par lui recueilli ? Quel sentiment éprouve, en réalité, le gouverneur d'Émile pour son élève ? Pourquoi Édouard reste-t-il célibataire, voyageant avec son musicien, peut-être image lointaine d'un *castrato* ? Rappelons un dernier ami obscur de Rousseau, Ménétra[19]. Avec cet homme du peuple, à la fois simple et éveillé, Rousseau se promène longuement, il lui écrit de nombreux billets, il cultive une amitié inattendue.

Si l'on revient à l'épisode de Turin, on y trouvera un bel éloge de la pédérastie : «il me dit gravement [...] qu'il n'y avait pas de quoi s'irriter si fort pour avoir été trouvé aimable. [...] S'imaginant que la cause de ma résistance était la crainte de la douleur, il m'assura que cette crainte était vaine, et qu'il ne fallait s'alarmer de rien» (*Confessions*, p. 68). On entend bien[20] que lire de cette manière est détourner le texte ; pourtant, même désavoués par Rousseau, les propos du directeur pédéraste sont, par Rousseau lui-même, complaisamment rapportés. Rousseau est attiré par les hommes ; d'autre part, il avoue dans ses *Confessions*, avoir connu le plaisir physique (jouissance ou désir) en étant fessé par Mlle Lambercier. Dans les *Confessions*, il dit n'avoir jamais demandé à une femme de le fouetter, pour obtenir par là même, la jouissance : «cela ne n'est jamais arrivé qu'une fois, dans l'enfance, avec une enfant de mon âge» (*Confessions*, p.18). Or, Edmond de

---

19 Voir *Journal de ma vie, par Jacques-Louis Ménétra, compagnon vitrier au 18e siècle,* présenté par Daniel Roche, Montalba, 1982.
20 Je réponds ici à une objection de Frédéric Eideldinger qui m'a fait remarquer que jamais Rousseau ne lisait les textes et ne les citait avec mauvaise foi, celle de Voltaire, par exemple. Au regard de la méthode de Rousseau, il est en effet illégitime d'extraire les propos du directeur de l'hospice et de les présenter comme des affirmations de l'auteur des *Confessions*. Pourtant, je revendique une liberté de lecture non asservie à une adhésion immédiate au texte.

Goncourt[21] possédait «un recueil manuscrit de *Lettres secrètes,* année 1783 [...qui] renferme nombre de détails sur les filles des maisons de prostitution [...] Et sous la rubrique «Histoire des passions», le gazetier [...] indique la maison, rue Maubuée, où Rousseau se faisait "fouetter pour son petit écu". J'ai retrouvé ce manuscrit[22], voici le texte : «Jean-Jacques Rousseau alloit dans les rues du Pélican et de Maubuée se faire fouetter, pour son petit écu. Il avoue lui-même dans ses confessions qu'ayant reçu le fouet dans sa jeunesse des mains de Mlle Lambercier, il avoit eu depuis cette catastrophe un singulier goût pour cette volupté douloureuse». L'affirmation du chroniqueur, est donnée pour un extrait des registres tenus par «la mère» Liébault, qui dirigeait une maison de plaisir, rue Pierre Sarrazin. Les rues Maubuée et du Pélican sont proches de la rue Plâtrière ; ce sont des rues chaudes par tradition ; leur nom l'indique : maubuée signifie mal (*mau*) - lavée (*-buée*) et la rue Pélican s'appelait autrefois rue *Poil de con* [23].

Peut-on accorder foi à ce manuscrit ? La rumeur d'un Rousseau allant se faire fouetter par des filles du monde aurait pu être construite après la lecture des *Confessions* (la première partie parut l'année précédente, en 1782) et à partir des aveux de Rousseau sur la fessée de Mlle Lambercier. Mais cette pratique faisait partie des moeurs érotiques du siècle, comme d'ailleurs des siècles précédents. La flagellation, que l'on appelait *la cérémonie*, était tenue pour un aphrodisiaque. Helvétius, par exemple, a été l'occasion d'un rapport d'espion : «M. Helvétius n'est pas le seul qui ait du goût pour la flagellation, c'est aussi la passion dominante du vieux chevalier de Jude [...]. À propos de M. Helvétius, on tient de lui-même que lorsqu'il s'acquitte vis-à-vis de son épouse du devoir conjugal, une femme de chambre de madame lui fait la même opération qu'il se fait faire lorsqu'il s'amuse chez les autres femmes» (*Archives de la Bastille*, p.p. F. Ravaisson, Paris, 1881, t. XII, p. 399). Quant au manuscrit, s'il est, en partie d'ailleurs et non dans sa totalité, un recueil d'anecdotes scandaleuses choisies pour titiller le lecteur curieux, celles-ci sont toutes vraisemblables : pourquoi l'information concernant Rousseau serait-elle seule fausse ?

---

21 Edmond de Goncourt, *La maison d'un artiste,* Charpentier, 1881, t. II, p. 19.
22 Voir la récente édition, par Paule Adamy, du *Recueil de Lettres Secrètes (année 1783)* de Guillaume Imbert de Boudeaux (?), Droz, Genève Paris, 1997.
23 L'interprétation est donnée par Henry Sauval, dans le *Traité des bordels,* imprimé en 1654, réimprimé en 1883 chez J.-J. Gay, sous le titre : *La Chronique scandaleuse de Paris ou Histoire des mauvais lieux,* Bruxelles, 1883.

Les amis intimes de Rousseau connaissaient-ils son goût pour la *cérémonie* ? C'est probable. Diderot, dans *Essai sur les règnes de Claude et de Néron* (§61, DPV, t. XXV, p. 120) y fait peut-être allusion : «la turpitude secrète d'une vie cachée pendant plus de cinquante ans sous le masque le plus épais de l'hypocrisie». Cette *turpitude secrète* pourrait bien être la flagellation érotique. Mais les proches se taisent : «sa vie privée et domestique [celle de Rousseau] ne serait pas moins curieuse, mais elle est écrite dans la mémoire de deux ou trois de ses anciens amis, lesquels se sont respectés en ne l'écrivant nulle part» (Grimm, *Correspondance littéraire*, 5 juin 1762).

Rousseau a rêvé de présenter une façade de respectabilité figurée par cette affirmation : je suis le père de cinq enfants. Ce désir impossible est du même ordre que ses regrets de ne pas avoir mené une vie obscure. Rousseau va au-devant des exigences supposées du public et de la postérité, tout en contredisant, par ailleurs et d'une autre manière, cet appétit de banalité conventionnelle. Il faut s'interroger sur la notion d'impuissance, notion vague s'il en fut. Pour Rousseau, l'inappétence non pas des femmes, mais d'une relation sexuelle accomplie et naturelle avec les femmes, repose en premier lieu sur ce désir : éprouver du plaisir par les hommes. Sera-t-il semblable à ceux qu'il appelle les libertins débauchés ? En aucun cas ; cette catégorie ne lui convient pas, et l'image qu'il a de lui-même n'est pas celle d'un homme recherché par les chevaliers de la manchette. Ce désir des hommes s'accompagne d'un deuxième désir de plaisir : pratiquer la flagellation passive non pas comme un aphrodisiaque qui supprime une impuissance, mais comme une jouissance qui se suffit à elle-même. Est-ce que ces deux désirs, ces deux plaisirs, peuvent s'appeler *impuissance* ? Oui au regard des conventions, non pour l'homme qui les éprouve.

Si Rousseau a inventé l'existence de cinq enfants dont il serait le père, en tirant parti, peut-être, de l'expérience d'un enfant illégitime de Thérèse abandonné, c'est qu'il ne voulait ou ne pouvait revendiquer son désir des hommes : de cette sorte d'amour il a dû faire l'expérience, tout en ne trouvant jamais de forme déjà élaborée par laquelle incarner ses sentiments et ses désirs physiques. La forme ? ce serait ou celle du langage, à commencer par le vocabulaire et, d'une façon plus élaborée, une mise en forme déjà donnée de sentiments physiques et affectifs, ou celle de modèle social, donc admis et reconnu. Or, la manière dont la société de son temps admet la pédérastie, comportement aristocratique de libertins raffinés ou débauchés, ne convient pas à Rousseau, homme naturel ; dans cette catégorie il ne veut pas entrer. Mais paradoxalement, en inventant le mensonge un peu puéril de ses cinq enfants, Rousseau entre dans une catégorie conventionnelle qui précisément ne lui convient pas. De cette discordance entre ce que le lecteur perçoit intuitivement de la nature sexuelle de Rousseau et l'image rigide et ô combien suspecte d'un père de cinq enfants, naît le trouble. Rousseau est conscient de ce trouble, mais il ne peut que s'enfoncer dans son mensonge, un mensonge dont il détruit, avec une science très sûre de masochiste, la fin de respectabilité par l'abandon indigne des enfants. On ne récrit pas les textes d'un écrivain : mais avec les matériaux informes que nous a donnés Rousseau sur le désir d'un homme pour des hommes, on peut rêver de qu'il eût écrit s'il avait reconnu publiquement ses désirs physiques et la nature de son plaisir ; au lieu d'inventer cette expression, Rousseau, en un mélange de conscience malheureuse et de certitude d'innocence, a inventé des enfants abandonnés.

.II. CONTEMPORAINS ET EPIGONES DE ROUSSEAU

L'AUTOPORTRAIT DANS
LA *PAMELA* DE VOLTAIRE

Marie Hélène COTONI
Université de Nice-Sophia Antipolis

Des trois autobiographies partielles de Voltaire mentionnées par André Magnan dans le tout récent *Inventaire Voltaire* [1], nous avons choisi la plus ancienne et la plus complexe pour cerner l'image que Voltaire veut donner de lui. C'est, en effet, dans l'hiver 1753-1754, soit une dizaine d'année avant que Rousseau ne commence à rédiger ses *Confessions*, que Voltaire, à partir des vraies lettres, aujourd'hui perdues, écrites à Madame Denis pendant son séjour en Prusse, relate sa vie, de 1750 à 1753, en une quarantaine de lettres fictives adressées à sa nièce et maîtresse[2]. Rappelons que ces prétendues missives ont été, jusqu'à ces dernières années, intégrées à la correspondance de Voltaire, avant qu'André Magnan, reprenant et étayant une hypothèse émise par Jean Nivat en 1953, ne démontre qu'il s'agissait de pseudo-mémoires écrits pour la postérité[3]. Si le philosophe a voulu faire, par cette vengeance d'outre-tombe, un "Anti-Frédéric", il s'est nécessairement soucié, aussi, de l'image qu'il allait laisser de lui-même. Nous allons donc en relever les traits les plus saillants, avant de nous intéresser au travail d'élaboration auquel il s'est livré, au moyen d'une comparaison avec les lettres authentiques (près d'un millier) adressées à d'autres correspondants pendant la même période.

Conscient de l'effet de réel produit par le témoignage épistolaire, Rousseau citera quelques lettres dans les livres IX et X des *Confessions*. Voltaire cherche à produire la même impression de

---

[1] Paris, Gallimard, 1995, "Autobiographie", p. 100-103. Les deux autres textes sont les *Mémoires pour servir à la vie de M. de Voltaire, écrits par lui-même*, rédigés entre 1758 et 1760, couvrant la période 1734-1760, et le *Commentaire historique sur les oeuvres de l'auteur de La Henriade*, composé après 1772, concernant la durée entière de la vie, écrit à la troisième personne, et le seul à avoir été publié du vivant de l'auteur, en 1776.

[2] Pour la genèse de *Paméla*, voir les lettres Best. D 5500, 5532, 5580, 5594, 5621, 5633

[3] Voir "Pour saluer *Paméla*, une oeuvre inconnue de Voltaire" *Dix-huitième siècle*, 15, 1983, p. 357-368 ; "Le Voltaire inconnu de Jean-Louis Wagnière", *L'Infini*, 25, 1989, p. 61-108 ; *Dossier Voltaire en Prusse, 1750-1753*, Studies on Voltaire 244, 1986.

véracité, mais par une mystification. Alors que sa vision des événements, des autres et de lui-même a été influencée par tout ce qu'il a connu jusqu'à l'hiver 1753, et surtout par l'élément qui a déterminé la rédaction de *Paméla*, l'arrestation de Francfort, il évacue tout soupçon d'élaboration par l'écriture en supprimant, en apparence, la distance temporelle entre le vécu et le récit, lorsqu'il nous offre des lettres datées de 1750, 1751, 1752. Le scripteur ne triche-t-il pas avec ce qu'on appellera "le pacte autobiographique"[4] en faisant passer des mémoires pour un journal ? En effet, s'il offre bien un récit rétrospectif de trois ans de son existence, il présente comme vécu au jour le jour ce qu'il relate, en fait, en différé. Il n'est donc pas ce qu'il prétend être, puisque, dans ce stratagème de lettres "naïves" et antidatées, il dissimule au lecteur ce qu'il sait au moment où il écrit. Autobiographie inavouée et autoportrait sont fractionnés de manière biaisée. Leur auteur impose à son lecteur une illusion d'optique. Nous verrons que, influencé par les impressions les plus récentes, il souligne ou, au contraire, masque certains pans de sa personnalité. Plus que jamais se pose donc la question de l'identité du modèle. Comment le peintre le fabrique-t-il, à travers de complexes jeux temporels ?

Le portrait qu'on peut reconstituer à partir de ces lettres fictives ne présente guère qu'un Voltaire extraverti, dans ses relations avec les autres, et il se construit selon deux axes principaux : d'une part, l'écrivain victime des médiocres, en France ou en Prusse, avant de l'être de Frédéric II et, d'autre part, l'écrivain justifié et valorisé. Cette autobiographie correspond donc à un des mobiles mis en avant par Georges May : corriger ou démentir, se glorifier ou se venger[5]. Les lettres du 11 août 1750, du 22 offrent l'image d'un auteur envié et persécuté dans son pays : "Les inimitiés, les calomnies, les libelles de toute espèce, les persécutions sont la récompense d'un pauvre homme assez malavisé pour faire des poèmes épiques et des tragédies" (p. 70)[6]. La cabale et l'envie expliquent l'acharnement qui s'est manifesté contre *Mahomet* : "Si cet ouvrage avait été d'un inconnu, on n'aurait rien dit,

---

[4] Voir Philippe Lejeune, *Le pacte autobiographique*, Paris, Seuil, 1975. Voir aussi *Je est un autre. L'autobiographie, de la littérature aux médias*, Paris, Seuil, 1980 et *Moi aussi*, Paris, Seuil, 1980.

[5] Voir *L'autobiographie*, P.U.F., 1979, 1ère Partie, chapitre 3.

[6] Nos références renvoient à la publication de ces lettres fictives par A. Magnan dans le n° 25 de *L'infini*, 1989, en attendant son édition de *Paméla* dans les *O.C.* (Oxford, Voltaire Foundation). Celles des lettres authentiques renvoient à l'édition définitive donnée par Th. Besterman, *Correspondence and relates documents*, Oxford, 1968-1977.

mais il était de moi et il fallait crier." (p. 81). Mêmes plaintes le 22 mai 1752 : "Les poètes et les écrivains du quatrième étage se vengent de leur misère, et de leur honte, en clabaudant contre ceux qu'ils croient heureux et célèbres (...) Depuis l'abbé Desfontaines à qui je sauvai la vie, jusqu'à des gredins à qui j'ai fait l'aumône, tous ont écrit contre moi des volumes d'injures." (p. 92). Mais l'écrivain est aussi, en Prusse, victime de l'envie et donc encore défiguré. Simultanément sont cités, le 24 juillet 1752, les coups fourrés, les calomnies de Maupertuis, qui veut le perdre dans l'esprit de Frédéric en prétendant qu'il méprise les ouvrages du monarque, en même temps que les manigances de La Beaumelle ajoutant au *Siècle de Louis XIV* des "notes scandaleuses" (p. 94). La dernière lettre, datée du 20 décembre1753, à Colmar, est un véritable bilan : le portrait du bienfaiteur récompensé par l'ingratitude s'alourdit du rappel des méfaits de Desfontaines, qui lui jure une éternelle reconnaissance pour l'avoir tiré de Bicêtre et fait, deux mois plus tard des libelles contre lui, de ceux d'Arnaud, de Bonneval, de Ravoisier "qui m'apelle son protecteur, son père" et "finit par me voler vingt-cinq louis dans mon tiroir". Coups de dents en remerciement de l'argent donné chez Manouri encore, et Bellemarre. C'est donc sur le thème de l'ingratitude que se clôt le panorama du séjour chez Frédéric.

Ses adversaires enlaidissent aussi l'image de Voltaire par de fausses attributions, lorsqu'on débite sous son nom de mauvais vers. Mais le départ pour la Prusse a fait ajouter d'autres traits déplaisants au portrait mensonger qu'on trace de lui. Selon la lettre du 13 octobre 1750, il est traité de déserteur, à Paris, par les gens de lettres. "Il semble qu'on soit fâché d'avoir perdu sa victime." (p. 74). Le 24 décembre 1751, il répète cette accusation : "Est-il possible qu'on crie toujours contre moi dans Paris, et qu'on me prenne pour un déserteur qui est allé servir en Prusse ?" (p. 88) Il y revient le 9 juillet 1753, au retour de Prusse : "On prétend toujours que j'ai été *prussien*" (p. 102).

Aussi veut-il gommer cette fausse image donnée de lui en minimisant les avantages reçus, la clef de chambellan, la croix qui n'est qu'"un joujou auquel je préfère mon écritoire", et de conclure : "en un mot je ne suis point naturalisé vandale." (ip. 88) Mais, face à ces déformations, il faut surtout souligner les traits contraires. Dès la première lettre, rappelant ainsi ses mérites et les honneurs reçus en France, il s'affirme "bon historiographe" et "bon citoyen" ; pour cette raison, il est allé voir les champs de Fontenoy, de Raucoux et de Lauffelt" (p. 64). La deuxième prouve ces qualités d'historien, en précisant que Wesel n'est plus ce qu'elle était en 1672... La troisième missive le présente comme le messager de Madame de Pompadour auprès de Frédéric II. Le 20 septembre 1751, il envoie une douzaine de feuilles du *Siècle de Louis XIV*, en précisant qu'on y trouvera "des détails utiles, des traits de citoyen." (p. 85). "J'ose croire que ceux qui liront l'histoire de Louis XIV verront bien que je suis Français", ajoute-t-il le 24 décembre (p. 88). Une des dernières lettres, datée du 9 juillet 1753, après l'avanie de Francfort par conséquent, reviendra avec insistance sur sa qualité de Français, qui possède une maison à Paris, paie la capitation et est l'auteur du *Siècle de Louis XIV*.

Plus généralement, le portrait de Voltaire s'enrichit de tous les traits qui peuvent donner du modèle et de l'auteur l'image la plus flatteuse. La première lettre rappelle, en un mélange de prose et de vers, son passé de poète, sa qualité de philosophe, ses goûts d'homme cultivé qui cite *La Princesse de Clèves*, s'intéresse aux monuments des Romains, et sait admirer un paysage où l'art a ajouté à la nature. Elle n'omet pas de mentionner sa réputation d'auteur tragique, en relatant sa rencontre avec un célèbre poète hollandais qui a traduit ses oeuvres. Le "récit de voyage" que constitue la deuxième met encore en lumière la grande culture de l'épistolier, grâce aux réminiscences de La Bruyère[7] et du *Mondain*. La troisième lettre fait surgir l'auteur exigeant de *Rome sauvée* qui réapparaîtra lorsque Voltaire écrira au soir du 16 mars 1752 : "Les gens instruits peuvent me savoir gré d'avoir lutté contre les difficultés d'un sujet si ingrat et si impraticable" (p. 91). Dans la sixième lettre, écrite par Frédéric le 23 août 1750, et reproduite ici, le roi le remercie comme son "maître en éloquence et en savoir" et le regarde comme "un ami vertueux" et "le père des lettres et des gens de goût" (p. 70-71). Ce rôle de diffuseur de la culture française est souvent mis en relief. La lettre du 12 septembre 1750 révèle qu'il a fait construire un petit théâtre et a joué le rôle de Cicéron; plus tard il a joué celui de Lusignan dans *Zaïre* . La palette de l'artiste est variée : il sait amuser en produisant *La Pucelle*, que le prince Henri lui a dérobée, d'après la lettre du 3 janvier 1751, ou encore l'ode au cardinal Querini. Mais l'écrivain insiste davantage sur le travail harassant, bien que moins visible, exécuté à Potsdam et se proclame un écrivain libre. A l'étranger, privé de sa place d'historiographe de France, il s'affirme d'autant meilleur historien, puisque par sa liberté, il servira mieux la vérité. "Je finirai ici ce *Siècle de Louis XIV*, que peut-être je n'aurais jamais fini à Paris. Les pierres dont j'élevais ce monument à l'honneur de ma patrie auraient servi à m'écraser" (p. 74). Il ajoutera, le 24 décembre 1751, en envoyant six exemplaires complets du *Siècle* : "Je n'ai fait ma cour qu'à la vérité, je ne dédie le livre qu'à elle." (p. 88).

---

[7] dans le passage sur les paysans de Westphalie. Voir *Les Caractères*, XI 128.

Même liberté à l'égard de Frédéric puisqu'il se dit "son grammairien et point son chambellan" (*ibid*.). Et Voltaire reproduit fréquemment l'image du travailleur infatigable qui, dans le labeur seulement, trouve à se consoler de l'absence de sa nièce. Le 15 février 1751 : "L'hiver me tue, et je veux donner à *Louis XIV* le peu de temps que mes maux me laissent" (p. 81). Le 20 : "Je m'amuse, ma chère enfant, pendant les intervalles de ma maladie, à finir ce *Siècle de Louis XIV*" (*ibid*). Aussi se peint-il sous les traits des "moines dans une abbaye" (p. 77) dès le 17 novembre 1750. A nouveau, le 20 mars 1751, il se montre "rencloîtré dans notre couvent moitié militaire, moitié littéraire", "entre Louis XIV et Frédéric" (p. 82). Le 22 avril 1752, c'est la direction d'une nouvelle édition, la mise au jour de nouveaux mémoires qui relancent son travail de bâtisseur : "Il n'y a pas moyen d'abandonner son édifice quand on trouve des matériaux si précieux" (p. 92). Enfin il n'omet pas de rappeler ses efforts en faveur de la libre pensée quand il écrit, le 19 août 1752, comment il a, avec le marquis d'Argens, préparé les voies pour l'arrivée de l'abbé de Prades à Potsdam.

Bon Français diffusant, à l'étranger, la culture française, historien épris de vérité et de liberté, menant une vie monastique par amour du travail, malgré une santé chancelante, et fier de son oeuvre, tel est le portrait respectable que Voltaire trace de lui dans *Paméla*, en repoussant les caricatures des envieux, qui montrent en lui un homme désertant son pays par intérêt personnel. Ce portrait d'un grand homme enfin comblé correspond assez bien à celui que transmettent les lettres authentiques. L'image de l'historiographe du roi qui voyage pour accroître ses connaissances et consulter amis et ennemis apparaît dans une lettre du 1er août 1750 (D 4177). Il se proclame à plusieurs reprises fidèle sujet du roi de France, plein de zèle pour son roi et sa patrie (D 4182). "J'ai fait le *Siècle de Louis XIV* pour la France", assure-t-il à Richelieu (D 4206). Ambassadeur de la culture, en quelque sorte, il honore son pays lorsqu'il est appelé à l'étranger pour faire fleurir les arts. Il rappelle que, malgré toutes les jalousies, les calomnies, les persécutions subies en France, il reste "gentilhomme ordinaire du roi" (*ibid*.) "domestique du roi" (D 4198). Il insiste en maniant même le paradoxe, dans une lettre à d'Argental du 29 mai 1751, où il expose le temps qu'il est obligé de consacrer au *Siècle* : "C'est parce que je suis le meilleur Français du monde que je reste à Berlin et à Potsdam si longtemps" (D 4480). Les changements qu'il apportera à ce monument sont, d'après une lettre à Malesherbes du 18 janvier 1752, "dictés par l'amour de la vérité et de la patrie" (D 4771). Car il affirme qu'en Prusse il est libre et tranquille : "J'ai trouvé un port après trente ans d'orages" (D 4207), tout en servant "deux maîtres" (D 4422). Il se dit "payé pour être heureux" (D 4612), fin novembre 1751. Le culte du travail est aussi un trait dominant et la figure du moine réapparaît souvent dans les lettres à la margravine de Bayreuth : "Je suis toujours moine, à Berlin, à Potsdam, ne connaissant que ma cellule et le révérend père abbé auprès de qui je veux vivre et mourir" (D 4302). Si "Frère Voltaire" a joué dans *Rome sauvée* et dans *Zaïre*, "la rage de l'étude"(D 4483) le possède le plus souvent et il se qualifie d'"ermite" (D 4525), de "bénédictin", de "franc pédant" (D 4561). Il est "frère malingre, frère hibou, frère griffonneur" (D 4853), "le meilleur moine du monde" qui s'accoutume trop à la vie solitaire (D 4862). Avec les bontés du père gardien, "nous sommes dans le paradis, s'exclame-t-il encore en juillet 1752, et je chante des *alleluia* malgré toutes les maladies dont je suis accablé" (D 4957). S'il se plaint très souvent, en effet, de ses coliques, de la perte de ses dents, s'il joue, à son habitude, de la maladie comme d'une excuse, il n'en affirme pas moins, le 13 novembre 1751 à Richelieu : "Ma machine va fort mal mais mon âme va bien" (D 4605). Ce bonheur paraît lié aux bontés du roi de Prusse, à leurs affinités. Ils ont en commun l'horreur des préjugés, l'ardeur pour l'étude, l'impatience de finir ce qui est commencé, avec la patience de le polir et de le retoucher, comme il l'explique au roi, le 20 février 1752. Face à Frédéric, il se juge, en septembre, "votre pédant en points et en virgules et votre disciple en philosophie et en morale" (D 5008). Il se peint aussi fidèle en amitié, "sensible avec persévérance" (D 4808); il a le "coeur tendre", confie-t-il à d'Argens (D 4952), et est toujours prêt à aider les autre philosophes, puisqu'il a fait venir l'abbé de Prades "le plus adroitement du monde" (D 5084).

Remarquons, cependant, sur des sujets comparables, des différences de ton entre *Paméla* et la correspondance. Les lettres authentiques ne censurent pas le pittoresque, voire la drôlerie dans l'évocation de quelques traits physiques. Pour Frédéric, le 10 décembre 1751, l'auteur se peint ainsi :

> "Affublé d'un bonnet qui couvre de ses bords
> Le peu que les destins m'ont donné de visage,
> Sur un grabat étroit où gît mon maigre corps
> Oublié des plaisirs et mis au rang des morts
> Que fais-je à votre avis ? J'enrage" (D 4619).

Les misères physiques de celui qui se nomme "le roseau fêlé" (D 4781) sont souvent mentionnées avec une distance humoristique, comme dans cette lettre du 19 décembre 1752 :

> "J'ai apporté à Berlin environ une vingtaine de dents, il m'en reste à peu près dix. J'ai apporté deux yeux. J'en ai presque perdu un. Je n'avais point apporté d'érésipèle, et j'en ai gagné que je ménage beaucoup" (D 5117).

L'évocation des persécutions qu'il imagine à la parution du *Siècle de Louis XIV*, si elle avait eu lieu à Paris, ne manque pas de verve : l'ouvrage aurait été dénoncé comme "téméraire et mal sonnant". Et l'auteur de se livrer, alors, à un badinage peu respectueux :

> "Ma destinée était d'être je ne sais quel homme public, coiffé de trois ou quatre petits bonnets de laurier, et d'une trentaine de couronnes d'épines. Il est doux de faire son entrée à Paris sur son âne, mais au bout de huit jours on y est fessé (...). Je voudrais qu'on ne me donnât pas une éponge avec du vinaigre" (D 4828).

Aussi bien le Français de valeur, bon patriote de surcroît, se présente également de façon imagée, en revendiquant la place de "trompette des rois de France" : "J'ai sonné pour Henri IV, pour Louis XIV et pour Louis XV, à perdre les poumons "(D 4833).

Paméla n'offre guère de ces croquis allègres; et surtout ce récit *a posteriori* introduit très vite quelques traits discordants. Dès la quatrième lettre, le 14 août 1750, Voltaire reproduit l'image dépréciative qu'a donnée de lui Frédéric, celle d'un auteur sur son déclin, d'un "soleil couchant" face à l'ascension de Baculard d'Arnaud. Il dévoile déjà l'ambiguïté de sa position auprès d'un homme qui "égratigne encore quelquefois d'une main quand il caresse de l'autre" (p. 69). Aussi se montre-t-il incertain, dès le 13 octobre 1750, sur les suites de cette union : "Mon mariage est donc fait. Sera-t-il heureux ? Je n'en sais rien" (p. 73). L'écrivain revendique sa liberté en proclamant le contraire de ce que disent certaines lettres authentiques : "Me voilà donc à présent à deux maîtres. Celui qui a dit qu'on ne peut servir deux maîtres à la fois, avait assurémént bien raison; aussi, pour ne point le contredire, je n'en sers aucun" (28 octobre 1750, p. 74)[8]. Très vite, le service auprès du roi de Prusse est évoqué de façon peu glorieuse. Il consiste à "racommoder la prose et les vers du maître de la maison" avec qui la relation est rien moins que cordiale et sereine. En effet, si trois ou quatre étrangers mènent, à Potsdam, une vie monastique, c'est en souhaitant que "le père abbé se contente de se moquer de nous" (17 novembre 1750, p. 77)[9]. A partir de septembre 1751, l'autoreprésentation confine au dérisoire : après les prétendues confidences de La Mettrie, l'écrivain n'est plus qu'une orange qu'on presse avant d'en jeter l'écorce; il craint de ressembler aux "cocus qui s'efforcent à penser que leurs femmes sont très fidèles" et n'est que "le persil" sur lequel le roi de Prusse ne devrait pas grêler (29 octobre

---

[8] A opposer à la lettre à Le Baillif du 15 mars 1751 (D 4422).

[9] A opposer à la lettre du 19 décembre 1750, à la margravine de Bayreuth (D 4302) qui évoque "le révérend père abbé auprès de qui je veux vivre et mourir".

1751, p. 86). Il est aussi pathétiquement ridicule que celui qui se voit tomber d'un clocher et dit, en l'air, "Bon, pourvu que cela dure" (*ibid.*) Le double langage de Frédéric, pour qui "mon ami signifie mon esclave" (18 décembre 1752, p. 99), explique cette métamorphose, ce risque de sombrer de la grandeur dans la dérision. Ce n'est qu'en songeant à l'évasion que le prisonnier retrouve des représentations plus nobles et que son aventure touche aux mythes ou à l'histoire antique. Dès le 9 septembre 1752, il suggère qu'il a été victime d'enchantements maléfiques, en se peignant "un pied hors du château d'Alcine" et prêt à faire "voile de l'île de Calypso" (p. 96). Il se trouve dans un monde de faux-semblants, fréquenté par un Maupertuis qui se prend pour un nouveau Platon chez un nouveau Denys de Syracuse. L'auteur n'avait su que lui opposer sa franchise naïve : "J'avais eu le malheur de l'aimer, et même de le louer, car j'ai toujours été dupe" (p. 97). La lettre du 15 octobre montre le danger de rapprochements ambitieux et fallacieux : "Maupertuis n'a pu parvenir à être Platon, mais il veut que son maître soit Denys de Syracuse" (p. 98). Par ces glissements de métaphores, l'écrivain se présente de plus en plus sous l'emprise d'un tyran : "Je soupe avec le roi. C'est le festin de Damoclès. J'ai besoin d'être aussi philosophe que le vrai Platon l'était chez le vrai Denys" (p. 98). Même comparaison dans la lettre du 18 décembre, où l'auteur se croit "à Syracuse il y a quelque trois mille ans" (p. 100). La remarque est reprise dans la lettre du 9 juillet, qui évoque l'avanie de Francfort. A son souvenir, Voltaire se montre "en larmes" (p. 102). Toutes les images qu'il donne de lui sont pathétiques : il est l'"oncle mourant que vous regardez comme votre père", "un oncle ou plutôt un père malade" (p. 102, 103)[10]. La lettre attribuée à Madame Denis affirme que Fredersdorff, l'homme de confiance de Frédéric, l'a toujours, lui aussi, honoré "comme un père" (p. 104), et que tout le monde admire, après l'affaire de Francfort, son comportement philosophique. Voilà la pose finale, qui doit susciter à la fois admiration et compassion chez le lecteur à venir.

A partir de quelle réalité s'est-elle élaborée ? Certes, dans la correspondance authentique, les ombres n'ont pas manqué, mais elles viennent soit d'entreprises malheureuses que l'écrivain préfère taire dans *Paméla*, soit de déceptions nées de l'envie et de l'ingratitude des autres. Dans ce "testament" que représentent ces "mémoires épistolaires", Voltaire a totalement occulté un des personnages qu'il a

---

[10] L'amant aux expressions parfois crues (voir par exemple D 5500) n'apparaît évidemment pas dans **Paméla**.

joués souvent, celui de l'homme d'affaires. Les démêlés et le procès avec le juif Hirschel, où Frédéric voyait "l'affaire d'un fripon qui veut tromper un filou",[11] tiennent une grande place dans la correspondance véritable, début 1751, et permettent d'apercevoir différentes facettes de l'écrivain. Devant l'irritation de Frédéric, il se dépeint comme l'"étranger, malade", âgé, infirme, malheureux, victime d'un "procès cruel" (D 4346), et des calomnies de ceux qui souhaiteraient son départ, qui l'envient à cause des bontés du roi à son égard et le font passer pour un homme intéressé, "un faussaire, un scélérat punissable" (D 4345). Il a été volé et déshonoré par un Juif et il se dit mis "en pénitence" (D 4364), lorsqu'il obtient la permission de vivre au marquisat. Toutefois, cette victime ne manque pas de combattivité et est décidée à mettre à la raison son adversaire. Il concèdera à Frédéric, le 27 férier 1751 : "Piqué, j'avais la rage de prouver que j'avais été trompé" et "je ne me suis jamais corrigé d'aller toujours en avant dans toutes les affaires" (D 4403), avant d'affirmer son désintéressement et de proposer un arrangement généreux avec Hirschel. Mais il est aussi capable de discerner le grotesque de cette "mascarade", de cette "affaire digne du carnaval" (D 4362). Saisi à Paris, à peu près en même temps, à cause d'un billet vieux de trente ans, il s'estime à nouveau volé, comme il l'est encore, à la fin de 1751, quand on fait des éditions pirates du *Siècle de Louis XIV* à Breslau et à Francfort : "Ne serai-je venu dans ce pays-ci que pour être volé, tantôt par un Juif, tantôt par un imprimeur ?" (D 4623) Là encore la victime se rebiffe en suggérant que le roi fasse saisir ces éditions pirates. *Paméla* laisse dans l'ombre ce côté un peu louche de l'écrivain.

Tout au long de la correspondance authentique, il accumule des griefs contre certains confrères et oppose sa générosité à leur ingratitude. Le 14 novembre 1750, il se plaint des tours perfides que lui joue Baculard d'Arnaud "que j'ai élevé et qui me doit tout" (D 4262), à qui il a servi de père (D 4270). C'est alors la magnanimité du grand homme qui est mise en lumière. Il excuse, ne veut pas faire d'éclat, veut ignorer les petites impertinences de Mouhy, tout en notant qu'il a écrit contre lui dans *La Bigarrure*. Il pardonne à Formey qui, en mai 1752, l'a traité à tort de plagiaire dans *La Henriade*, alors qu'il le croyait son ami. Il pardonne à Morand qui le maltraite dans ses ouvrages. Il se rappelle qu'il a demandé à Malesherbes la grâce de Fréron et que ce dernier a fait des vers scandaleux contre lui. Il aurait

---

11 Voir l'article "Hirschel", par Christiane Mervaud, *Inventaire Voltaire*, p. 640.

voulu rendre service à La Beaumelle, et voilà que La Beaumelle écrit contre lui, comme il le constate fin octobre 1752. Simultanément, il est victime de vols, d'éditions pirates du *Siècle*, d'une édition infidèle de *Rome sauvée* ; il se peint donc en "père d'enfants mutilés" (D 4958). Il se plaint de fausses attributions et de calomnies qui pourraient le perdre en Europe. Toutefois, il met encore en relief sa supériorité, dans une lettre à d'Alembert du 5 septembre 1752 : "S'il y a peu de Socrate en France, il y a trop d'Anitus et de Melitus, et surtout trop de sots; mais je veux faire comme Dieu qui pardonnait à Sodome en faveur de cinq justes" (D 5005). Les vicissitudes entraînent parfois une vision philosophique de l'homme, telle que celle adressée à Richelieu, le 10 juin 1752 : "Nous sommes des ballons que la main du sort pousse aveuglément et d'une manière irrésistible" (D 4907). Mais ce constat désabusé n'entame pas, cependant, la pugnacité de celui qui confie, le 1er juillet, à Formey : "Je suis d'un caractère que rien ne peut faire plier, inébranlable dans l'amitié et dans mes sentiments, et ne craignant rien, ni dans ce monde-ci, ni dans l'autre" (D 4934). Il affirmera au même, le 23 janvier 1753 : "Quand on m'attaque je me défends comme un diable; je ne cède à personne, mais je suis un bon diable, et je finis par rire" (D 5173). Toutefois, l'hostilité de Maupertuis, lorqu'il lui nuit auprès du roi et peut aussi le perdre en France en lui attribuant *Le Tombeau de la Sorbonne* fait basculer l'image de l'écrivain, transformé en "étranger malheureux et malade" (D 5133), assurant à Frédéric, le 1er janvier 1753 : "Je devrais être mort de douleur", et lui renvoyant clef et pension (D 5134). Mais là encore la victime multiplie les feintes pour mieux redresser la tête. A Koenig qu'il soutient contre Maupertuis, le 17 novembre 1752, il affirme la "franchise intrépide" de celui "dont le métier est depuis plus de quarante ans d'aimer la vérité et de la dire hardiment" (D 5076). Le 13 janvier 1753, il lui écrit : "Je suis un de vos soldats obscurs, blessé à mort pour votre service, dans une cause bien juste" (D 5149). La passion de la liberté se fait sentir quand il se réjouit du succès de sa diatribe contre Maupertuis, condamnée au feu par Frédéric, mais dont six mille exemplaires ont été vendus à Paris en un jour : "Il aurait dû ne pas me pousser à bout. Je ne suis pas esclave" (D 5163).

Devant l'image que Frédéric a donnée des partisans de König, fous, déments, criminels, insensés, gens infâmes (D 5206), Voltaire se défend, se fait le héraut de la vérité : "Le roi est assez infortuné pour ignorer la vérité, écrit-il le 6 février 1753. (...) J'instruirai le roi, dussé-je périr" (D 5195). Et quatre jours plus tard : "Nous verrons ce que César mieux instruit pensera de César mal informé" (D 5203). Fin avril, il en attend encore un revirement, en lui suggérant d'agir suivant de grands modèles, Marc-Aurèle et Julien. Certes il se lamente auprès de d'Argens, en se peignant "seul, sans aucune consolation, à quatre cents lieues d'une famille en larmes à qui je sers de père" (D 5208). Il réitère ses plaintes à Frédéric, le 11 mars : "J'ai perdu ma patrie, ma santé, mes emplois, une partie de ma fortune. J'ai tout sacrifié pour vous" (D 5229). Lorsqu'il veut revoir le roi, l'abbé de Prades et d'Argens, avant de partir, il avoue sa faiblesse de "poule mouillée" (D 5234) qui va s'attendrir. Mais cette sensibilité pathétique est loin de l'annihiler. Il s'occupe, cependant, du *Supplément* au *Siècle de Louis XIV*, pour contrer l'édition de La Beaumelle et, un peu plus tard, des corrections de l'édition des sept volumes de ses oeuvres par Walther, confiant à d'Argental qu'il est étonné de travailler dans l'état où il est. Mieux : le 20 mars, dans une lettre à Richelieu, il badine sur ses relations mouvementées avec le monarque, lorsque "sa maîtresse" a enfin rappelé "son amant" (D 5236). Fin mai, il pratique aussi le pastiche humoristique avec d'Argens, en s'assimilant à "un juste à qui la grâce de notre révérend prieur a manqué" (D 5294). Il ne s'avoue donc jamais battu, comme il l'assure à sa nièce dans une lettre du 4 avril 1753 : "Il y a quarante ans que je fais la guerre, et je suis tout accoutumé aux campagnes malheureuses. On peut faire de belles retraites, et même remporter encore quelques victoires" (D 5247). Ce sont seulement les violences et les terreurs éprouvées à Francfort qui entraîneront la représentation uniformément pathétique du "vieillard moribond" près de sa nièce "dans les convulsions", qui en est à son sixième accès de fièvre, qui "se meurt", lorsque Voltaire informera et appellera à l'aide l'empereur François 1er, d'Argenson, la margravine de Bayreuth, le vénérable Conseil de Francfort, Louis XV, la duchesse de Saxe-Gotha, tout au long du mois de juin 1753[12]. Encore Voltaire retrouvera-t-il la force de demander à Frédéric, le 9 juillet, la restitution de ce qui lui a été volé à Francfort! Mais c'est le souvenir obsédant des épreuves vécues avec Madame Denis qui modèlera le "testament" que constitue *Paméla*.

Ces rapides comparaisons entre lettres authentiques et lettres fictives suggèrent quelques aperçus sur le caractère spécifique d'une autobiographie rétrospective, aux visées polémiques subtilement masquées par un travestissement chronologique. Aux difficultés, aux déceptions d'origine diverse qui émaillent la correspondance authentique, Voltaire substitue, dans *Paméla*, la trame d'un destin malheureux, malignement tracé par Frédéric. L'autoportrait s'en trouve

---

[12] Voir D 5308, 5315, 5331, 5366, 5369, 5385.

appauvri; il est plus statique, puisque l'écrivain ne montre plus une habileté tactique protéiforme face à des adversaires différents, ni des stratégies qui varient selon le destinataire de la lettre. Il s'en trouve faussé puisque, donnant à voir les premières années de son séjour sous l'éclairage rétroactif d'événements postérieurs, Voltaire se présente très tôt "tel qu'en lui-même" l'avanie de Francfort le changera. Comme l'écrit André Magnan : "Platon retour de Syracuse : le recueil entier s'articule sur cet axe fonctionnel."[13]Il s'en trouve figé parce que, pour mieux noircir Frédéric, il prend, de préférence, la pose de la victime pathétique. Il perd de sa mobilité. Certes, nous n'avons pas la naïveté de penser que le "vrai" Voltaire nous est montré dans les vraies lettres. On sait à quel point, selon les circonstances et selon les correspondants, il peut y jouer la comédie. Mais il y révèle davantage sa diversité, l'étonnante richesse de sa personnalité. Dans les lettres fictives, le portrait est moins spontané, de tonalité plus uniforme, plus travaillé en vue d'objectifs limités, et plus chargé de réminiscences culturelles. Dans *Paméla*, la gaieté de Voltaire semble s'être uniquement investie dans l'intention mobilisatrice : jouer, clandestinement, un bon tour au monarque naguère tant admiré. Dépassée par cette malice hors du commun, la postérité, pendant plus de deux siècles, en n'apercevant pas les différences entre autobiographie construite et journal épistolaire, a été également dupe de ce bon tour.

---

13 "Pour saluer *Paméla*", *Dix-huitième siècle*, n° 15, 1983, p. 366.

DE L'USAGE DE L'AUTOBIOGRAPHIE DANS LA POLEMIQUE AUTOUR DES *CONFESSIONS* : LES *MEMOIRES* DE MADAME DE WARENS ET DE CLAUDE ANET PAR DOPPET.

Geneviève GOUBIER-ROBERT
Université de Provence

En 1786, au cœur de la polémique et de la querelle générées par la publication des *Confessions,* les adversaires de Rousseau se voient confortés dans leurs convictions par la livraison au public des *Mémoires* de Madame de Warens suivis des *Mémoires* de Claude Anet. Cette imposture mémorialiste est due à la plume venimeuse et quelque peu laborieuse de François-Amédée Doppet, qui deviendra célèbre, en août 1793, dans ses fonctions de général de brigade à l'armée des Alpes. Pour l'heure, il n'est encore qu'un médecin savoyard passionné de magnétisme, auteur d'une *Oraison funèbre de Mesmer*, qui avouera dans ses *Mémoires* "avoir écrit bien des choses inutiles" mais qui se défend d'avoir "jamais rien publié de faux ni de méchant".[1] Napoléon, qui l'a rencontré au siège de Toulon, porte sur lui un jugement définitif et sans appel, l'estimant "méchant et ennemi déclaré de tout ce qui avait du talent".[2]

Dans les souvenirs de ce "méchant homme", une simple et rapide allusion situe l'épisode littéraire qui nous intéresse ici : "Dans la même année 1785, écrit-il, je publiai les mémoires de Madame de Warens, que le célèbre J.-J. Rousseau avait fait connaître dans ses *Confessions* ; et il s'en fit une édition à Genève et une à Paris".[3] L'élu réfuté du conseil des Cinq-Cents semble avoir la mémoire qui flanche puisque l'édition de son texte date de 1786 et que le libraire concerné était établi à Chambéry. Après l'énumération de ses médiocres productions littéraires, Doppet éprouve la nécessité de justifier leur

---

[1] Doppet, *Mémoires politiques et militaires,* Paris, Baudouin frères, 1824, page 8.

[2] J. Tulard, J.-F. Fayard et A. Fierro, *Histoire et dictionnaire de la révolution française, 1789-1799,* Paris, Laffont, Bouquins, 1988, p. 768.

[3] Doppet, *Op. cit.,* p. 9.

intérêt non par leurs qualités propres mais par les qualités humaines de l'auteur : "On voit, affirme-t-il, que je ne sus jamais flatter les vices, ni les gens en place ; on voit mon austère franchise à combattre les impostures ; on voit enfin que la justice, l'humanité, la bienfaisance et la sensibilité ne me sont point des sentiments étrangers".[4] Pareille démarche d'autojustification induit la suspicion quant à la profession de bonne foi et inscrit son auteur dans l'abondante liste des épigones de Rousseau.

La première partie des *Confessions* paraît en 1782 et Doppet, par ces pseudo-mémoires, prend position et apporte sa contribution à l'entreprise de calomnie et de flétrissure de J.-J. Rousseau. Alors que se succèdent et se répondent lettres, pamphlets et articles de journaux, vraies et fausses déclarations de Thérèse, Doppet privilégie un moyen habile d'atteindre l'adversaire, tirant profit de sa vulnérabilité en retournant contre lui ses propres armes ; l'autobiographie. Autrement dit, s'il est possible de parodier les *Ecritures*, Rousseau périra par où il a péché. La relation de la rencontre et de la liaison avec Jean-Jacques n'occupe cependant qu'une place restreinte dans les *Mémoires* : trois pages chez Madame de Warens et une dizaine chez Claude Anet. Sans l'obligeante préface qui signale que l'intérêt du texte réside dans ces quelques paragraphes, le lecteur distrait pourrait bien n'y prêter qu'une attention légère. Il est vrai que l'interruption brutale du récit de Madame de Warens au moment de la rupture avec Rousseau, au-delà de l'étonnement qu'elle suscite, indique au lecteur pressé qui aurait négligé le précieux avant-propos que l'essentiel vient d'être dit. L'entreprise de démolition de Doppet répond à "l'horizon d'attente"[5] des lecteurs de 1786 en leur offrant deux textes de mémoires pour réfuter ceux de Rousseau. L'imposture et la falsification du genre interdisent d'emblée d'interroger ceux-ci comme des autobiographies mais invitent à les prendre comme des fictions romanesques empruntant le masque de l'autobiographie par le truchement d'un récit à la première personne. Le roman s'avance donc gazé, armé des prestiges de l'illusion de la confidence et de la sincérité. Les exigences de conformité aux événements qui bornent étroitement le mémorialiste éclatent ici sous l'influence conjuguée de la liberté romanesque et de l'intention démonstrative. Quelles marques peuvent alors se relever

---

[4] Doppet, *Op. cit.*, p. 11.

[5] Expression de Hans Robert Jauss, citée et reprise par P. Lejeune dans *Le Pacte autobiographique*, Paris, Le Seuil, 1975, p. 320.

des hésitations quant au genre littéraire ? Et surtout, quelles sont les prises de position qui s'expriment dans cette hybridation formelle ?

Avant tout, il nous paraît nécessaire de présenter le texte. Les *Mémoires* de Madame de Warens et ceux de Claude Anet donnent lieu à cinq éditions à Chambéry, la même année, en 1786. Dans leur bibliographie du *Genre romanesque français* de 1751 à 1800, Martin, Mylne et Frautschi notent que Delcro et Michaud mentionnent une édition de 1785, mais qu'eux-mêmes n'ont pas vu d'exemplaire portant cette date. Dans un avis de l'éditeur placé en tête de l'édition donnée comme l'édition originale, Doppet met en garde ses lecteurs contre une contrefaçon, faite par un libraire étranger qu'il refuse de nommer et qui a, en son absence, remis le manuscrit à un homme de lettres qui l'a considérablement défiguré par ses modifications et ses ajouts. Peut-être est-ce à cette édition, produit du "brigandage typographique"[6] et grand succès de colportage, que Delcro et Michaud font allusion. Pour cette communication, nous avons utilisé deux éditions datées de 1786, dont celle donnée comme l'édition originale, ornée d'un portrait de Madame de Warens, offert, selon l'auteur, pour dédommager le public des éditions "qui circulent dans les ténèbres".[7] La seconde édition, parue également à Chambéry, présente les mémoires comme publiés par un C.D.M.D.P.. Le texte reste identique dans les deux éditions : *Mémoires* de Madame de Warens, puis *Pensées diverses* de Madame de Warens suivies de lettres et enfin *Mémoires* de Claude Anet et de nouveau quelques lettres. Les différences se situent dans les préfaces. Doppet utilise la même préface mais l'augmente considérablement dans la seconde édition. Celle-ci, bien que datée de 1786, est probablement plus tardive[8] car Doppet y mentionne l'impression réitérée des *Confessions* et le "brigandage" des imprimeurs suisses et hollandais.[9] Il y évoque également la querelle et la polémique autour de la publication de la seconde partie des *Confessions*, redoutée par ceux qui craignaient d'y voir exposer "en caractères de feu [leurs] gros

---

[6] Doppet, *Mémoires de Madame de Warens et de Claude Anet*, Chambéry et Paris chez Leroy, 1786, Avis de l'éditeur.

[7] Cette précision est apportée à la fin de l'avis de l'éditeur, voir référence note 6.

[8] Typographiquement, la disparition du S long au profit du s moderne indique que cette édition a été imprimée plus tardivement.

[9] *Mémoires de Madame de Warens suivis de ceux de Claude Anet,* publiés par un C.D.M.D.P., Chambéry, 1786, p. XIV.

péchés".[10] Et Doppet regrette qu'un bienveillant anonymat ne vienne pas tempérer le désir de lucre des éditeurs : "Si la soif de l'or les tourmentait, écrit-il, s'ils ont imaginé que ce serait une perte pour la littérature, que de ne pas laisser voir le jour à une pareille production ; pourquoi n'en ont-ils pas masqué les acteurs en leur donnant des noms supposés ? Ils ont été plus loin; ils ont publié qu'on devait leur savoir gré de ne pas avoir imprimé la suite, qu'ils annoncent comme plus intéressante, apparemment parce qu'elle inculpe un plus grand nombre de personnes".[11] Emporté par son indignation vertueuse contre des éditeurs dépourvus de scrupules moraux qui exploitent un succès de scandale, Doppet oublie que sa démarche relève de la même stratégie, qu'il avoue d'ailleurs avec une belle naïveté en reconnaissant que "ces mémoires n'auraient certainement jamais vu le jour sans la célébrité de J.-J. Rousseau".[12]

Il reste patent que la célèbrité du Genevois dérange d'autant plus qu'augmente la crainte de la publicité de la seconde partie des *Confessions*. Doppet se fait l'écho fidèle du trouble des consciences en durcissant le ton de son réquisitoire contre Rousseau dans la seconde édition. Même s'il affirme que "la mémoire de ce philosophe [lui] est chère"[13], il ne l'en accuse pas moins d'avoir dépassé ce "point au-delà duquel un honnête homme ne doit pas aller".[14]

Rousseau aurait donc transgressé le code tacite de la bienséance autobiographique qui admet l'aveu de ses faiblesses personnelles mais oppose son veto à l'aveu de celles d'autrui. Dans la seconde préface, Doppet ne redoute pas d'affirmer tout nettement qu'"entreprendre de justifier Rousseau sur la composition de ses *Confessions*, serait un projet qui ne peut entrer dans la tête d'un homme sensé".[15] L'intention s'est elle aussi considérablement infléchie vers un dessein polémique évident. Alors que la préface de l'édition originale insiste sur la volonté de "ne pas inculper les mânes

---

[10] R. Trousson, *Défenseurs et adversaires de Jean-Jacques Rousseau*, Paris, Champion, 1995, p. 21.

[11] *Mémoires de Madame de Warens suivis de ceux de Claude Anet,* publiés par un C.D.M.D.P., Chambéry, 1786, p. XV et XVI.

[12] *Op. cit.,* Préface, p. I et II.

[13] *Op. cit.,* Préface, p. III.

[14] *Op. cit.,* Préface, p. IX.

[15] *Mémoires de Madame de Warens suivis de ceux de Claude Anet,* publiés par un C.D.M.D.P., Chambéry, 1786, p. V.

de Rousseau"[16], l'épître dédicatoire à Madame la Baronne de L.B.I.D.D. lève toute ambiguïté : il s'agit bien d'une vengeance.[17]

La biographie de Madame de Warens et celle de Claude Anet participent d'une éxégèse pervertie des *Confessions,* rendue possible grâce aux licences de la fiction romanesque. Dans la lignée largement représentée des faux mémoires du siècle précédent, Doppet joue sur l'authenticité incontestable qu'apporte la mise en scène de personnages réels pour accréditer des événements purement fictifs, manipulation et tricherie immédiatement perceptibles dans la chronologie.

La nécessité de fournir un témoignage à l'appui de celui de Madame de Warens conduit Doppet à traiter Claude Anet en personnage romanesque, c'est-à-dire en personnage dont il peut arbitrairement fixer les termes. Si bien que le domestique dévoué ressuscite pour les besoins de la cause. Au livre V des *Confessions,* Rousseau relate la mort de Claude Anet, survenue le 13 mars 1734 à la suite d'un refroidissement contracté pendant une course en montagne.[18] La véracité des souvenirs de Rousseau est mise en doute par Doppet qui n'est pas loin d'accuser le philosophe d'être à l'origine d'une machination destinée à faire disparaître prématurément son rival, au moins par un meurtre symbolique. Cette manoeuvre perverse aurait servi à ce que d'autres hommes occupent la place laissée vacante auprès d'une Madame de Warens privée alors de la vertu de fidélité. Doppet affirme pouvoir produire des témoins car "il paraît constant aujourd'hui que [Claude Anet] survécut de deux ans à sa maîtresse. C'est un fait que plusieurs personnes de Chambéry pourront attester, quoique Rousseau nous dise qu'il l'a vu mourir".[19] Une note de l'auteur précise que Madame de Warens mourut en 1759, ce qui situe la disparition de Claude Anet en 1761, soit vingt-sept ans après

---

[16] *Op. cit.,* Préface, p. III.

[17] *Mémoires de Madame de Warens suivis de ceux de Claude Anet,* publiés par un C.D.M.D.P., Chambéry, 1786, p. IV. "C'est [...] venger [Madame de Warens] que de permettre que la vérité paraisse sous vos auspices ; et les gens sensés, au lieu de compter les suffrages, les pèseront".

[18] Rousseau, *Les Confessions,* Paris, Le Seuil, 1967, p. 199. "Dans une course qu'Anet avait faite au haut des montagnes [...] ce pauvre garçon s'échauffa tellement qu'il gagna une pleurésie [...] malgré les soins infinis que nous prîmes de lui, sa bonne maîtresse et moi, il mourut le cinquième jour entre nos mains après la plus cruelle agonie [...]"

[19] *Op. cit.,* p. X.

la date réelle de sa mort. Dans le même temps, Madame de Warens voit sa propre existence raccourcie de trois ans, puisqu'elle mourut le 4 octobre 1762. L'invocation de témoignages de visu pour attester cette "re-vie" de Claude Anet appartient à l'arsenal des procédés chers à une fiction romanesque qui se dissimule volontiers, au XVIIIe siècle, sous le déguisement de la réalité. Et si le lecteur doute encore, c'est que Rousseau a habilement monté son coup, en ajoutant à la nouvelle de la mort d'Anet un de ces aveux difficiles, qui lui coûtent tant. Rousseau avoue en effet avoir eu "la vile et indigne pensée" qu'il hériterait des effets de Claude Anet et en particulier "d'un bel habit noir qui [lui] avait donné dans la vue".[20] Par un brutal renversement des valeurs, ne rien taire de mauvais cesse d'être un marqueur d'authenticité pour devenir un marqueur de perversité. A force d'adaptations opportunistes, notre romancier a bien du mal à s'y retrouver. Au début du texte, il affirme que Claude Anet naquit en 1697 et écrit plus loin qu'il est "venu au monde peu de temps après Madame de Warens", soit après 1699. En fait, Anet a vu le jour à Montreux en 1706. De toute évidence, Doppet maîtrise peu la chronologie de son personnage, jusqu'à l'incohérence au sein de son récit.

Garant de la parole de sa maîtresse, témoin essentiel des horreurs de Rousseau (ne dit-il pas que celui-ci s'est enfui en emportant son herbier ?), Anet reçoit un traitement romanesque destiné à exalter la grandeur d'âme de Madame de Warens. Anet raconte ainsi comment la Merceret, femme de chambre de Madame de Warens présente dans les *Confessions*, tenta de lui faire endosser la paternité de son enfant et comment il ne fut sauvé du scandale que grâce à la générosité de sa maîtresse, qui sacrifia à cette occasion "la moitié" d'une somme qu'elle venait de toucher et dont elle avait le plus grand besoin : "il fallut payer [...] ce fut Madame de Warens qui me libéra".[21] Quinze jours plus tard, la Merceret meurt en avouant son imposture. Devenue figure romanesque, variation de l'archétype de la servante séduite et abandonnée, Anne-Marie Merceret se voit réduite à la fonction d'utilité littéraire et traitée comme telle. La servante naquit à Salins vers 1709 et mourut à Fribourg, patrie de sa mère, en 1783. Doppet situe l'aventure peu de temps avant la disparition de Madame de Warens, soit en 1758 environ. Si le romancier raccourcit d'une bonne quinzaine d'années la vie de la servante, il compense cette

---

[20] Rousseau, *Op. cit.*, p. 199.
[21] *Op. cit.*, p. 205.

réduction en lui offrant une "qualité de vierge" [22] prolongée et une maternité tardive à cinquante ans ! Il est vrai que la servante apparaît peu dans les *Confessions* et Doppet ne ressent pas le besoin de justifier le changement des repères temporels pour un personnage que le lecteur de Rousseau n'a que brièvement rencontré.

Les libertés prises par le biographe orientent ainsi nos textes du côté de la fiction romanesque, si ce terme peut convenir pour désigner une forme littéraire dont l'intertextualité témoigne de l'hybridation entre le témoignage, l'autobiographie et la fiction.

Si Doppet semble multiplier les modèles, c'est que l'inscription dans leur continuité ou leur dénonciation induit ses propres légitimité et nécessité.

A l'instar de Saint-Preux, Madame de Warens fait un voyage à Paris, brossant de la ville des tableaux dans le genre de Sébastien Mercier : description de la halle, louange de la qualité de la nourriture, de l'excellence de toutes les denrées alimentaires et en particulier du vin et de l'eau, ce qui revient à opposer à Mercier un démenti formel de ses propres observations. Mercier évoque les porteurs d'eau et la vente de l'eau, qui fait hausser les épaules "d'étonnement et de pitié"[23] à nos voisins suisses. "La vente de l'eau monte dans la capitale à une somme effrayante" s'indigne-t-il ; ce à quoi Madame de Warens répond placidement que "ceux qui se délectent à tout ridiculiser, s'appuient surtout sur ce que l'on vend l'eau à Paris".[24] Ce changement de point de vue se trouve d'ailleurs malignement souligné par Doppet qui remarque, en note, que "Madame de Warens n'a pas vu les choses du même oeil que M. Mercier". Se mettre en concurrence avec l'observateur reconnu que fut Mercier équivaut à l'ancrage du texte dans une tradition.

Plus passionnants sont les renvois aux *Confessions*, dont se nourrissent les *Mémoires* de Madame de Warens bien au-delà de l'aveu consenti par Doppet dans sa préface. Le personnage romanesque s'approprie, par substitution et glissement, ce qui appartenait au modèle. C'est ainsi que Madame de Warens, orpheline dès son plus jeune âge et n'ayant pas connu sa mère, comme Jean-Jacques, découvre comme lui précocement la lecture grâce aux romans provenant de l'héritage maternel : "Ma mère, de son vivant,

---

[22] *Op. cit.,* p. 205.
[23] Mercier, *Tableaux de Paris,* Paris, Mercure de France, 1995, p. 614.
[24] *Op. cit.,* p. 68.

avait beaucoup aimé la lecture: elle avait laissé une bibliothèque assez bien garnie, [...] d'abord, ce n'avait été que par désoeuvrement; bientôt ce fut une passion : la lecture des romans [m']attacha singulièrement"[25]. Ce souvenir renvoie, presqu'à la lettre, au premier livre des *Confessions* : "Ma mère avait laissé des romans.[...] Il n'était question d'abord que de m'exercer à la lecture par des livres amusants ; mais bientôt l'intérêt devint si vif que [...] nous passions les nuits à cette occupation".[26]

Il découle, de la fréquentation des fictions, un caractère romanesque capable d'actes de bassesse aussi bien que d'élans sublimes et facilement emporté par les illusions de l'imagination. "Ces émotions confuses, reconnaît Rousseau, me donnèrent de la vie humaine des émotions bizarres et romanesques, dont l'expérience et la réflexion n'ont jamais bien pu me guérir".[27] Madame de Warens, forme déclinée du modèle idéal et déjà canonique de Saint-Preux, se laisse emporter, face aux impulsions premières du désir, par les délices de son imagination qui transforment son existence en roman par procuration. Doppet dessine des jeux d'abyme entre forme romanesque et figuration romanesque mais aussi entre Rousseau et ses personnages d'une part et Rousseau et le personnage de Madame de Warens d'autre part. La lucidité de Rousseau sur ses propres modalités de fonctionnement témoigne d'une clairvoyance inconnue à la dame, dont l'extrait d'une lettre de Mademoiselle de F... vient souligner l'aveuglement et les erreurs : "J'[...] ai très bien reconnu à chaque ligne le style que les lectures romanesques t'ont rendu familier, les idées folles que tu as puisées dans les volumes que tu dévorais de nuit, assise au chevet de ton lit [...]"[28] Il va alors de soi que le lecteur rapproche Rousseau et Madame de Warens affectés tous deux de la même incapacité à bien vivre dans le commerce des hommes.

La présence de ces affinités électives explique peut-être que Doppet modèle son personnage sur celui de Julie, remplissant le devoir d'exemplarité prônée par cette dernière en empruntant des voies

---

[25] *Op. cit.,* p. 9 et 10.

[26] *Op.cit.* , p. 122.

[27] *Op.cit.* , Livre I, p. 122.

[28] *Op.cit.* , p. 225. Il faut ajouter que cette lettre se trouve curieusement placée, non pas à la fin des *Mémoires* de Madame de Warens, mais à la fin de ceux de Claude Anet. Une telle place oblige le lecteur à un retour en arrière et lui permet d'éclairer, a posteriori, les traits de comportement romanesques relevés par le domestique dans ses *Mémoires*.

de traverse. La rencontre est d'ailleurs inévitable, si l'on ajoute foi aux affirmations de notre romancier qui soutient que Madame de Warens a participé à l'élaboration de *La Nouvelle Héloïse*.[29] L'authenticité revendiquée des *Mémoires* de Madame de Warens ne serait pas loin de nous inciter à lire *La Nouvelle Héloïse* comme une autobiographie romancée de la dame. Le procédé atteste d'une belle habileté perverse, qui opère un renversement entre le modèle et l'imitation.

Julie meurt dans des circonstances analogues à la mort de la mère de Madame de Warens. Fanchon Anet raconte que Julie "se retourne, voit tomber son fils, part comme un trait, et s'élance après lui..."[30] Et la mère de Madame de Warens, lorsque son fils tombe à l'eau, "s'élanc[e] après [lui] comme un éclair".[31] Elle succombe deux jours plus tard, "victime de son courage et de sa tendresse".

Comme Julie, Madame de Warens éprouve une passion amoureuse intense et vertueuse avec un jeune homme pauvre que son père refuse pour gendre. Contrainte d'épouser Monsieur de Warens, la jeune fille a la tentation de la fuite. A l'imitation de son modèle romanesque, elle décide de rester afin de ne pas affliger son père. Toutes deux se trouvent désarmées devant un chantage affectif exprimé dans les mêmes termes : "Respecte les cheveux blancs de ton malheureux père ; supplie le baron d'Etange, ne le fais pas descendre avec douleur au tombeau[...]"[32]; et Madame de Warens entend les mêmes exhortations : "tu veux payer les soins paternels par une étourderie qui mettra ton père au tombeau ? tu veux le désespérer ? [...] tu vas devenir parricide [...]"[33] La ressemblance s'arrête là momentanément, car la jeune femme ne bénéficie pas de la révolution intérieure qui illumine Julie le jour de ses noces. Les déplorations de Madame de Warens, les regrets de son obéissance rejoignent les plaintes traditionnelles de toutes les jeunes filles épousées contre leur gré dans le roman sentimental : "Quel état que celui d'une femme

---

[29] *Op. cit.*, Lettre, p. 205 et 206.

[30] *La Nouvelle Héloïse,* Paris, Bibliothèque de La Pléiade, 1961, VIème partie, Lettre 9, p. 702.

[31] *Op. cit.*, p. 50. L'accident se produit au bord du lac de Genève. "Quelques personnes excitées par ses lugubres cris, vinrent au secours des deux infortunés qui périssaient; on les retira, l'enfant déjà n'était plus, ma mère sans connaissance fut aussitôt transportée à la maison, où elle succomba deux jours après, victime de son courage et de sa tendresse."

[32] *Op. cit.*, IIIème partie, Lettre 18, p. 348.

[33] *Op. cit.*, Lettre, p. 226

forcée de passer sa vie avec un homme que toute sa vertu ne lui donne que la force d'estimer! que les sacrifices du mariage sont horribles, quand ils ne sont pas ceux de l'amour !"[34] De toute évidence, Doppet choisit la voie du roman sensible, banalisant par là-même son personnage. Il exploite encore la veine sentimentale avec l'histoire enchâssée de la jeune Juive recueillie par Maman, et qui se suicide par amour, comme est supposé l'avoir fait Claude Anet, en s'empoisonnant[35]. Le personnage de Madame de Warens dépasse cependant les topoï de la sensibilité. Le désir de rester fidèle à la vertu lui fait s'imposer des sacrifices amoureux dont, contrairement à Julie, elle pourrait se dispenser. Retrouvant son Saint-Preux, elle refuse une liaison pourtant licite après son abjuration[36]. Il ne lui reste plus qu'à souhaiter la mort, comme Julie, pour mettre un terme à une barbare séparation. Pour Doppet, un tel renoncement y gagne en grandeur par l'exaltation d'une vertu qui ne doit rien aux contraintes du monde. Une telle attitude permet surtout de frapper de nullité les insinuations de Rousseau concernant Claude Anet. D'ailleurs, celui-ci devient la Claire de sa maîtresse, touché après sa mort par des hallucinations auditives semblables, jusque dans leur expression, à celles de la cousine de Julie. Claire entend la voix de Julie qui l'appelle du tombeau : "J'entends murmurer une voix plaintive !... Claire ! ô ma Claire ! où es-tu ? que fais-tu loin de ton amie ?..."[37]; de la même manière Claude Anet entend l'appel de sa maîtresse : "il me semblait entendre une voix plaintive [...] qui me criait : Anet, cher Anet ! eh quoi ! tu m'abandonnes, tu me délaisses [...]"[38].

Ajoutons, pour finir, des ressemblances évidentes entre *Les Pensées diverses* de Madame de Warens et les grandes thèses

---

[34] *Op. cit.*, Lettre, p. 205 et 206.

[35] *Op. cit.* p. 78. "Les cris qu'elle poussait attirèrent les gens de l'auberge: on ne tarda point à s'apercevoir que cette infortunée avait voulu trancher le fil de ses jours. Tous les symptômes annonçaient la nature et la vivacité du poison qu'elle venait d'avaler."

[36] *Op. cit.*, p. 96 et 97. "Quoique par l'abandon de la religion protestante j'eusse pu, [...], rompre les liens qui m'unirent à Monsieur de Warens, je crus que les moeurs me défendaient de passer dans les bras d'un autre. J'instruisis mon amant de ma façon de penser, lui ajoutant que je ne désirais rien plus ardemment que de partager son amitié, et que s'il avait la force d'être aussi vertueux qu'à Vevey, il pouvait, dès l'instant, prendre un appartement chez moi [...]"

[37] *Op. cit.* , VIème partie, Lettre 13, p. 745.

[38] *Op. cit.* p. 214.

rousseauistes. "L'homme est naturellement bon"[39], écrit la dame sans citer ses sources et ses idées sur l'éducation s'inspirent largement de celles exprimées par Julie.[40]

Sans prétendre être exhaustifs, ces renvois aux *Confessions* ou à *La Nouvelle Héloïse* traduisent les hésitations génériques du texte et sa difficulté à se situer entre les exigences des mémoires et les licences du roman. Doppet se cherche entre deux tentations littéraires qui dévoilent largement leurs attraits dans les modèles rousseauistes. A ce titre, l'incipit des *Mémoires* de Claude Anet se révèle très significatif. Si Doppet commence sans difficulté le récit de la vie de Madame de Warens, à la première personne : "L'an 1699, je naquis au pays de Vaud..."[41], l'entreprise se complexifie avec les *Mémoires* de Claude Anet. La première personne, marqueur essentiel de l'autobiographie, n'apparaît qu'à la troisième page, après une longue citation extraite du livre V des *Confessions* et quelques lignes à la troisième personne. Le texte recopié de Rousseau est celui du portrait du domestique. Après ce rappel de Rousseau, Doppet continue ainsi : "Né en 1697, il quitta vingt ans après la maison paternelle. J'avais, pour tout équipage, dit-il, ma casaque, un mauvais chapeau et la canne de mon père".[42] Aucune transition ni aucun signe typographique ne marquent le passage du récit à la troisième personne au récit à la première personne, qui s'impose ensuite constamment dans le texte. Faut-il comprendre ce début comme un prologue rajouté après coup par Doppet à d'authentiques mémoires ? Ne témoigne-t-il pas plutôt des embarras du romancier à quitter la forme habituelle du récit en troisième personne pour s'effacer devent un mémorialiste supposé ? Tout est pourtant fait pour accréditer la supercherie. A une époque où Isabelle de Charrière prend la parole au nom de Thérèse Levasseur, pourquoi Doppet ne parlerait-il pas au nom de Madame de Warens et de Claude Anet ? Avec une habileté quelque peu cynique, Doppet authentifie ces mémoires en invoquant leur manque d'intérêt littéraire,

---

[39] *Op. cit.* p. 118.

[40] *Op. cit.* p. 117. Comme Julie, Madame de Warens prône le respect de la nature de l'enfant et privilégie une éducation fondée sur la connaissance des valeurs plus que sur l'enregistrement de connaissances inutiles. "O hommes! apprenez à respecter la nature, ne mutilez pas ces tendres rejetons qui doivent un jour vous remplacer dans la société ; faites leur voir la vertu, et votre exemple les encouragera dans la suite à la mettre en pratique."

[41] *Op. cit.* p. 1.

[42] *Op. cit.,* p. 158 et 159.

procédé commode de transformer les faiblesses en force et les défauts en qualité. L'éditeur avoue livrer les mémoires avec leur "naïveté" et le "coloris de [leur] style" qui attestent que leur auteur est bien l'homme "simple" représenté par Rousseau[43]. Avec une évidente mauvaise foi, Doppet dénonce la vérité des *Confessions* quand il lui semble bon et appuie ses réfutations sur cette même vérité.

Doppet a beau ironiser lourdement sur cet homme qui vient "à la face de l'univers, un livre à la main, faire, à qui veut l'entendre, l'aveu de ses faiblesses"[44], n'est-il pas en train de rivaliser avec cette entreprise ?

Certes, Doppet réfute et détruit, mais il ne réfute et détruit que la perception de l'événementiel. Ce qui sépare Rousseau d'une part et Madame de Warens et Claude Anet d'autre part est moins une partition causée par la divergence des événements qu'une partition due à une façon différente de les vivre et de les interpréter. Ainsi toute la petite communauté assiste à l'empoisonnement de Claude Anet, mais l'incident suscite des interprétations contradictoires. Rousseau le relate comme le geste désespéré d'un jaloux dépité[45], version démentie par l'intéressé lui-même qui confesse une simple erreur de flacon : "Je n'avalai le laudanum, écrit-il, que dans la ferme croyance que je buvais de la liqueur [...] j'entre dans ma chambre sans lumière, je cherche à me rafraîchir, une fiole me tombe sous la main".[46] La disparité des souvenirs confirme le genre des *Confessions* et des *Mémoires* : la fonction que s'impose le mémorialiste est de dire la vérité mais pas de la faire croire.

La divergence essentielle de vision événementielle concerne bien sûr les éventuelles liaisons de Madame de Warens. Si Doppet concède volontiers à Madame de Warens une sensibilité exacerbée, dont chacun sait au XVIIIe siècle qu'elle est à l'origine des plus funestes erreurs, il dénie toute relation sexuelle de Maman avec ses protégés. De telles insinuations relèvent de la calomnie et s'expliquent par la liberté d'allure de Madame de Warens, qui ne fut hospitalière qu'au sens noble du terme. Si celle-ci avait eu un père aussi prévenant que Diderot, elle aurait été avertie que l'"on a le droit de juger les

---

[43] *Op. cit.*, p. 154.

[44] *Op. cit.*, Préface, p. IV.

[45] *Op. cit.*, Livre V, p. 188. "Il ne consulta que son désespoir, et trouvant sous sa main une fiole de laudanum il l'avala, puis fut se coucher tranquillement comptant ne se réveiller jamais."

[46] *Op. cit.*, p. 191.

femmes sur les apparences".[47] L'inconsidération du jugement public sur les actions particulières de Madame de Warens pousse la rumeur à lui attribuer "tantôt [...] un tel pour amant, quinze jours après, [...] un autre"[48]. Elle se défend de ces insinuations, se disant "sage sans être farouche" mais d'"une conduite irréprochable".[49] Rousseau aurait donc, avec légèreté, prêté une oreille complaisante aux propos injurieux et les aurait en outre alimentés et consolidés, même s'il reconnaît à Maman l'estimable mérite de la gratuité de ses services.[50] Le changement de point de vue sur la vertu de Madame de Warens s'accompagne de la disparition de Wintzenried dans les récits de Doppet, soucieux de supprimer les éléments gênants. Passe encore que le doute puisse subsister dans l'esprit du lecteur à propos de Claude Anet, le dévouement réciproque de ce vieux couple finit par attendrir et inciter à l'indulgence, mais comment rendre acceptables les délices du ménage à trois et la présence d'amants occasionnels, pris en-dehors de tout investissement sentimental ? Rousseau est plus honnête, qui pense que les qualités du coeur ne sont en rien réductibles au comportement sexuel. Wintzenried disparu, justifier le départ de Jean-Jacques devient un exercice difficile, que Doppet élude par une pirouette en présentant précisément ce départ comme un mystère inexpliqué ; "Jean-Jacques partit de Chambéry sans dire mot" écrit Madame de Warens[51]; ce que confirme Claude Anet : "Jean-Jacques Rousseau quitta Madame de Warens pour prendre la route de Paris [...]. Depuis ce temps, nous n'avons reçu aucune de ses nouvelles".[52] Sans la lettre adressée par Rousseau à son amie, madame de Warens n'aurait jamais su qu'il l'accusait de prodiguer des bontés qu'il ne voulait pas partager avec Claude Anet[53]. Le domestique zélé déplore

---

[47] Diderot, *Contes et entretiens,* GF n° 294, p. 235. La citation est extraite de l'étonnante lettre que Diderot envoie à sa fille au moment de son mariage, pour lui exposer ses devoirs d'épouse.

[48] *Op. cit.,* p. 45.

[49] *Op. cit.,* p. 46.

[50] *Op. cit.,* Livre V, p. 197. "Sans estimer ses faveurs ce qu'elles valaient, elle n'en fit jamais un vil commerce; elle les prodiguait mais elle ne les vendait pas." Il faut reconnaître que Rousseau use parfois, à l'égard de Madame de Warens, de formules ambiguës, voire blessantes.

[51] *Op. cit.,* p. 107.

[52] *Op. cit.,* p. 200.

[53] *Op. cit.,* p. 108 et 109. Lettre de Mademoiselle du Ch*** à Madame de Warens. "[Rousseau] ne donne d'autre cause à son départ de Chambéry qu'une juste

de passer pour "un vil instrument de débauche"[54] et regrette ce souvenir comme le plus grand de ses maux. Que Rousseau ait écrit des pages sublimes sur Maman ne l'excuse pas mais accroît son crime, car rien ne peut tempérer de si odieuses inculpations.

L'interprétation divergente permet de ramener le genre des mémoires à sa faiblesse constitutive : la subjectivité de l'auteur. La relativité du jugement d'une conscience ne peut jamais saisir l'événement dans sa globalité, mais doit se contenter d'une appréhension parcellaire nécessairement ni fausse ni vraie. Si l'on pense que Madame de Warens et Claude Anet se trompent, alors il faut aussi envisager que Rousseau puisse se tromper. L'autobiographie se donne elle-même comme l'arme suprême qui autorise sa propre destruction, en fondant sa puissance sur l'imperfection constitutive du discours mémorialiste. Le récit à la première personne est frappé, à son principe, de suspicion. La confrontation des récits de plusieurs témoins donne la mesure des écarts d'appropriation de l'événement. Pourtant, il s'agit toujours de la même histoire, celle de Madame de Warens rapidement résumée au début du livre V des *Confessions*, mais dont l'écriture ne se fait pas toujours de "sang-froid", pour reprendre l'expression de Doppet. L'investissement sentimental et affectif fournit le prisme déformant où vient se recomposer la réalité. De bonne foi, chacun propose pour unique une version particulière à sa vision, mais dans une même perspective.

Parler des *Confessions* de Doppet ne relève que partiellement de l'abus de langage. L'intention rousseauiste se répercute en échos atténués chez Doppet, dans l'élaboration d'une entreprise similaire : justifier un individu injustement persécuté et poursuivi par des fables insultantes. Il ne s'agit pas d'oser dire : "je fus meilleur que cet homme-là" mais bien plutôt : "je fus meilleure que ce qu'a dit Rousseau. Dans ce projet, la volonté didactique s'impose, qui prône l'exemplarité de l'expérience individuelle en avertissement pour le lecteur : "je fais le journal de ma vie [...] pour servir de leçon"[55]. La singularité d'une vie tend à l'universel et arrache par là-même ce journal à l'arbitraire pour s'imposer comme une nécessité.

---

délicatesse de sa part ; un refus de partager ta tendresse avec le premier venu, fait, dit-il, qu'il s'éloigne de toi, et ton domestique même entre pour quelque chose dans les contes qu'il m'a débités."

[54] *Op. cit.*, p. 184.

[55] *Op. cit.*, Préface, p. 15.

On peut appréhender, au terme de cette présentation rapide, l'originalité et la spécificité de Doppet qui est de se tenir à une position proprement intenable : entre la biographie et l'autobiographie. Ces deux formes d'écriture produisent des textes que Lejeune nomme "référentiels"[56] dans la mesure où ils prétendent apporter une information sur une réalité extérieure et pouvoir ainsi se soumettre à l'épreuve de la vérification. Dans ce dessein avoué de conformité au réel, Doppet prend quelques libertés et joue sur des effets de cascade pour les justifier: le test de ressemblance au réel des *Mémoires* de Madame de Warens passe par l'accréditation de la réalité des *Mémoires* de Claude Anet, dont la publication conjointe n'est pas un hasard. Ajoutons que ces deux textes de mémoires bénéficient du préjugé de sincérité et de véracité attaché aux *Confessions*. Le critère invoqué réside dans l'acceptation de l'autobiographie que l'on veut partiellement réfuter. Autrement dit, la contestation du livre V des *Confessions* n'est rendue possible que par sa partielle authenticité. Poser ainsi, hors de la réalité extérieure, la pertinence des critères de vérification justifie l'intertextualité particulièrement riche des *Mémoires* de Madame de Warens et de Claude Anet. Doppet substitue, à la garantie de ressemblance au réel, la vraisemblance de la fiction romanesque et de l'autobiographie traitée sur le même plan ; puisant, dans *Les Tableaux de Paris, La Nouvelle Héloïse* et *Les Confessions* les éléments de conformité non à des faits incontestables mais à leur représentation conforme aux attentes du lecteur.

Dans ce système, autobiographie et biographie fonctionnent sur le même schéma : le pacte référentiel tacite avec le lecteur peut ne pas être tenu, sans que celui-ci s'en aperçoive. L'autobiographe réel ou supposé reste le seul à pouvoir dire ce qu'il écrit et les critères de référence extérieurs deviennent caducs. Par ses fausses autobiographies, Doppet mine la crédibilité même de l'entreprise autobiographique. La supercherie qu'il monte jette la suspicion sur la vérité des *Confessions*, en les mettant en concurrence avec la fiction romanesque censée les réfuter et les prendre en flagrant délit de mensonge.

Doppet exploite ainsi la confusion née de l'hybridation entre les mémoires et le roman, frappant de nullité, à son apparition, l'autobiographie soupçonnée de n'être qu'un avatar de la fiction, une forme dissimulée du roman et de l'affabulation qui s'y rattache. Au - delà de leur utilisation polémique dans le complot anti-rousseauiste,

---

[56] *Op. cit.*, p. 37.

ces mémoires invitent à s'interroger sur l'aspect phénoménologique de l'entreprise autobiographique. L'instant ténu de l'appropriation du réel par une conscience prise dans le flux et le reflux perpétuel d'impressions changeantes permet-il de transcrire autre chose que le passage d'une émotion, d'une sensation ou d'une perception d'ordre fantasmatique ?

DU CITOYEN DE GENEVE AU CITOYEN DE VENISE JACQUES-JEROME CASANOVA JUGE DE JEAN-JACQUES ROUSSEAU

Gérard LAHOUATI
Université de Pau et des Pays de l'Adour

1. Ecrire sa vie.

En août 1790, au soir d'une vie d'exilé, d'aventurier, de séducteur, de charlatan et d'écrivain aux succès incertains, Casanova, devenu bibliothécaire d'un châtelain de Bohème, commence son autobiographie. Pour se venger de "l'ingrate patrie" et pour être "lu de toute l'Europe", il écrit en français. Le travail l'occupe durant deux ans, avec des phases d'enthousiasme et des périodes de doutes, puis, pendant les six dernières années de sa vie, il corrige son manuscrit, en hésitant entre la publication et les flammes. Il ne terminera pas cette *Histoire de ma vie* qui s'interrompt brutalement, peu avant le retour à Venise, en 1774. Comme les *Confessions*, l'*Histoire de ma vie* est un récit inachevé[1]. Les prétendus mémoires, écrits dans une retraite désenchantée sont un thème banal, avant les *Confessions du comte de* ****, de Duclos, en 1741[2]. Casanova, qui connaissait ses devanciers, a porté en lui très longtemps ce désir d'écrire sa vie. Comme l'a montré Helmut Watzlawick[3], il y a une dimension thérapeutique dans l'écriture des mémoires : malade, Casanova aurait obéi au conseil de son médecin qui lui suggérait de se délasser par l'évocation de ses souvenirs. Dans le texte même de l'autobiographie Casanova fait de son entreprise une question de survie:

"Ecrire mes mémoires fut le seul remède que j'ai cru pouvoir employer

---

[1] Voir l'article d'Helmut Watzlawick, "Les Mémoires de Casanova : biographie d'un manuscrit", *Europe*, N° 697, mai 1987, p.28-40, repris dans *Histoire de ma Vie*, Coll. Bouquins, tome 1, p.XV-XXVIII. Par commodité et malgré ses défauts, toutes nos références au texte de l'*Histoire de ma Vie (HV)* renvoient à l'édition de Francis Lacassin, 3 vol., Laffont, Paris, 1993, coll. Bouquins. Nos citations des *Confessions* renvoient à l'édition des *Oeuvres complètes*, Tome 1, Gallimard, Bibliothèque de la Pléiade.

[2] On peut citer Hamilton, L'Abbé de Villiers, le Chevalier de Mouhy, l'Abbé Prévost et surtout d'Argens.

[3] H. Watzlawick, "Mémoires et Thérapie. Les anticonfessions de Casanova", conférence (Genève, mai 1995) dont le texte inédit m'a été aimablement communiqué par son auteur.

pour ne pas devenir fou ou mourir de chagrin à cause des désagréments que les coquins qui se trouvaient dans le château du comte de Waldstein à Dux m'ont fait essuyer. En m'occupant à écrire dix à douze heures par jour, j'ai empêché le noir chagrin de me tuer ou de me faire perdre la raison." (*HV*, vol.3, p. 723)

Pour montrer comment *les Confessions* de Rousseau ont pu constituer un modèle et un repoussoir pour Casanova, nous évoquerons les rencontres entre les deux hommes et entre les deux textes, puis nous présenterons l'opinion de Casanova sur Rousseau et ses *Confessions*. Nous soulignerons les convergences entre les deux autobiographies, avant d'en marquer les différences. Dans cette confrontation, nous nous efforcerons de considérer ces récits comme des textes littéraires, c'est-à-dire comme des mises en forme personnelles, avec une ambition esthétique, d'expériences qui dépassent le rapport conscient d'un individu à son temps et à lui-même. Dans cette perspective, l'*Histoire de ma vie* est un témoignage, comparable aux *Confessions*, sur la façon dont un écrivain réinvente son histoire : elle nous informe autant sur le présent de l'écriture que sur le passé d'un individu.

2. Rencontres.

Si Rousseau ne fait jamais allusion à Casanova, Casanova en revanche parle beaucoup de Rousseau et la comparaison entre les deux hommes, à travers leurs deux textes, s'est imposée très tôt. Le Prince de Ligne, à qui Casanova a lu ses mémoires, lui écrivait en effet :

"J'aime mieux le Jacques qui n'est pas Jean car vous êtes gai; il est atrabilaire. vous êtes gourmand; il met de la vertu dans les légumes. Vous avez cueilli trente roses de virginité, il n'a cueilli que de la pervenche."*[...]*"[4]

Dans son autobiographie, Casanova raconte une visite à Rousseau, en 1759, à Montmorency, visite qu'il aurait effectuée en compagnie de madame d'Urfé. Il fait aussi allusion, dans le fil narratif, à des propos que Rousseau lui aurait tenus[5]. Dans un autre texte, il parle de trois entretiens qu'il aurait eus avec Rousseau[6]. Dans une lettre,

---

[4] Lettre du 21 mars 1795, conservée avec les manuscrits de Casanova aux Archives nationales de Prague (Marr 2. 118.B.), citée par Helmut Watzlawick dans sa conférence sur Casanova et Rousseau.

[5] Casanova, qui fait parler De Bernis, écrit à propos de la mort d'une religieuse et de la folie de l'Ambassadeur de France à **Venise** : *"J.-J. Rousseau m'a dit que ce fut l'effet d'un poison ; mais c'est un visionnaire"* (*HV* 1, p.803-804).

[6] *Examens des Etudes de la Nature et de Paul et Virginie,* textes écrits

il évoque une autre rencontre avec Rousseau, à Bourgoin, et parle d'un *"dialogue vrai sur le rire à gorge déployée" "entre moi et J.-J. Rousseau, quand [Rousseau] s'était donné le nom de Renaud le botaniste"*[7].

Que faut-il en penser ?

Rappelons tout d'abord qu'il est peu probable que Casanova ait rencontré Rousseau à Venise, en septembre ou en octobre 1743, même si matériellement cela n'est pas impossible. C'est l'époque où Casanova, âgé de 18 ans, séminariste éphémère, est aux arrêts au fort Saint André. Il y reste jusqu'au 27 juillet et quitte Venise le 10 octobre, alors que Rousseau arrive le 11 septembre. Si les deux hommes se sont croisés, ni Casanova ni Rousseau ne font allusion à une telle rencontre.

Au moment où Casanova écrit son autobiographie, Rousseau est mort depuis douze ans et l'ensemble de ses textes autobiographiques est publié[8]. Si Casanova ne fait jamais allusion aux autres textes autobiographiques de Rousseau, nous savons que non seulement il a lu la première partie des *Confessions*, mais qu'il a réfléchi à l'entreprise de Rousseau. Il a demandé par exemple à l'un de ses correspondants, dans les années de Dux, son avis sur les *Confessions*. L'auteur de ce manuscrit inédit apprécie les *Confessions* et défend Rousseau, en admettant la réalité du complot[9]. On trouve aussi aux Archives de

---

à Dux entre décembre 1788 et l'automne 1789, publiés pour la première fois par Marco Leeflang et Tom Vitelli, Utrecht, 1985, sous le titre : *Casanova et Bernardin de Saint-Pierre*, p. 90 ; repris dans Bouquins, vol.2, p. 1093-1144.

[7] H. Watzlawick (conférence citée) signale un petit mystère : Rousseau avait lu et annoté *La botanique mise à la portée de tout le monde ...* du sieur et de la dame Renault (Paris, 1774). On peut se demander comment Casanova a pu être au courant de ce rapprochement, qui n'est devenu public qu'en 1825, avec l'édition des *Oeuvres Inédites* de Rousseau par Musset-Pathay.

[8] En 1780 et 1782 pour les *Dialogues*, en 1782 pour la première partie des *Confessions* et pour *Les Rêveries*, en Novembre 1789 pour la seconde partie des *Confessions* et le volume de lettres (Edition Barde et Mauget en trois volumes; dans ces éditions, les noms propres ont généralement été remplacés par des initiales).

[9] . *"Vous m'avez demandé, Monsieur, ce que je pensois des confessions de JJ Rousseau; voicy mon opinion [...]"*. Manuscrit de cinq pages conservé avec le fonds Casanova aux Archives Nationales de Prague (catalogue Marr 12-42)

Prague un jugement de la main de Casanova sur Rousseau[10] et ce texte fragmentaire est révélateur. Casanova reconnaît qu'il n'envie pas l'existence de Rousseau mais il écrit : *"C'est son talent que je voudrais avoir dans la tête"*. Très vite, il oublie Rousseau pour parler de sa propre vie (*"Tout le monde par exemple connaît ma vie, mais personne ne la connaît plus que moi"*) comme si la réflexion sur Rousseau était un préalable, une incitation à se raconter et une justification de l'entreprise autobiographique.

3. Rousseau personnage *de l'Histoire de ma Vie*.

Dans ce contexte, comment apprécier le rôle que Casanova fait jouer à Rousseau dans son *Histoire de ma vie* ? Casanova situe la rencontre dans le flou chronologique qui lui est coutumier; il s'agit alors d'une période où il mêle des événements qui s'échelonnent de mai 1758 à mars 1759. Il dit avoir rendu visite à Rousseau, à Montmorency, sous prétexte de musique à copier, à l'initiative de la marquise d'Urfé. La rencontre elle-même ne donne lieu à aucune description précise. Casanova note rapidement :

> "Nous trouvâmes l'homme qui raisonnait juste, qui avait un maintien simple et modeste, mais qui ne se distinguait en rien ni par sa personne ni par son esprit. Nous ne trouvâmes pas ce qu'on appelle un aimable homme. Il nous parut un peu impoli, et il n'a pas fallu davantage pour qu'il paraisse à madame d'Urfé malhonnête."(*HV* vol. 2, p.183)

Quant à Thérèse Levasseur, elle commet l'outrage le plus sanglant ... puisqu'elle ne regarde qu'à peine les visiteurs ! Casanova et madame d'Urfé sont donc rentrés à Paris *"en riant de la singularité de ce philosophe"* (*ibid.*). Tout de suite, comme si Casanova n'était pas très à l'aise dans son récit, il passe à une anecdote : il raconte une visite du prince de Conti à Rousseau, en donnant le beau rôle au Prince, face à Rousseau qui aurait voulu faire dîner Thérèse à sa table. Ce qui ne correspond pas au récit que Rousseau fait lui-même de cette visite[11]. On peut donc s'interroger sur l'exactitude du mémorialiste : ne s'agit-il pas d'un visite imaginée par Casanova qui aurait tenu à faire de Rousseau un personnage de son récit ? On peut pourtant supposer que, si Casanova avait voulu construire une rencontre, il aurait utilisé des éléments des *Confessions* pour proposer un compte-rendu plus étoffé. Comme il le fera avec Voltaire, il aurait pu imaginer un dialogue à propos de Venise, du rôle des arts, de la musique, ou de la littérature

---

[10] Marr 16 I 22 et Marr U 16i.

[11] *Confessions* p. 542-543.

italienne. On a davantage le sentiment d'une rencontre ratée et que Casanova, au moment où il rédige, ne connaissait pas le second volume des *Confessions* (dans lequel Rousseau évoque son séjour à Venise). Ce que le texte de l'*Histoire de ma Vie* traduit, c'est une incompréhension totale et un snobisme condescendant de Casanova à l'égard de Rousseau. A cette époque, Casanova a d'autres préoccupations que la littérature et la philosophie : évadé des Plombs depuis deux ans, il s'active autour de de Bernis; il s'occupe à faire fortune à Paris et en Hollande tout en bernant madame d'Urfé par des farces alchimiques. L'attitude de Rousseau, telle qu'il la présente, correspond toutefois à ce que Rousseau lui-même dit des visites importunes qu'il recevait à l'Ermitage ou à Montmorency. Rousseau se plaint alors d'être "*souvent obsédé de curieux désoeuvrés*" qui lui font perdre un temps précieux; il fait même une sorte de *mea culpa* en écrivant :

> "Quand prêt à partir pour le monde enchanté [de l'écriture], je voyais arriver de malheureux mortels qui venaient me retenir sur la terre, je ne pouvais ni modérer ni cacher mon dépit, et n'étant plus maître de moi je leur faisais un accueil si brusque, qu'il pouvait porter le nom de brutal." (*Confessions*, Pléiade, p.428)

On imagine que devant une vieille marquise à demi folle, accompagnée par un italien chamarré, au verbe haut et aux breloques ostentatoires, qui venaient examiner une sorte de bête curieuse, Rousseau n'ait eu qu'une seule envie : s'en débarrasser au plus vite. On peut alors regretter qu'il n'y ait pas eu de débat sérieux entre les deux hommes, puisqu'on peut difficilement concevoir deux personnalités plus opposées, deux systèmes de valeurs plus contradictoires. A l'ostentation, au goût du faste, du raffinement, à la passion des modes, des mondanités et de la conversation de Casanova, Rousseau répond par la simplicité, la solitude, la réserve dans ses rapports à autrui. Au mépris aristocratique de Casanova pour le travail manuel, Rousseau oppose sa volonté de gagner son pain en copiant de la musique[12]. Comme il l'écrit au Prince de Ligne, Casanova est persuadé que "*le meilleur des hommes doit être sans contredit le plus sociable*" : en vertu de ce principe, Rousseau ne pouvait lui apparaître que comme le pire des misanthropes. Leur conception du bonheur et surtout de la vertu sont diamétralement opposées : pour Rousseau, l'exercice de la vertu ne serait possible, en société, que si l'individu accède à la dignité de citoyen et transforme

---

[12] Musique avec laquelle Casanova entretient des rapports difficiles : il a été racleur de violon dans un orchestre de théâtre, alors que Rousseau a connu le succès avec son *Devin de village*.

ainsi la nature même de la société; Casanova rêve au contraire d'une vertu fondée sur la sociabilité, dont la principale règle serait la recherche du plaisir. Il serait aisé de développer ces antithèses de surface qui masquent peut-être l'essentiel. Ajoutons simplement que les succès littéraires de Jean-Jacques ne devaient pas laisser le vieux Casanova indifférent; et souvent, lorsqu'il parle des ouvrages de Rousseau qu'il déteste, il ne peut s'empêcher d'envier l'éloquence de l'écrivain.

4. Personnages communs aux deux textes.

Pour les contenus anecdotiques, on constate assez peu de rapports directs entre les deux autobiographies qui couvrent des périodes légèrement décalées (1712-1765 pour Rousseau, 1725-1774 pour Casanova). On y croise assez peu de personnages communs. Coraline et Camille, les comédiennes que Rousseau fait partir de Venise avec leur père[13], jouent un rôle important chez Casanova, comme De Bernis, que Rousseau aperçoit chez madame Dupin (*Confessions*, p.292). Si on peut encore citer, Duclos et Milord Maréchal, au fond, c'est peu. Pourtant, lorsque Rousseau évoque l'achat d'une petite fille à Venise, les *Confessions* peuvent indirectement confirmer la véracité des récits de Casanova : mais chez Rousseau la conclusion de l'épisode sera très morale (*Confessions*, p. 323).

Avec la courtisane vénitienne que Rousseau appelle Zulietta et Casanova Julietta ou la Cavamacchie, on peut mesurer la subjectivité de tout récit autobiographique. Pour Rousseau, qui la rencontre trois ans après Casanova, c'est une fille enchanteresse et, à son souvenir, il laisse libre cours à son enthousiasme :

> "Les jeunes vierges des cloitres sont moins fraiches, les beautés du serrail moins vives, les Houris du Paradis sont moins piquantes."
> (*Confessions*, p.320)

Il semble oublier qu'il a affaire à une prostituée :

> "Jamais si douce jouissance ne s'offrit au coeur et aux sens d'un mortel." (*ibid*).

Mais voilà qu'au cours des préliminaires, l'enthousiaste Jean-Jacques est "*saisi d'un froid mortel*"; le souvenir de la condition de la prostituée le glace et il se demande s'il n'est pas "*la proie d'une indigne salope*". A force de chercher confirmation de cette hypothèse, la découverte d'un "*téton borgne*" confirme ses craintes, c'est le fiasco et Rousseau conclut l'épisode en se plaignant de sa mauvaise tête :

---

13 *Confessions*, p.302. Il s'agit des deux filles du comédien Pantalon (Carlo Antonio Veronese). Voir : J. Voisine, "Quelques personnages secondaires des *Confessions*", *Revue des sciences humaines*, Lille, 1963, p. 221-237.

> "Non, la nature ne m'a point fait pour jouir. Elle a mis dans ma mauvaise tête le poison de ce bonheur inéfable, dont elle a mis l'appétit dans mon coeur." (*Confessions*, p.320)

Assurément la nature n'a pas eu les mêmes desseins avec Casanova, mais, si l'on en croit le portrait qu'il fait de cette Julietta, Rousseau avait des excuses. Si Casanova lui reconnaît des yeux "*capables de faire des miracles*", il dénonce la fausseté de son teint, de ses sourcils; sa bouche est trop grande, sa gorge démeublée - il ne parle pourtant pas du "*téton borgne*" qui inhibera Rousseau - ses mains sont trop fortes et ses pieds ont une taille à décourager "*les connaisseurs*" (*HV*, Vol.1, p 67-70). Bref, Casanova n'en aurait pas donné un seul sequin. Ce qui ne l'empêche pas de vouloir goûter à ces charmes frelatés. Rousseau péchait par défaut, Casanova pèche par excès : il recevra un fort soufflet, assorti d'une menace d'assassinat. Au fond Rousseau s'en était mieux tiré lorsque la jeune femme lui avait conseillé : "*Zanetto, lascia le Donne, e studia la matematica* "(p. 322).[14]

On retrouve une même différence d'appréciation avec d'autres personnages comme la chanteuse Marie Le Fel : Rousseau la loue de ne pas céder à Grimm, par fidélité à Cahusac ... alors que Casanova s'amuse de la trouver mère de trois enfants, nés de trois pères différents. (*HV*, vol.1, p. 572).

5. Influences ?

Au-delà de ces aspects anecdotiques, il convient de se demander dans quelle mesure l'écriture autobiographique de Rousseau a pu constituer pour Casanova un modèle ou un repoussoir, dans sa forme et dans ses contenus narratifs. Qu'en dit Casanova ? Dans son *Histoire de ma fuite des prisons de Venise [...]* [15], écrite en 1787 et publiée en 1788, Casanova évoque la possibilité de raconter ses aventures sous forme de confessions ; il écrit :

> "Ou mon histoire ne verra jamais le jour, ou ce sera une vraie confession [...] on me lira ; car la vérité se tient cachée dans le fond d'un puits, mais lorsqu'il lui vient le caprice de se montrer, tout le monde étonné fixe ses regards sur elle, puisqu'elle est toute nue, elle est femme et toute belle." (p. 190)

Il situe alors son entreprise par rapport à celle de Rousseau :

---

14 Si la confrontation des textes peut faire sourire, elle semble aussi montrer que Casanova, au moment où il écrivait, n'avait pas une connaissance précise de la seconde partie des *Confessions,* sinon il aurait évoqué Rousseau.

15 Edition Jean-Cyrille Godefroy, Paris, 1985.

> "Je ne donnerai pas à mon histoire le titre de confessions, car depuis qu'un extravagant l'a souillé, je ne puis plus le souffrir ; mais elle sera une confession, si jamais il en fut." (*ibid.*)

Dès l'avant-propos, ce texte est aussi l'occasion pour le citoyen de Venise de dire son fait au citoyen de Genève, auteur de "*l'infâme roman de la Nouvelle Héloïse*", "*fameux relaps, écrivain très éloquent, philosophe visionnaire, jouant la misanthropie et ambitionnant la persécution*" (p.15). Au philosophe, Casanova reproche de ne "*pas décider en conséquence d'un système*" mais au contraire de :

> "prononcer des aphorismes résultant d'un enchaînement casuel de ses chaudes circonlocutions et non pas avec la froide raison : ses axiomes sont des paradoxes faits pour faire éternuer l'esprit : passés à la coupelle de l'entendement ils se détruisent en fumée." (p.15)

D'autres textes antérieurs à l'autobiographie fourmillent de références négatives à Rousseau et à son oeuvre. Dans sa correspondance ou dans ses ouvrages, l'opinion de Casanova sur Rousseau ne varie pas. Dès sa première brochure imprimée, *Lana Caprina*, "*épître bâclée au courant de la plume*" comme il le dit lui-même, Casanova exécute la *Nouvelle Héloïse* :

> "Rousseau lui-même auteur d'Héloïse, avoue que la lecture de ce roman ne convient à personne. C'est un poison violent qui détruit la liberté morale de l'homme et le fondement de la société civile, à savoir la religion, et le devoir d'une jeune fille et du précepteur à qui elle est confiée, et ce respect qui est dû à la vertu nécessaire pour résister aux passions et en triompher."[16]

On peut sourire en entendant Casanova évoquer les devoirs d'une jeune fille et le respect dû à la vertu ...

Dans la lettre qu'il envoie à l'acteur Soulé, au début de 1766, il écrit :

> "Vous vous félicitez de ce que vous viviez dans un siècle plus éclairé. Mon cher monsieur, c'est un conte. [...] Ce siècle-ci ne vaut pas plus que les autres [...] Bayle, d'Argens, Rousseau, etc. que vous me citez me présentent l'idée la plus comique." (*Pages casanoviennes* III, p. 40)

Dans sa réfutation de l'*Histoire de Venise* d'Amelot de la Houssaye, il écrit, à propos d'*Emile*, que son auteur "*enseigne à élever un homme pour en faire un charpentier*"[17] ; il oppose aux paradoxes de Rousseau

---

[16] Venise, 1772 ; réédité dans *Pages casanoviennes II*, Paris, Jean Fort, 1925. Il s'agit d'une "*diatribe*" contre deux professeurs de l'Université de Bologne qui se querellaient pour savoir si "*l'animal*" appelé utérus avait une influence sur la raison des femmes. Voir *HV*, vol.3, p. 961 et Chantal Thomas, *Europe*, N° 697, mai 1987, p. 93-103.

[17] *Confutazione Della Storia del Governo Veneto d'Amelot de la*

l'attitude de Bayle, Diderot, d'Alembert *"dont la morale était exemplaire"* (II, 59). Dans sa critique de Bernardin de Saint-Pierre, il dénonce *"les joujoux des antithèses, et les paradoxes sophistiques dont* [Rousseau] *ne se dessaisit jamais"*[18] ; il parle aussi de la *"folie de ce grand homme"* (le sentiment de persécution) et écrit :

> "Ce fut un grand génie... qui a écrit lui-même une partie de sa vie errante, et de ses vicissitudes. [Poussé par] une ambition démesurée [...] l'immortel Jean-Jacques est arrivé à vouloir que ses adhérents l'admirassent jusque dans ses vices."(p.27) ....

Après avoir dénoncé la conception de l'amour telle qu'elle s'exprime dans *La Nouvelle Héloïse* (*"J.-J. Rousseau fut l'esclave de ses pensées ; l'amour est le plus brutal de tous les instincts"*), il use d'ironie en écrivant :

> "Jean-Jacques fut sans contredit malheureux, puisque le genre humain ne s'est pas acquitté de son devoir en l'élevant sur le trône de la monarchie universelle." (p 88)

C'est dans ce texte qu'il fournit peut-être la clef de son attitude lorsqu'il déclare :

> "Il n'y a personne au monde qui ait lu Rousseau, et qui soit fâché de ne l'avoir pas connu. J'avoue que malgré que j'eus avec lui trois entretiens, je fus charmé de lire ce que M. de Saint-Pierre en dit [...] Rousseau d'ailleurs selon moi et plusieurs autres fut mauvais philosophe et lorsqu'il n'a pas prévu les persécutions, et lorsqu'il n'a pas su les mépriser [...] Quelles faiblesses avec tant d'esprit, et tant de talent." (p. 90-91)

Casanova, regrettant de ne pas avoir connu Rousseau, ne se serait-il pas efforcé de l'introduire dans son autobiographie ?

Dans son premier projet de préface[19] Casanova se situe encore par rapport à Rousseau. Il écrit :

> "Je dois avertir le lecteur qu'en écrivant ma vie, je ne prétends ni faire mon éloge, ni me donner pour modèle : c'est au contraire une vraie satire que je me fais, malgré qu'il n'y trouvera pas le caractère de la confession." (p.1218)

Dans la suite du texte, la réponse à Rousseau prend la forme de la revendication cynique, par opposition aux scrupules moraux de Jean-Jacques dont il refuse *"le triste et avilissant repentir"*:

> "[Le lecteur] verra que je n'ai jamais fait le bien que par vanité ou par intérêt, et le mal par inclination; que je n'ai jamais commis un crime

---

Houssaie, Amsterdam [Lugano], 1769, 3 vol. II,p. 59.

18 *Examens des Etudes de la Nature* (...) p.16 et p 20.

19 Version de 1791, *Mémoires,* Pléiade, vol. 1, p. 1215-1223.

> par ignorance; que les prohibitions, au lieu de me diminuer le courage, me l'ont augmenté : qu'assez content de trouver la permission dans ma force, je me suis laissé aller, disposé souvent à en payer l'amende."(*ibid.*)

A la conscience morale de Rousseau, Casanova oppose son amour-propre en tant que garantie de vérité. Comme c'est inattendu, il explique qu'il n'écrit pas la vie d'un homme "*illustre*" (à la différence de Rousseau), ni un roman :

> "Ma matière est mon histoire et mon histoire est ma matière [...] cet amour-propre, qui a toujours exercé sur moi un empire absolu, me menace si j'ajoute un seul iota à la vérité, je n'aurai pas le droit de repousser un démenti."(p. 1219 et 1220)

Dans ce texte, où Rousseau est très présent comme repoussoir, lorsque Casanova demande : "*qui est l'homme véritablement tolérant ?*" il renvoie Voltaire et Rousseau dos à dos en proposant des figures "*d'hommes tranquilles*", Haller, Hume, d'Alembert, qui n'ont "*jamais inquiété personne*" (p.1222).

Dans sa dernière brochure, l'attachante lettre *A Léonard Snetlage*[20], Casanova parle de tout et surtout de lui-même, de ses obsessions, parmi lesquelles Voltaire et Rousseau. Ce dernier est qualifié d'"*illustre fanatique*" et Casanova écrit alors à son propos :

> "Il aurait joué un grand rôle dans la révolution; mais ayant toute sa vie aspiré au martyre, on l'aurait exaucé à la lanterne car il n'aurait pas eu la patience d'attendre l'institution de la guillotine." (p.47)

Plus loin, il ajoute :

> "L'éloquence de cet homme célèbre brille principalement par des sentences [...] dont il ne rend pas raison, et par des paradoxes qui révoltent, et que malgré cela on aime." (p.107)

Casanova se fait à nouveau ironique :

> "Tout ce que Rousseau dit est admirable, il ne sait pas décider, si les langues existèrent avant les sociétés, ou les sociétés avant les langues [...] la société ne put jamais exister sans une langue, ni une langue sans la société [...]." (*ibid.*)

et il renvoie Rousseau à la question de la primauté de l'oeuf sur la poule.

Dans l'*Histoire de ma vie*, Casanova ne parle explicitement que de la *Nouvelle Héloïse*[21]. Il affirme avoir lu le roman de Rousseau, à

---

[20] *A Leonard Snetlage,* Dresde, 1797. Il s'agit d'une lettre à l'auteur d'un dictionnaire français qui admet les néologismes révolutionnaires, au grand scandale de Casanova. Le texte a été réédité par A.-J. Guède, Veuve A. Thomas, Paris, 1903.

[21] Casanova fait aussi allusion à une erreur contenue dans *le Discours sur l'origine des langues.* De plus, quand il évoque son projet d'écrire un

Berne, en juin 1760, puis en avoir parlé, à cette époque, avec Haller (alors que l'ouvrage n'a été publié qu'au début de 1761). Haller aurait jugé le livre comme *"le plus mauvais de tous les romans, parce que c'est le plus éloquent"* (*HV*, Vol.2, p.387) ce qui reflète exactement le jugement de Casanova sur les livres de Rousseau. A Rousseau qui écrivait dans la préface se son roman :

> "Jamais fille chaste n'a lu de romans [...] Celle qui [...] en osera lire une seule page est une fille perdue." (*Oeuvres Complètes*, Pléiade, T.II, p.6)

Casanova répond perfidement :

> "Il se peut que la lecture de plusieurs soit la cause de la perte d'une grande quantité de filles; mais il est certain que la lecture des bons leur apprend la gentillesse et l'exercice des vertus sociales." (*HV*, Vol.1, p. 43)

Derrière l'animosité de Casanova on peut peut-être voir une réaction de dépit : Rousseau a eu le courage et le talent d'écrire ces *Confessions* devant lesquelles Casanova a hésité pendant plus de dix ans.

Mais, au fond, ce qu'il reproche à Rousseau, comme à Voltaire, c'est d'avoir touché à ce qu'il considère comme le fondement de la société civile : la religion. Le 26 juillet 1755, les Inquisiteurs d'Etat ont fait incarcérer Casanova sous les Plombs, sans lui notifier les motifs de son arrestation ni la durée de sa peine. Casanova a trente ans et il comprend vite que le Tribunal peut le laisser moisir dans son cachot pour le restant de ses jours. Il en éprouve un tel effroi qu'il ne guérira jamais de cet enfermement[22]. Il conservera toute sa vie une terreur

---

dictionnaire des fromages, Casanova compare cette entreprise avortée au *"dictionnaire de botanique que JJ Rousseau a trouvé au-dessus de ses forces"* (*HV*, vol.2, p.890). Au moment d'écrire son autobiographie, Casanova pouvait connaître les fragments de ce texte publiés en 1781, au tome VII de l'édition in quarto des *Oeuvres Complètes* de Rousseau.

[22] C'est ce caractère hallucinatoire qui explique que, dans le manuscrit de l'*Histoire de ma vie*, Casanova ait recopié, dans une version à peine différente, le récit de sa fuite, déjà publié. S'il prend la peine de copier ce long épisode, c'est que l'écriture, dans sa matérialité même, est une sorte d'exorcisme. On mesure l'étendue de son reniement lorsqu'il écrit, dans sa *Confutazione* [...] (III, p.260), pour obtenir sa grâce des Inquisiteurs, que les Plombs sont la prison *"la piu mitte in tutto il mondo"*, la plus douce du monde.

rétrospective des tribunaux ecclésiastiques et plaidera pour le respect de la religion ... tout en donnant une image épouvantable de l'Eglise.

6. Convergences.

Le projet autobiographique de Casanova semble donc se constituer en réaction à Rousseau. Pourtant, malgré cette virulence, l'*Histoire de ma vie* porte la marque de Rousseau, dans l'exigence de vérité, dans l'importance accordée à la sexualité, comme dans la légitimité du discours sur les fantasmes que Rousseau instaure en les assumant. On peut aussi voir l'influence du modèle des *Confessions* dans l'exclusion de la première enfance[23] et dans le discours sur la maladie qui constitue l'un des embrayeurs du récit dans les *Confessions*.

Chez Rousseau, la vérité est une question théologique : il se confesse, il offre son livre à Dieu. L'exigence de vérité est donc implacable. Casanova va laïciser cette exigence, qui est aussi au coeur de son discours. Il ne s'agira pourtant pas de tout dire, puisqu'on n'est pas maître des secrets des autres. Casanova marque aussi une limite esthétique à cette vérité : il refuse tout ce qui pourrait provoquer sa tristesse et celle de son lecteur et il avoue :

> "Je n'ai jamais eu la force de bien écrire un fait dont le souvenir m'est douloureux." *(HV* vol.III, p.940)

Nous n'entrerons pas ici dans la question de la vérité de l'*Histoire de ma vie*.[24] Nous dirons seulement, pour faire court, que les fantasmes

---

[23] La première enfance n'a aucune place dans l'*Histoire de ma vie* et Casanova l'explique (Préface, *HV*, vol 1, p.4 et "Glose au titre", *Le livre*, 1887, p. 35-36) : son plus ancien souvenir et donc son *"existence d'homme qui pense"* remonte à l'âge de huit ans et quatre mois. Ces propos font écho au *"j'ignore ce que je fis jusqu'à cinq ou six ans"* de Rousseau. C'est une attitude d'époque, que l'on retrouve chez Da Ponte par exemple, pour qui la première enfance fait partie de ces choses sans importance et *"de peu d'intérêt pour le lecteur"* (*Mémoires*, Livre de poche, Pluriel, p.31). Dans un monde qui souscrit à la formule de Cicéron : "Vivere cogitare est" (*Tusculanes*), la mémoire est bien un phénomène social; dans une culture qui ignore le caractère déterminant de la première enfance, la mythologie personnelle se construit sur d'autres bases (généalogiques pour Casanova, familiales pour Rousseau). Rétif, avec *Monsieur Nicolas*, sera le premier à innover véritablement dans ce domaine.

[24] Toutes les péripéties de l'évasion des Plombs ont été vérifiées, tout semble donc vrai... En lisant Casanova on a l'impression qu'il s'aventure sur un toit très pentu, extrêmement vertigineux : son évasion devient un véritable exploit sportif et la narration en acquiert un frémissement de suspense étonnant... Alors que les tableaux

s'enracinent dans le vécu et se construisent au plus près de détails précis. Nous dirons aussi que chez Casanova, comme chez Rousseau, la mise en récit, la volonté d'intéresser un lecteur nécessitent des arrangements pour constituer des unités narratives, par la fusion de lieux, d'époques, de personnages différents. Cette narration implique aussi le recours à des embrayeurs du récit. Chez Casanova, il s'agit souvent des femmes, mais elles peuvent aussi totalement disparaître du récit quand un autre thème passe au premier plan : sous les Plombs ou lors du Duel avec Branicki par exemple.

Dans l'écriture de cette histoire personnelle de sa vie, les *Confessions* ont pu montrer à Casanova qu'il était possible de se dire jusqu'au plus troublant de l'intimité. Lorsque Rousseau écrit, au livre 1, qu'une fessée "*reçue à huit ans par la main d'une fille de trente a décidé de mes goûts, de mes désirs, de mes passions, de moi pour le reste de ma vie*", il montre le rôle déterminant de la sexualité. Quand il ajoute que "*ce goût bizarre toujours persistant*", il l'a "*porté jusqu'à la dépravation, jusqu'à la folie*", quand il évoque "*ses sottes fantaisies*", ses "*érotiques fureurs*", ses masturbations et "*les actes extravagants auxquelles elles* [le] *portaient quelquefois*" (p.16-17), on peut supposer qu'il a rendu légitime, aux yeux de Casanova, ce discours sur le sexe et sur ses déviances, constitutif de la personnalité. Chez Casanova, les fantasmes fondamentaux (la surpuissance et l'inceste) sont différents, mais il devenait possible, après les *Confessions*, de les écrire et de les assumer dans une autobiographie.

Les *Confessions* ont pu encore jouer le rôle de modèle dans le discours médical. Polype au cœur ou infections urinaires, la maladie est très présente chez Rousseau. Casanova, qui aurait voulu être médecin, va retenir la leçon et la dépasser largement en ne faisant grâce à son lecteur d'aucun symptôme de ses véroles et en l'invitant à assister à quelques interventions chirurgicales. Si chez Rousseau les corps sont présents, chez Casanova ils vont s'imposer dans toutes leurs fonctions, dans tous leurs besoins, dans un système d'écriture qui intègre le

---

de l'époque montrent que les toits du Palais des Doges avaient une inclinaison très faible et que la chute était impossible sur trois côtés, en raison de la présence d'ornements architecturaux ... Un seul détail est modifié et tout est transformé. Quand elles ne sont pas des embellissements, les transgressions par rapport à la vérité sont des montages, comme dans l'épisode de la rencontre avec Voltaire : au prix de quelques invraisemblances et dissimulations, l'organisation du texte impose un portrait de Voltaire en négatif (par contraste avec celui de Haller) tandis que la description de la sexualité triomphante de Casanova devient sa véritable réponse à Voltaire.

monstrueux au nom de la curiosité légitime et qui vise à transgresser tous les codes de l'écriture littéraire.

7. Divergences.

Pourtant, au-delà de ces convergences, l'*Histoire de ma vie* va s'imposer comme une réponse à Rousseau dans l'écriture, dans la philosophie, dans la morale et dans les fantasmes mêmes.
Question de style d'abord, déterminé par le destinataire implicite ou explicite du texte autobiographique.

Si, pour les deux écrivains, l'écriture du souvenir est une jouissance, la nature de cette jouissance est passablement différente. Casanova revendique une fonction érotique de son activité :

> "On dira que je circonstancie ces faits [les exploits sexuels] d'une façon qu'il semble que je m'en complaise en me les rappelant. On aura deviné. Je conviens que le souvenir de mes plaisirs passés les renouvelle dans ma vieille âme [...] je me trouve enchanté de me convaincre que ce ne sont pas des vanités, puisque ma mémoire m'en démontre la réalité." (*Mémoires*, préface de 1791, Pléiade, vol.1, p. 1221)

Si cela fait écho au fragment intitulé "l'art de jouir"[25] de Rousseau, il ne s'agit pas des mêmes contenus, ni de la même démarche. Rousseau écrit pour la postérité, dans l'urgence de celui qui pressent sa propre mort ; Casanova écrit dans le refus de la mort : "*ce monstre qui chasse du grand théâtre un spectateur attentif avant qu'une pièce qui l'intéresse infiniment finisse*" (*HV*, préface, Vol.1, p. 9). Chez Rousseau, du premier *Discours* aux *Dialogues*, du *Contrat Social* aux *Rêveries*, la figure rhétorique élue est l'antithèse : les guirlandes de fleurs masquent les chaînes ; les fruits sont à tous, la terre n'est à personne; l'homme est né libre et partout il est dans les fers ... Ces antithèses sont constitutives de la vision du monde de Rousseau qui se structure dans des oppositions : Nature/Société ; Bonheur/ Souffrance ; Citoyens/Sujets ; Peuple/Populace ; Autrefois/Aujourd'hui ; Sparte/Rome ; Vertu/Corruption ; Etre/Paraître ; opposition entre l'élan et le mépris, le coeur et les sens ... oppositions qui se focalisent dans l'irréductibilité du moi par rapport à autrui. L'écriture de Rousseau est une tension constante pour passer de ce qui est ressenti comme négatif à ce qui est affirmé comme valeur. A cela, Casanova oppose une écriture de la fusion, de la simplicité naturelle; il affirme sa méfiance par rapport aux images rhétoriques et fait l'éloge du style parlé. La condamnation de

---

25 "Art de jouir et autres fragments", *Oeuvres Complètes*, Pléiade, T.1, p. 1173-1177

Rousseau est alors sans appel : *"Il n'écrivait pas comme on parle"* (*Histoire de ma fuite*, p.15). A l'obscurité de Rousseau, Casanova oppose un désir de clarté, de transparence, puisque :

> "Tout écrivain qui se trouve dans le cas de craindre que son lecteur ne saisisse pas son idée doit être persuadé qu'il l'a mal rendue [...] il doit donc la rejeter, ou la cocher plus clairement." *(Examen des Etudes de la nature* [...], Utrecht, 1985, p. 21)

A l'éloquence artificielle de Rousseau, Casanova oppose son propre style, qu'il juge naturel, sans apprêt, mais toujours du bon ton et plein de cet esprit que l'on n'acquiert que dans la meilleure société, celle qu'il fréquente et à laquelle il destine son ouvrage. Pour bien écrire, dit-il, *"je n'ai besoin que de m'imaginer qu'elle me lira"* (*HV*, Préface, vol.1, p.4). Le destinataire de Casanova - l'homme de bon ton, l'homme du monde, l'aristocrate cosmopolite comme le Prince de Ligne - est au fond celui que Rousseau condamne. Pour Casanova, l'un des plus sûrs moyens de plaire c'est *"de donner un noble sujet de rire"* à cette bonne compagnie (Préface, p.4). C'est ce qui lui fait condamner *"l'éloquent Rousseau [qui] n'avait ni l'inclination à rire, ni le divin talent de faire rire* (*HV*, vol.2, p.890). On devine alors l'influence de Voltaire que Casanova considérait comme *"maître d'un style gai et facile"* qui séduit *"parce que presque tout le monde aime ceux qui ont le talent de faire rire"*[26]. L'écrivain de Dux, qui s'attribue un tempérament mélancolique, ne veut pas céder à sa tristesse et il s'efforce de narrer *"en plaisantant sur certaines circonstances qui autrement auraient déplu"* (*HV*, vol.1, p 116).

C'est cette volonté de plaire qui explique l'interruption de l'*Histoire de ma vie* en 1774[27], comme il l'explique à un correspondant en juillet 1793:

> "Pour ce qui regarde mes mémoires je crois que je les laisserai là, car depuis l'âge de cinquante ans je ne peux débiter que du triste, et cela me rend triste. Je ne les ai écrits que pour m'égayer avec mes lecteurs [...]." (Lettre du 20 juillet 1793, *Correspondance avec J.F. Opiz*, F. Khol et O. Pick éditeurs, 2 Vol. Leipzig, 1913)

Nous rions donc souvent à la lecture de l'*Histoire de ma vie*, mais cela n'exclut pas les moments de pathétique, lorsque Casanova - dans des

---

[26] *Icosameron,* Editions d'Aujourd'hui, 1987, Les Introuvables, Préface du tome II, p.XII. On peut s'étonner de ce jugement sur Rousseau alors que, par la distance entre le héros et le narrateur, dans la première partie des *Confessions,* Rousseau fait souvent preuve d'un humour proche de celui de Casanova.

[27] On pourrait penser que Casanova, s'il a lu ce texte, a tiré la leçon de la seconde partie des *Confessions* en se refusant à ne *"débiter que du triste"*.

mouvements élégiaques qui font penser à Rousseau - ne peut s'empêcher de soupirer sur son bonheur perdu, de pleurer sur *"les moments heureux* [qu'il] *n'espère plus mais dont la seule mort peut [lui] en faire perdre le souvenir"* (*HV*, vol.1, p.203). C'est alors, comme chez Rousseau, l'irruption du présent de Dux dans un passé présenté comme un âge d'or, c'est l'irruption de la vieillesse dans une jeunesse "fabuleuse".

Esthétiquement ce changement de ton est justifié puisque Casanova écrit aussi :

> "Pour faire un bon livre, il s'agit aujourd'hui de faire rire les lecteurs: ceux qui n'ont pas ce talent se croient tous indignes d'admirer leur chef M. de Voltaire qui le possédait supérieurement. C'est un beau talent mais il n'est pas toujours de saison." (*Icosameron*, préface du T. II, p. XII)

Contrairement à Rousseau, Casanova n'est pas sensible aux joies de la campagne; son territoire d'aventurier est essentiellement urbain, et l'écrivain est peu susceptible de lyrisme devant un paysage naturel : l'exilé de Dux n'avait pas le cœur à chanter les plaisirs horaciens de la retraite bucolique. Pourtant Casanova est un admirateur forcené d'Horace, qu'il cite sans cesse. Hasardons une explication : si Rousseau reprend l'hymne à la nature, constitue un paysage "état-d'âme"[28], c'est peut être parce qu'il ne disposait pas de cette culture classique qui, chez Casanova, canalise l'émotion dans des modes d'expression hérités de l'Antiquité.

La divergence entre les deux sensibilités est encore plus marquée dans la conception même de la nature. Pour Casanova, l'objet de la philosophie c'est l'étude de la nature et le meilleur philosophe est celui qui sait retrouver *"l'éloquence de la nature"*, bien supérieure à *"l'esprit philosophique"* (*HV*, Vol.1, p.77). Si Casanova, comme Rousseau, admet l'hypothèse d'un âge d'or de l'humanité dans lequel la nature triomphait, où les hommes vivaient nus et ne connaissaient pas la tyrannie des désirs insatisfaits, à la différence de Rousseau, cet âge d'or platonicien ne se décrit pas sur le mode de la nostalgie, puisque l'ivresse sensuelle est un moyen d'accès à ce paradis. Pour Casanova, chaque homme peut retrouver ce bonheur, si la fortune lui est favorable et si, par sa culture, il sait triompher des préjugés. Pour cela, il lui suffit de *"suivre le penchant de sa nature"* (*HV*, Vol.1 p.32), de refuser tout ce qui est *"contre-nature"*, de fuir toute *"tyrannie qui insulte la nature"* (*HV*, vol.1, p.738). Parmi ces obstacles à fuir, Casanova place une

---

[28] Il ne l'invente pas, on le trouve déjà dans les romans de madame de Tencin.

morale et une religion qui empêchent les hommes et les femmes de retrouver "*l'innocente gaîté de* [leur] *nature*", (*HV*, vol.1, p.103) alors que, de toute façon, la lutte contre les instincts est vaine puisque cette nature finit toujours par triompher[29]. Pour Casanova, le concept de nature n'est pas opposé à l'idée de culture : quand la nature est associée à la culture, dans un paysage, dans un style ou chez une femme, la perfection est atteinte. Pour être parfaite, la femme doit posséder "*les beautés de la simple nature*" et "*l'esprit de la société*"; le paysage qui émeut Casanova n'est pas un spectacle grandiose mais un beau jardin, ou une "*perspective enchanteresse*" qui "*fait naître dans l'âme d'un poète les idées les plus heureuses engendrées par la fraîcheur de l'air et par le silence sensible qui flatte l'ouïe dans une riante campagne*" (*HV*,vol.2, p. 323). C'est le paysage suisse qui provoque cette émotion rousseauiste et c'est en évoquant un autre lieu cher à Rousseau, les îles Borromées, que Casanova explique le peu de place que tient la description de la nature dans son récit : "*il est impossible* - déclare-t-il - *de faire une description de ces îles suffisante pour faire comprendre au lecteur combien elles sont délicieuses*"(*HV*, vol.3,p. 740). Une seule phrase pour évoquer le paradis? Si Casanova est si concis c'est - avoue-t-il - qu'il se heurte à une difficulté technique : il n'arrive pas à rendre l'effet produit par cette nature. On comprend alors pourquoi il lui arrivait d'envier le style de Rousseau.

Au-delà de ces questions de style, c'est évidemment dans le domaine de la morale que l'opposition entre Casanova et Rousseau se fait irréductible : l'attitude de Casanova peut sembler en effet une perversion de la morale rousseauiste. Lorsqu'il oppose aux jugements d'autrui sur ses actes sa propre conscience morale, le sentiment d'avoir mérité ou démérité est pour Casanova le seul critère moral. En dernière analyse, c'est ce qui fonde sa conscience de la liberté. Lorsque Rousseau fait de cette conscience morale un don de Dieu, Casanova ne le suit pas et il construit un système qui va lui permettre de justifier toutes les transgressions. Comme La Mettrie, Casanova pense que ce qui est moral c'est ce qui repose sur l'instinct de l'individu, c'est ce qui lui procure du plaisir. Contrairement à Rousseau, il refuse de subordonner le bonheur individuel à une morale collective, et, lorsqu'il tente de définir une morale naturelle, Casanova justifie toutes les transgressions liées à son plaisir. Il opte ainsi pour une morale qui autorise à tout justifier en posant pour principe : "N'*ayant pas de*

---

[29] L'un des exemples que donne Casanova ferait frémir Rousseau puisqu'il s'agit de l'inceste.

remords, je ne pouvais être coupable" (*HV*, Vol.I, p. 853). Sans le moindre scrupule, il met aux enfants trouvés le garçon qu'il a eu de la fille de sa logeuse et il le raconte sans l'ombre d'un remords. Comme il le répète souvent : "*Je ne peux pas dire de me confesser car je ne me sens mortifié par aucun repentir*" (*HV*, Vol.I, p.933). Ne taxons pas cependant Casanova d'inconséquence cynique car il trouve sa cohérence en ne cessant d'affirmer que toute morale est inutile, que seules sont profitables les leçons que donne "*le fier livre de l'expérience*" (ce qui est, au fond, une définition possible de l'*Histoire de ma Vie*). A l'homme moral de Rousseau, il oppose explicitement la leçon de sa vie, en se décrivant dans sa *Critique de Bernardin de Saint Pierre*, en Picaro, mi-Neveu de Rameau, mi-Figaro :

> "J'avouerai que je préfère à tout misanthrope [Rousseau] un homme comme les autres, un peu fripon, tantôt trompé, tantôt trompeur, qui sait duper, et tour à tour est dupe, et qui ne se déguise pas extrêmement. Cet homme est gai, aimable, il connaît les hommes, il veut vivre avec eux, il vit comme eux, et pense principalement à ne pas se laisser attraper, et lorsqu'il attrape il rit, et ne s'en défend pas trop si l'attrapé se plaint [...]." (*Op.cit.*, p.97)

Ce principe de transgression détermine aussi l'attitude religieuse de Casanova. S'il ne cesse de réaffirmer son Credo, sa soumission et son respect vis-à-vis de l'Eglise, le lecteur le moins soucieux d'orthodoxie est frappé par l'irrespect du mémorialiste qui ne cesse de faire intervenir Dieu dans des situations compromettantes. L'existence de l'âme ? L'espoir d'une vie éternelle? Religion à part, comme il le dit avec humour, rien n'est moins sûr. Ce qui est sûr en revanche, c'est ce besoin d'affirmer une règle, d'établir un principe, pour pouvoir le transgresser.

En politique, Casanova refuse toute notion d'intérêt général (*HV*, Vol.1, p. 598) ; alors que Rousseau s'efforce de distinguer une image juridique, positive du peuple - ce peuple auquel le citoyen est fier d'appartenir - et une réalité beaucoup plus sombre (la populace), Casanova par son éducation, par sa distinction, ses vêtements, par le "bon ton", tient à se démarquer des classes populaires. Dès que ce peuple se fait menaçant, c'est le substantif "canaille" qui vient sous sa plume et, lorsqu'il évoque les événements révolutionnaires, ce peuple est alors "*effréné*", "*abominable*" "*il n'a ni lois, ni système, ni religion, ses dieux sont le pain, le vin et la fainéantise*" (*HV* Vol.1, p.598). Casanova se fait gentilhomme par le nom, par le titre (Chevalier de Seingalt) et par le ton. Ce qu'il appelle "*l'atroce*" Révolution française est venu le conforter dans son attitude : c'est parce que les philosophes voltairiens ont touché à l'Autel que le Trône s'est effondré : Casanova ne cesse de le regretter.

La dimension fantasmatique de son écriture va l'entraîner vers des domaines peut être plus inquiétants que la paranoïa de Rousseau.

L'*Histoire de ma vie* peut en effet être lue comme une manière de machine fantasmatique. L'inceste hante Casanova et les situations incestueuses sont organisées de façon si subtiles que l'on peut penser que c'était sa tentation la plus forte. Alors que pour Rousseau l'écriture autobiographique est un effort pour s'éloigner de situations incestueuses, chez Casanova, dès les premiers volumes, on rôde autour de l'interdit. L'inceste, comme jeu, apparaît dès que le héros du récit en a l'âge. Cela constitue des annonces et des contrepoints aux transgressions de Casanova avec sa fille Sophie, âgée alors de "quatre à cinq ans", puis avec Leonilda, la fille qu'il a eue de Donna Lucrezia. Il écrit alors :

> "Les incestes, sujets éternels des tragédies grecques, au lieu de me faire pleurer me font rire, et si je pleure à Phedra, c'est l'art de Racine qui en est la cause."(*HV*, vol 2, p. 637)

Casanova entreprend de transgresser l'interdit à plusieurs reprises, ce qu'il justifie en écrivant par exemple :

> "je n'ai jamais pu concevoir comment un père pouvait tendrement aimer sa charmante fille sans avoir du moins une fois couché avec elle." (*HV*, Vol.3, p.310)

A ce moment de l'écriture, Casanova fait de l'inceste le centre du débat philosophique le plus important du XVIIIe siècle :

> "Cette impuissance de conception m'a toujours convaincu, et me convainc encore avec plus de force aujourd'hui que mon esprit et ma matière ne font qu'une seule substance." (*Ibid.*)

Et, après cette preuve inattendue du matérialisme, le voyageur peut reprendre son chemin vers de nouvelles situations incestueuses. Cette fascination de Casanova pour l'écriture de l'inceste doit être interprétée à l'intérieur d'un fantasme de surpuissance, à l'oeuvre dans l'ensemble de l'autobiographie comme dans son roman *Icosameron*. L'occultisme qu'il affirme pratiquer d'une façon ludique est aussi, il l'écrit lui-même, une façon de se "*laisser croire le [...] plus puissant de tous les hommes*" (HV, Vol.2, p.98). L'inceste devient ainsi marque d'appartenance à un monde où la nature ne s'oppose plus à la culture, où la loi commune est inopérante. Nous sommes très loin de Jean-Jacques Rousseau.

8. Les mots, le temps, l'histoire.

Concluons.

Au XVIIIe siècle, chez ceux que l'on appelle les philosophes, il existe un idéal : celui d'appartenir à une communauté éclairée qui a pour mission de favoriser le progrès. A la suite de Montaigne, le projet autobiographique peut se situer dans cette ambition, par la référence à la vérité, à la connaissance de l'homme - de l'individu à l'espèce. Au-delà de cet idéal, les pratiques et les convictions ne sont pas univoques, mais lorsque Rousseau remet en question l'existence et les fonctions de la République des Lettres, l'union se fait contre lui. La correspondance de Casanova montre que, sur ce point, il se situait du côté des philosophes, comme quand il écrit, en 1773, à un ami florentin :

> "Dites-moi donc ce que veut ce fou de Rousseau, à pester tant qu'il lui plaît, dans son style éloquent, contre les lettres et les maux chimériques qu'il leur attribue. Pour moi, j'estimerai toujours qu'en comparaison des biens dont elles sont une source inépuisable, les maux deviennent moins que rien. Si les lettres n'avaient d'autre résultat que l'union qu'elles créent entre leurs adeptes, ce serait suffisant pour jeter à bas tous les raisonnements de ce fameux sophiste." (*Pages casanoviennes*, VII, 1926, p. 55)

La publication des *Confessions* a dû intervenir dans la réalisation du projet de Casanova d'écrire sa vie : elles lui traçaient une voie et rendaient possible le discours de l'intimité, pris en charge par l'auteur, sans travestissements narratifs. Si Rousseau, en tant que personnage, tient peu de place dans l'*Histoire de ma vie*, Casanova se définit par opposition à Jean-Jacques. Au-delà de l'ostentation et de la provocation, il semble, au fond, viser une sorte de dissolution baroque de l'être, dans le déguisement et le prestige de la parole, alors que Rousseau est malade de la vérité de son être, qu'il veut imposer dans l'authenticité de ses actes et de son écriture. Par rapport à la conception du temps, on peut parler d'une modernité de Rousseau, pour qui le temps est irréversible, irrémédiable, le temps à venir est toujours malheur, catastrophe inévitable, et c'est cette conception qui impose l'idée de Dieu, si l'on veut échapper à la conscience douloureuse de l'absurdité. Casanova, lui, a une conscience archaïque du temps. Face à la Révolution qu'il exècre, l'espoir auquel il s'accroche c'est que "*tout retournera à sa place*" avant qu'il ait fini ses mémoires ; c'est ce qu'il écrit encore dans sa *Lettre à Léonard Snetlage*, en 1797 :

> "Tous les effets de cette terrible révolution disparaîtront, comme après un furieux ouragan nous voyons la surface de la mer calme, et le ciel même plus serein qu'il n'était avant." (p.8)

Avant Levi-Strauss, Casanova avait compris que le langage est le prototype de toutes les organisations et c'est au nom de ce principe qu'il s'insurge contre les innovations linguistiques des révolutionnaires.

Ce choix, au même titre que l'écriture de l'inceste, révèle un rapport à la réalité et au temps tel qu'il était vécu dans les sociétés archaïques, rapport fondé sur la répétition rituelle d'actes, de gestes qui renvoient à une époque mythique. L'époque mythique de Casanova c'est sa jeunesse flamboyante; le temps du rituel et de la répétition, c'est l'érotisme, la sexualité triomphante et l'inceste, puis l'écriture. Si, comme le pensait Mircea Eliade[30], l'homme moderne est celui qui a conscience de l'irréversibilité de l'histoire, Casanova n'accède pas à cette modernité. Il apparaît, comme Rétif de la Bretonne, à la frontière entre la conscience archaïque et cette modernité. D'une part, il vit l'abolition symbolique du temps par la répétition, l'inceste, le refus de la Révolution, qui le maintiennent dans un temps mythique; mais il a aussi conscience de l'unicité de son expérience et affirme le prix de sa mémoire pour tenter de conjurer, par delà sa propre mort, les sentiments modernes de l'absurdité de l'histoire; sentiments qui l'ont marqué de façon irréversible lors de son emprisonnement sous les Plombs. Rousseau trouvera douloureusement sa solution dans le complot ou dans le dialogue avec soi-même et avec Dieu, tandis que Casanova hésitera entre la voie de la philosophie (ses nombreux manuscrits en témoignent) et l'élaboration de machines fantasmatiques comme l'*Icosameron* ou l'*Histoire de ma Vie*.

Rousseau a voulu faire l'histoire de son âme. Casanova, qui a eu longtemps des doutes sur l'existence et la pérennité de la sienne, a préféré écrire l'histoire fantasmatique de sa vie. Si la postérité, dans ses lapsus, les associe involontairement (en baptisant Casanova "Jean-Jacques" pour Jacques-Jérôme) est-ce parce que tous deux renvoient le lecteur à sa propre individualité ? Ce qui constitue la fonction de l'autobiographie, jusqu'à Sartre et surtout Leiris, qui, eux, vont comprendre ce que Casanova avait peut-être deviné : l'autobiographie d'un écrivain s'enracine dans l'histoire de ses mots autant que dans l'histoire de sa vie.

---

30 Mircea Eliade, *Le Mythe de l'Eternel retour*, Gallimard, Coll. Idées. A la suite de Rousseau, Eliade fait du christianisme la seule possibilité de dépasser le conflit entre répétitions archétypales et conscience de la liberté. Il est vraisemblable que Casanova, dans les dernières années de sa vie, a opté pour cette solution, afin de fuir la "terreur de l'histoire" quand l'écriture était tarie.

RÉTIF DE LA BRETONNE,
JEAN-JACQUES ROUSSEAU ET L'AUTOBIOGRAPHIE

Frédéric BASSANI
Université Paul Valéry - Montpellier III

Le point de départ de cette étude sur Rétif, Rousseau et l'autobiographie, plus précisément leur projet autobiographique, est multiple :
- d'abord, bien sûr, la publication dans la Bibliothèque de la Pléiade, de la première édition critique de *Monsieur Nicolas*[0] établie par Pierre Testud,
- ensuite les articles de ce dernier, et tout particulièrement celui consacré à "*Monsieur Nicolas* et les problèmes de l'autobiographie" lors du troisième colloque international des paralittératures de Chaudfontaine[1],
- enfin, bien évidemment, la lecture de deux courts articles contradictoires, déjà très anciens, qui rapprochent Rétif de Rousseau :
- dans le premier[2], Marc Chadourne nous fait partager son étonnement lorsqu'il compare les destinées parallèles, à vingt ans de distance, des deux auteurs. Mais il conclut que *tout ce par quoi on peut les rapprocher les sépare* .
- dans le second[3], au contraire, Charles Porter s'est attaché à prouver, non sans raison, l'influence de Rousseau sur Rétif et plus particulièrement des *Confessions* sur *Monsieur Nicolas*.

---

[0] *Monsieur Nicolas ou le Coeur humain dévoilé,* édition critique établie par Pierre Testud, Paris, Gallimard, "La Pléiade ", 1989, 2 volumes, LXXI+ 1594 p., 1852 p.

[1] *Les Cahiers des Paralittératures,* 4, "Sade, Rétif de la Bretonne et les formes du roman pendant la Révolution française", Actes du 3e Colloque International des Paralittératures de Chaudfontaine tenu en décembre 1989, textes réunis par Jean-Marie Graitson, Liège, éditions du C.L.P.C.F, "Les Cahiers des Paralittératures", 1992, p. 41-52.

[2] "Jean-Jacques et Nicolas, Restif et Rousseau", *Europe,* 39e année, n°391-392, nov.-déc. 1961, p. 189-198.

[3] "Restif, Rousseau and Monsieur Nicolas", *Romanic Review,* LIV (4), déc. 1963, p. 262-273.

- Il faudrait signaler aussi le petit ouvrage[5] récent de Dominique Marie consacré à la création littéraire et l'autobiographie dans lequel l'auteur rapproche d'une façon tout à fait pertinente et inattendue Sartre de Rousseau, *Les Mots* des *Confessions*.

On considère souvent, rétrospectivement, que les *Confessions* seraient le modèle de l'autobiographie moderne, en toute rigueur il faudrait dire de l'autobiographie[6] tout court, avant lequel le genre se chercherait, après lequel il se dégraderait, se métisserait.

---

[5] *Création littéraire et autobiographie. Rousseau, Sartre,* Paris, Pierre Bordas et fils, "Littérature vivante", 1994.

[6] L'Histoire littéraire a toujours accordé aux *Confessions* un rôle décisif dans l'évolution de l'autobiographie. La longue étude de Georges Gusdorf ("De l'autobiographie initiatique au genre littéraire", *Revue d'Histoire Littéraire de la France,* 75e année, n°6, nov.-déc. 1975, p. 994) replace cette oeuvre capitale dans son contexte culturel :

> "*L'oeuvre de Rousseau se situe au carrefour où se recoupent la tradition piétiste et l'évolution du roman moderne, né en Angleterre avec Richardson et ses successeurs*"

Jean Fabre, dans la discussion qui suivit cette communication de Gusdorf (p. 998), insiste sur le facteur commercial :

> "*Si Marc-Michel Rey, l'éditeur de J.J. Rousseau, a été le premier, ou l'un des premiers à l'inviter à écrire ses Confessions, c'est parce qu'il savait que l'entreprise était courante en Angleterre et dans les pays protestants, et qu'il attendait de Rousseau l'équivalent.*"

L'intervention de Rey, qui ne doute pas un instant de l'accueil du public, conscient comme il l'est de son insatiable curiosité envers cet homme déjà si célèbre, avait aussi été soigneusement documentée par François Matthey dans un article sur "L'entreprise des Portraits" (*Annales Jean-Jacques Rousseau*, XXXVI (1963-1965), p. 87-104). Rey demande à Rousseau de composer une "Vie" qu'il pourra placer en tête de l'édition générale des oeuvres de celui-ci. Cela en 1762 et au moment où Rousseau écrit les quatre *Lettres à Malesherbes,* un bref autoportrait qui préfigure bien des thèmes des *Confessions*. Cependant les demandes de Rey et du public n'auraient sans doute pas été déterminantes s'il n'y avait pas déjà eu des motifs plus personnels. En effet, le désir de plaire au public pesait certainement beaucoup moins dans la balance que la crainte d'être méconnu, non seulement par ce public, mais surtout par ses amis. Cette crainte précède de cinq ans la demande officielle de Rey, et remonte à la période de l'Ermitage et des démêlés avec Diderot.

Les données intimes du projet autobiographique remontent très probablement au séjour à l'Ermitage[7]. A l'origine, Rousseau a probablement conçu ses *Confessions* comme des Mémoires[8], qui auraient pour but de raconter sa vie entière, de sa jeunesse obscure à sa célébrité actuelle. La décision prise de quitter Paris et ses cercles littéraires, envisagée par Rousseau d'abord comme une simple retraite, est interprétée par ses amis les Philosophes comme une rupture et Rousseau, à son tour, va désormais l'envisager ainsi. Ceci l'amène à faire le point, à commencer une longue méditation sur le sens de sa vie. Mais la force créatrice l'interrompt ; il n'a pas encore l'âge de la résignation[9].

---

[7] En avril 1756. Des fragments disparates indiquent chez Rousseau une prédilection à l'étude de soi qui précède même cette installation.

[8] Les Mémoires vont prendre la forme de confessions répondant à des accusation. Si les *Dialogues* répondent encore plus directement aux accusations des ennemis de Rousseau, la méthode en diffère radicalement de celle des *Confessions* et ne s'apparente nullement au genre des Mémoires ; l'aspect temporel en est exclu. La notion d'expiation est également absente des *Dialogues*, puisque l'idée du complot a exorcisé le sentiment de culpabilité de Rousseau. Son innocence est à présent une certitude, face à l'hostilité générale. Une citation de la *Première Promenade* des *Rêveries* permet de cerner le changement d'attitude de Rousseau :

> "*J'écrivois mes premières Confessions et mes Dialogues dans un souci continuel sur les moyens de les dérober aux mains rapaces de mes persécuteurs pour les transmettre s'il étoit possible à d'autres générations. La même inquiétude ne me tourmente plus pour cet écrit [...] le désir d'être mieux connu des hommes s'étant éteint dans mon coeur [...] Si on ne me les (ces feuilles) enlève de mon vivant on ne m'enlèvera ni le plaisir de les avoir écrites, ni le souvenir de leur contenu, ni les méditations solitaires dont elles sont le fruit et dont la source ne peut s'éteindre qu'avec mon âme.*"

De son propre aveu, Rousseau n'écrit *Les Rêveries* que pour lui-même, savourant le plaisir de la réminiscence libre, qui cette fois n'est plus entravée par l'obligation de donner un sens à sa vie pour la présenter au lecteur. Qu'importe à présent la cohérence des souvenirs ? Ils n'ont plus besoin de s'inscrire dans la totalité d'une vie.

[9] A ce propos les éditeurs des *Oeuvres Complètes* dans "La Pléiade" (t.1, p. XIX) écrivent :

> "*Si Jean-Jacques, quittant l'Ermitage, avait déjà, comme il est probable, l'idée de composer ses Mémoires (Rey la lui avait peut-être suggérée lors de leur rencontre à Genève),*

Frédéric BASSANI - Rétif de la Bretonne

Par contre, lorsqu'il commence les *Confessions*, Rousseau vient de vivre trois ans d'exils répétés, d'être attaqué dans son oeuvre et dans sa conduite personnelle[10.] Sa confiance durement ébranlée, il lui faut se ressaisir. Georges Gusdorf décrit ainsi ce processus :

> c'est sa force productive, galvanisée par le besoin de se régénérer, qui, de 1758 à 1760, l'en a empêché. "

Un beau passage de la quatrième *Lettre à Malesherbes* révèle la conception qu'il se fait de son rôle d'écrivain à cette époque :

> "C'est quelque chose que de donner l'exemple aux hommes de la vie qu'ils devroient tous mener. C'est quelque chose quand on n'a plus ni force ni santé pour travailler de ses bras, d'oser de sa retraite faire entendre la voix de la vérité. C'est quelque chose d'avertir les hommes de la folie des opinions qui les rendent misérables. "

[10] L'attaque voilée de Diderot dans *Le Fils Naturel* ("Il n'y a que le méchant qui soit seul") en 1757 va avoir d'immenses répercussions car elle va orienter le projet autobiographique dans le sens de la justification personnelle qui détermine tout l'effort de résurrection du passé. Les *Lettres à Malesherbes* traitent le thème de la solitude et tentent d'en expliquer les motivations profondes. Comment ne pas y sentir l'écho du jugement défavorable de Diderot qui ne cessera de hanter Rousseau ? La conscience de l'incompréhension de ses amis précède celle du public et le blesse certainement plus profondément ; Rousseau l'interprétera d'abord comme une erreur involontaire puis comme une falsification délibérée. Les *Confessions* tenteront de combler cet abîme par un appel à la postérité. L'une des phrases qui ouvrent la première des *Lettres à Malesherbes*, (*[ils] jugent de mes sentiments par les leurs*) est reprise dans le Préambule de Neuchâtel (1765), et développée. L'insistance de Rousseau sur son unicité, à laquelle les *Confessions* servent de témoignage, semble provenir, par réaction, de ce sentiment d'être incompris qui l'envahit de plus en plus. Le seul espoir qui lui reste, alors qu'il finit de rédiger les *Confessions*, c'est d'être compris par cette postérité à laquelle il s'adresse. Il amorce le même mouvement d'idéalisation, en investissant la postérité de qualités supérieures à celles de ses contemporains, auquel il se livre toujours : lorsque ses rapports quotidiens le déçoivent, il cherche dans le domaine de l'imaginaire des "êtres selon son coeur". Ce sentiment latent d'incompréhension se trouve soudain aiguillonné par la publication anonyme, le 1er janvier 1765, du *Sentiment des Citoyens* qui révèle à tous l'abandon des enfants de Rousseau (Voir *Oeuvres Complètes*, t.1, p. 632, note 4). Dès lors, ce qui n'était que projet va devenir réalité ; l'énergie de Rousseau est galvanisée et il rassemble des fragments déjà composés pour les incorporer à la démonstration de son innocence, face à une incompréhension qui s'est muée en hostilité. La différence de ton si frappante entre les deux Préfaces, celle du manuscrit de Neuchâtel et celle du manuscrit de Paris, est due à l'intuition du "complot" qui, après la découverte d'une lacune dans ses papiers, devient une certitude dans l'esprit de Rousseau. J.L. Lecercle précise la date de la

"L'autobiographie répond à l'inquiétude plus ou moins angoissée d'un homme vieillissant qui se demande si sa vie n'a pas été vécue en vain, dépensée au hasard des rencontres, et si elle ne se solde pas par un échec"[11].

Mais il faut aussi un événement marquant pour mettre en jeu le projet autobiographique, ainsi que l'observe Jean Starobinski dans son étude sur "Le style de l'Autobiographie" :

"Il n'y aurait pas eu de motif suffisant pour une autobiographie, s'il n'était intervenu, dans l'existence antérieure, une modification, une transformation radicale : conversion, entrée dans une nouvelle vie, opération de la Grâce [...] Nous nous trouvons alors en présence d'un fait intéressant : c'est parce que le moi révolu est *différent* du *je* actuel, que ce dernier peut vraiment s'affirmer dans toutes ses prérogatives"[12].

La nouvelle vie pour Rousseau, cela a été sa rencontre avec la célébrité. Tout le texte des *Confessions* insiste sur la coupure radicale entre la vie de l'homme anonyme et celle de l'écrivain célèbre ; il va créer le mythe de sa jeunesse obscure et heureuse et faire tourner l'axe de sa vie sur la "conversion" de Vincennes.

Ces attaques dont Rousseau a subi les assauts ont ainsi certainement joué un rôle de catalyseur[10] ; elles ont quoiqu'il en soit, fourni, par la réaction suscitée, le principe directeur de l'autobiographie qui allait naître, sa visée morale la plus évidente : Rousseau entreprend d'écrire les *Confessions* pour rectifier l'opinion déformée que le public a de lui, pour instruire d'une façon enfin honnête et claire le dossier de son procès. Ce faisant, l'écrivain se place de lui-même en situation de suspect, et s'oblige à cette tâche jusqu'à lui inédite en littérature de dérouler tout son passé, de vouloir tout dire de peur d'être soupçonné de cacher quelque chose :

"Dans l'entreprise que j'ai faite de me montrer tout entier au public, il faut que rien de moi ne lui reste obscur ou caché ; il faut que je me tienne incessamment sous ses yeux [...] ; et qu'il ne me perde pas de vue un seul instant, de peur que, trouvant dans mon récit la moindre lacune, le moindre

---

composition de la Préface définitive et la situe à la fin de 1768, c'est-à-dire un ou deux mois après la découverte de la lacune.

[11] "Conditions et limites de l'autobiographie", cité par Ph. Lejeune, *L'autobiographie en France,* Paris, A. Colin, coll. U2, 1971, p. 226.

[12] *Poétique,* III, 1970, p. 261.

Frédéric BASSANI - Rétif de la Bretonne

vide, et se demandant : Qu'a-t-il fait durant ce temps-là ? il ne m'accuse de n'avoir pas voulu tout dire[13]".

C'est ainsi à la fin du XVIIIe siècle, en Allemagne[14]d'abord puis en Angleterre[15,] que, Rousseau ayant fait des émules, le mot, terme de la langue savante, suivra la chose et désignera un récit écrit à la première personne, dans lequel l'auteur retrace les événements de sa vie et la formation de sa personnalité. Voilà, dira-t-on, qui n'était guère nouveau : on peut objecter qu'au XVIIe et au XVIIIe siècle ont pullulé les Mémoires écrits par des hommes célèbres (le cardinal de Retz, Casanova, Goldoni) ou désormais tombés dans l'oubli, qui déjà racontaient l'histoire de leur vie. En quoi l'autobiographie va-t-elle se distinguer des Mémoires ? En ceci principalement : à la différence de l'autobiographie, le mémorialiste accorde une place plus considérable à la chronique des événements contemporains et à l'histoire politique et sociale à laquelle il a été mêlé qu'au récit de la formation de sa personnalité. C'est pourquoi les Mémoires[16]ont souvent été l'oeuvre d'hommes publics, participants de l'Histoire (le cardinal de Retz est un des acteurs de la Fronde ; songeons aujourd'hui aux Mémoires de Charles de Gaulle).

Avant Rousseau, il existait certes des écrivains qui, en tant qu'hommes privés, avaient jugé bon de narrer l'histoire de leur vie : à

---

[13] Les *Confessions, Oeuvres Complète*s, Paris, Gallimard, "La Pléiade", t. 1, 1959, Livre II, p. 96.

[14] 1779 : "Autobiographen" : Autobiographes.

[15] 1809 : "autobiography" : autobiographie.

[16] Exception faite des romans, la pluralité des titres employés par les autobiographes témoigne de la diversité des oeuvres. Avant Rousseau, hommes politiques, savants, gentilshommes surtout écrivent leurs *Mémoires* (La Rochefoucauld, Retz, Saint-Simon). Après Chateaubriand (*Mémoires d'outre-tombe*), ce titre désigne les souvenirs de personnalités aussi différentes que Charles de Gaulle (*Mémoires de guerre*), François Mauriac (*Mémoires intérieurs*) ou Simone de Beauvoir (*Mémoires d'une jeune fille rangée*). Trois autres titres sont traditionnellement - et fréquemment - employés : *Journal* (de Julien Green, de Mauriac, de Gide), *Histoire de ma vie* (Casanova, Georges Sand), *Souvenirs : Souvenirs d'égotisme* (Stendhal), *Souvenirs d'enfance et de jeunesse* (Renan), *Souvenirs d'enfance* (titre générique de la trilogie de Marcel Pagnol). Ajoutons à cette liste qui ne prétend pas être exhaustive, certains titres moins usités : *Carnets* (de Camus, de Montherlant), *Cahiers* (de Barrès). Parmi les oeuvres célèbres, les *Confessions* sont rares (saint Augustin ; *Confessions d'un opiomane anglais*, par Thomas de Quincey). L'oeuvre de Musset : *Les Confessions d'un enfant du siècle* est un roman.

l'époque de la Renaissance surtout, et l'on songea à la *Vie* de ce Florentin du XVIe siècle qu'admirait tant Stendhal. Mais Benvenuto Cellini se soucie assez peu de psychologie et d'introspection ; il fabule volontiers sur lui-même par goût du panache, et le reconnaît non sans désinvolture ! Reste une dernière voie, en apparence plus proche du projet intériorisé de Rousseau : c'est l'autobiographie religieuse, dont la première et la plus célèbre illustration fut les *Confessions* de saint Augustin : ce titre donnerait à supposer une affinité avec l'oeuvre de Rousseau, et celui-ci, pour souligner la solennité religieuse de son entreprise, a dû souhaiter que le lecteur fasse le rapprochement. En fait, les deux livres sont bien différents ; saint Augustin ne confessait ses péchés de jeunesse que pour reconnaître du même mouvement la toute-puissance du Dieu chrétien qu'il découvrait, et qui allait le sauver de ses aveuglements. Jouant sur le double sens du mot latin *confessio* (aveu et reconnaissance), saint Augustin voulait que son livre fût autant un témoignage de la grandeur de Dieu qu'une confession de ses fautes.

Il semble donc difficile de trouver un précurseur à l'entreprise de Rousseau : seuls, dans l'histoire des idées au XVIIIe siècle, apparaissent quelques signes annonciateurs. Dans la seconde moitié du siècle, on s'intéresse de plus en plus à la singularité de la personne et à l'histoire de l'individu. La littérature commence à se pencher sur l'enfance, âge de la vie jugé jusque-là indigne d'être analysé. Philippe Lejeune[17] a ainsi noté que c'est en 1760 qu'un mémorialiste, le cardinal de Bernis, ose pour la première fois rechercher dans son enfance les marques de sa personnalité future. Mais évidemment, si les *Confessions* sont un modèle canonique c'est parce que Rousseau, poussant très loin l'introspection (l'épigraphe "Intùs et in Cute" annonce l'intention) est le premier à consacrer une oeuvre immense à la recherche d'une vérité sur lui-même et qu'il fait de cette quête un chef-d'oeuvre poétique. On pourrait même dire que l'exemple de Rousseau a donné droit de cité à l'expression autobiographique de quiconque pouvait se faire publier. Ce n'est dorénavant plus le privilège des élites, élite sociale ou élite du mérite artistique. Par le fait même de composer un ouvrage, l'auteur appartient d'emblée à une élite !

---

[17] *L'autobiographie en France,* op. cité, p. 64.

En ce qui concerne Rétif de la Bretonne[18], et même si le désir d'écrire sa vie remonte très loin chez lui, précède[19] même, selon *Monsieur Nicolas*[20] sa carrière d'écrivain, c'est à n'en point douter l'impact du succès immédiat de la publication posthume en 1782 de la première partie des *Confessions* qui l'a incité à reprendre ce projet longtemps abandonné ; il lui fallait effectivement des circonstances extérieures pour faire passer la création du plan de l'ébauche au plan de l'écriture. Rétif écrasé lors de ses débuts littéraires par la tradition des "Belles Lettres" et par le génie des grands écrivains, Rétif qui craignait le ridicule du prote écrivain, a cependant assez bien réussi[21] avec ses premières oeuvres et a vite acquis le sens de ce qui plaît au public. Certaines lectures ont eu un remarquable effet catalyseur et lui ont

---

[18] Dans le cas de Rétif, la distinction entre l'autobiographie proprement dite et les autres oeuvres d'inspiration autobiographique est plus ténue. *Monsieur Nicolas* frôle le roman de beaucoup plus près encore que les *Confessions*. Ceci nous amène à reprendre comme critère de l'autobiographie la définition de Ph. Lejeune :
"*Ce qui distingue l'autobiographie du roman, ce n'est pas une impossible exactitude historique, mais seulement le projet, sincère, de ressaisir et de comprendre sa propre vie.*"
(*L'autobiographie en France*, op. cité, p. 28).
Et ce projet se traduit par le "pacte autobiographique" : *La déclaration d'intention autobiographique est obligatoire.* (ibid.).

[19] Il n'y a aucune raison de mettre en doute cette assertion ; tant qu'il ne s'agit que du projet autobiographique, le commentaire de Maurice Blanchot est exact lorsqu'il dit, dans sa préface à *Sara* :
"*Une telle abondance dans l'usage de soi-même, une obsession aussi forte, capable de tant de ressources et de renouvellements, ne s'explique pas par l'air du temps, ni par le succès des Confessions,* "[...]

[20] Alors que l'oeuvre de Rétif peut être interprétée comme autant de variantes autobiographiques, et que *Monsieur Nicolas* se situe également aux confins du réel et de l'imaginaire, il n'en reste pas moins que Rétif a cru à son intention purement autobiographique. C'est pourquoi des critiques tels que Ph. Lejeune et P. Testud considèrent *Monsieur Nicolas* comme une autobiographie, au même titre que les *Confessions*.

[21] La célébrité relative de Rétif met en effet aussi en jeu le projet autobiographique, ainsi que le note Pierre Testud :
"*Quand il rédige, en 1783-1784, son Monsieur Nicolas, il est encore émerveillé par sa destinée et ne peut en rendre compte autrement que par une affabulation de type miraculeux.*"

soudain donné une confiance immense en ses propres capacités. C'est effectivement après avoir lu *Pamela* de Richardson qu'il se lance dans la composition du *Paysan Perverti*. Son expérience personnelle, ses idées sur la question ont eu besoin de cet encouragement - l'exemple de Richardson et le succès de son oeuvre - pour qu'il s'autorise à les exprimer à son tour. Il semble permis d'imaginer un processus semblable pour *Monsieur Nicolas*. Il faut reconnaître aussi que pour Rétif, le fait d'écrire une autobiographie rehausse la valeur morale qu'il s'assignait déjà en tant que romancier, car, ici, le héros, c'est lui !

Rétif se consacre en effet à la rédaction de *Monsieur Nicolas* à partir de novembre 1783 et ses protestations semblent assez révélatrices:

> "J'avertis (et l'on n'en pourra pas douter), que j'avais commencé le *Monsieur Nicolas*, longtemps avant que je ne connusse les *Confessions* de J.J. Rousseau, puisqu'il était annoncé dans mes catalogues imprimés, dès 1778"[22].

Il dit "annoncé" mais non pas écrit, et son *Journal* le montre au travail en 1783-84. Pendant ces deux années aucune crise majeure n'est survenue, aucune rupture décisive qui viendrait, comme c'était le cas pour Rousseau, déclencher le processus autobiographique. Le désir de ressaisir son identité et de revivre le passé est à cette époque déjà assouvi par son *Journal* ou par d'autres oeuvres d'inspiration autobiographique telles que *Sara*.

Rétif n'est cependant que trop conscient du rapprochement que le public ne manquera pas de faire entre son autobiographie et celle de Rousseau et il s'en défend à plusieurs reprises dans ses introductions à *Monsieur Nicolas* ; voici deux autres remarques qui précisent comment Rétif entend se différencier de Rousseau :

> "Je disséquerai l'homme ordinaire, comme J.J. Rousseau a disséqué le grand homme : mais je ne l'imiterai pas servilement ; il ne m'a pas donné l'idée de cet Ouvrage, c'est moi qui me la suis donnée"[23].

Cet argument vise à se concilier l'identification du lecteur, lui aussi un homme ordinaire. L'autre argument est fondé sur la question de la sincérité :

> "Il existe deux modèles de mon entreprise ; les *Confessions* de l'Evêque d'Hippone, et celles du Citoyen de Genève. J'ai beaucoup du caractère d'Augustin ; je ressemble moins à J.J. Rousseau ; je n'imiterai ni l'un ni l'autre. J'ai des preuves que J.J. Rousseau a fait un roman ; et pour

---

[22] *Monsieur Nicolas*, "Pléiade", op. cité, t.1, p. 16 (en note).

[23] *Monsieur Nicolas ou le Coeur humain dévoilé*, Paris, Jean-Jacques Pauvert, collection des Tuileries, 1959, 6 vol. in -8°, t.1, p. XXXVIII

Augustin, ses *Confessions* ne sont véritablement qu'un apologue. L'exactitude et la sincérité sont absolument nécessaires, dans mon plan, [...]"[24].

Quelques ressemblances générales se dessinent malgré tout dans une comparaison sommaire de l'impulsion autobiographique des deux auteurs. En ce qui concerne leur place parmi les écrivains de leur temps, ils font figure de solitaires, victimes d'une aliénation réelle, qui n'est pas seulement le fruit de leur imagination sujette à des hantises de persécution. Tous deux ont eu des débuts pénibles, puis, une fois admis dans les milieux littéraires, ont refusé de suivre les normes prescrites, s'opposant ainsi aux Philosophes. Leur éducation religieuse et surtout la lecture d'écrits jansénistes leur a donné un certain goût de l'introspection et les a peut-être orientés de longue date vers leur projet autobiographique[25]. Rétif est du reste fort probablement entré en contact avec ces écrits lors de ses deux ans de séjour au collège janséniste de Bicêtre ou même lors de ses études chez ses frères à Courgis.

Mais pour apercevoir plus clairement ce qui distingue et ce qui rapproche l'intention autobiographique des deux auteurs, une comparaison de leurs remarques préliminaires, placées en tête du récit de leur vie s'impose. Certains mots ou expressions de Rétif - *J'entreprends de vous donner en entier la Vie d'un de vos semblables, [...]* - dans sa propre introduction peuvent sembler n'être que des échos de la Préface définitive des *Confessions* (la seule dont il aurait pu avoir connaissance)[26] ; mais en les confrontant aux termes de la Préface du manuscrit de Neuchâtel ils s'inscrivent dans un contexte plus vaste. En effet, cette première Préface de Rousseau avance des

---

[24] *Monsieur Nicolas*, "Pléiade", op. cité, t.1, p. 3.

[25] Jacques Voisine a signalé l'influence de ces lectures dans son introduction aux *Confessions* (Paris, Garnier, 1964, p. IX) :

> *"Ce qui n'est pas douteux, -il nous le dit lui-même au livre VI - c'est que les écrits jansénistes ont tenu une grande place dans ses lectures des Charmettes. Avec les jansénistes, la tradition autobiographique se renoue directement aux* Confessions *de saint Augustin, dont s'inspirent les Mémoires d'Hamon et d'Arnauld d'Andilly, tandis qu'un vif regain d'intérêt se manifeste pour la personne et l'oeuvre d'Augustin lui-même. Arnauld lui-même traduit les* Confessions, *qui avaient déjà connu au XVIe siècle de nombreuses éditions, dont celle d'Erasme. Leur nombre est considérable au XVIIIe siècle."*

[26] *Monsieur Nicolas*, "Pléiade", op. cité, t.1, p. 3.

arguments strictement littéraires. Ces arguments peuvent se résumer en une sorte de formule consacrée adressée à un public jusqu'ici lecteur de romans ; il faut à présent initier ce public à un nouveau genre de récit qui se distingue également des Mémoires, jusqu'alors aristocratiques. Dans la citation suivante, Rousseau proclame la valeur du choix de son héros - lui-même - en revendiquant pour celui-ci une place égale à celle des héros de tragédies :

"Et qu'on n'objecte pas que n'étant qu'un homme du peuple, je n'ai rien à dire qui mérite l'attention des lecteurs. Cela peut être vrai des événements de ma vie : mais j'écris moins l'histoire de ces événements en eux-mêmes que celle de l'état de mon âme, à mesure qu'ils sont arrivés. Or les âmes ne sont plus ou moins illustres que selon qu'elles ont des sentiments plus ou moins grands et nobles, des idées plus ou moins vives et nombreuses. Les faits ne sont ici que des causes occasionnelles. Dans quelque obscurité que j'aye pu vivre, si j'ai pensé plus et mieux que les Rois, l'histoire de mon âme est plus intéressante que celle des leurs.

Je dis plus. A compter l'expérience et l'observation pour quelque chose, je suis à cet égard dans la position la plus avantageuse où jamais mortel, peut-être, se soit trouvé, puisque sans avoir aucun état moi-même, j'ai connu tous les états ; j'ai vécu dans tous depuis les plus bas jusqu'aux plus élevés, excepté le trône"[27].

Le deuxième paragraphe de cette citation atténue un peu la portée de cette profession de foi du nouveau fait littéraire en ayant recours à l'argument de l'intérêt de la lecture en soi. Il n'en reste pas moins que Rousseau cherche à détruire la notion encore répandue que les hommes du commun ont un sens moral relativement grossier.

Rétif établit pour son compte ce même genre de rapports auteur/lecteur, face à une situation parallèle - l'autobiographie est encore un genre tout nouveau - et se propose un but semblable. Il rejoint Rousseau en promettant lui aussi un récit qui tiendra le lecteur en haleine: *J'ai des traits ordinaires et communs, **où chacun peut se retrouver** ; des faits extraordinaires, étranges, propres à soutenir la curiosité par l'étonnement et la surprise*[28] . Malgré le vocabulaire outré de certains passages de ces introductions qui leur confère un aspect de réclame publicitaire, il est évident que c'est en insistant sur ce qui le rapproche du lecteur qu'il s'oppose à Rousseau : *Je disséquerai l'homme ordinaire,[...]* et s'il se penche sur son moi, ce n'est dit-il, qu'à défaut d'autre connaissance plus certaine et plus entendue : *Je le*

---

[27] Les *Confessions, Oeuvres Complètes,* op. cité, t.1, p. 1150.
[28] *Monsieur Nicolas,* "Pauvert" , op. cité , t.1, p. XLV.

Frédéric BASSANI - Rétif de la Bretonne

répète (car il faut le persuader), je n'ai vu que moi-même, et moi seul, que je pusse absolument, entièrement dévoiler [...][29.] Tandis que Rousseau, même lorsqu'il s'érige, dans sa première Préface, en exemple dont le lecteur pourra tirer profit, se considère comme un être à part : *[...] m'étant senti bientôt une espèce d'être à part,[...]*[30.]

Quel est l'état d'esprit de ce public auquel ces Préfaces sont manifestement adressées ? Le climat était certainement favorable ainsi que l'a remarqué Philippe Lejeune :

> "Le développement de l'autobiographie à la fin du XVIIIe siècle correspond à la découverte de la valeur de la personne mais aussi à une certaine conception de la personne : la personne s'explique par son histoire et en particulier par sa genèse dans l'enfance et l'adolescence [...] [en un] mouvement récapitulatif de synthèse du moi"[31].

Malgré la bonne disposition du public, les deux auteurs ont recours à des arguments semblables à ceux avancés quelques vingt ans plus tôt à propos du genre romanesque. A commencer par la notion d'utilité. Philippe Stewart, dans son étude consacrée au roman-mémoire[32,] a décrit les procédés romanesques mis en jeu pour effectuer le but moral de l'instruction du public. Ils se retrouvent dans l'autobiographie et les remarques préliminaires s'attachent tout particulièrement à souligner ce but tout comme les préfaces de romans. La Préface de Neuchâtel définit clairement ce but :

> "Sur ces remarques j'ai résolu de faire faire à mes lecteurs un pas de plus dans la connoissance des hommes, [...] Je veux tâcher que pour apprendre à s'apprécier, on puisse avoir du moins une pièce de comparaison ; que chacun puisse connaître soi et un autre, et cet autre ce sera moi.
>
> Il est donc sûr que si je remplis bien mes engagements j'aurai fait une chose unique et utile"[33].

La suppression de ces remarques dans la Préface définitive a très probablement contribué à l'éloignement d'une grande partie du public de l'époque. Avec ses phrases lapidaires qui proclament son indifférence à

---

[29] *Monsieur Nicolas,* Ibid., p. LV.

[30] Les *Confessions, Oeuvres Complètes,* op. cité, t.1, p. 1148.

[31] *L'autobiographie en France, op. cité, p. 19.*

[32] *Imitation and Illusion in the French Memoir-Novel,* New Haven and London, Yale Univ. Press, 1969.

[33] Rousseau, *Oeuvres Complètes,* op. cité, t.1, p. 1149 - 1150.

l'approbation d'autrui en s'adressant directement à l'Etre Suprême, Rousseau rompt avec les conventions littéraires de l'époque.

Chez Rétif, la recherche de l'approbation du lecteur qui devra lui savoir gré de son instruction morale s'accompagne d'une sorte de profession de foi du progrès des Lumières. Il lie "l'argument scientifique" à "l'argument humain", selon les termes de Ph. Lejeune :

> "Je vous donne ici un livre d'histoire naturelle, qui me met au-dessus de Buffon ; un livre de philosophie, qui me met à côté de Rousseau, de Voltaire, de Montesquieu : je vous raconterai la Vie d'un homme naturel, qui ne redoutera que le mensonge"[34].

Les termes mêmes qu'il choisit pour décrire son entreprise ont une résonnance scientifique et universaliste : *anatomie, disséquer, dévoiler les ressorts* ; la citation suivante est dans le même esprit :

> "C'est Nicolas-Edme qui s'immole, et qui, au lieu de son corps malade, lègue aux moralistes son âme viciée, pour qu'ils la dissèquent utilement, aux yeux de leur siècle, et des âges futurs"[35].

Quel est le sacrifice impliqué par le verbe "s'immole" ? Il s'agit de la sincérité la plus absolue. Cette question de la sincérité devient le terrain où s'affrontent les autobiographes, du moins au début de la vogue de ce nouveau genre[36].

Rousseau et Rétif, dans leurs remarques préliminaires, font tous deux acte d'une sincérité sans précédent, en l'opposant au manque de sincérité de leurs prédécesseurs en autobiographie, Montaigne, saint Augustin notamment. Leur sincérité est à la fois le garant de l'originalité, de l'unicité de leur entreprise (ce que nous appellerons sa

---

[34] *Monsieur Nicolas,* "Pléiade", op. cité. t.1, p.5.

[35] Ibid., p.3.

[36] Henri Peyre, dans *Literature and Sincerity* (New Haven and London, Yale Univ. Press, 1963, p.80) voit en Rousseau l'origine de cette insistance sur la sincérité :

> "*To Rousseau must be traced back the worship by many moderns of sincerity as a test of greatness or as a substitute for almost any other quality, moral or aesthetic.*"

Philip Stewart, quant à lui, (*Imitation and Illusion in the French Memoir-Novel,* op. cité, p. 173) rattache cette insistance à la tradition romanesque :

> "*Rousseau wrote at the outset of his Confessions that his intention to depict himself* "dans toute la vérité de la nature" *was without example : in terms of nonfiction he may have been right, but his concept is perfectly in keeping with the tradition of the memoir-novel and may have been derived from it.*"

valeur littéraire) et le garant de son utilité morale (sa valeur didactique). Ainsi, sur les deux plans, littéraire et moral, l'autobiographie se propose de surpasser le roman. Les mobiles internes de cette volonté de "tout dire" aboutissent pourtant chez les deux auteurs à des fins très différentes. Chez Rousseau, alors que la démarche de l'aveu a reçu son impulsion première de l'incompréhension du public qu'il se met en devoir de réfuter, la quête de la vérité acquiert bientôt une dimension toute personnelle. Même si Rousseau a senti que ses *Confessions* s'étaient soldées par un échec vis-à-vis du public, et c'est ce qu'il conclut dans *Les Rêveries*, elles lui ont permis de découvrir la jouissance intime, telle qu'il la décrit dans la *Première Promenade :*

> "C'est dans cet état que je reprends la suite de l'examen sévère et sincère que j'appelai jadis mes *Confessions.* Je consacre mes derniers jours à m'étudier moi-même et à préparer d'avance le compte que je ne tarderai pas à rendre de moi. Livrons nous tout entier à la douceur de converser avec mon âme puisqu'elle est la seule que les hommes ne puissent m'ôter"[37].

En écrivant les *Confessions*, Rousseau a empreint la connaissance de soi d'une dimension pour ainsi dire métaphysique. Mais la part douloureuse de l'aveu ne disparaît pas pour autant. Chez Rétif, le souci de justification reste tout à fait secondaire. Ce n'est, semble-t-il, qu'un prétexte pour se "mettre à nu", pour avoir le plaisir de se raconter une fois encore. La notion de sacrifice en ce qui concerne l'aveu de ses fautes paraît ressortir du cliché littéraire. Du reste, Rétif se complaît à mentionner les excès du vice où il a manqué sombrer ; car, plus la peinture du vice sera appuyée, plus le lecteur se rendra compte que l'auteur est véritablement sincère. En s'autorisant de l'exemple de Rousseau, la vogue du déboutonnage en public est instaurée, et Rétif, toujours au courant des modes littéraires, ne saurait s'en dispenser. Il ne faut pas oublier non plus sa prédilection de plus en plus marquée en vieillissant pour la description érotique, voire sadique. L'influence des *Confessions* a, effectivement, fait mettre l'accent sur le récit d'enfance et sur les particularités du comportement sexuel. L'exigence de "tout dire", autrement dit de franchir le tabou sexuel, fait dorénavant partie du registre fondamental de l'autobiographie ; et Rétif se complaît à décrire sa précocité sexuelle et ses exploits indéfiniment répétés. Ainsi, cette tendance à la surenchère fait coup double. Elle remplit le but moral de l'instruction du lecteur ; mais il est probable qu'elle joue aussi un but moins noble qui est de satisfaire la curiosité pure et simple du lecteur alléché par ces révélations inouïes.

---

[37] Les *Confessions, Oeuvres Complètes,* op. cité, t.2, p. 999.

Outre les remarques préliminaires, le choix du titre de l'autobiographie indique dans quel esprit l'oeuvre doit être lue. C'est pourquoi, en fin de compte, la Préface définitive des *Confessions* cadre mieux avec le titre que celle de Neuchâtel, car elle évoque immédiatement la présence de Dieu impliquée par le terme "Confessions". Bien que des titres semblables se trouvent déjà dans le domaine du roman, notamment celui de Duclos - *Les Confessions du Comte de* *** , le choix de Rousseau paraît incontestablement dicté par son projet même et non par de simples résonances littéraires[38]. Dans le premier préambule, Rousseau explique du reste le choix de son titre :

> "Je serai vrai ; je le serai sans réserve ; je dirai tout ; le bien, le mal, tout enfin. Je remplirai rigoureusement mon titre, et jamais la dévote la plus craintive ne fit un meilleur examen de conscience que celui auquel je me prépare ; jamais elle ne déploya plus scrupuleusement à son confesseur tous les replis de son âme que je vais déployer tous ceux de la mienne au public"[39].

Le terme "confession" désigne à la fois l'acte de confesser (l'énonciation) et le résultat, écrit ou oral, de cet acte (l'énoncé). En accumulant les verbes (*dire , faire, déployer*), Rousseau valorise le premier sens. Même teintée d'ironie (*la dévote la plus craintive*), la comparaison donne à l'entreprise autobiographique un caractère religieux qui en souligne l'importance. Par ailleurs, la confession est un rite qui présuppose des fautes (*le mal comme le bien*) et l'intention, chez le pénitent, de se purifier, d'être absous ; l'aveu est une catharsis. Une confession authentique doit être absolument sincère et exhaustive, Rousseau insiste sur ces deux conditions (*je serai vrai ; je dirai tout* ; *scrupuleusement ; examen de conscience*). Enfin, se confesser c'est établir avec le confesseur une communication intime et une connivence. Rousseau laïcise le rituel après l'avoir sacralisé : le destinataire des *Confessions*, c'est le public. Il faut remarquer que d'autres formules paraphrasent le titre de l'ouvrage : *l'histoire de ma vie ; l'histoire de*

---

[38] L'interprétation de Georges Gusdorf (p. 993 de son étude, références citées note 6 de ce travail) met ceci en relief :

> *"C'est Rousseau qui impose la nouvelle littérature du moi au public international. Mais les marques religieuses sont nombreuses encore dans son oeuvre, y compris dans le titre : Rousseau se confesse à Dieu, à un Dieu non confessionnel, mais aussi à l'humanité ; il en appelle à un jugement dernier dont il attend un verdict favorable sur sa vie et sur son oeuvre."*

[39] Cité par D. Marie dans son ouvrage, op. cité, p. 12

mon âme ; c'est l'histoire la plus secrète de mon âme, ce sont mes confessions à toute rigueur. Rousseau souligne en particulier, le caractère moins événementiel qu'intime de sa chronique :

"J'écris moins l'histoire de ces événements en eux-mêmes que celle de l'état de mon âme, à mesure qu'ils sont arrivés".

Par contre le titre choisi par Rétif, *Monsieur Nicolas*, s'inscrit dans la tradition romanesque et n'annonce pas une volonté autobiographique. Il avait même songé au titre "Compère Nicolas" qui l'aurait alors placé dans la tradition burlesque ou libertine. Même le sous-titre, *le Coeur humain dévoilé*, s'il semble annoncer un roman psychologique plutôt qu'un roman d'aventures, ne revêt pas pour autant un caractère personnel. Seule la Préface avertit le lecteur. Les termes eux-mêmes ont un accent universel et impersonnel, comme s'il s'agissait d'un article de l'*Encyclopédie* ; Rétif le souligne lui-même :

"Ce ne sont même pas mes Confessions que je fais ; ce sont les Ressorts du Coeur humain que je dévoile. Disparaisse Nicolas-Edme, et que l'homme seul demeure" ! [40].

Cependant un fait intéressant ressort chez Rétif, qui se rattache, semble-t-il, au choix du titre. C'est l'usage, dans l'autobiographie, de noms de personnes empruntés à des romans antérieurs. C'est le cas en particulier de Mme Parangon, dont le vrai nom était Mme Fournier, héroïne du *Paysan Perverti* ; le prénom de Rétif, Nicolas, avait déjà servi au héros de *L'Ecole des pères*. Rétif utilise souvent ses prénoms ou surnoms pour ses héros de romans, comme par exemple Edme qui devient l'Edmond du *Paysan*. Cette question se rattache assurément au problème du mélange si difficile à démêler de la création romanesque et de la création autobiographique ; et ce parce que l'autobiographie va se nourrir de livres aussi bien que de souvenirs, et sa réalisation prendre appui sur l'élaboration littéraire précédente.

---

[40] *Monsieur Nicolas*, "Pléiade", op. cité, t.1, p.3

En ce qui concerne la forme[41,] une comparaison stylistique rapide des *Confessions* et de *Monsieur Nicolas* révèle une transition esthétique qui affecte d'ailleurs toute la littérature romanesque. S'autorisant de l'exemple de Rousseau et de "son entreprise sans précédent", Rétif enfreint les règles, passe outre les diktats des critiques littéraires. Ce n'est du reste que par l'intention que Rousseau s'est élevé dédaigneusement au-dessus des canons de la littérature traditionnelle, concevant d'ailleurs son autobiographie comme un adieu à la littérature. La forme, le style restent assurément profondément classiques, à part peut-être une certaine prédilection pour le vocabulaire populaire, les mots "bas", déjà mis à l'honneur dans *La Nouvelle Héloïse*. Avec Rétif, par contre, c'est une nouvelle esthétique qui se fait jour et qui trouvera de nombreux adhérents à la fin du siècle[42]. L'ouvrage de Rousseau semble ainsi avoir mis en jeu le réflexe inné qu'avait déjà noté Pierre Trahard :

---

[41] Devoir employer une nouvelle forme présente bien des avantages car elle permet une liberté d'expression qui n'est aucunement entravée par les conventions littéraires. Pour Rousseau c'est essentiel car le projet autobiographique ne peut être mené à bien sans "inventer un langage aussi nouveau que [son] projet", comme il le dit dans la Préface de Neuchâtel :

> "*Si je veux faire un ouvrage écrit avec soin comme les autres, je ne me peindrai pas, je me farderai. C'est ici de mon portrait qu'il s'agit et non pas d'un livre.*"

Pour Rousseau, la littérature et la vérité sont incompatibles. Les éditeurs de la Pléiade expliquent ainsi son attitude :

> "*Ecrivain, l'auteur des Confessions s'élève contre le langage et l'art d'écrire (philosophe, il avait combattu la philosophie), mais il postule ipso facto l'existence d'un autre langage et d'un nouvel art d'écrire.*" (*Oeuvres Complètes*, t.1, p. XXXIX)

[42] Raymond Joly dans *Deux études sur la préhistoire du réalisme : Diderot, Restif de la Bretonne*, Québec, Presses de l'Université de Laval, 1969, (p. 122-123) en a défini les principes:

> "*Louis-Sébastien Mercier, ami de Restif, proclame, en contradiction brutale avec l'idéal classique, la primauté de la quantité sur la qualité en matière de littérature [...] La correction du langage est déjà pour eux une entrave insupportable [...] Le public est peu exigeant en matière de vraisemblance, et il aime surtout l'originalité et l'imagination*"

Monsieur Nicolas répond de toute évidence à cette définition.

> "Rétif, s'ingénie en effet à ne pas répéter Jean-Jacques ; il veut faire plus,
> il veut faire mieux que lui, et, en définitive, il fait autrement"[43].

Malgré la forme ouverte des *Confessions* et l'impression de confusion qui imprègne les derniers livres, une cohérence, un fil directeur se retrouvent en effet. On ne peut pas en dire autant de *Monsieur Nicolas*. La quête inéluctable du sens de sa vie, transcrite selon les modes de la pensée logicienne de Rousseau, donne aux *Confessions* un mouvement qui entraîne d'un bout à l'autre. Tandis que *Monsieur Nicolas*, par ses longueurs et ses digressions, reste un assemblage de morceaux disparates ; l'effort de compréhension de soi, très net au début, se relâche en cours de route. Ceci tient à la méthode même de composition chez Rétif, telle que la décrit Pierre Testud :

> "[...] [C]haque livre accueille diverses formes d'expression, se construit par
> juxtaposition ou imbrication d'éléments hétéroclites"[44].

Et ce sans doute parce que Rétif - à la recherche d'une conception plus réaliste de la vie, elle-même faite de redites, de détours - voit dans cette quantité, ces répétitions ..., une expression plus totale de son moi ; supprimer au bénéfice d'une plus grande clarté signifierait probablement pour lui empiéter sur son projet de dévoilement du Coeur humain.

Quels sont ces éléments ? Des morceaux de dialogues qui accusent le goût de Rétif pour le théâtre ; des anecdotes qui révèlent son penchant pour la nouvelle ; des tirades didactiques qui ne s'incorporent le plus souvent à aucun genre particulier. Pourtant son projet autobiographique est poursuivi avec une curiosité intellectuelle aussi passionnée que celle de Rousseau. L'étonnement que ce dernier éprouva face à sa destinée unique, du jeune homme obscur à l'homme célèbre, Rétif l'éprouve au même degré. Bien que sa célébrité n'ait jamais atteint le retentissement de celle de Rousseau, elle représente sur le plan personnel une conquête dont il s'émerveille tout autant et dont il veut à tout prix dépister l'origine. En effet, Rétif n'a jamais fait partie de la cour des "grands" de la littérature et, tout comme Rousseau, s'est senti exclu par une originalité dont il se fait gloire. Mais justement, il semble que l'exhibitionnisme des deux auteurs témoigne de leur sentiment d'aliénation. Rétif a souffert du mépris des littérateurs de carrière envers un provincial et un ancien ouvrier. Il revendique donc le droit de forger

---

[43] *Les Maîtres de la Sensibilité française au dix-huitième siècle*, Paris, Boivin et Cie, 1933, IV, p. 148.

[44] *"Rétif de la Bretonne et la création littéraire"*, *L'Information Littéraire*, 28e année, mai-juin 1976, n° 3, p. 108.

sa propre esthétique en faisant appel au public. Le goût du public, il le connaît de plus près que bon nombre de ses contemporains en sa qualité d'imprimeur. Rétif pense de plus que parmi ses innombrables ouvrages, son autobiographie est celui qui lui gagnera le plus de suffrage de la part de ses lecteurs. Il la conçoit comme la plus utile de ses oeuvres car il mise sur l'identification complète de son lecteur avec lui-même. Si un abîme devait s'ouvrir entre son expérience et celle du lecteur, cela vouerait son oeuvre à l'échec car l'écrivain perdrait ainsi de son influence. A-t-il senti, qu'en dépit des critiques littéraires traditionalistes, le public se souciait fort peu de l'idéal classique ? Comme l'écrit Roland Mortier dans *Clartés et ombres du siècle des Lumières*[45,] on remarque vers la fin du siècle une certaine impatience envers la notion de pure littérature, *dévaluation de l'idée de Belles-Lettres*, car, ce qui compte, c'est de répandre les Lumières dans la masse. Rétif, le champion de l'utilité publique, adhérait certainement à cette pensée. D'autre part, l'influence des idées esthétiques de Diderot, ainsi que de Richardson fut certainement fondamentale. Les néologismes, l'usage du langage du terroir retranscrit phonétiquement, trouvent en effet incontestablement leur source chez Richardson, lui aussi imprimeur de profession, et que Rétif avait bien lu. Ce réalisme se manifeste ainsi dans l'effort que fait Rétif pour reproduire le langage parlé dans les différentes classes sociales ; il aime à insérer des dialogues pris sur le vif. Alors que cette prédilection nuit parfois à la cohérence du récit autobiographique, elle confère par contre un accent nouveau à des oeuvres ultérieures qui s'y prêtent beaucoup mieux, telles *Les Nuits de Paris*. Cette carence dans la composition de l'oeuvre découle aussi des conceptions littéraires de Rétif et de ses méthodes de travail. Il suffit de noter le parallèle entre la plus grande cohérence des premières époques de *Monsieur Nicolas* et la création antérieure. L'effort de composition avait déjà été fait lors du triage de ce matériau biographique pour servir aux romans. C'est-à-dire que les souvenirs de l'enfance et de la jeunesse ont déjà été mis à contribution ; dans *La Vie de mon père* bien sûr, mais surtout dans *Le Paysan Perverti*. La réévaluation de ce matériel pour l'incorporer au dessein autobiographique a sans doute obligé Rétif à le confronter plus rigoureusement au réel que dans les parties ultérieures où il laisse son imagination flotter plus à sa guise, au fil de ses annotations journalières. Dans l'ensemble, nous pensons pouvoir distinguer deux axes autour desquels s'enroule non seulement le récit mais aussi les velléités de ce

---

[45] *Clartés et ombres du siècle des Lumières,* Genève, Droz, 1969, p.50.

Coeur dévoilé, la vertu, la corruption. Ces mots sont pris par Rétif dans le sens de la morale conventionnelle : la vertu, c'est la vie familiale laborieuse ; la corruption, c'est l'adultère, les liaisons dégradantes (servantes, prostituées avec quelques exceptions), le travail abrutissant des ouvriers, ... Mais à mesure que Rétif prend conscience de son rôle d'écrivain, le sens de ces termes change : la vertu, c'est la morale guidée par la sensibilité et c'est aussi l'énergie créatrice que la sensibilité encourage et stimule ; la corruption, c'est le manque de sensibilité et le mépris de soi-même qui étouffe le génie. Cette psychologie en blanc et noir est caractéristique de presque tous les personnages qu'il met en scène. Il est indéniable que Rétif a été influencé , nous l'avons signalé, dès sa plus tendre enfance par le jansénisme de sa famille et de son éducation, quoiqu'il en ait rejeté les principes dès l'adolescence en se révoltant contre ses frères aînés. Tout en se dégageant de leur origine strictement religieuse, ces notions de Bien et de Mal s'incorporent à la morale bourgeoise traditionnelle de l'époque à laquelle, en fin de compte, Rétif souscrit, tout en se réservant certains écarts pour le moins déconcertants ! Il faut souligner cependant un effort réel d'analyse psychologique de la part de Rétif. Ce qu'il tâche de déterminer, ce sont les alternances de ses sentiments de supériorité et d'infériorité, traduites d'une part sur le plan moral, et d'autre part sur le plan de sa réussite littéraire. Le parallèle est frappant : lorsqu'il est découragé, il se corrompt et abandonne ses tentatives littéraires ; lorsqu'il sent sa supériorité, il travaille et redevient vertueux :

> "Pourquoi, mon Lecteur, t'occuperais-je des années vides de ma vie ?
> Hélas! Passons, passons les temps où j'ai existé sans avoir vécu ! Elles ne
> t'apprendraient rien, et tu n'y verrais que ma nullité ! Sans force, sans
> énergie ; devenu simplement ouvrier, ne m'occupant que du mécanisme de
> mon art, et un peu de la librairie, pour en traiter un jour, j'avais perdu ma
> personnalité, ce qui me distinguait, pour n'être plus qu'un garçon ordinaire
> [...]"[46].

Ouvrons ici une petite parenthèse. Le travail représente deux choses pour Rétif : d'une part son travail littéraire, dont il a une haute conception et qui engage toute sa personnalité ; d'autre part son travail d'imprimeur, dont il tire aussi un sentiment de fierté (il se distingue des autres ouvriers par son assiduité et par son éducation), sauf lorsque les conditions de travail étouffent l'initiative et le goût du travail bien fait.

Jusqu'à la lecture critique de P. Testud, l'importance accordée par Rétif à sa formation littéraire, somme toute le thème principal de *Monsieur Nicolas*, avait été négligée. Les critiques antérieures -

---

[46] *Monsieur Nicolas*, "Pauvert", op. cité, t.3, p. 113.

Tabarant, Chadourne, Porter - s'étaient surtout attachés aux aspects romanesques de l'oeuvre, soit en y cherchant la bifurcation entre les éléments biographiques et leur transposition romanesque, soit en y savourant une sensibilité campagnarde et préromantique, telle que la décrit P. Trahard. Le lecteur sautait volontiers ces interminables transcriptions de vers de jeunesse et autres digressions. Bien que l'absence de concentration narrative soit l'une des caractéristiques de Rétif, cela ne suffirait pas à expliquer l'insertion gratuite de ces maladroits débuts de jeune homme ; ils font partie intégrante de son projet autobiographique, qui est de présenter la genèse de sa formation littéraire. Une interprétation complémentaire permettrait aussi de jeter un peu de lumière sur cet apparent défaut de construction ; c'est la tendance rétivienne à tout transcrire qu'a notée P. Testud

> "Par ces livres-réceptacles, il s'agissait moins de faire oeuvre littéraire que de transmettre"[47].

Ces nouvelles conceptions esthétiques présentent des avantages et des inconvénients : elles introduisent un élément de démesure, d'expérimentation qui ne trouvera sa véritable voie qu'au cours de la période romantique qui repensera toutes les directions esthétiques amorcées par Diderot et ses successeurs.

Quel que soit le caractère distinctif de chaque autobiographie, le développement de celle-ci à la fin du dix-huitième siècle représente une étape importante dans l'évolution du héros de roman. Celui-ci va dorénavant créer sa propre histoire et son propre mythe en se modelant sur cette approche autobiographique dont la particularité est l'accent mis sur l'individualisme devenu valeur suprême.

---

[47] "Rétif de la Bretonne et la création littéraire", étude citée, p. 110.

ENTRE AUTOBIOGRAPHIE ET ROMAN EN VERS :
LES *POÉSIES ÉROTIQUES* DE PARNY

Catriona SETH
Université de Rouen

Au XVIIIe siècle, grâce notamment à l'héroïde, l'expression en vers de sentiments à la première personne, par le biais de personnages célèbres de l'histoire ou de la fiction, a commencé à se développer. De la même façon, cette versification de l'instant que sont les poésies dites fugitives, rapporte bien souvent en instantané un moment vécu. La poésie personnelle qui sera l'apanage des grands romantiques fait ainsi timidement son apparition. Le recueil dont il va être question, celui des *Poésies érotiques* de Parny, paraît inaugurer à bien des égards, avec les *Amours* de son compatriote et ami Bertin, la tendance du cycle de poèmes à apparence autobiographique. Si nous utilisons, en guise de *caveat*, le mot d'*apparence*, c'est que, comme nous allons le voir, chez Parny, l'autobiographie est également mise-en-scène, ce qui nous autorise à nous demander, pour ce cas précis, quels sont les liens véritables entre l'oeuvre et l'autobiographie, entre celle-ci et la fiction.

Nous nous proposons d'examiner, dans un premier temps, les éléments qui pourraient nous pousser à juger autobiographique le recueil de Parny, nous nous interrogerons ensuite sur le côté plus proprement romanesque de l'ouvrage. Dans un dernier temps, nous envisagerons si l'ensemble de poèmes sans ordre apparent, devenu un cycle qui décrit le déroulement d'une histoire d'amour, peut être classé dans un genre particulier.

Il ne nous paraît pas inutile de rappeler ici quelques faits concernant la biographie du poète jusqu'au moment où il a publié les *Poésies érotiques*. Né à l'Ile Bourbon en 1753, il a fait ses études au Collège de Rennes. Abandonnant rapidement le séminaire, il est devenu officier à la suite dans les Gendarmes de la Garde en compagnie de deux frères dont l'aîné, Jean-Baptiste, sera tour à tour écuyer du comte d'Artois, puis de Marie-Antoinette. Rappelé dans sa patrie par son père, en 1773, Parny aide au relevé des fortifications de l'île et, surtout, donne des leçons de musique à une petite créole de 13 ans, Esther Lelièvre. Très vite, semble-t-il, l'idylle se noue entre le maître de harpe et son " écolière en musique et même en amour[1] ". Pour des raisons

---

[1] *Le remède dangereux, Poésies érotiques*, I, ii, in *Oeuvres complètes*,

qui restent à éclaircir, deux ans après son retour à Bourbon, Parny repart vers la métropole, ayant rompu ou rompant *de facto*, nous l'ignorons, avec sa dulcinée. Pour la postérité et, peut-être, pour sauvegarder ce qu'il lui restait de pudeur, Esther s'est vue affubler du prénom bien plus poétique d'Eléonore ; ses amours avec son fringant professeur de musique forment la trame des *Poésies érotiques.* Voilà, du moins, ce que nous sommes invités à croire.

Dans quelle mesure pouvons-nous qualifier d'autobiographique le recueil, composé d'une trentaine de poésies jetées sur la page au hasard, semble-t-il, et annoncé, coïncidence plaisante, le jour de la Saint-Valentin de 1778 dans le *Catalogue hebdomadaire des livres qui sont mis en vente chaque semaine* et ses versions ultérieures, notamment celles qui, à partir de 1781, montrent, en près de cinquante poèmes, le déroulement en apparence chronologique d'une brève liaison amoureuse ? Pas du tout, si nous nous rapportons à la définition du genre telle que la donne Philippe Lejeune dans le *Pacte autobiographique* [2]: l'exigence de la prose comme moyen d'expression exclut déjà notre texte. Cela laisse entendre que dans le simple recours esthétique au vers il y aurait trahison de la vérité. Le concept est intéressant et mériterait une étude approfondie qu'il ne saurait être question d'entreprendre ici [3]. Un deuxième élément de la définition de l'autobiographie pose problème, il s'agit en effet forcément d'un récit *rétrospectif*. Or, s'insérant dans la tradition des poésies fugitives, un grand nombre des poèmes de Parny, du moins dans les trois premiers livres, se présente comme des espèces de clichés, nous avons parlé plus haut d'*instantanés*, plus proches de la page de journal que de mémoires ou d'une autobiographie. Un élément qui pourrait permettre de dire que, malgré cela, nous sommes, vers en plus, devant une autobiographie, est l'arrangement de ces fragments de vie, comme au défi de la parataxe des poèmes, en une narration qui devient rétrospective notamment grâce aux

---

Paris, Marchands de nouveautés, 1831, I, p. 22.

[2] Philippe Lejeune, *Le pacte autobiographique,* Paris, Editions du Seuil, 1975, p. 14.
Voici la définition en question : "Récit rétrospectif en prose qu'une personne réelle fait de sa propre existence, lorsqu'elle met l'accent sur sa vie individuelle, en particulier sur l'histoire de sa personnalité".

[3] Lors du colloque, cette question a été abordée brièvement du point de vue de la stylistique dans la communication d'Anna Jaubert - *Comment s'énonce l'identité. Quelques stratégies de discours significatives* - à laquelle nous renvoyons le lecteur.

élégies du livre IV dont l'inclusion démontre clairement que la liaison a pris fin et que nous sommes face à un pan d'histoire personnelle.

La relation se fait à la première personne ce qui pourrait nous laisser croire que nous sommes face à une *persona*, un personnage, plutôt qu'à un individu nous livrant un aperçu de son existence ; l'ambiguïté est maintenue par le fait que ce narrateur-scripteur n'a pas de nom. Or, grâce à ce qu'il est convenu d'appeler un pacte " externe " au texte, nous pouvons nous permettre d'identifier Parny au " je " des poèmes. Le poète nous est en effet montré comme l'amant d'Eléonore dès 1777, c'est-à-dire un l'année qui précède la publication des *Poésies érotiques*, par Bertin, dans son *Voyage de Bourgogne*, rédigé avant le retour de Parny en France[4]; il s'agit donc d'une source externe mais digne de foi. Par ailleurs, dans ses propres *Vers à Monsieur de P. du S.* - Il s'agit d'Auguste Pinczon du Sel, un de ses camarades d'étude, originaire comme lui de l'Ile Bourbon -, datés de cette même année 1777 mais publiés plus tard, après avoir parlé de leurs années de collège et du voyage qu'ils ont fait ensemble pour retourner dans les îles, Parny évoque sa patrie en y unissant le nom de son amante créole :

> Toi seule, ô mon Eléonore,
> As rendu ce jour agréable à mes yeux.
> Tendre et fidèle objet d'un amour malheureux,
> Peut-être tu ressens des peines que j'ignore ;
> Va, mon coeur les partage, et te rend tes soupirs.
> En vain le sort jaloux termina nos plaisirs ;
> De mon bonheur passé je suis heureux encore[5].

Le poète continuera, tout au long de sa vie, à se présenter comme l'amant d'Eléonore, notamment lorsqu'il adresse des vers à d'autres écrivains comme Labouïsse, qui chantait une autre Eléonore, ou La Musse. Dans un poème adressé à ce dernier, Parny dit d'ailleurs ceci :

> A la sensible Eléonore
> je dois les plus beaux de mes jours
> (...)
> Et d'un amour sans espérance

---

[4] Un devin, consulté par Bertin et par Jean-Baptiste Parny, le frère du poète, leur apprend, interrogé sur le sort de Parny, que dans son île natale "Il aime, il chante Eléonore" in *Poésies du chevalier de Bertin,* éd. Asse, Paris, Quantin, 1879, p. 178.

[5] *A M. de P. du S.* in *Oeuvres complètes d'Evariste Parny,* Paris, Chez les Marchands de Nouveautés, 1831, t. I, p. 201.

j'ai gardé six ans le tourment[6].

Il est donc acquis que Parny dit nous présenter sa propre histoire dans la narration des temps forts de sa liaison avec Eléonore. Il y a d'ailleurs des convergences entre vie et poésie, notamment la présence d'éléments de décor exotique, qui prennent une importance croissante au fur et à mesure que nous avançons dans le recueil et restituent pour nous le cadre des amours du poète et d'Esther-Eléonore, l'insistance sur la jeunesse de l'amante, moins choquante à l'époque qu'elle ne paraîtrait aujourd'hui ou l'évocation du rôle du maître de musique.

Les contemporains ont surtout été sensibles au " naturel " de Parny. Ils ont vu dans son recueil l'histoire de sa passion malheureuse, ils y ont cru[7]. Pour eux, des vers comme ceux-ci, ne pouvaient qu'exprimer une jouissance vécue et donc garantir l'authenticité de l'histoire entre Eléonore et le narrateur :

> Mon corps frissonne en s'approchant du tien.
> Plus près encor, je sens avec délice
> Ton sein brûlant palpiter sous le mien.
> Ah! laisse-moi, dans mes transports avides,
> Boire l'amour sur tes lèvres humides.
> Oui, ton haleine a coulé dans mon coeur[8].

Les supplications et reproches du poète ont paru crédibles ; bien des lecteurs, comme Lamartine, par exemple, ont soupiré les vers de Parny en souhaitant, comme lui, avoir une Eléonore. De la même façon, ses prises à témoin, les vers qu'il adresse à des amis, ne pouvaient qu'ajouter à l'impression de véracité de l'ensemble. Cela explique que de 1778 jusqu'à la fin du XXe siècle[9] il y ait eu des tentatives d'identification de l'amante du poète, mais aussi que Chateaubriand ou Labouïsse, par exemple, dans leurs mémoires, racontent qu'ils ont cherché à connaître des détails sur la véritable Eléonore de la bouche même de Parny ou de celle de ses proches.

Le titre du recueil, quant à lui, ne nous apporte pas d'éléments permettant de rapprocher l'ouvrage de l'autobiographie ou du roman.

---

[6] Id. II, 20.

[7] Notons que ceux de nos contemporains qui lisent encore Parny y croient tout autant que les hommes du XVIIIe siècle: "Un des mérites des romans libertins de Mirabeau (ainsi que des poèmes de Parny et des souvenirs de Casanova) est que la connaissance de l'auteur de son sujet a été acquise *sur le terrain* ", Matzneff, G., *Maîtres et complices*, Paris, J.C. Lattès, 1994,   p. 133.

[8] *Délire, Poésies érotiques*, III, xiii, in *Oeuvres complètes*, I, p. 60.

[9] Cf. Blanc, O., *Madame de Bonneuil*, Paris, Perrin, 1987, p. 23.

L'indication *Poésies érotiques* insiste à la fois sur la pluralité des fragments -et donc pas sur le déroulement d'une histoire, qu'elle soit autobiographie ou roman- et sur le sujet: l'amour. Cela dit, à l'époque, baptiser son recueil *Poésies érotiques,* c'était se rattacher implicitement au modèle des élégiaques latins qui, chacun le sait, mettaient en scène des épisodes de leur vie. Si le recueil, malgré son narrateur homodiégétique, ne constitue pas une autobiographie dans les règles, il ne nous paraît pas faux d'y déceler des éléments autobiographiques et de nous demander, comme nous le sous-entendions plus haut, si la définition même du genre ne souffrirait pas sans dommage une extension, notamment pour ce qui est de la question du vers, la pratique de la poésie au XVIIIe, plus " naturelle " en quelque sorte, impliquant des contraintes différentes et, surtout, n'engendrant pas le même horizon d'attente que de nos jours.

Il convient maintenant de se pencher sur les éléments qui rapprochent l'ouvrage du genre du roman. Nous avons souligné plus haut qu'à partir de 1781, le recueil est présenté sous forme d'une narration continue. Les poèmes sont organisés en quatre livres qui racontent tour à tour les débuts de la passion, un refroidissement passager, l'ardeur retrouvée et le moment qui suit la rupture définitive due à la " trahison " de la jeune fille mariée à un autre. Cette relation, en ordre chronologique, semble-t-il, d'une histoire d'amour, paraît véritable. Or, pour qui connaît les deux stades principaux de l'édition du recueil de Parny, la trentaine de poèmes jetés au hasard sur papier en 1778 et l'arrangement rigoureusement ordonné en une suite de mouvements contrapuntiques trois ans plus tard, le naturel apparent de la narration tient de l'artifice. Parny n'a choisi de présenter ses poèmes en cycle qu'à la suite de l'accueil très favorable et immérité - dû à une espèce de claque anti-Dorat - reservé à l'édition de 1778, mais aussi - et surtout - après la parution des *Amours* de Bertin (1780). Il semble donc qu'il y ait eu un choix calculé dans cette présentation " naturelle ". Il y a inversion de l'ordre de certains poèmes d'une édition à l'autre. Ainsi, par exemple, *A un myrte* qui condamne l'infidélité d'Eléonore prend un poids particulier lorsqu'il est placé avec les élégies du livre IV et non plus, par exemple, juste avant huit vers adressés à une Aglaé que le narrateur promet d'épouser si elle promet d'être toujours aimable[10]. Couleur locale oblige, l'arbre sur lequel sont gravées, entrelacées, les initiales d'Eléonore et de son amant, est devenu, au passage, un

---

[10] Commme dans les différentes éditions des *Poésies érotiques* publiées à la suite des *Poésies de Sapho* de Billardon de Savigny.

oranger. Dans le livre IV, avec les *Elégies*, le souvenir fait irruption dans le texte ; certains poèmes, notamment l'*Elégie IX*, contiennent eux-mêmes de véritables petits récits rétrospectifs des temps forts de la passion, recommençant en quelque sorte l'histoire en abyme comme une autobiographie au cœur du roman.

> C'est ici qu'un sourire approuva ma tendresse :
> Plus loin, quand le trépas menaçait ta jeunesse,
> Je promis à l'Amour de te suivre au tombeau.
> Ta pudeur en ce lieu se montra moins farouche,
> Et le premier baiser fut donné par ta bouche ;
> Des jours de mon bonheur ce jour fut le plus beau.
>   Ici, je bravai la colère
>   D'un père indigné contre moi ;
>   Renonçant à tout sur la terre,
>   Je jurai de n'être qu'à toi.
> Dans cette alcôve obscure... ô touchantes alarmes !
> O transport! ô langeur qui fait couler des larmes !
> Oubli de l'univers! ivresse de l'amour !
>   O plaisirs passés sans retour ![11]

Tout est orchestré pour nous conduire à nous apitoyer sur le sort du "plus malheureux des amants[12]". Dans la réalité, il était bien moins à plaindre qu'il ne nous le dit. Le recueil nous montre en effet Eléonore revenant sur ses serments pour épouser un autre que le narrateur, obligé, dans ces conditions, de juger la rupture consommée. Or, si le 15 janvier 1776, Parny partait pour la métropole, s'embarquant sur une flûte du roi, baptisée *Seine*, Esther ne s'est mariée que 18 mois plus tard, le 21 juillet 1777[13.] Voilà notre poète pris en flagrant délit de mensonge et donnant le mauvais rôle à sa dulcinée. Il est de toute évidence impossible qu'il ait appris le mariage de son amante alors qu'il était encore à Bourbon et qu'il ait quitté sa patrie à la suite de cela. Tous les retours sur les lieux qui ont vu s'épanouir leur histoire d'amour, tous les paysages d'âme sur fond de volcan ne peuvent donc concerner que des moments tout à fait imaginaires ou alors antérieurs à la rupture définitive. En gommant, entre 1778 et 1781, les références à des femmes autres qu'Eléonore (Aglaé et Euphrosyne) et en oubliant de

---

[11] *Elégie IX, Poésies érotiques*, IV, ix, in *Oeuvres complètes*, I, p. 70.

[12] *Elégie I, Poésies érotiques*, I, iv, in *Oeuvres complètes*, I, p. 61.

[13] Au vu du temps que prenaient les communications entre Bourbon et Paris, il est fort possible que Parny n'ait appris ce mariage qu'au moment où les *Poésies érotiques* étaient sous presse voire publiées. La nouvelle aurait alors créé un effet de choc considérable, la "traîtresse" détrônant l'amante idéalisée des poèmes.

mentionner qu'au moment même où il faisait une cour endiablée à Esther Lelièvre, Léda, une mulâtresse, esclave de son père, mettait au monde sa fille, Parny épure la réalité. Il y a donc manipulation de la vérité, irruption de la fiction dans l'espace autobiographique. Dans ce travail qui a pour but d'exacerber certains aspects tragiques de l'histoire, dans ce travestissement du vrai pour dire l'authentique, sont déjà contenus le "j'ai pleuré et j'ai cru"[14] de Chateaubriand et la place du poème *A Villequier* au centre des *Contemplations*. A une époque où le roman se disait *Mémoires, Lettres* ou *Confession* de personnes ayant supposément existé, l'autobiographie se fait roman. Parny inclut ainsi quelques scènes qui sont autant de passages obligés, autant de *topoi* dont Rousseau notamment avait consacré l'importance : un seul chiffre gravé sur un arbre unit les initiales des deux amants, le poète, entrant dans le boudoir de sa bien-aimée, semble mettre en vers une des lettres de Saint-Preux, examinant comme lui les vêtements de sa maîtresse, imaginant les charmes qu'il cachent[15]; les allusions, qui paraissent cryptiques à l'aube du XXIe siècle, devaient être claires pour les contemporains. Dans un poème qui n'a été publié qu'une dizaine d'années après sa mort, Parny demandait que l'on versât une espèce de tribut à Jean-Jacques et à son Héloïse. Les *Poésies érotiques* sont aussi cela :

> Prosternez-vous devant l'humble cercueil
> Où de Rousseau dort la cendre immortelle.
> N'oubliez pas d'Héloïse fidèle
> La longue ivresse et les longues douleurs ;
> Son urne attend des larmes et des fleurs...[16]

Sans Julie, Esther serait-elle devenue Eléonore ? Nous nous permettons d'en douter. Il est également difficile d'imaginer les *Poésies érotiques* sans *Werther* qui légitimait en quelque sorte le rôle de l'amant malheureux; l'exil du poète, la narration de ses amours semblent un appel à Eléonore, comme la mort de Werther sera *volens, nolens* un reproche à Charlotte. Et que dire des endroits où la réalité rejoint la fiction future comme par exemple dans le rôle du professeur de harpe derrière lequel, pour le lecteur du XXe siècle se profile le personnage du Danceny des *Liaisons dangereuses* publiées quelques années après les *Poésies érotiques*, en 1782... convention du roman, hasard de la

---

14 *Mémoires d'Outre-Tombe*, XI, 4, Paris, Gallimard (Pléiade), 1951, p. 398.

15 Il s'agit du poème *Le cabinet de toilette* (in Id. I, 53) qui reprend un certain nombre d'éléments de la lettre LIV de la première partie de la *Nouvelle Héloïse*.

16 *Les pélerinages* in *Poésies inédites*, Paris, 1827, p. 28.

réalité.

Nous sommes donc face à un roman en vers à la fois dans la mesure où le poète réorganise le récit de façon à présenter une histoire plus poignante que ne l'aurait été la narration pure et simple de ce qui était réellement advenu et également parce que, dans son recueil, il tient compte des lieux imposés par le genre romanesque. Parny était conscient de l'ambiguïte de ce qu'il tentait. Il dit dans les *Poésies érotiques* "Je suis amant et ne suis point auteur", sachant que cela n'était qu'à demi vrai ; il rappelle le message de façon détournée dans le *Dialogue entre un poète et sa muse*, modèle des *Nuits* de Musset : "...il faut être, vous dis-je,/Amant quand on écrit, auteur quand on corrige[17]". Le poète établit cette distinction, soutenant implicitement, une fois de plus, qu'il est avant tout amant, pour excuser le négligé apparent de ses vers, négligé qui lui servait dans la mesure où il consolidait leur apparence de véracité : débarrassée des envolées précieuses, des allusions excessives aux dieux de l'Olympe, des périphrases et d'autres excès qui encombraient le langage poétique de l'époque, la lyre de Parny, dans sa simplicité, paraissait sincère. Cela est évident à la lecture des critiques de l'époque. Nombreux sont ceux qui, comme Ginguené, saluent en Parny un novateur et soulignent son manque d'artifice apparent: "Le bel-esprit est mort, son empire est fini, /Qui donc l'a détrôné ? La nature et Parny[18]".

Dans les *Poésies érotiques,* pour la première et dernière fois dans sa carrière d'écrivain, si nous exceptons ses réminiscences du voyage qu'il fit entre Paris et Bourbon en 1773, Parny veut faire croire à un récit autobiographique[19]; pour cela il est prêt à jouer sur un certain nombre d'imprécisions ou de paradoxes apparents. Il est doublement présent dans son texte, à la fois acteur et spectateur, voire metteur-en-scène. Il se montre à nous comme le plus malheureux des hommes mais aussi comme un être unique à qui il a été donné de connaître une passion hors du commun et qui transcende donc sa condition d'amant délaissé. Il écrit les *Poésies érotiques* comme un reproche implicite à Eléonore mais aussi pour se donner une contenance assurée dans le monde restreint de la République des Lettres. Il désire d'être désiré, tant par Esther-Eléonore que par ses lecteurs. Il se présente à nous comme le maître, l'initiateur d'Eléonore et pourtant il se dit innocent lorsqu'il y a

---

[17] in *Oeuvres complètes*, I, p. 206.

[18] *Epître IV - A M. de Parny* (1790).

[19] La mythologie et l'histoire, voire l'exotisme imaginé de Madagascar, fourniront à Parny des terrains d'inspiration féconds pour ses oeuvres ultérieures.

rupture. Il recherche le silence et l'oubli pour se consoler de son échec amoureux et pourtant il s'exhibe, reprenant en quelque sorte à son compte le "Non sit dolor sicut dolor meus" de la *Mater dolorosa*. Il y a multiplication des facettes et le "je" du poète-scripteur émerge de l'articulation d'un jeu entre vérité et fiction où l'esthétique restitue mais déforme aussi le vécu. L'extraordinaire architecture du recueil créé des illusions de perspective, un véritable trompe-l'oeil où ce qui paraît le plus vrai est en fait le plus artificiel.

Parny avait été sacré poète dès la publication des *Poésies érotiques* de 1778. Une presse très favorable, en lui adressant des louanges immodérés, avait donné lieu à une espèce d'*affaire Parny*. Ayant écrit peut-être parce qu'il s'agissait d'un jeu à la mode en ce temps où présenter en vers des compliments versifiés pour le jour de l'an ou l'anniversaire d'une dame, voire une élégie sur la mort de son chien de compagnie, faisait partie du savoir-vivre élémentaire, l'homme du monde est devenu poète. Il s'est donc découvert une responsabilité face à son public qu'il devait étonner et émouvoir, même en trahissant un peu les faits. Suivant Bertin, il écrit donc "son" histoire d'amour et l'on peut se demander dans quelle mesure il ne s'est pas mis à y croire par la suite. Il ne l'a pas corrigée, il l'a simplement embellie, le souci esthétique et celui de susciter l'émotion, quoi qu'il en dise, ont primé. Ceci explique que le roman refuse de se dire tel, que l'histoire d'une vie puisse être romancée.

Plutôt que de simplement classer le recueil de Parny dans une espèce de bibliothèque de la proto-histoire des écrits à tendance autobiographique en France, il nous paraît important de voir qu'à la même époque que Rousseau, mais pour des raisons bien différentes semble-t-il, Parny joue, avec une dextérité remarquable pour un néophyte, sur les liens ambigus qui unissent fiction et réalité, roman et autobiographie, en retenant pour cela la forme qui semble à premier abord la moins fertile, la poésie. Dépassant même les catégories génériques de fiction et de réalité, l'oeuvre de Parny prend pour vérité première la poésie, l'unité de l'oeuvre poétique. A la fois autobiographie semi-fictive et roman autobiographique en vers, accueillies par un véritable triomphe à l'époque mais bien négligées de nos jours, modèle inclassable des poètes du XIXe siècle, les *Poésies érotiques* constituent tout de même un petit chef-d'oeuvre de la littérature intime.

LES *MEMOIRES* DE JEAN-BAPTISTE LOUVET, CONFESSIONS D'UN ROMANCIER GIRONDIN.

Huguette KRIEF
Université de Provence

Par les bouleversements sociaux et politiques qu'elle provoque, la Révolution française dérange, enthousiasme ou suscite des haines. Dès 1789, l'exaltation et la passion politique inspirent de nombreuses oeuvres artistiques et pour tout écrivain qui vit la Révolution, tout ce qui se passe sous ses yeux est digne de l'Histoire. La France exilée, condamnée à une invraisemblable errance, veut croire, elle aussi, qu'elle participe à un épisode glorieux de l'histoire monarchique. Le Président de Longueil, l'un des héros de l'*Emigré* de Sénac de Meilhan, ne prévoit-il pas que "La Révolution deviendra une époque nationale comme la captivité de Babylone chez les Juifs et l'an de l'Hégire chez les Arabes"[1]. Pourtant les événements de cette période sont à la fois nombreux et souvent confus. Louis-Sébastien Mercier ressent toute la difficulté d'en faire la synthèse :

> "Que d'acteurs sur ce grand théâtre. Les uns jouant le rôle de Mahomet, les autres se réduisant à celui des Séides [...]. Si l'on s'étonne que tant de crimes aient été commis, on se demande comment tels ou tels hommes se sont-ils arrêtés ou se sont-ils fourvoyés. C'est que de près les grandes images ne sont plus les mêmes"[2].

En l'absence de véritables historiens capables de présenter une vue impartiale des faits révolutionnaires, nombreux sont ceux qui rédigent au jour le jour des *Mémoires*, des *Voyages*, des *Souvenirs* pour laisser à la postérité un témoignage direct ; ceci explique certainement la profusion d'ouvrages de ce genre publiés en particulier entre 1820 et 1830. F. Masson[3] et F. Baldensperger[4] en ont dénombré plus de deux cents pour

---

1 G. Sénac de Meilhan, *L'Emigré,* Lettre LXXXVI, p. 1754.

2 L.S. Mercier, ***Paris pendant la Révolution française (1789-1798)*** o u *le Nouveau Paris,* t. 2, chap. CCXLVIII, *Tout est optique,* p. 412.

3 F. Masson, *Introduction aux Mémoires du comte de Mariolles,* Paris, 1902, p. I.

4 F. Baldensperger, *Le mouvement des idées dans l'Emigration française (1789-1815),* Plon, 1925, t. 1, chap. V, p. 208-228.

L'auteur de l'ouvrage nous propose à la note 1, p. 225, une liste des *Mémoires, Souvenirs, Voyages, Itinéraires, Cahiers de route, Campagnes, Correspondances, Lettres.* Selon Baldensperger, la publication

cette période. Ces écrits renouent avec la tradition aristocratique des mémoires dont Furetière proposait la définition : ce sont des "livres [...] écrits par ceux qui ont eu part aux affaires ou qui en ont été témoins occulaires, ou qui contiennent leur vie et leurs principales actions, ce qui correspond à ce que les Latins appelaient commentaires". N. Bonhôte[5], suivant en cela M. Fumaroli[6], voit dans la multiplication de ces témoignages "un effet direct des conflits et des guerres civiles qui jalonnent l'histoire de France". Mais aux écrits aristocratiques destinés à défendre l'honneur de certains Grands face à des historiens "stipendiés par les Rois" succèdent, sous la Révolution, une production de mémoires très polémiques, dominée par la lutte idéologique opposant le clan des patriotes à celui des contre-révolutionnaires décidés à défendre jusqu'au bout le monde de l'Ancien Régime.

Les mémoires que Louvet de Couvray, romancier girondin, publie sous le titre de *Quelques notices pour l'histoire et le récit de mes périls depuis le 31 mai 1793*[7] paraissent en 1795, en pleine Réaction thermidorienne. L'auteur d'*Une Année de la vie du Chevalier de Faublas* (1787), de *La Fin des amours de Faublas* (1789) et d'*Emilie de Varmont ou le divorce nécessaire ou les amours du curé Sévin* (1791) s'était lancé corps et âme dans la bataille révolutionnaire aux côtés des Girondins. La Révolution avait fait de Louvet au départ un pur patriote, un porte-parole populaire qui, le 25 décembre 1791, à la tête de la section des Lombards, en appelait au peuple contre les Princes :

> "Que des millions de concitoyens se précipitent sur la féodalité et ne s'arrêtent qu'où finira la servitude, qu'on dépose la Déclaration des droits dans les chaumières [...] Que le genre humain se relève et respire"[8].

---

des mémoires des émigrés a été entreprise surtout entre 1820 et 1830 pour répondre aux mémoires révolutionnaires et napoléoniens de 1823. Il constate que "les alentours de 1825, en cette matière comme en beaucoup d'autres, marquent une sorte de point critique où s'affrontent les tendances opposées".

5 N. Bonhôte, "Tradition et modernité de l'autobiographie : des *Confessions* de J.J. Rousseau", in *Romantisme, Revue du XIXe siècle*, CDU-SEDES, 1987, n° 56 "Images de soi : autobiographie et autoportrait au XIXe siècle", p. 16.

6 M. Fumaroli, "Les Mémoires du XVIIe au carrefour des genres en prose", in *Dix-septième siècle*, 1971, n° 94-95, p. 29.

7 J.B. Louvet, *Quelques notices pour l'histoire et le récit de mes périls depuis le 31 mai 1793*, rééd., Préface M. Vovelle, Paris, Ed. Desjonquères, 1988.

8 Voir *Chronologie de Louvet*, in *Romanciers du XVIIIe siècle*, Paris, La Pléiade, 1965, t. 2, p. 405.

Membre du Comité de Correspondance des Ecrivains puis député du Loiret à la Convention, ses interventions lui attirent l'hostilité de Robespierre. Ayant le 29 octobre 1792 accusé Robespierre d'être le Cromwell de la France, il doit, après la chute des Girondins, prendre la fuite. Accusé de fédéralisme, Louvet dénonce avec amertume "cette foule idiote, toute robespierrisée" qui le "déteste"[9]. Le cours mouvementé de la Révolution et l'alternance des factions au pouvoir mène plus d'un écrivain à se contredire et même à renier ses propres écrits[10]. Dans cet ancrage historique spécifique, il y a lieu de se demander si l'ouvrage de Louvet s'inscrit effectivement dans la tradition littéraire des Mémoires. D'autre part, l'oeuvre de Rousseau, ayant eu pendant la Révolution une fonction indéniable de légitimation, peut-on penser que Louvet, transgressant les frontières existant entre le genre des Mémoires et celui de l'autobiographie, s'est inspiré des *Confessions* ?

Bien que le mot *Mémoires* ne serve pas de dénomination à l'entreprise de Louvet, il y a dans cet ouvrage une sorte de dossier devant servir à un procès que la postérité jugera. "Que de faits sont consignés pour l'histoire" affirme-t-il[11]. Parce que les circonstances

---

9 J.B. Louvet, *Quelques notices,* op. cit., p. 23.
10 Ainsi Henriquez, romancier jacobin, justifie l'échafaud et les violences révolutionnaires dans *Les Aventures de Jérôme Lecoq ou les vices du despotisme et les avantages de la liberté* (1794). En 1799, il s'écarte des théories terroristes qu'il affichait en 1794. Dans *Voyage et aventures de Frondéabus, fils d'Herschell dans la Cinquième partie du monde,* la République jacobine devient sous sa plume "une anarchie destructive" — Gosse suit une évolution semblable. Après avoir participé à la guerre de Vendée de 1793 à 1776 écoeuré par les excès de la Terreur, il publie un roman *Les Amants vendéens* (1800) qui illustre bien le modérantisme politique qui prévaut à la Chute de Robespierre. La pièce qu'il fait jouer, en 1797, *Femmes politiques* est même considérée comme une pièce contre-révolutionnaire par le *Dictionnaire des grands hommes du jour* (1800). Le cours du mouvement révolutionnaire surprend plus d'une fois les auteurs et les poussent à réagir au gré des événements. Mercier de Compiègne, patriote, victime de la Terreur, ne peut admettre cette pression "Combien est lâche et stupide celui qui n'a pas rougi de dire qu'aucun homme de Lettres ne pouvait être révolutionnaire à sa mode [...] et cela eût fait l'éloge des Lettres, car la barbarie n'accompagna jamais les Muses". *Les Nuits de la Conciergerie, rêveries mélancoliques ou poésie d'un proscrit,* Paris, Veuve Girouard, An III (1795), p. 62.
11 J.B. Louvet, *Quelques notices,* op. cit., p. 185.

historiques l'ont porté sur le devant de la scène politique, Louvet prétend pouvoir donner une explication fidèle de certains événements. Et s'il ne jette que "quelques notes" sur le papier sans se soucier du style et de la composition, les conditions même de leur rédaction l'expliquent. Proscrit, taraudé par l'angoisse d'être livré à l'échafaud, il soutient écrire des grottes de St Emilion et des cavernes du Jura.

> "Ici, comme là-bas le temps me manque. Je jette des notes et voilà tout. Qu'on ne s'attende ni à la concision du style ni à l'abondance des détails".

Il justifie ses maladresses, ses atteintes à la chronologie par les conditions difficiles qu'il connaît. "Qu'on me pardonne les répétitions, j'écris avec tant de hâte"[12]. Et plus loin il ajoute :

> "Je dis, je crois, parce que ma mémoire s'étant fort altérée, j'ai bien retenu les faits ; mais tantôt les lieux, tantôt l'époque précise de l'événement m'échappe et dans la caverne où j'écris, je suis dénué de tout secours"[13].

A partir des recherches historiques de C. Perroud, M. Vovelle a établi que Louvet "racontait des histoires"[14] et qu'il avait trouvé refuge non pas dans le Canton de Vaud à Echallens, en dehors de sa patrie. C'est dire que les circonstances romanesques de la rédaction invoquées par l'écrivain jettent un éclairage particulier sur le témoignage de ce proscrit aux prises avec l'Histoire.

Le discours de Louvet est construit comme un plaidoyer, une longue justification contre des accusateurs injustes. L'écrivain cherche, en effet, à "détruire cet immense échafaudage de calomnies absurdes et atroces dont ils [l']accablent afin de [l']assassiner ensuite"[15]. L'homme aux abois n'a d'autre moyen de témoignage que ces mémoires pour rétablir la vérité. "C'est elle d'ailleurs, c'est elle seule" déclare-t-il "qui peut le justifier" face à des ennemis qui l'ont défiguré, ont déformé ses actions et ont manipulé l'opinion. Louvet appuie son propos sur des pièces d'archives, discours imprimés et journaux. Il se réfère, à de nombreuses reprises, à la *Sentinelle*, feuille patriotique qu'il a lancée avec les Girondins en 1792. Il cite, parmi d'autres discours, celui qu'il

---

12 J.B. Louvet, Ibid., p. 44.
13 J.B. Louvet, Ibid., p. 76.
14 Très utilement Michel Vovelle rappelle qu'il était impossible à Louvet de reconnaître qu'il s'était réfugié à Echallens dans le Canton de Vaud. Cette ruse lui permettait, en effet, de conserver son statut de proscrit et de ne pas être considéré comme émigré. Voir *J.B. Louvet, la vérité dans le fantasme*, J.B. Louvet, *Quelques notices,* op. cit., préface, p. XIV.
15 J.B. Louvet, Ibid., p. XIV.

a rédigé à l'attention de la Convention Nationale sur les événements du 10 mars 1793 et qu'il considère comme son "testament politique" : "Je ne dissimule pas que je le regarde comme un morceau précieux pour l'histoire"[16]. Ses Mémoires deviennent le seul espace de liberté qui lui reste, puisque sa liberté de parole lui avait été confisquée par les manoeuvres des Montagnards, lors des débats parlementaires de la Convention : "La Montagne, qui redoutait ma véracité, employait tous les moyens de son exécrable tactique, menaces, cris, clôture de discussion, révolte des tribunes, pour m'empêcher de parler"[17]. Dans cet exposé rétrospectif, Louvet cherche à éclairer le sens de son action politique. Il montre comment, après avoir été au coeur des revendications populaires, il a tenté de garder, à la Convention, l'initiative d'un combat sans merci contre les Montagnards Robespierre, Danton et Marat, qu'il soupçonnait de servir les intérêts du duc d'Orléans et des princes de l'Etranger. C'est, selon lui, pour cette raison que Robespierre a accusé la Gironde de fédéralisme :

> "Chacun voit le piège infâme où [...] la Montagne voulait nous enlacer [...]. C'était elle qui était républicaine ; c'était nous qui voulions la royauté [...]. C'est à l'accusation non moins ridiculeusement calomnieuse de fédéralisme qu'ils se sont vus réduits à recourir"[18].

Louvet appuie son argumentation en jouant sur les deux "registres", celui du passé et celui de la narration présente. Comment croire aux accusations portées contre lui par Robespierre et Marat, alors que la République thermidorienne a révélé le vrai visage de ces révolutionnaires ? "Aujourd'hui Marat est reconnu *royaliste* et bientôt

---

16 J.B. Louvet, Ibid., p. 46.
    La situation économique de la France se dégradait depuis septembre 1792. La hausse des prix, la conduite spéculative des producteurs et la rareté des denrées sont à la base des actions populaires du printemps 1793. Le 10 mars 1793, les Enragés soutenus par les Cordeliers tentent de susciter une nouvelle journée insurrectionnelle pour promouvoir des mesures terroristes. Les Montagnards, comme l'analyse Marc Bouloiseau dans *La République jacobine*, se compromettent avec les Sans-Culottes : "Il faut que le peuple sauve la Convention et la Convention sauvera le peuple à son tour". Cette alliance entraîne la Chute de la Gironde. Le Tribunal Révolutionnaire institué le 10 mars prononce sans appel sur les crimes politiques. La chasse aux suspects et aux accapareurs reprend de ce fait. Voir *La République jacobine*, Ed. Seuil, 1972, chap. *La Chute de la Gironde*, p. 75-76.
17 J.B. Louvet, Ibid., p. 44.
18 J.B. Louvet, Ibid., p. 63.

Robespierre sera *tout à fait dictateur*. Je l'ai vu dès 1792 [...] j'ai eu le courage de le dire"[19]. Louvet n'hésite pas à avouer des fautes ou des imprudences dans la stratégie girondine, ceci lui permet d'attribuer la cause de l'échec non pas aux circonstances historiques, mais bien à un complot montagnard destiné à "septembriser" les Girondins.

Toutefois, la comparaison avec les *Mémoires* du Cardinal de Retz ou de Mlle de Montpensier accuse le caractère pamphlétaire, passionné voire violent des *Mémoires* de Louvet. L'argumentation de l'écrivain est polémique, elle passe souvent les limites de l'honnêteté. Comme le pense C. Kerbrat-Orecchioni pour polémiquer il faut "un credo, une thèse, une foi, des valeurs à défendre et d'autres à pourfendre ; du vrai et du faux, des bons et des méchants"[20].

Manichéisme et polémique vont de pair. Ainsi, dans l'ouvrage de Louvet, tout est bon pour dénigrer l'adversaire dans un discours qui recourt constamment à l'invective. L'écrivain se laisse emporter par le style forcené des tribuns révolutionnaires, dans lequel les injures fonctionnent comme un support important de la dévalorisation polémique[21]. Ses ennemis ne sont plus que "des hommes à poignard"[22], "des barbares", "des monstres d'impostures et de cruauté"[23], "des buveurs de sang"[24]. L'outrance verbale, l'accumulation des invectives ne sont-elles pas garantes de la vérité ?

---

19 J.B. Louvet, Ibid., p. 45.
20 C. Kerbrat-Orecchioni, "La polémique et ses définitions" dans *Le Discours polémique*, Lyon, Presses Universitaires, 1979, p. 10.
Du fait de son engagement dans la bataille politique du moment, les *Mémoires* de Louvet se caractérisent par l'utilisation de procédés propres à toute polémique politique et destinés à discréditer l'adversaire autant qu'à fonder une argumentation d'apparence objective. Une formule de C. Kerbrat-Orecchioni pourrait très bien en résumer le contenu qui, de façon ambivalente, allie à la fois la passion et la maîtrise : "On pourrait être tenté de définir l'activité polémique comme la mauvaise foi au service de la foi", op. cit., p. 21.
21 J.B. Marcellesi, dans "Eléments pour une analyse contrastive du discours politique", considère que l'injure, parmi les procédés de disqualification, est "une forme "élémentaire du discours polémique" in *Langages*, n° 23, sept. 1971, p. 44. Par ailleurs F. Brunot, dans son *Histoire de la Langue Française*, propose une approche de ce style forcené en faisant un bilan philologique des outrances verbales pendant la période révolutionnaire. Voir tome IX, "La Révolution et l'Empire", 1ère partie, "Le français, langue nationale", Paris, Colin, 1927, p. 59.
22 J.B. Louvet, *Quelques notices*, op. cit., p. 33.
23 J.B. Louvet, Ibid., p. 18.
24 J.B. Louvet, Ibid., p. 51.

Louvet fustige, d'un trait, Marat "le père de l'anarchie, le chef des hommes de sang, le Grand exterminateur [...], le plus corrompu, le plus vil, le plus impudent des royalistes gagés par l'étranger"[25]. Il se laisse gagner par la frénésie ambiante qui prévaut après le 9 Thermidor de l'An II aussi bien dans les discours politiques que dans les romans[26]. La haine envers la République jacobine est poussée à son paroxysme, lorsque le proscrit girondin en appelle au meurtre : "Que cette race de mangeurs d'hommes soit exterminée"[27]. Le mémorialiste cède le pas au pamphlétaire ; l'atmosphère en est changée, le jeu politique devient un véritable drame. L'outrance charge le trait, les mimiques tournent à la caricature. Louvet recourt même au cliché du "rire féroce qui épanouit le visage" du sanguinaire jacobin. La folie meurtrière accompagne la vulgarité et l'ignorance. L'univers de la Terreur est quelque peu simpliste, les personnages sont stéréotypés, d'un côté les bourreaux, Jacobins et Sans-Culottes, lâches, cruels et ignares, de l'autre les victimes, honnêtes républicains et femmes vertueuses et sensibles :

> "Oui, pour avoir tout voulu sacrifier au bonheur des hommes, je me trouvais fuyant sous les livrées de la misère, réduit à l'humiliation des derniers expédients, menacé de la mort des criminels. Et Lui, vil, ignorant, corrompu, lâchement ambitieux comme tous ceux de sa misérable faction, il se voyait environné d'honneur, de respect"[28].

Louvet ne pardonne pas au Comité de Salut public d'avoir érigé l'ignorance en vertu et d'avoir annexé le patriotisme pour placer ses cadres jacobins et ses Sans-culottes dans l'espace politique laissé vacant par la liquidation des Girondins.

Mais les scélérats jacobins ne sont pas sans rappeler les méchants du roman noir tant ils réunissent les mêmes traits d'hypocrisie, de perversité, de volonté de puissance. Louvet demande ainsi à l'univers romanesque des matériaux pour décrire l'univers dont il se sent le prisonnier. Après 1794, les romanciers donnent encore des versions plus ou moins pathétiques de l'histoire de la vertu persécutée par le vice, l'un des thèmes les plus rebattus de la littérature du XVIIIe.

---

25 J.B. Louvet, Ibid., p. 50.
26 F. Brunot montre que l'outrance verbale et l'injure sévissent toujours après la Chute de Robespierre. La polémique conserve le même ton pendant toute la période révolutionnaire : "les victimes changent, l'esprit demeure [...]. La réaction, égale à l'action, suivant les lois ordinaires de la nature pouvait changer la direction des invectives non les apaiser", *Histoire de la langue française*, op. cit., p. 59.
27 J.B. Louvet, Ibid., p. 11.
28 J.B. Louvet, Ibid., p. 169.

Les récits reposent sur une accumulation presque mécanique d'épisodes malheureux. Ainsi, dans les *Mémoires* de Louvet, la rencontre de Lodoïska, son amante, un ange de pureté, avec Amar, le jacobin séducteur, auteur de "motions sanguinaires", est le point de départ des malheurs du couple. Cet épisode appartient bien au passé du genre romanesque. Les *Mémoires* de Louvet ont en commun, avec des romans tels que *L'Enfant du Carnaval*[29] de Pigault-Lebrun (1796) ou *Les Infortunes de M. de la Galetierre*[30] de J. Rosny (1797), leur caractère sombre. En effet, même s'il n'a pas inventé son décor, Louvet réutilise la plupart des éléments qui se trouvaient dans cette tradition romanesque : forêts ténébreuses, cavernes sombres, clairs de lune inquiétants, océan en furie au large de Bordeaux, orages et tonnerre. On décèle dans les *Mémoires* de Louvet la même recherche descriptive, les mêmes concessions à l'horreur physique que dans le roman noir de Baculard d'Arnaud. C'est sur ce mode qu'est traité l'acharnement cruel qui s'exerce sur une victime des Jacobins :

> "Une malheureuse femme coupable d'avoir, en gémissant, accompagné son mari jusqu'au lieu du supplice, sera condamnée, au grand contentement de la multitude, à passer plusieurs heures sous le fatal couteau qui répandra sur elle, goutte à goutte, le sang fraîchement versé de son époux, dont le cadavre est auprès d'elle... là... sur l'échafaud"[31].

A quelques détails près, de récit en récit, dans cette période de Réaction thermidorienne antirobespierriste et antiterroriste, les écrivains se lèguent les mêmes personnages, les mêmes intrigues, les mêmes scènes. L'aventure sous la Terreur est une véritable descente aux enfers. L'univers du pouvoir est un lieu de corruption et de libertinage criminel. La place que tient le libertinage des bourreaux est révélatrice d'un certain imaginaire de la Révolution. Ce déchaînement de la sexualité est la manifestation diabolique de la volonté de puissance de Robespierre et des Jacobins. Il serait vain de donner au texte de Louvet une dimension théologique. Le Mal qu'il dénonce n'est pas l'oeuvre de

---

29 Pigault-Lebrun, *L'Enfant du carnaval, histoire remarquable et surtout veritable pour servir de supplément aux rapsodies du jour*, Rome, de l'imprimerie de Saint-Père, an V, 1796, 2 parties.
30 Rosny (A.J.N. de), *Les Infortunes de Mr de la Galetierre pendant le régime decemviral, contenant ses persécutions, sa fuite sous Robespierre, son naufrage et son séjour dans une île déserte, suivis de son retour en France*, par A.J. Rosny, auteur de Joseph et Caroline, Paris, imprimerie de Conort, 1797, an V.
31 J.B. Louvet, *Quelques notices*, op. cit., p. 71.

Satan. Il est issu de l'idéologie montagnarde qui corrompt les coeurs des citoyens :

> "Du milieu de la Montagne jusqu'à son sommet, c'étaient [...] la crapule vile espérant de longues débauches, la vengeance atroce préparant des assassinats [...], l'insatiable ambition dévorée du besoin de régner au prix de tous les forfaits. Et lorsque de tels scélérats commencèrent à l'emporter [...] la foule à leur voix obéissante se baigna dans des flots de sang innocent [...]. C'est à voler que l'un s'attache, c'est à tuer que l'autre se plaît [...] celui-ci préfère de requérir sa femme ; cet autre dédaignant de gazer le mot aime mieux violer sa fille, trop heureuse la victime si le bourreau ne la massacre pas ensuite ; enfin, vous diriez que chacun s'excite à inventer quelques-uns des attentats dont la nature n'ait pas encore gémi"[32].

L'assassinat érigé en principe politique est bien la manifestation d'un libertinage caché et de la corruption profonde des valeurs. Le combat allégorique du Crime et de la Vertu, la cruauté complaisamment étalée, la fuite dans un décor stéréotypé, posé pour susciter l'angoisse sont autant d'éléments issus du genre sombre que Louvet utilise pour rendre plus pathétique son récit et pour accroître "l'horreur de son sort".

Toutefois, les *Mémoires* de Louvet sont l'expression d'une authentique souffrance. Louvet souffre d'être incompris. Il examine avec une insistance douloureuse son passé pour tenter de donner aux autres la preuve de son attachement à la République, ce témoignage qui l'innocentera enfin. Il recourt même à *Faublas*, son roman libertin de jeunesse :

> "Au milieu des légèretés dont il est rempli, on trouve [...] surtout des principes de républicanisme assez rare à l'époque où j'écrivais"[33].

L'écrivain girondin souffre d'être victime d'une persécution dont il discerne clairement les auteurs. Il désigne de façon constante le chef des persécuteurs, Robespierre, grand responsable à ses yeux de la ruine publique et de la corruption des valeurs républicaines. L'équipée tragique de Louvet et des députés girondins proscrits prouve les multiples ramifications du complot, à Paris et en Province. Louvet, dans sa douleur, évoque celui qui, comme lui, a été l'objet d'une persécution, de "l'oeuvre des ténèbres". Il s'empare de l'auteur des *Confessions* pour s'en faire un double, un répondant, un maître et l'associer à son destin : "Alors je me rappelle que ce fut ton sort, ô mon maître, ô mon soutien, sublime et vertueux Rousseau, toi aussi pour

---

32 J.B. Louvet, Ibid., p. 70.
33 J.B. Louvet, Ibid., p. 16.

avoir mérité du genre humain, tu t'en vis persécuté"[34]. Il est vrai que se référer à Rousseau, c'est réaffirmer des fidélités républicaines et s'octroyer par sa caution morale une respectabilité que, pour l'heure, la République thermidorienne ne veut pas lui reconnaître. Mais au-delà de cette convergence de docrine politique, Louvet ouvre ses mémoires à l'autobiographie et offre, à la manière des *Confessions*, le spectacle d'une conscience malheureuse : "En retraçant toute ma vie révolutionnaire [...] j'ai été déterminé à parler de moi [...] ils m'ont imputé tant de mal qu'ils me forcent à révéler le peu de bien que j'ai fait"[35]. Louvet se sent rejeté par tous, par la société, trahi par ce peuple dont il défendait les droits. N'invite-t-il pas le lecteur à "contempler un homme seul [...] devant un monde d'ennemis"[36] ? Il serait vain d'établir un catalogue de ce qui, dans les *Mémoires* de Louvet, serait inspiré de Rousseau. Enumérer des analogies ou relever des emprunts ne peut rendre compte de la longue imprégnation de sa pensée par l'oeuvre de Rousseau. Louvet avait vécu l'immense enthousiasme de 1789, convaincu que la Convocation des Etats Généraux était l'instant où allait s'exprimer "la volonté générale". Les droits de l'homme décrétés, il avait participé à cette assemblée de législateurs vertueux qui devaient donner des lois au peuple. Louvet, pas à pas, suivait le schéma rousseauiste. Mais la conjoncture politique fait de lui un proscrit, sous la pression des événements, le rousseauisme de Louvet subit donc un renversement profond. Il se rapproche, de façon claire, du Rousseau des *Confessions* et des *Discours*. L'écrivain girondin n'a pas de solution politique immédiate, puisque le peuple et des dirigeants corrompus ont perverti tout le projet démocratique. L'opposition classique de l'être et du paraître s'anime pathétiquement dans les *Mémoires* de Louvet. La Convention avait été chargée de "constituer la République", mais elle n'a pu que "la décréter". Et ce ne fut, selon l'auteur, "qu'un vain nom". A sa manière, Louvet dénonce les hypocrisies et les masques :

> "La République ! ils ne nous ont jamais permis de l'établir ! c'était pour l'avilir [...] pour la perdre à jamais, qu'ils affectaient sans cesse de mêler son nom à leurs cruelles turpitudes"[37].

La seule voie possible est utopique et individuelle. Le bonheur que Louvet cherche à reconstruire avec Lodoïska devrait compenser ses

---

34 J.B. Louvet, Ibid., p. 196.
35 J.B. Louvet, Ibid., p. 12.
36 J.B. Louvet, Ibid., p. 140.
37 J.B. Louvet, Ibid., p. 37.

souffrances. Le proscrit qui aspire à une solitude pastorale trouve son paradis dans le Jura. C'est ainsi qu'il peut se sentir affranchi de l'oppression politique et satisfaire son esprit de liberté. Louvet ne peut remédier à son malheur d'homme persécuté et à la corruption de la société révolutionnaire que dans le rêve sentimental. Le refuge dans le Jura, c'est le Clarens de la *Nouvelle Héloïse* de l'aveu même de l'auteur.

Des mémoires polémiques à l'autobiographie rêvée, il n'y a qu'un pas, franchi aisément par Louvet. Derrière le tribun girondin se profile l'amant de Lodoïska. Une confusion évidente a lieu entre le réel et le fictif, entre les circonstances romanesques de sa fuite et ses souvenirs littéraires. La Révolution, par les bouleversements étonnants qu'elle a créé, les circonstances extraordinaires dans laquelle elle place les différents acteurs du conflit, est aux dires de tous extrêmement romanesque. Tout ce que Marivaux et Voltaire avaient parodié, les événements pathétiques, les fuites, les déguisements, les personnages disparus qu'on retrouve par hasard, les enlèvements, les actes héroïques, toutes ces situations les plus rebattues du roman baroque deviennent vraisemblables. Alors, à la décharge de Louvet, citerons-nous Sénac de Meilhan dans *L'Emigré* :

> "Tout est vraisemblable et tout est romanesque dans la Révolution de France ; les hommes précipités du faîte de la grandeur et de la richesse, dispersés sur le globe entier présentent l'image des gens naufragés qui se sauvent à la nage dans des îles désertes. Les rencontres les plus extraordinaires, les plus étonnantes circonstances, les plus déplorables situations deviennent des événements communs et surpassent ce que les auteurs de roman peuvent imaginer"[38].

---

38 G. Sénac de Meilhan, *L'Emigré*, in *Romanciers du XVIIIe siècle*, Paris, La Pléiade, NRF, 1965, tome II, Préface, p. 1549.

SADE AUTOBIOGRAPHE

Michel DELON
Université de Paris X Nanterre

Durant l'hiver 1803-1804, Sade qui vient d'être transféré à l'asile de Charenton, dresse le plan d'une vaste collection de ses oeuvres avouables qui ne devrait pas compter moins de trente volumes in 12°. Il y prévoit *Aline et Valcour* et *Les Crimes de l'amour*, déjà parus, un *Boccace français* et *Le Portefeuille d'un homme de lettres*, conçus comme des recueils permettant de rassembler des textes en partie déjà rédigés, *Mon théâtre*, regroupant lui aussi des pièces écrites, ainsi que deux romans historiques *Conrad ou le Jaloux en délire*, tiré de l'histoire des Albigeois, et *Marcel ou le Cordelier*, enfin une *Réfutation de Fénelon* et *Mes confessions*. Chaque volume devrait comporter une gravure en frontispice, la *Réfutation de Fénelon* s'ouvrant sur un portrait de l'évêque de Cambrai et *Mes confessions* sur un portrait de Sade lui-même[1]. Lui qui se dérobe sans cesse et dont on n'a cru pendant longtemps ne connaître jamais le visage[2], comment se serait-il fait représenter ? en homme du monde, qu'il fut avant ses emprisonnements, ou en homme de lettres, qu'il voulut devenir sous la Révolution ? en perruque comme sur le dessin de Van Loo qui, dit-on, serait son portrait, ou bien tête nue[3] ?

Nous savons que Sade prisonnier avait réclamé *Les Confessions* de Rousseau, peu de temps après la publication des premiers livres. En juillet 1783, il précisait dans une lettre à sa femme : "N'oubliez pas le bonnet, les bésicles, les six pains de cire, *Les Confessions* de

---

1 *Notes littéraires,* dans les *Oeuvres complètes du marquis de Sade,* A Paris, Au Cercle du livre précieux, 1966-1967, t.XV, p.33-34 et le commentaire de Gilbert Lely, *La Vie du Marquis de Sade,* ibid., t.II, p.593.

2 Jean Desbordes écrivait, il y a un demi-siècle : "Il partage avec Lautréamont, cet autre dieu d'une école poétique moderne, le sort déroutant de n'être pour l'avenir qu'un corps sans visage, qu'un possédé sans contour, presque une abstraction" (*Le Vrai Visage du marquis de Sade,* Paris, Ed. de la Nouvelle Revue critique, 1939, p.17).

3 Voir Jean Sgard, "Les portraits d'écrivain à l'époque classique", *Cahiers de Varsovie,* 9, 1982.

Jean-Jacques et la veste que M. de Rougemont assure que vous avez. Je renvoie un plat roman et le 4e et le 6e de Velly"[4]. *Les Confessions* font étrangement partie du confort du prisonnier, parmi ses vêtements et les objets de la vie quotidienne. Elles semblent intégrées à une intimité physique, charnelle. Sade ajoute à la fin de la lettre quelques demandes supplémentaires : "Il me faut (...) une pinte d'eau de Cologne, un ruban de tête et une demi-pinte d'eau de fleur d'orange" (p.396). Aussi est-il furieux lorsque ses geoliers bloquent l'envoi des volumes de Rousseau : "Me refuser *Les Confessions* de Jean-Jacques est encore une excellente chose, surtout après avoir envoyé *Lucrèce* ou les *dialogues* de Voltaire ; ça prouve un grand discernement, une judiciaire profonde dans vos directeurs. Hélas, ils me font bien de l'honneur, de croire qu'un auteur déiste puisse être un mauvais livre pour moi ; je voudrais bien en être encore là (...) Jean-Jacques est à mon égard ce qu'est pour vous une *Imitation de Jésus-Christ* La morale et la religion de Rousseau sont des choses sévères pour moi, et je les lis quand je veux m'édifier" (p.396-397). L'enjeu du débat porte sur la morale et la religion, non sur le principe de l'autobiographie.

Le prisonnier poursuit sa lettre en comparant la censure de ses lectures et la répression plus générale dont il est la victime. Il oppose à l'emprisonnement solitaire qu'il subit, un doux enfermement "au milieu d'un sérail" qui aurait été susceptible de le modérer, puis revient à l'idée d'une nature perverse, incapable de la moindre modification. Il fait ainsi miroiter les possibles de sa vie et se dérobe entre les deux portraits antagonistes, du repenti faisant retour à une sexualité considérée comme normale, et de l'incorrigible jouissant de la répression même. La question de la lecture des *Confessions* débouche sur une mise en scène de soi. Quand Sade a-t-il finalement pris connaissance de l'autobiographie de Rousseau ? Elle lui fournit en tout cas le modèle auquel il ne peut manquer de songer lorsqu'il se propose quelques années plus tard de rédiger *Mes confessions*. Aurait-il vraiment pu les écrire ? Le contexte d'oeuvres esotériques dans lequel il les inscrit suggère qu'elles auraient constitué un plaidoyer *pro domo*, un long mémoire justificatif à la manière dont Rousseau a voulu réfuter ceux qui mettaient en cause sa personne et son oeuvre et dont nombre de révolutionnaires espéraient écarter les accusations qui les promettaient à la guillotine. Il aurait alors fallu doubler ces confessions sentimentales et

---

4 Correspondance, *Oeuvres complètes*, t.XII, p.395. Dans une autre lettre à sa femme, il évoque parmi ses projets littéraires : "Ecrire les mémoires de ma vie" (Coll. part.).

moralisantes d'une autobiographie libertine à publier à la suite de *Justine*, de *Juliette* et de *La Philosophie dans le boudoir*, parmi les oeuvres ésotériques.

A défaut de cet improbable texte qui aurait été proprement autobiographique, nous possédons du moins les oeuvres de fiction de Sade, qui comportent une dimension autobiographique. Tous les biographes de Sade ont pallié l'absence de documents sur sa jeunesse en recourant à l'histoire d'un des héros d'*Aline et Valcour*. Jean Desbordes à la veille de la dernière guerre était péremptoire : "Malgré cette lacune (l'absence de portrait), nous nous représentons assez bien un petit Donatien de Sade efféminé, sournois, volontaire, batailleur et déjà cruel à l'heure où il apprenait encore à marcher. Le seul témoignage que nous possédions de cette violence précoce, nous le devons à Sade lui-même, et à son roman à demi autobiographique, *Aline et Valcour*"[5]. Tout au long du chapitre qu'il consacre à la jeunesse de Sade, Jean Desbordes utilise le récit que Valcour fait de sa vie à celle qu'il aime. Gilbert Lely prend sa suite : "Nous ne possédons qu'un seul témoignage sur les premières années de la vie du marquis de Sade, alors que le petit Donatien-Alphonse-Francois demeurait avec sa mère à l'hôtel de Condé et qu'il était le compagnon de jeu du prince Louis-Joseph de Bourbon, son aîné de quatre ans. Ce témoignage est autohiographique et se trouve contenu dans le roman épistolaire d'*Aline et Valcour*[6]. Jean Paulhan esquisse une silhouette de Sade, il évoque "ce rien de mollesse dans la tournure" qui caractériserait le marquis et remarque en note : "Nous ne possédons pas un seul portrait de Sade. J'emprunte ces traits à des lettres, à des signalements de police, à l'image aussi que Sade donne de lui-même dans Valcour"[7]. Jean-Jacques Pauvert parle à son tour, mais plus prudemment, du "passage autobiographique" d'*Aline et Valcour* et Maurice Lever cède la parole au personnage qui est le porte-parole de l'auteur : "Sa nature violente l'emporte sur toute considération de prudence ou d'intérêt, même vis-à-vis de son petit camarade, Louis-Joseph de Bourbon qui est aussi son maitre. Donatien ignorera toujours ces principes de modération et refusera de se soumettre à leur

---

5 Jean Desbordes, *Le Vrai Visage du marquis de Sade*, p.17.

6 Gilbert Lely, *La Vie du marquis de Sade*, dans *Oeuvres complètes*, t.I, p.41-42. La première édition du livre date de 1952-1957.

7 "Le marquis de Sade et sa complice, ou les revanches de la pudeur", *La Table ronde*, juillet 1945, repris en introduction aux *Infortunes de la vertu*, Ed. du Point du jour, 1951 et Le Livre de poche, 1970.

joug. Mais laissons-le évoquer lui-même l'enfant, ses jeux, ses colères. Sa lucidité rend tout commentaire superflu"[8].

Le passage ainsi cité par tous les biographes se présente comme la confession que le jeune Valcour fait à celle qu'il considère comme sa fiancée. Il lui avoue ses fautes passées pour se faire pardonner et se faire encore mieux aimer. L'absence d'éducation expliquerait le préjugé de supériorité ("je crus, dès que je pus raisonner, que la nature et la fortune se réunissaient pour me combler de leurs dons") et le caractère "hautain, despote et colère"[9]. Comme le plaisir pris à la fessée de Mlle Lambercier ou le ruban volé par Jean-Jacques, la dispute de Valcour et/ou de Sade avec le "prince illustre" qui est son parent, est le type même du souvenir d'enfance analysé avec la lucidité de l'adulte. La relation au modèle rousseauiste est soulignée par la visite que Valcour rend, plus tard, à Jean-Jacques lui- même : "Rousseau vivait, je fus le voir ; il avait connu ma famille ; il me reçut avec cette aménité, cette honnêteté franche, compagne du génie et des talents supérieurs ; il loua, il encouragea le projet qu'il me vit former de renoncer à tout pour me livrer totalement à l'étude des lettres et de la philosophie"[10]. Mais Valcour a plus grave qu'une dispute infantile à se faire pardonner. Il a provoqué la mort d'un frère et d'une soeur : il a séduit et abandonné la jeune femme, l'a laissée mourir de désespoir, puis il a tué en duel le frère. L'exil auquel il est contraint et la perte de sa fortune qui s'ensuit constituent une expiation au terme de laquelle le libertin se transforme en un écrivain sentimental et vertueux, sagement amoureux d'Aline de Blamont. Une telle évolution du personnage fictif sert d'argument à Sade, qui estime ses erreurs de jeunesse, lourdement punies par des années de prison, pour promettre de se métamorphoser pareillement en homme de lettres. Mais les crimes de Valcour sont sans doute différents de ceux dont la justice accuse Sade. Une séduction et un duel gardent une sorte de dignité aristocratique que ne présentent plus les scandales d'Arcueil et de Marseille. Le roman reste une fiction, dans son effort même pour déplacer la réprobation qui pèse sur l'auteur et substituer à l'impossible autobiographie une invention de soi.

---

[8] Jean-Jacques Pauvert, *Sade vivant**. *Une innocence sauvage* (1740-1777), Paris, Robert Laffont, 1986, p.30 et Maurice Lever, *Donatien-Alphonse Francois, marquis de Sade*, Paris, Fayard, 1991, p.61.

[9] Sade, *Aline et Valcour*, dans *Oeuvres*, éd.M. Delon, Bibl. de la Pléiade, Gallimard, 1990, t.I, p.403.

[10] Ibid,p. 412. Ph. Roger suggère que le nom de Rousseau dans cet épisode cache celui de Voltaire ("Rousseau selon Sade", *Dix-Huitième siècle,* 23, 1991).

C'est alors l'ensemble de la production sadienne qu'on est en droit de relire dans cette perspective, en sachant que les effets de miroir y sont toujours doubles : la tentative de justification du coupable malheureux est toujours accompagnée d'un noircissement du coupable triomphant. Le premier scandale qui fait connaître le nom de Sade dans l'opinion est celui d'Arcueil : le marquis a mené dans sa petite maison une jeune mendiante, Rose Keller. Il prétend s'être contenté de la flageller ; celle-ci assure avoir été victime d'incisions avec un petit couteau ou canif et de brolures à la cire rouge et à la cire blanche. L'accusation paraît fausse à Maurice Heine et à Gilbert Lely[11]. Vraie ou fausse, elle n'a pas manqué de frapper l'opinion. La famille de Sade défend l'honneur de l'un des siens en présentant Rose Keller comme une prostituée qui aurait contaminé son client, puis en faisant de la flagellation une expérience à caractère médical: le marquis aurait voulu tester l'efficacité d'un onguent et aurait ainsi "rendu un grand service au public". Mme Du Deffand dans une lettre à Horace Walpole parle d'"un baume qui guérissait sur-le-champ des blessures", Le *Courrier du Bas-Rhin* d'un spécifique et Simon-Prosper Hardy, le libraire parisien, dans son journal, d'un élixir[12]. La stratégie de la famille semblait habile, elle n'en lança pas moins dans l'opinion le terme d'expérience qui évoquait trop de hantises, qui éveillait trop de fantasmes collectifs. Le canif, dont parlait Rose Keller, et l'argument de l'expérience, avancé par l'accusé, s'amalgamèrent rapidement pour déboucher sur la vision dont Rétif de La Bretonne a offert la version la plus détaillée et la plus folle : "Lorsqu'elle se fut reposée, on la fit entrer dans une grande pièce, où était une table d'anatomie : on la saisit : le comte (le marquis de Sade) et sa compagnie disaient : "Que fait cette malheureuse sur la terre ? Elle n'y est bonne à rien : il faut qu'elle serve à pénétrer tous les mystères de la structure humaine !" On la liait, en parlant ainsi"[13]. La malheureuse parvient cependant à s'enfuir : "elle assure qu'elle a vu trois corps dans la pièce, un qui n'avait que les os, un autre ouvert, et conservé dans un grand bocal, et un tout frais d'homme". L'inflation imaginaire fonctionne par aggravation (le canif devient un scalpel, l'incision une dissection) et par multiplication (la seule jeune femme entraîne la présence de trois autres corps).

---

11 *La Vie du marquis de Sade*, p.175 et 179. :

12 Voir l'introduction au t.I des *Oeuvres de Sade* dans la Bibliothèque de la Pléiade, p. xii-xiii.

13 Rétif de La Bretonne, *Les Nuits de Paris*, Paris, 1788, 294e Nuit.

Nous serions en dehors de toute écriture autobiographique si la vie de Sade n'était faite de fantasmes autant que de réalités. Les épisodes vécus par l'homme sont trop tissés de rêves et de cauchemars, de désirs individuels et de peurs collectives, pour ne pas donner lieu à des versions contradictoires, pour ne pas faire foisonner la fiction. La frontière est fragile entre les actes, les menaces du libertin qui s'amuse à faire peur, les craintes de la victime qui imagine le pire, les attentes du public. Ensuite, le prisonnier de Vincennes et de la Bastille construit son image de victime de l'arbitraire et soigne parallèlement sa légende noire. Il cherche à faire pardonner ses fautes en imaginant des doubles, saisis par le remords, et récidive en inventant des personnages de libertins, coupables de crimes que lui-même n'a jamais commis. C'est ainsi que le personnage de Rodin est une façon d'assumer les ragots qui ont couru à la suite de l'affaire d'Arcueil. *Les Infortunes de la vertu* le présente comme un chirurgien chez qui Justine se réfugie après avoir fui la vengeance d'un autre double de Sade, le marquis de Bressac. Tandis que Bressac systématise l'homosexualité de Sade et magnifie ses rapports de sodomie avec son valet, tels que les a révélés le scandale de Marseille, le chirurgien Rodin correspond aux fantasmes du public sur la vivisection : il enlève des jeunes filles pour se livrer sur elles aux pires exercices anatomiques. Il s'en explique avec complaisance : "Jamais cette partie de l'anatomie ne sera parfaitement connue, qu'elle ne soit examinée avec le plus grand soin sur un sujet de douze ou treize ans ouvert à l'instant du contact de la douleur sur les nerfs ; il est odieux que de futiles considérations arrêtent ainsi le progrès des arts"[14].

Justine développe l'épisode en faisant monter le personnage dans l'échelle sociale et en en noircissant le caractère. "Très au-dessus de son état"[15] Rodin n'exerce plus la chirurgie que par goût et ne tient une école que pour disposer d'un sérail. Il n'opère plus sur la fille d'un bûcheron, enlevée dans la forêt, mais sur sa propre fille, Rosalie. Il précise l'objet de son examen : les vaisseaux sanguins et la membrane de l'hymen (p.150-151). Il reprend son argumentation pour justifier la vivisection, en comparant l'étude de l'anatomiste et celle du peintre "Il est odieux que de futiles considérations arrêtent ainsi le progrès des sciences ; les grands hommes se sont-ils laissé captiver par d'aussi misérables chaînes ? Et quand Michel-Ange voulut rendre un Christ au naturel, se fit-il un cas de conscience de crucifier un jeune homme, et de le copier dans les angoisses ? Mais quand il s'agit des progrès de notre art, de quelle

---

14 *Les Infortunes de la vertu,* dans *Oeuvres complètes,* t.XIV, p.384.
15 *Justine, ou les Malheurs de la vertu,* ibid., t.III, p. 133.

nécessité ne doivent pas être ces mêmes moyens !" (p.151). Rombeau, le complice de Rodin, abonde dans ce sens : "C'est la seule façon de s'instruire, et dans les hôpitaux où j'ai travaillé toute ma jeunesse, j'ai vu faire mille semblables expériences."*La Nouvelle Justine* étoffe encore l'argumentaire : "Tous nos maîtres en l'art d'Hippocrate ont fait des expériences dans les hôpitaux : mon instituteur en chirurgie disséquait tous les ans des créatures vivantes de l'un et l'autre sexe ; et nous avons tous deux rectifiés les bévues de nos prédécesseurs par de semblables opérations"[16]. Suit l'exemple de Michel-Ange, accompagné d'un second peintre : Michel Ange aurait crucifié un jeune homme pour représenter le Christ et le Guide flagellé à outrance une jeune fille pour peindre une Madeleine en pleurs. Le parallèle de "l'un et l'autre sexe" est ainsi respecté.

Rodin apparaît ainsi comme un autoportrait de Sade en vivisecteur. D'un texte à l'autre, le simple chirurgien se rapproche du grand seigneur écrivain : il pratique l'anatomie en amateur compétent et se compare aux plus grands peintres de la Renaissance. Rombeau, le double de Rodin qui restait anonyme dans *Les Infortunes* et qui est nommé dans *Justine,* sert à écarter de celui-ci tout risque de dérogeance professionnelle. D'un côté, Sade justifie ses actes au nom de la recherche philosophique : l'homme de lettres doit connaître les hommes dans leurs passions de même que l'anatomiste doit percer les secrets de leur corps. Il peut être légitime de sacrifier un individu au nom de l'intérêt collectif. De l'autre, Sade aggrave considérablement le cas du libertin d'Arcueil, il change des violences, malgré tout superficielles, en d'horribles tortures mortelles. Le libertinage réunit le chirurgien et l'aristocrate, tandis que l'exemple des peintres italiens sert d'intermédiaire entre l'anatomiste et le littérateur, d'autant plus que l'art de la Renaissance s'est développée en liaison avec le renouveau de l'anatomie. Les artistes pratiquaient eux-mêmes la dissection pour approfondir leur connaissance du corps[17]. Les premiers biographes de Michel-Ange insistent sur l'importance qu'il accordait à la science anatomique. Vasari rapporte qu'il demanda et obtint, comme salaire d'un crucifix en bois pour une église de Florence, des cadavres que le prieur pouvait lui procurer dans une cimetière voisin. Condivi parle

---

16 *La Nouvelle Justine, ou les Malheurs de la vertu,* ibid., t.VI, p.262.
17 Voir Arthur Marvel Lassek, *Human Dissection. Its Drama and Struggle,* Springfield, Illnois, 1958, p.74-75 ; A. Hyatt Mayor, *Artists and Anatomists,* New York, The Artist's Limited Ed. and The Metropolitan Museum of Art, 1984.

quant à lui du "corps d'un Maure jeune, très bien fait, et dispos autant qu'il est possible" qu'il se serait fait envoyer et ajoute : il "fit voir à son élève une foule de choses rares et cachées que peut-être on n'avait jamais expliquées"[18].

L'épisode de Rodin dans l'histoire de Justine concrétise les peurs qui entourent l'exercice de la médecine. Le fustigateur de Rose Keller se transforme en un archétype, celui du médecin immoral. Malgré la mise en garde de Michel Foucault sur les illusions rétrospectives, force est de constater que la pratique de la dissection a souvent été ressentie comme sacrilège et menaçante, l'ouverture des cadavres risquant toujours de se transformer en vivisection. Tous les grands anatomistes ont été soupçonnés ou accusés de vivisection. Hérophile, note l'*Encyclopédie*, "passe pour avoir disséqué vivants les criminels qui étaient condamnés à mort". Chassaignon enchérit sur cette information, en réfutant l'argument de l'utilité scientifique. La violence de la souffrance déformerait le corps et interdirait l'observation. Alors que le personnage de Rodin imaginé par Sade cherche justement une convulsion chez ses victimes, Chassaignon cite Tertullien et Celse pour condamner Hérophile, ce "boucher" qui ne retirait des vivisections qu'une "barbare volupté" : "une mort causée par divers tourments auxquels la recherche exacte de l'anatomiste a exposé ces malheureux" ne permettrait pas d'observer l'organisme tel qu'il fonctionne réellement durant la vie[19]. Vésale lui-même aurait précipitamment fui l'Espagne après avoir disséqué par erreur une femme vivante et il est vrai que, d'une édition à l'autre du *De humani corpori fabrica*, il éprouve le besoin de préciser que ses observations sur les pulsations du coeur n'ont été faites que sur des sujets accidentés. Dans le traité *De la*

---

18 Giorgio Vasari, *Vie de Michel-Ange Buanarroti* dans *Vies des peintres, sculpteurs et architectes les plus célèbres*, traduit de l'italien, Paris, 1806, p.26 et 266-267, et Ascanio Condivi, *Vita di Michelagnolo Buonarroti*, Pavie,1553, 2° éd. Florence, 1746, adapté en francais par l'abbé Hauchecorne,*Vie de Michel-Ange Buanarroti, peintre, sculpteur et architecte à Florence*, Paris, 1783, p.271. Je laisse de côté la légende de Michel-Ange tuant son modèle, étudiée par ailleurs : "Souffrance et beauté. La Légende de Michel-Ange assassin", *La Quête du bonheur et l'expression de la douleur dans la littérature et la pensée françaises*. Mélanges offerts à Corrado Rosso, Genève, Droz, 1995.

19 *Encyclopédie*, t.VIII, col. 182 et Jean-François Chassaignon, *Les Cataractes de l'imagination*, s.l., 1779, t.II, p.281.

génération, Ambroise Paré n'hésite pas à colporter l'accusation de vivisection contre son confrère[20].

Une formule résume le débat : *Faciamus experimentum in anima vili,* par laquelle les médecins auraient légitimé leur "droit de risquer sur des infortunés et sur des pauvres, des expériences dont ils espèrent tirer profit pour les riches"[21]. La morgue de la supériorité scentifique se confond avec l'élitisme social. On trouve la formule chez Ménage qui rapporte que Marc-Antoine Muret, malade dans un hôpital, aurait entendu les médecins l'employer à son propos et leur aurait répondu en latin : *Appellas animam vilem, pro qua Chris tus passus est mori.* Jean-Jacques Rousseau cite l'expression latine lorsque, malade aux Charmettes, il subit "la cure expérimentale" qu'il plut au médecin de tenter *in anima vili*[22]. Diderot est sensible aux arguments scientifiques aussi bien que moraux. Il envisage la vivisection des condamnés à mort dans l'article "Anatomie" de l'*Encyclopédie* et parle d'essayer l'inoculation "sur des âmes viles" dans une lettre à Sophie Volland, mais il s'indigne des expérimentations et cite l'anecdote de Muret dans la *Satire première,* puis dans l'*Essai sur Claude et Néron*[23]. Rétif se fait l'écho de la même indignation: il suggère que les médecins commencent par expérimenter sur eux-mêmes et réclame qu'ils épargnent les pauvres : "Prenez des criminels, et non pas les pauvres."[24]

Toute cette littérature manifeste à la fois un débat intellectuel et des hantises populaires. On assiste alors conjointement et contradictoirement à la revendication des médecins qui veulent être libérés des entraves traditionnelles et des préjugés populaires contre la dissection, et à la définition nouvelle d'un droit de chacun à la santé et à la maîtrise de son corps. Le chirurgien Jacques René Tenon propose de

---

20 Voir C.D. O'Malley, *Andreus Vesalins of Brussels* 1514-1564, University of California Press, 1965, p.280 et 304-305.

21 Marquis d'Argens, *Lettres juives ou Correspondance philosophique, historique et critique,* nelle éd. La Haye, 1754, t.III, p.249.

22 Rousseau, *Les Confessions, livre VI, Oeuvres complètes,* Bibl. de la Pléiade, t.I, p.227.

23 *Encyclopédie,* t.I, col.409-410, Diderot, *Correspondance,* éd. Roth-Varloot, t.VIII, 207, *Satire première,* dans *Oeuvres complètes,* éd. DPV, t.XII, p.21 et *Essai sur Claude et Néron,* éd. DPV, t.XXV, p.391.

24 Rétif de La Bretonne, *La Découverte australe par un homme volant ou le Dédale français,* Leipzig-Paris, 1781, t.IV, 340 et 362-363, ainsi que *Les Nuits de Paris,* 306e Nuit et *Les Veillées du Marais,* Paris, 1785, t.II, p. 432 et 560.

reformer l'hôpital pour en faire un lieu de recherche et d'enseignement.
Il réclame pour les médecins la liberté de dissection :

> "L'anatomie a fait de très grands progrès. Mais connaît-on encore,
> malgré les efforts incroyables de ceux qui l'ont cultivée, les vaisseaux
> de la matrice ? Se doute-t-on de leurs rapports avec ceux des parties
> environnantes ? de toutes les communications de artères et des veines
> des principaux viscères du bas-ventre, avec les distributions de l'aorte et
> de la veine cave supérieures, objets cependant si intéressants pour les
> maladies de la poitrine, du col, de la tête et de l'abdomen ?"[25]

On croirait entendre la voix de Rodin : "Il est odieux que de futiles
considérations arrêtent ainsi le progrès des sciences." L'exemple choisi
par Tenon est justement celui des vaisseaux de la matrice qui permet à
Rodin de confondre désir et connaissance, pulsion sexuelle et
observation scientifique. Le corps médical s'efforce de prévenir les
craintes des pauvres gens, certains que les malades servent de cobayes
dans les hôpitaux. S'interrogeant sur les "moyens de rendre les
hôpitaux plus utiles à la nation", un médecin du temps s'efforce de
dédramatiser le terme d'expérience et de dissiper les peurs qu'il réveille :

> "On croit généralement que les physiciens cherchent, dans des essais
> hasardeux, quelle utilité on pourra retirer de l'emploi d'une substance
> déterminée. Le préjugé, mal fondé, jette la consternation dans les
> esprits, et entretient les malades dans la crainte d'être les victimes des
> conjectures imprudentes qui se résentent dans l'imagination des
> médecins"[26].

Il rappelle les fondements de la déontologie médicale avant d'insister
sur la nécessité de la dissection dans la formation des praticiens et dans
la recherche théorique. De telles précautions n'étaient pas vaines : Les
grandes villes des Lumières bruissent de rumeurs et en novembre 1768,
par exemple, un mouvement populaire va jusqu'au saccage de l'Ecole
de médecine de Lyon où l'on craignait que les médecins ne
pratiquassent des vivisections[27]. La crise de la société cristallise sur ces
fantasmes qui mettent en cause la libre disposition par chacun de son
corps et de son désir.

    La fiction sadienne se nourrit de ces peurs comme de la crainte
d'enlèvement d'enfants et de toutes les autres rumeurs qui secouent

---

[25] *Observations sur les obstacles qui s'opposent aux progrès de
l'anatomie,* Paris, 1785, p.8.

[26] Chambon de Montaux, *Moyens de rendre les hôpitaux plus utiles à la
nation,* Paris, 1787, p.154-155.

[27] Voir Robert Favre, *La Mort au siècle des Lumières,* Presses universitaires
de Lyon, 1978, p.240.

l'opinion. Mais la référence médicale reste superficielle dans le personnage de Rodin, de même que la justification des actes d'Arcueil par une expérience thérapeutique. Dans *Les Infortunes*, la jeune prisonnière du chirurgien est libérée par la narratrice qui la fait échapper à son bourreau. Dans *Justine*, l'héroïne et Rosalie sont surprises au moment où elles allaient s'enfuir. Le récit détaille la punition de Justine, mais reste allusif quant aux "opérations projetées sur Rosalie". La *Nouvelle Justine* ne laisse plus rien ignorer de la mort de Rosalie, devenue la fille de l'anatomiste, mais le libertinage l'emporte sur l'expérience, la torture sur la vivisection. Rodin suggère bien de disséquer les deux jeunes filles : "Nous ferons sur ma fille les expériences de l'hymen, celles du battement du coeur sur Justine"[28]. Les pages qui suivent décrivent minutieusement le tableau libertin qui est disposé par les deux scélérats et les pénétrations auxquelles ils procèdent. Le prétexte scientifique s'atténue dans cette orgie qui culmine sur un infanticide."Il semble que ce soit au sein de l'inceste et de la sodomie qu'il veuille arriver à l'infanticide. Marthe lui remet un scalpel, et il l'instrumente (...) Le bas-ventre s'ouvre. Rodin, tout en foutant, taille, déchire, détache, et dépose dans une assiette, sous les yeux de son confrère, et la matrice et l'hymen, et tout ce qui s'ensuit" (p.274-275). La hâte et la violence qui président à l'opération en font oublier la nature anatomique. La stratégie de défense du libertin d'Arcueil par l'expérience a fait long feu. Le plaisir emporte tout souci scientifique. Nous ne saurons jamais ce que les chirurgiens ont observé et découvert grâce à leur expérience. Le cadavre de Rosalie est enterré dans le jardin "où reposaient sans doute bien d'autres victimes de la scélératesse de Rodin" (p.277). On retrouve la légende qui voulait que Sade eût enterré dans le jardin de sa petite maison les corps de toutes celles qui avaient précédé Rose Keller.

Un sort similaire était réservé à Justine qui devait être attachée sur le cadavre de sa pauvre amie et là, disséquée "toute vive" (p.276). Mais elle est finalement marquée au fer rouge derrière l'épaule. L'ironie de Sade consiste à rejeter sur la victime les signes d'infamie qui devraient punir le coupable et dont il avait été frappé lui-même. La complexité de sa création littéraire consiste à faire éclater l'autoportrait en visages contradictoires. Le fustigateur d'Arcueil est Rodin, comme le sodomite de Marseille est le marquis de Bressac, mais Sade, fils de famille dépossédé de ses droits et privilèges, traqué par la police, prisonnier de Vincennes ou de la Bastille, est aussi Justine. Jean

---

[28] *La Nouvelle Justine*, t.VI, p.269.

Paulhan en avait conscience lorsqu'il évoquait l'étrange secret de Justine, jamais dévoilé par le romancier : "Justine, c'est lui." Mais Sade fugitif en Italie, c'est aussi Juliette quittant la France pour un tour glorieux de la péninsule. Rétif de La Bretonne et Sade se détestaient, mais leurs démarches littéraires sont parfois plus proches qu'ils n'auraient voulu l'admettre l'un et l'autre. Nicolas-Edme Rétif de La Bretonne est à la fois Monsieur Nicolas, le paysan parvenu qui s'est imposé à la ville comme écrivain, et Edmond, le paysan perverti qui ne peut que retourner mourir à la campagne. Il réserve à l'autobiographie la version positive de son déracinement et en livre dans le roman la version noire[29]. A cette double version s'ajoutent encore ce qu'il nomme ses revies, vies parallèles, imaginaires, c'est-à-dire autofiction. Sade s'investit dans ce qui n'était à l'origine qu'une nouvelle parmi d'autres et qu'il transforme progressivement en une fresque du Bien et du Mal. Il s'y travestit alternativement en Juliette et en Justine, en Rodin et en sa fille. Des *Infortunes de la vertu* à *La Nouvelle Justine*, l'écriture y bascule, des pudeurs de l'ésotérisme dans les excès de l'ésotérisme ou de la pornographie, à la façon dont les arguments et les alibis cèdent à la force des pulsions et des fantasmes[30]. Cette prolifération prouve sans doute finalement que Sade ne pouvait composer d'autobiographie, que sa biographie n'était pas réductible à un individu, que sa personne était traversée de discours contradictoires et qu'elle devait s'exprimer à travers le foisonnement du roman.

---

[29] J'ai essayé de présenter ce partage dans "Portrait de l'écrivain en artiste-peintre", *Revue des sciences humaines*, 1988,4.

[30] Voir l'introduction au t. II des *Œuvres* dans la Bibl. de la Pléiade, 1995, ainsi qu'à l'édition des *Infortunes de la vertu* par J.-C. Abramovici, Paris, Zulma-CNRS, 1995. - Le présent texte remanie une étude parue dans Autobiography, Historiography, Rhetoric. *A Festschrift in Honor of Frank Paul Bowman*, Amsterdam, Rodopi, 1994.

.III. APRES LES *CONFESSIONS*, AU-DELA DES *CONFESSIONS*

LES PARATEXTES DES *MÉMOIRES D'OUTRE-TOMBE* ET LE SPECTRE DE ROUSSEAU

Béatrice DIDIER
Ecole Normale Supérieure,Ulm-Sèvres

Tous les autobiographes de l'époque romantique voient dans les *Confessions* de Jean-Jacques Rousseau, à la fois un modèle et un contre-modèle. S'il est un topos des textes préfaciels, c'est bien celui-ci: je n'écrirai pas mes *Confessions*. Parfois clairement formulée, parfois plus voilée, on y lira toujours cette déclaration de principe. Et pourtant ces mêmes écrivains n'auraient peut-être pas écrit leurs mémoires sans Jean-Jacques, et ils doivent bien se l'avouer. Mais l'admiration inconditionnelle de l'époque révolutionnaire a fait place à l'endroit de l'autobiographe et du penseur politique à une attitude de retrait, même si la *Nouvelle Héloïse* continue à être admirée sans restrictions, parce qu'elle ne semble remettre en cause, du moins à une lecture rapide, ni la vie privée de l'auteur, ni l'ordre social, qu'elle se situe dans la fiction.

Qu'on ouvre la préface d'*Histoire de ma vie* de George Sand ; le refus d'écrire ses Confessions y est d'autant plus fortement inscrit que la romancière soupçonne bien l'attente de son éditeur et de son public : ils attendent des confidences d'alcôve. Mais contentons-nous pour aujourd'hui d'examiner le cas de Chateaubriand. Et reportons-nous d'abord à cette précieuse première version des *Mémoires d'Outre-Tombe*, intitulée *Mémoires de ma vie*. Le début du livre I est un paratexte - si tant est qu'il soit opportun dans un texte autobiographique de distinguer texte et paratexte.En tout cas, Chateaubriand y expose ce qui est bien l'objet d'une préface, les raisons qui l'ont poussé à écrire et ce qu'il entend faire. Mais déjà il inscrit une différence par rapport à son prédécesseur en refusant le ton solennel du célèbre Préambule.

Les premières phrases visent directement Rousseau : "Je me suis souvent dit : "Je n'écrirai point les mémoires de ma vie; je ne veux point imiter ces hommes qui conduits par la vanité et le plaisir qu'on trouve naturellement à parler de soi, révèlent au monde des secrets inutiles, des faiblesses qui ne sont pas les leurs et, compromettent la paix des familles" (éd.J.Cl.Berchet, Garnier, p.7).Voilà donc repris très exactement les deux griefs essentiels formulés contre Rousseau : la fausse modestie qui consiste à exhiber avec complaisance ses faiblesses; l'indiscrétion à l'endroit d'autrui qu'un autobiographe mêle inévitablement au récit de son existence. Mais, avec humour, et d'une façon habilement oratoire, Chateaubriand va souligner ses contradictions : "Après ces belles réflexions me voilà écrivant les premières lignes de mes mémoires". Or il entend"pallier" cette "inconséquence". Il ne disposera d'aucun nom que du sien. Pour ce qui est de sa propre vie, il ne dira toute la vérité - ce que l'on a accusé Rousseau de ne pas avoir fait, malgré ses déclarations solennelles - qu'en ce qui concerne ses "idées" et ses "sentiments". De la même façon George Sand se tire de l'impasse où l'a mise son refus déclaré d'imiter Jean - Jacques en affirmant qu'elle va faire l'histoire de son évolution intellectuelle, non celle de ses aventures amoureuses.

Cependant l'attaque contre Rousseau se manifeste par delà cette critique des *Confessions* dans la mesure où ces premières pages peuvent aussi se lire comme un manifeste contre révolutionnaire.En semblant prendre parti contre son temps, Chateaubriand remet en cause la fin du XVIIIe siècle et Napoléon Bonaparte ; c'est la Révolution avec ses prolongements qui aurait introduit la guerre civile, et par delà, l'autobiographie, est donc mise en cause l'influence de Rousseau en qui la propagande royaliste se plaît à voir un ancêtre de la Terreur : "Dans un siècle où les plus grands crimes commis ont dû faire naître les haines les plus violentes, dans un siècle corrompu où les bourreaux ont un intérêt à noircir les victimes, où les plus grossières calomnies sont celles que l'on répand avec le plus de légèreté, tout homme qui a joué un rôle dans la société doit, pour la défense de sa mémoire, laisser un monument par lequel on puisse le juger" (p.8). Dans l'esprit de Chateaubriand, il est bien évident que les mots "bourreau"/"victime" évoquent inévitablement la Révolution.

Cependant la réaction contre Rousseau va amener encore cette autre conséquence chez le vicomte de Chateaubriand : l'exaltation de ses nobles ancêtres, qui s'opposaient au fils du Peuple, que les disciples de Rousseau ont exalté plus que ne l'avait fait d'ailleurs Jean-Jacques lui-même. Si Chateaubriand insiste longuement sur son lignage, c'est bien pour prendre le contre-pied de la Révolution. "Né avec un sentiment absolu d'indépendance, je n'estimais peut-être pas assez, autrefois, l'avantage d'être sorti d'une ancienne maison ; mais depuis qu'on a voulu prouver que la noblesse n'était rien, j'ai senti qu'elle valait quelque chose ; et j'aime à présent à retrouver le gentilhomme sous la plume de Montesquieu, comme à sentir la chevalerie dans la lance de Bayard" (p.9). On voit nettement ici le désir de marquer deux temps : le Chateaubriand d'avant la Révolution, qui susbsiste encore en partie dans l'*Essai* a fait place au défenseur du catholicisme et de la royauté. Mais il n'entend pas tomber dans l'obscurantisme, ni renier entièrement les Philosophes. Le nom de Montesquieu est encore ici un moyen d'éliminer celui de Rousseau.

Et pourtant, dès ces premières lignes et quoi qu'il en dise, voici Chateaubriand qui rejoint son aîné, au moins par deux traits. Et d'abord en se représentant lui-même comme persécuté par d'injustes accusations, et par tous ces"biographes marchands" (p.8). L'écriture des mémoires apparaît alors non seulement comme un moyen de se justifier, mais aussi comme un refuge, un moyen de retrouver le sein maternel, la cellule familiale : "En rentrant au sein de ma famille qui n'est plus ; en rappelant des illusions passées, des années évanouies, j'oublierai le monde au milieu duquel je vis et auquel je suis si parfaitement étranger" (p.8), écrit Chateaubriand dans une phrase dont l'accent rousseauiste frappe immédiatement.

D'autres ressemblances saillent dans ces premières pages, que l'on pourrait mettre sur le compte du hasard et de la vérité historique : le père de Chateaubriand et celui de Jean-Jacques Rousseau, dans des genres différents, ont été des aventuriers, dont peut-être toute l'histoire n'est pas parfaitement édifiante. D'où la nécessité pour les fils de gommer une partie de ce passé, ce qui est d'autant plus facile qu'ils ne le connaissent que par oui-dire, et d'exalter dans l'image paternelle l'audace et le courage. Il était d'autres moyens de contourner la difficulté à évoquer les ambiguités de la figure paternelle. Chateaubriand et Rousseau ont choisi le même parcours : exalter l'aventurier en celui qui leur donna la vie.

Mais la contre-influence de Rousseau va, par delà, telle différence ou telle ressemblance, amener Chateaubriand à écrire un texte préfaciel d'une signification et d'un rythme visiblement opposé à celui du début des *Confessions*.

C'est peut-être le refus de la solennité qui explique, en partie, l'absence totale de référence religieuse dans ces premières pages des *Mémoires de ma vie* : absence curieuse de la part d'un écrivain qui s'est fait le chantre du catholicisme, et qui à ses propres yeux, en tout cas aux yeux de beaucoup, a ramené la foi en France. Ces premières pages refusent totalement la mise en scène escatologique des *Confessions*, la "trompette du jugement dernier" la présentation de l'autobiographie au "souverain juge". Pas de jugement dernier, pas de Dieu pour juger de la sincérité de la confession de celui qui ne s'accuse, ni ne se repent, qui ne prend pas à témoin le Ciel de son innocence. Les mémoires constitueront bien un monument par lequel on puisse le juger"(p.8), mais ce jugement est à l'échelle purement humaine, et sans dramatisation. Après ce qui constitue seulement à peine deux pages de l'édition Berchet, comme s'il soulignait ce refus d'un préambule, Chateaubriand s'écrie : "Commençons donc" (p.8).

- II -

Mais, objectera-t-on, ces *Mémoires de ma vie* ne sont pas un texte définitif, Chateaubriand n'avait pas l'intention de le publier tel quel. Peut-être eût-il développé cette préface ? et qu'en est-il des *Mémoires d'Outre-tombe* ? J.Cl. Berchet a fort bien fait de considérer que la Préface générale des *Oeuvres complètes* est en partie une préface d'autobiographie. Ecrite au printemps 1826, pour être mise en tête de l'édition Ladvocat qui ne contiennent pourtant pas les *Mémoires*, elle présente une réflexion d'ensemble de l'écrivain sur lui-même et sur sa vie, assez proche de la "préface testamentaire", qui, elle est bien destinée aux *Mémoires d'Outre-Tombe*. Or, on y retrouve cette même distance à l'endroit des *Confessions* innommées, mais toujours présentes.

Les perspectives se sont élargies par rapport aux *Mémoires de ma vie*, mais non dans dans perspectives escatologiques ni religieuses. Ce n'est toujours pas au moment du jugement dernier que se place Chateaubriand. Son texte en effet s'ouvre très largement sur l'avenir, mais un avenir purement humain, celui de la nouvelle configuration du monde au XXe siècle, et son regard se veut optimiste, refuse le passéisme des monarchistes et des républicains. "Une déplorable illusion est de supposer nos temps épuisés, parce qu'il ne semble plus possible qu'ils produisent encore, après avoir enfanté tant de choses" (p.841)". "Quand on a vu la révolution française, dites-vous, que peut-il survenir qui soit digne d'occuper les yeux ? (...) Portez vos regards au delà des mers ; l'Amérique entière sort républicaine de cette révolution que vous prétendiez finie, et remplace un étonnant spectacle par un spectacle plus étonnant encore" (p.841). Ce nouveau texte préfaciel frappe par l'ampleur de la vision historique. Le contraste avec le début des *Confessions* ne cesse de s'accentuer. Par delà, cette prise de position plus ou moins consciente à l'endroit de Rousseau, il faut voir dans ce fait, un phénomène plus général : la coupure historique de la Révolution française a changé radicalement le rapport du Moi à l'Histoire, et partant l'écriture du Moi. Bien entendu, cet énoncé demande immédiatement des nuances, en ce sens qu'il est possible d'écrire un préambule intimiste à une autobiographie au XIXe et XXe siècles, et qu'inversement il serait réducteur de refuser de voir dans le début des *Confessions* aussi une dimension historique, mais autre. Par delà telle ou telle opposition personnelle, c'est bien par ce rapport différent du Moi à l'Histoire que les textes préfaciels de Chateaubriand diffèrent du célèbre préambule des *Confessions*, où l'aspect psychologique et moral domine. Il s'agit pour Rousseau de montrer un homme exceptionnel, "dans toute la vérité de la nature", pour que chaque lecteur "découvre à son tour son cœur" auprès du souverain juge. Le texte s'immobilise dans une sorte d'éternité.

C'est peut-être parce qu'au contraire, y est si présente l'Histoire de son temps, qu'au lieu d'une invocation à Dieu juge suprême des consciences, Chateaubriand inscrit une invocation à la France : "un de vos fils, au bout de sa carrière, rassemble sous vos yeux les titres qu'il peut avoir à votre bienveillance maternelle". Occasion de rappeler l'attachement de l'auteur "à votre religion, à votre roi, à vos libertés" (p.842). Mais cette brève référence à la religion, est elle-même de l'ordre du constat historique : il est bien vrai que la France a été majoritairement catholique, au moment où écrit Chateaubriand. On pourrait aussi s'amuser à retrouver dans les formules de cette invocation des traces du style des prières mariales, et souligner aussi par rapport à Rousseau une opposition entre le Dieu-juge de l'Ancien Testament bien présent dans la tradition protestante, et la Vierge intercessrice, chère à la piété catholique. Il n'en reste pas moins que ce qui frappe, c'est au total une laïcisation du texte préfaciel chez Chateaubriand.

La "préface testamentaire", écrite en 1832 ou 1833 pour les *Mémoires d'Outre-Tombe* , met en exergue une citation biblique, objectera-t-on. Oui, mais tirée du livre de Job, et qui n'est qu'une constatation sur la brièveté de la vie "*Sicut nubes..quasi naves.. velut umbra*", que Chateaubriand eût tout aussi bien puiser chez Horace. - Mais enfin, il l'a prise dans la Bible - oui, mais cela ne donne pas un caractère plus religieux au corps même du texte préfaciel. Le sentiment religieux, Chateaubriand ne nie pas qu'il se trouve dans le texte même des *Mémoires*, mais dans la préface, il se situe par rapport à ce texte comme un témoin qui l'attribue surtout au sentiment de la mort : "j'ai toujours supposé que j'écrivais assis dans mon cercueil. L'ouvrage a pris de là un certain caractère religieux que je ne lui pourrais ôter sans préjudice" (p.847). C'est presque s'excuser.

Dans la préface testamentaire, s'accentue encore l'importance de la réflexion historique, et se marque chez l'écrivain le désir de souligner davantage son rôle : "J'ai fait de l'histoire, et je pouvais l'écrire" (p.844). Le moi se trouve magnifié dans cette insertion historique. La vie y prend un sens, les événements épars de l'existence y gagnent une belle architecture ternaire, chère à la tradition rhétorique : "Dans mes trois carrières successives, je me suis toujours proposé une grande tâche", et ces trois temps de la vie de l'homme, sont marqués par trois

l'Histoire : "Depuis ma première jeunesse, jusqu'en 1800, j'ai été soldat et voyageur; depuis 1800 jusqu'en 1814, sous le consulat et l'empire, ma vie a été littéraire ; depuis la restauration jusqu'aujourd'hui, ma vie a été politique" (p.845). Depuis la Révolution, le Moi peut vivre l'Histoire étape par étape, et par conséquent, la vision rétrospective du Temps se fait en fonction des grandes scansions historiques. Ici : Révolution, Empire, Restauration. Et tant mieux si l'Histoire se prête, en ce cas, au rythme ternaire : la vie y gagne une harmonie qui n'avait peut-être pas été sentie au jour le jour, mais dont l'écriture tirera tout le parti possible.

Dans ce que l'on peut considérer comme la dernière version du texte préfaciel, la préface des *Mémoires d'Outre-Tombe* telle que nous pouvons la lire, le souci de l'écrivain semble dominer ; la situation économique de l'écrivain l'a obligé à vendre ses mémoires ; c' est encore là une marque de l'histoire que Rousseau n'avait pas eu à subir. Lui qui était encore plus pauvre que Chateaubriand, avait eu davantage au total la possibilité d'écrire librement : les mécanismes mercantiles des journaux et de la vente du livre ne se sont vraiment développés qu'au XIXe siècle. Seul le sort du manuscrit, en dehors de toute considération mercantile, l'inquiète. Là aussi l'aspect moral l'emporte dans une injonction solennelle, tandis que chez Chateaubriand domine la réalité économique de l'édition : "Qui que vous soyez que ma destinée ou la confiance ont fait l'arbitre du sort de ce cahier, écrivait Rousseau, je vous conjure par mes malheurs, par vos entrailles, et au nom de toute l'espèce humaine de ne pas anéantir un ouvrage unique et utile." Alors que le préambule des *Confessions* pouvait viser une sorte d'intemporalité, celui des *Mémoires d'Outre-Tombe* n'hésite pas à inscrire ce que le temps présent a de plus matériel : " La triste nécessité qui m'a toujours tenu le pied sur la gorge, m'a forcé de vendre mes *Mémoires*. (...) Ah ! si, avant de quitter la terre, j'avais pu trouver quelqu'un d'assez riche, d'assez confiant pour racheter les actions de la Société, et n'étant pas, comme cette Société, dans la nécessité de mettre l'ouvrage sous presse sitôt que teintera mon glas !" (M.O.T ., p.116). Le contraste entre ces deux textes est saisissant.

Dans cette ultime forme du texte préfaciel de Chateaubriand, la dimension religieuse n'apparaît pas davantage que dans les moutures précédentes. La référence à saint Bonaventure n'est faite que dans un souci d'écrivain qui voudrait corriger lui-même ses épreuves, et l'Eternité dont il est question n'implique ni survie de l'âme, ni Dieu, ni jugement. "Saint Bonaventure obtint du ciel la permission de continuer (ses mémoires) après sa mort : je n'espère pas une telle faveur, mais je désirerais ressusciter à l'heure des fantômes, pour corriger au moins les épreuves. Au surplus quand l'Eternité m'aura de ses deux mains bouché les oreilles, dans la poudreuse famille des sourds, je n'entendrai plus personne" (p. 118-119). Je veux bien qu'il faille distinguer l'inconscient du texte, de la volonté consciente de l'écrivain, qui était d'adhérer jusqu'au bout à la foi de ses ancêtres, à la foi pour laquelle il avait combattu. Le paradoxe n'en demeure pas moins : la représentation de l'au-delà est plus laïque chez Chateaubriand, restaurateur du catholicisme, que chez Rousseau qui fut accusé, d'ailleurs injustement, de l'avoir sapé. La Révolution les sépare. Par delà les convictions de l'un et l'autre écrivain, l'écriture autobiographique peut-être plus encore que toute autre, est profondément tributaire du Temps. Et 1789 marque le partage des eaux.

- III -

Situées différemment par rapport à l'Histoire et à Dieu, les deux autobiographies vont aussi présenter sous un jour différent le travail de l'écriture autobiographique et sa spécificité par rapport à l'écriture romanesque. A vrai dire, le préambule des *Confessions* dans sa bouleversante originalité, n'en reprend pas moins des topoi du roman-mémoires, forme si développée pendant tout le XVIIIe siècle et dont témoignent les chefs-d'oeuvres de Prévost, Marivaux, Crébillon, Duclos, etc. avec cette double postulation apparemment contradictoire, de montrer une aventure d'un intérêt exceptionnel, et cependant de ne viser qu'à donner des éléments pour une connaissance générale du coeur humain qui puisse être utile à tout lecteur."Je veux montrer un homme dans toute la vérité de la nature", écrit Rousseau. Le plaisir de la remémoration, Rousseau le connaît bien, et il le fera sentir dans maints épisodes, à propos des chansons de la tante Suzon, des Charmettes, des promenades avec Mme de Warens, et de la plupart des épisodes de sa jeunesse, cependant ce plaisir si évident, il ne juge pas qu'il faille, dans son texte liminaire, en faire un motif essentiel de l'écriture ; dans cette scène de jugement dernier, il n'a que faire de la notion de plaisir. Dès les *Mémoires de ma vie*, Chateaubriand, au contraire, avance ce plaisir de la remémoration comme un motif fondamental : la connaissance de soi que peut apporter l'écriture des mémoires se fait sous le signe du bonheur. "Aujourd'hui que je regrette encore mes chimères sans les poursuivre (..) je veux avant de mourir remonter vers mes belles années, expliquer mon inexplicable coeur, voir enfin ce que je pourrai dire lorsque ma plume sans contrainte s'abandonnera à tous mes souvenirs (..) je me reposerai en écrivant l'histoire de mes songes" (p.8-9). L'avant-propos des *Mémoires d'Outre-Tombe* met en lumière des problèmes de composition et d'architecture de l'oeuvre. Maintenant que l'oeuvre est écrite dans sa totalité, cette architecture apparaît plus nettement, et Chateaubriand souligne ce qui fait à nos yeux un des charmes du texte : la mise en scène du présent de l'écriture contrastant avec le passé remémoré. "Ces *Mémoires* ont été composés en différentes dates et en différents pays : de là, des prologues obligés qui peignent les lieux que j'avais sous les yeux, les sentiments qui m'occupaient au moment où se renoue le fil de ma narration (...) Ma jeunesse pénétrant dans ma vieillesse, la gravité de mes années d'expérience attristant mes années légères, les rayons de mon soleil depuis son aurore jusqu'à son couchant, se croisant et se confondant, ont produit dans mes récits une sorte de confusion, ou si l'on veut, une sorte d'unité indéfinissable ; mon berceau a de ma tombe, ma tombe de mon berceau : mes souffrances deviennent des plaisirs, mes plaisirs des douleurs, et je ne sais plus, en achevant de lire ces *Mémoires*, s'ils sont d'une tête brune ou chenue" (p.117-118).

Le rapport entre la fiction et l'autobiographie a changé de Rousseau à Chateaubriand. Stendhal chez qui l'acte autobiographique est plus encore laïcisé, chez qui aussi le plaisir d'écrire et de se connaître l'emporte de beaucoup sur celui d'être utile, se montre soucieux de ne pas faire de roman. Mais, dans la perspective où se situe Chateaubriand, cette crainte de glisser vers le romanesque n'aurait plus beaucoup de raison d'être. "Je suis résolu à dire toute la vérité", écrit l'auteur des *Mémoires de ma vie*, et celui des *Confessions* : "Je me suis montré tel que je fus". Les deux déclarations semblent se rejoindre. Et cependant la Préface testamentaire annonce : "Ma vie solitaire, rêveuse, poétique, marchait au travers de ce monde de réalités, de catastrophes, de tumulte, de buit avec les fils de mes songes, Chactas, René, Eudore, Aben-Hamet ; avec les filles de mes chimères, Atala, Amélie, Blanca, Velléda, Cymodocée" (p.844). Si le rêve de Julie va se trouver aussi présent dans le texte des *Confessions*, elle n'a certes pas sa place dans le préambule solennel. L'autobiographie prétend ne rien devoir au roman et à l'imagination. Il ne s'agit pas ici de faire un parallèle entre deux autobiographies ; si on le faisait systématiquement, on trouverait plus de ressemblances entre ces deux écrivains ; on constaterait que finalement l'interaction de la fiction et de l'autobiographie ne fonctionne pas très différemment chez Rousseau et chez Chateaubriand ; l'un comme l'autre savent bien que leurs chimères sont partie intégrante de leur vie, l'un comme l'autre en écrivant leur autobiographie demeurent ce qu'ils ont été d'abord, des romanciers, parfois au dépens d'une vérité trop scrupuleuse. Mais là n'est pas notre propos. Nous avons voulu nous en tenir à ces paratextes, qui, à l'ouverture d'une autobiographie, marquent les intentions d'un auteur. Et là les différences éclatent, peut-être d'autant plus saisissantes que, précisément, Chateaubriand entend les souligner, exhiber sa différence par rapport au modèle. La réflexion plus proprement esthétique sur l'écriture autobiographique n'est peut-être si présente chez Chateaubriand que parce qu'il se refuse à suivre Rousseau dans son aspect moralisant. On peut penser qu'il faut voir là aussi le signe du développement de ce genre littéraire de l'autobiographie. Dans la mesure où, non sans quelque nuances, on peut considérer Rousseau comme un pionnier dans la littérature européenne, un pionnier qui est encore fort redevable à des récits de vies entrepris dans un but d'édification religieuse, il est normal qu'il ne puisse pas avoir à l'endroit de son texte cette distance qui permet la réflexion esthétique. Peut-être aussi faut-il tenir compte du fait que Chateaubriand a écrit parallèlement aux *Mémoires d'Outre-Tombe*, sa vie de saint, avec la *Vie de Rancé*. *Les Mémoires d'Outre-Tombe* seraient d'autant plus libérées de ce souci d'édification qui se fait encore sentir dans l'ouverture des *Confessions*, que par ailleurs le vicomte a accompli sa "pénitence" en écrivant l'histoire de la conversion d'un autre sur lequel il se projette ; à mi chemin, entre biographie, autobiographie et roman, *la Vie de Rancé* peut se charger de tout ce poids religieux et moral qui pèse sur les origines de l'écriture de soi et du même coup en décharger le paratexte des *Mémoires d'Outre-Tombe*. Cependant, dans la mesure où le début des *Mémoires de ma vie*, bien antérieurs à *Rancé*, marquaient déjà ces tendances que nous avons tenté d'analyser, et que l'on pourrait retrouver, en partie, dans les autobiographies de Stendhal et de George Sand, on pensera aussi qu'il faut voir, par delà le cas de Chateaubriand, des signes de l'évolution d'un genre littéraire, qui au XIXe siècle, s'écarte de ses origines religieuses, pour s'affirmer davantage comme une écriture à la fois intimiste, relevant essentiellement de l'ordre du plaisir et cependant s'intégrant fortement à un autre genre littéraire également en pleine expansion au XIXe siècle : l'Histoire...

MAINE DE BIRAN ET ROUSSEAU :
LES CHARMES DE L'ÉCRITURE ET DE LA RÉFLEXION

Carmela FERRANDES
Université de Bari, Italie

Rousseau a été pour Maine de Biran un maître à penser : il s'agit d'une dette reconnue et avouée dans des passages qui appartiennent aussi bien au *Journal* qu'aux ouvrages philosophiques. Mais c'est dans le *Journal* que l'écriture de Biran est redevable à l'ascendant du philosophe genevois, pour la raison évidente qu'il s'agit d'une écriture dont les contours référentiels renvoient au compromis autobiographique entre le récit se rapportant au quotidien et le discours qui le glose, une écriture qui est cette "entreprise d'autodescription"[1] des *Confessions* et des *Rêveries*. Rousseau constitue dans le *Journal* le modèle du rapport de Biran à lui-même et de la façon de 'se transcrire'; en même temps, il représente pour le disciple des Idéologues le philosophe de la vertu.

Dans une de ses notes de jeunesse, *Réflexions nées en lisant ce que dit Jean-Jacques Rousseau dans la profession du vicaire savoyard sur la conscience*, Maine de Biran juge ainsi Jean-Jacques :

> "Les écrits de ce philosophe respirent l'amour de la vertu ; son cœur en était embrasé et cette ardeur qui élevait son génie, qui le rendait si éloquent, a pu quelquefois l'entraîner loin de la vérité : on voit qu'il a puisé plus dans son cœur que dans l'étude de la nature humaine"[2].

Quelques lignes plus haut, dans la même note, Rousseau est considéré comme l'"un de nos philosophes le plus vrai et le plus profond, et surtout le plus éloquent". Pour Biran, c'est la capacité analytique du cœur humain qui fait la qualité de ce qu'il appelle l'éloquence de Rousseau et qui rend excusable à ses yeux - tout au moins dans le passage cité -, l'erreur du philosophe de croire à une conscience innée. A cet égard Biran est plutôt du côté de Locke, sans pour autant se soustraire au charme d'une écriture, celle de Rousseau, qui fonde sur le sentiment l'appréhension de l'expérience interne :

---

[1] L'expression est de J. Starobinski dans *Montaigne en mouvement*, Paris, Gallimard, 1993, p.549.

[2] Maine de Biran, *Œuvres complètes*, accompagnées de notes et d'appendices par P. Tisserand [1920-1949, 14 vol.], Genève-Paris, Slatkine, 1982, I, p. 185. Cette édition sera dorénavant abrégée par "Tiss." et l'indication du tome et de la page sera donnée à l'intérieur du texte.

"La raison n'approuve pas toujours ce qui a séduit le cœur ; et le langage du sentiment, si puissant pour persuader, ne tient pas toujours contre un examen rigoureux et réfléchi." (Tiss., I, p. 184)

A l'égard de Rousseau, Biran a toujours eu cette attitude ambivalente: rejeter avec la raison ses idées concernant la morale et la politique, mais admettre avec le cœur des affinités de caractère et de sensibilité communes.

Ce sont les références explicites et implicites à ces affinités qui constitueront le point de départ et la matière de notre réflexion ; le *Journal* offrant une des affinités les plus profondes, c'est-à-dire l'apprentissage de sa propre identité.

Situons d'abord les textes qui constituent le *Journal* à l'intérieur de la production de Biran, c'est-à-dire fixons leurs limites chronologiques et le principe de leur classification. Les écrits qui forment le *corpus* du *Journal* ont été retrouvés parmi les papiers de Maine de Biran après sa mort et ils n'étaient pas destinés à la publication. Aujourd'hui, l'édition de référence est celle de H. Gouhier qui regroupe dans les deux premiers tomes les quatres cahiers rédigés par Biran de manière continue de février 1814 jusqu'en mai 1824 - deux mois avant sa mort -, les seuls auxquels Gouhier attribue strictement le nom de "journal", et dans le troisième les fragments relatifs aux années de la Révolution 1794 et 1795, et encore des notes d'agendas, des carnets, et des feuilles éparses de différentes époques, sans ordre préalable et même sans date, qui établissent un réseau de renvois et de commentaires parallèles aux textes classés chronologiquement.

Ces écrits n'étaient donc pas destinés à des lecteurs, mais il ne faut pas oublier que Biran fut toujours réticent à publier ses ouvrages et que, sa vie durant, il ne fit paraître que trois textes philosophiques : en 1802 l'*Influence de l'habitude sur la faculté de penser*, mémoire couronné par l'Institut le 6 juillet de la même année, en 1817 l'*Examen des «Leçons de philosophie» de M. Laromiguière*, en 1819, dans la *Biographie universelle* de Michaud, l'article *Exposition de la doctrine philosophique de Leibniz*[3]. A sa mort, il restait des milliers de pages manuscrites de différente sorte, que V. Cousin, premier éditeur et divulgateur des oeuvres de Biran, catalogua en trois catégories,

---

[3] Pour ce qui concerne l'historique de la publication des textes de Biran cf. la bibliographie indiquée par G. Romeyer-Dherbey dans *Maine de Biran ou le penseur de l'immanence radicale,* Paris, Seghers, 1974, p. 205-211 ; pour une mise au point de sa pensée voir F. Azouvi, *Maine de Biran. La Science de l'homme*, Paris, Vrin, 1996.

politique, philosophique et personnelle; à cette dernière appartenaient les pages de nature autobiographique que Cousin appela "cahiers de souvenirs". Cet ensemble assimile l'écriture philosophique à celle de la réflexion au fil des jours, l'acte de l'écriture se posant comme unifiant et fondamental face au besoin désavoué d'avoir des lecteurs, quelle que soit la nature des textes considérés. D'emblée, l'écriture apparaît comme un refuge et préfigure presque une crainte du commerce humain, sinon une peur du jugement d'autrui. La lecture de son *Journal* ainsi que les notices biographiques qui le concernent, confirment d'ailleurs que Maine de Biran fut toujours angoissé par la présence d'un public, même si cela ne l'empêcha pas d'embrasser la carrière politique: sous-préfet de Bergerac et membre du Corps législatif sous Napoléon, député de la Dordogne à la Chambre des représentants sous la Restauration.

La gêne dans la fréquentation du monde, l'aveu d'un sentiment d'infériorité - qui n'exclut pas l'inverse - et le soulagement représenté par la nature, très fréquents dans le *Journal*, ébauchent une affinité caractérielle fondamentale avec Rousseau. En voici quelques exemples:

"Le 29 [1814], jour de la fête donnée au Roi par la ville de Paris. - Le ciel était pur et serein, l'air frais; la nature aussi donnait sa fête. Toute la population de Paris était sur pied, répandue le long des quais, depuis le pont Louis XVI jusqu'à l'Hôtel de Ville. [...] J'ai été longtemps à trouver la salle où m'appelait mon billet ; repoussé de toutes parts, j'errai dans une foule immense, et le trouble, l'ennui se sont tout de suite emparés de moi. J'étais dans cette fête comme un galérien au bagne, souffrant sans pouvoir m'en aller. L'éclat qui frappait mes yeux de toutes parts, ni la beauté des femmes, ni même la présence de la famille royale n'ont pu changer mes dispositions.[4] (I, 15)

Le 1er avril [1817], j'ai fait un dîner insignifiant chez le général Fournier avec M. Sirey[5]. C'est toujours par faiblesse de caractère que je me laisse aller à des sociétés qui ne me conviennent pas. Je prends ainsi des engagements dont je me repens ensuite ; je me crée d'avance

---

[4] Maine de Biran, *Journal*, éd. intégrale publiée par H. Gouhier, Neuchâtel, Ed. de La Baconnière, 1954-57, 3 vol. : I, févr. 1814-déc. 1816 ; II, 1er janv. 1817-17 mai 1824 ; III, Agendas, carnets et notes. Ce sera notre édition de référence, indiquée à l'intérieur du texte par le seul tome et la page.

[5] Le Général Fournier (1773-1827) était célèbre par sa bravoure, son originalité et ses aventures ; Jean-Baptiste Sirey (1762-1845), jurisconsulte et ancien vicaire épiscopal de la Dordogne, était avocat au Conseil d'Etat et à la Cour de Cassation. Cf. l'"Index historique", dans *Journal*, III, p. 282 et p. 312.

des difficultés qui me compliquent la vie; cependant à mesure que j'avance je sens davantage le besoin de simplifier cette vie qui se concentre. (II, p.28)

Le 8 octobre [1817; *en marge*: Température douce d'automne]. - J'ai fait ma correspondance et quelques lectures dans la matinée, il m'est survenu des visites [...]. J'éprouve ici [à Grateloup] une securité et un sentiment de confiance que je n'éprouve jamais à Paris au milieu de tant de devoirs difficiles à remplir et dans un monde où je crains toujours de jouer un rôle trop subordonné. Je vois ou crois voir partout des supérieurs et je suis mal à l'aise. Ici je suis l'objet de toutes les attentions, de toutes les prévenances. J'ai la certitude qu'aucun homme ne m'est supérieur etc." (II, p. 71)

Dans son parcours d'homme, ces pages annoncent son détachement du monde et sa conversion, tandis que dans la configuration du sous-genre 'journal intime' ils font du journal un confesseur muet et complaisant.

L'aspect de l'écriture-refuge n'est pas la seule donnée commune à une écriture qui enregistre d'une part l'avancement des connaissances et des réflexions philosophiques et de l'autre le quotidien : ces distinctions en réalité sont difficiles à appliquer aux écrits de Maine de Biran parce que les deux aspects se mélangent souvent du moment que la définition du moi qu'il poursuit est l'objet de l'une comme de l'autre.

A la fin de l'année 1792, dégoûté et inquiété par les événements politiques, Biran s'éloigne de la capitale et s'installe dans sa propriété de Grateloup, en Dordogne, où il alterne les lectures aux longues promenades et découvre dans le livre IX des *Confessions* le projet de Jean-Jacques d'écrire un livre sur les variations de l'homme, portant le titre *La Morale sensitive ou le Matérialisme du sage* :

"L'on a remarqué que la plupart des hommes sont, dans le cours de leur vie, souvent dissemblables à eux-mêmes, et semblent se transformer en des hommes tout différents. Ce n'était pas pour établir une chose si connue que je voulais faire un livre: j'avais un objet plus neuf et même plus important; c'était chercher les causes de ces variations, et de m'attacher à celles qui dépendent de nous, pour montrer comment elles pouvaient être dirigées par nous-mêmes, pour nous rendre meilleurs et plus sûrs de nous. [...] En sondant en moi-même, et en recherchant dans les autres à quoi tenaient ces diverses manières d'être, je trouvais qu'elles dépendaient en grande partie de l'impression antérieure des objets extérieurs, et que, modifiés continuellement par nos sens et par nos organes, nous portions, sans nous en apercevoir, dans nos idées, dans nos sentiments, dans nos actions même l'effet de ces modifications. Les frappantes et nombreuses observations que j'avais recueillies étaient au-dessus de toute dispute, et par leurs principes physiques, elles me paraissaient propres à fournir un régime extérieur, qui, varié selon les circonstances, pouvait mettre ou maintenir l'âme dans l'état le plus favorable à la vertu. Que d'écarts on sauverait à la raison, que de vices on empêcherait de naître si l'on savait forcer l'économie animale à favoriser l'ordre moral qu'elle trouble si souvent! Les climats, les saisons, les sons, les couleurs, l'obscurité, la lumière, les éléments, les aliments, le bruit, le silence, le mouvement, le repos, tout agit sur notre machine, et sur notre âme; par conséquent tout nous offre mille prises presque assurées, pour gouverner dans leur origine les sentiments dont nous nous laissons dominer."[6]

Biran ne pouvait rester indifférent à cette appropriation et à ce retournement du physique dans le moral, qui constituaient le pivot de la gnoséologie sensualiste du groupe des Idéologues, dont il se réclamait dans sa jeunesse, et dont il retiendra la leçon lorsqu'il sera devenu le champion de la réaction spiritualiste.

C'est justement en tant qu'idéologue que ce passage des *Confessions* le frappe : celui-ci trace une ligne de partage entre les analyses abstraites des "philosophes" sur l'influence du climat, et la relation des mécanismes de modification de l'"organisation" physique avec les variations homologues du moral. Il s'agit des éléments qui, dans la méditation biranienne, formeront la base de la conception de l'inconscient organique et de l'action des affections immédiates sur la conscience. Mais surtout Biran retrouvait ses propres anxiétés et entendait recueillir l'héritage de Jean-Jacques, parce qu'il y voyait le réel soumis au contrôle de la volonté ("régime extérieur", "mille prises pour gouverner les sentiments"), volonté dont il commence à fixer le caractère prioritaire dans la définition du moi. La technique matérialiste et comportementale que la 'morale sensitive' comporte fascine le jeune philosophe, la programmation d'un contrôle des variations de son moral s'adresse au futur fondateur de la psychologie de l'effort, et la défense de la vertu au nom de la raison attire le moraliste.

---

[6] *Les Confessions*, éd. de J. Voisine, Paris, Garnier, 1964, p. 484-485. Sur la nature de ce projet de Rousseau et les mésaventures des papiers relatifs à sa rédaction, cf. *Ibid.*, "Introduction", p. LV-LVIII ; livre X, p.608 et livre XII, p.720 (où il raconte qu'il a été obligé d'abandonner son projet parce que ses ennemis lui avaient dérobé le brouillon de l'ouvrage, pensant y "trouver le plan d'un vrai traité de matérialisme"). Sur la place que ce projet occupa dans la réflexion de Biran voir H. Gouhier, "Introduction" au *Journal*, p.XIX-XX et Id., *Les Conversions de Maine de Biran,* Paris, Vrin, 1947, ch. I., § IV.

Hanté comme Jean-Jacques par un sentiment confus de culpabilité, la transcription quotidienne sur la page lui permet d'objectiver son malaise et de vérifier chaque jour sa propre amélioration par rapport à la faute imaginaire. Avec une différence : les stratégies textuelles de Jean-Jacques visent à effacer la faute et à établir une permanence du moi, alors que pour Biran l'identité du moi se situe toujours au futur.

Comme l'époque était friande d'agendas portatifs ou de mémoriaux -rappelons quelques titres de ces guides de la vie intime: *Essai de l'emploi du temps,* ou *Biomètre ou Mémorial horaire, instrument pour mesurer la vie* -, il trouve sur le marché les outils indispensables au perfectionnement de ses efforts. Dans un de ces agendas retrouvés parmi ses papiers, Biran indique selon les instructions par les lettres initiales son entraînement au couple vertu/bonheur: la *progression* par "p" ou "b" (bon), la *stagnation* par "s" ou "m" (médiocre), la *déviation* par "d" ou "n" (nigrum=mauvais)[7]. Il s'agit pour Biran d'un exercice continuel pour s'éduquer même à l'autonomie du bonheur.

Ainsi, dans les notes regroupées sous le titre d'*Autobiographie*, Rousseau est-il le modèle existentiel et littéraire du jeune Biran qui ne maîtrise pas les situations de son âme et qui cherche le bonheur dans la solitude :

> "Je m'amuse souvent à voir couler les diverses situations de mon âme; elles sont comme les flots d'une rivière tantôt calmes, tantôt agitées, mais toujours se succédant sans aucune permanence. (Tiss., I, p.54).
>
> Convaincu que les passions ne donnent pas le bonheur qu'elles promettent, et mon organisation et ma raison me défendant également de courir après leurs biens factices, je fuis l'agitation, je rentre en moi-même, j'erre dans les bois, je me livre à mes rêveries et j'attends toujours que quelque heureux moment, semblable à celui que j'ai goûté, vienne jeter des fleurs sur ma monotone existence." (Tiss., I, p.57)

Si pour le nouveau promeneur, l'occasion de l'écriture et la tournure des phrases sont les mêmes que celles de son modèle, pour le philosophe il s'agit de prendre ses distances : "Rousseau parle à mon cœur, mais quelquefois ses erreurs m'affligent" , observe-t-il.

Dans ces notes apparaît le premier renvoi à cette page des *Confessions* où Jean-Jacques annonce son dessein d'un livre sur la 'morale sensitive', page sur laquelle Biran reviendra à maintes reprises:

> "Rousseau parle dans ses *Confessions* d'un ouvrage qu'il avait projeté

---

[7] *Journal,* III, p. 62.

et qu'il fut forcé d'interrompre. Il est bien fâcheux que nous ayons été privés de cet écrit qui eût peut-être été le plus utile de tous ceux qui sont sortis de la plume de ce grand homme. L'utilité, la nécessité de cet ouvrage me frappent d'autant plus que j'y ai moi-même souvent réfléchi et que j'ai conçu l'idée de mettre par écrit quelques réflexions à mon usage sur le même sujet. Il est questions des variations que les hommes éprouvent dans le cours de leur existence et qui le rendent si souvent dissemblables à eux-mêmes qu'ils semblent se transformer en des hommes différents. "(Tiss., I, p. 68)

Sur les traces de Rousseau, Biran prend son expérience comme unité de mesure et comme lui il commence à mettre par écrit, à son usage personnel, les réflexions qui vont devenir son journal, et qui oscilleront continuellement entre la modestie de se juger comme un simple échantillon de l'humanité et une surestimation exacerbée de lui-même. Son premier portrait physico-moral le confirme:

"Je ne crois pas qu'il existe d'homme peut-être, dont l'existence soit si variable que la mienne. J'attribue ces variations à mon tempérament déréglé, ou peut-être à la constitution de mon cerveau, dont les fibres molles et délicates sont susceptibles de prendre successivement toutes les modifications qui peuvent être produites par les objets divers à l'influence desquels je me trouve exposé. Je ne puis garder nulle forme constante, et mes principes me paraissent bien ou mal fondés, selon que je suis dans telle ou telle disposition. Cependant ma volonté est droite, je voudrais être vertueux et je suis intimement convaincu qu'il ne peut y avoir de bonheur pour moi sans une conduite sage et conforme au vrais principes de la morale." (Tiss., I, p.69-70)

L'idée fixe de l'unicité du moi, de son propre moi, devient le projet d'un livre jamais achevé comme celui de Jean-Jacques, les *Nouveaux Essais d'Anthropologie*, qui aurait dû fixer les points de repère des études contemporaines sur la science de l'homme à partir de l'analyse de lui-même. Mais ce sera son journal intime qui s'enrichira des notes philosophiques à mesure que la rédaction de l'ouvrage désiré est laissée de côté. Cela explique pourquoi le *Journal* n'a pas joui d'une lecture autonome : on le jugeait le substrat de la réflexion philosophique, comme une sorte de palimpseste des sources.

Or, le regard que Maine de Biran porte sur le monde est celui qu'il porte vers lui-même, parce que c'est son vécu qui fait la substance des sources. Il s'agit d'un caractère invariant du long parcours biranien, de la phase du déisme à celle du stoïcisme, jusqu'à l'aboutissement au christianisme. Le regard de Biran implique un effacement continuel de l'autre, même si apparemment les circonstances externes et le monde le conditionnent et le dominent. Pour lui, le rapport du *je* à *l'autre* ne se fonde pas sur un système qui oppose des situations variables et des valeurs fixes, ce qui impliquerait néanmoins une homogénéité de fond, mais sur l'accentuation des signes d'altérité, qui font ressortir l'unicité, et non la permanence, du sujet ; autrement dit, sur le plan psychologique, sa condition de solitude.

Si par *l'autre* on entend la famille et la société, l'aspect privé et l'aspect public (et en ce cas le public est la politique au sens strict du terme), on s'aperçoit que ces aspects sont soumis à un processus de non-assomption, une sorte de repoussoir par rapport au moi référentiel qui est le sujet de l'écriture. Mais si par *l'autre* on entend au contraire ce qui est externe au sujet (externe au "corps objectif", pour employer le lexique biranien), l'autre étant aussi l'espace physique qu'il n'occupe pas, les variations qui le modifient et même les faits météorologiques, on constate que l'assomption de cet *autre* est parfaitement accomplie. L'unité de mesure par rapport au monde sera alors représentée par son "corps propre", la conscience de son malaise, et la capacité de maîtriser son instabilité interne, physiologique, par rapport à l'instabilité externe, météorologique, la première étant tout à fait dépendante de la seconde.

Les pages du *Journal* de Biran commencent habituellement par des remarques relatives au temps atmosphérique, qui précédent le compte-rendu ou l'examen des événements du jour, du temps concédé au loisir ou des résonances du cœur :

"12 Vendredi [février 1813] - Belle journée, soleil de printemps, vent du sud chaud. La température relâchée influe sur mes nerfs d'une manière fâcheuse et me met dans un état de langueur, d'incertitude et presque de stupidité. J'ai écrit des lettres insignifiantes... (III, p. 48)

15 mai [1816] - La température ne s'est radoucie que le 15. Le ciel était couvert de nuages et orageux. Des brouillards offusquent toujours mon esprit et toutes mes facultés; j'éprouve comme une difficulté d'exister ; je ne pense à rien ; j'erre dans Paris en voiture pour faire des visites ; je ne sais pas sortir ni me remuer : il y a engourdissement, maussaderie, embarras, timidité. Je souffre habituellement de maux d'estomac; la gastricité est marquée. (I, p. 128)

Du 7 au 15 [mars 1818]. Deux jours de printemps pendant lesquels j'ai senti mon existence se ranimer ; tout le reste du temps pluie, tempête ; abattement extrême, mobilité nerveuse ; intervalle de découragement ; travail difficile. Je fais un écrit politique comme Pénélope faisait sa toile. (II, p.109)

Mars, du 15 au 21 [1819]. - Beaux jours qui annoncent déjà le printemps ; et puis pluie et vent froid.

Je suis mobile comme le temps, mais je n'ai guères que de courts moments de sérénité, de lucidité d'idées, de cette force morale qui constitue l'*homme*. Le reste du temps je suis poursuivi par mille idées confuses ou de fantômes qui font dans mon esprit des scènes décousues et bizarres; ces alternatives sont beaucoup plus fréquentes dans cette époque de l'année que dans aucune autre." (II, p.217)

L'influence négative de la pluie et du brouillard est proverbiale et illustrée empiriquement par une riche littérature, médicale et poétique, comme nombre d'études actuelles sur la météoropathologie l'ont démontré. Elles ont remis en valeur ces affections de l'âme dépendantes des effets prouvés du vent - le sirocco provoquerait un syndrome qui atteint le système nerveux et quelques glandes endocrines - et de l'alternance des saisons, en particulier l'arrivée du printemps, ainsi que le texte de Biran le signale. Dans le *Journal* de Biran, les circonstances atmosphériques dictent l'état de l'âme et parmi les données, évoquées dans les *Confessions* de Rousseau, qui agissent sur la sensibilité, ("Les climats, les saisons, les couleurs, l'obscurité, la lumière, les éléments, les aliments, le bruit, le silence, le mouvement, le repos"), pour lui ce sont les climats et les saisons qui l'emportent.

Le propos de la 1ère promenade des *Rêveries* offre l'instrument de contrôle :

> "Je ferai sur moi-même à quelque égard les opérations que font les physiciens sur l'air pour en connaître l'état journalier. J'appliquerai le baromètre à mon âme, et ces opérations bien dirigées et longtemps répétées me pourraient fournir des résultats aussi sûrs que les leurs. Mais je n'étends pas jusque-là mon entreprise. Je me contenterai de tenir le registre des opérations sans chercher à les réduire en système."[8]

L'image du baromètre est peut-être la plus célèbre de celles qui appartiennent à l'imagerie mécanique que l'*Encyclopédie* avait inaugurée ; chez Biran on trouve aussi :

> "Ne peut-on comparer l'homme à une horloge ambulante dont le cœur est le grand ressort ? le cerveau est le timbre, d'où partent une multitude de petits marteaux conduits par des fils qui y mais aboutissent ; ces fils sont les nerfs. On peut imaginer l'âme placée au-dessus du timbre et attentive aux divers sons qu'il rend, comme un musicien qui écoute si son instrument est bien d'accord."[9]

Ne dirait-on pas qu'il y a un écho du *Rêve* de Diderot et de son "clavecin"?

Mais l'image célèbre du baromètre a glissé pour Biran du niveau métaphorique à celui du réel. Quant à son vécu personnel, du défi de Rousseau qui se proposait de "tenir registre" des variations de l'âme et

---

[8] *Les Rêveries du promeneur solitaire*, éd. de H. Roddier, Paris, Garnier, 1960, p.10-11.

[9] *Mélanges de psychologie, de morale et de politique*, Tiss., I, p. 64.

qui affichait de ne vouloir plaire à personne, Biran garde l'indication à tenir un journal et délaisse l'impassibilité de son modèle. La leçon sur la nouvelle valeur de l'âme est, au contraire, entièrement accueillie. Comme l'a montré Groethuysen, "c'est en cela que Rousseau a exercé une influence sur les générations suivantes. [...] Toute la richesse des événements vécus, dans la signification propre à chacun d'eux, l'impression directe produite sur l'âme par les choses, sans qu'elles aient à passer d'abord par une interprétation intellectuelle, une extrême sensibilité pour discerner tout ce qui n'exprime pas l'âme d'une façon authentique et immédiate..."[10]. Biran défend les droits de l'âme dans l'illusion de ne pas subir le monde externe et la tentative de systématiser le rapport du moi au monde à travers des dispositifs de défense. Et tout d'abord contre le poids des conditions météorologiques qu'il transcrit avec ténacité. C'est la saisie de cet aspect du réel précédant l'auscultation du moi qui fait l'originalité du *Journal*. Mais la relation de causalité climat/comportement, chère aux "philosophes", et le lien entre le temps atmosphérique et son vécu physio-psychique, analysé par les Idéologues, perd sous la plume de Biran son caractère neutre et scientifique pour devenir matière de souffrance. Comme le sera Baudelaire, il est opprimé par le brouillard, qui lui inspire des images du corps confondu avec l'esprit ("ma tête était comme remplie de brouillards" —, écrit-il).

Sur l'influence du climat, d'ailleurs, la culture de l'époque donnait à Biran une sorte d'homologation. La référence à Mme de Staël s'impose, mais aussi à l'*Esprit des lois*, où cette influence est une lecture politique du réel, le climat conditionnant même la formulation des lois, puisque ces dernières s'inscrivent dans le caractère et les mœurs d'un peuple, qui justement varient selon les climats. C'est là la clé de lecture d'un projet où le fils du médecin, l'amateur de mathématiques et de physiologie, et l'homme de loi se rejoignirent: la fondation en 1806 de la *Société médicale de Bergerac*. Dans le *Plan d'une topographie médicale* prévu par la Société, il proposait, en tant que sous-prefet, d'analyser la qualité du terrain et de ses produits, la salubrité de l'air, la pollution des eaux, les habitudes alimentaires, le tempérament et le caractère des individus, l'élevage et les maladies endémiques et épidémiques des animaux domestiques. Dans ce domaine, en vue de la rédaction d'un bulletin mensuel, les observations météorologiques constituaient un moyen privilégié de contrôle pour

---

[10] B. Groethuysen, *Philosophie de la Révolution française*, Paris, Gonthier, 1966, p. 133-134.

l'assemblage des données.

Tandis que les considérations précédentes ont permis de définir que l'influence de Rousseau sur Maine de Biran concerne et les affinités thématiques et les modes de transcription du réel, la confiance de la *Topographie médicale* dans la possibilité d'un bien-être social lié au progrès des sciences et à l'intervention de l'Etat, marque la distance entre Biran et Rousseau. Biran projette dans les actes de sa vie publique l'incertitude caractérielle confié à son journal. En deçà des méprises possibles, pour Biran, pourtant si timide, l'action renferme en elle-même son prix; au contraire, la hantise du temps irréversible pousse Jean-Jacques à l'inactivité.

Sur la nécessité de l'action, Biran resta toujours, indépendamment de ses options politiques, le disciple des Idéologues pour lesquels l'homme moral est conjugué à l'homme physique, et l'Etat est responsable de la santé physique et morale des gouvernés. La création d'une *Société médicale* qui aurait dû réunir des médecins et des savants de chimie, physique et histoire naturelle, lui offrait l'occasion d'appliquer les vues des Idéologues et de promouvoir la diffusion des connaissances et des découvertes scientifiques. Dans une prise en charge collective du bien-être et du bonheur, cette promotion aurait dû partir des écoles primaires des villages même les plus éloignés, pour arriver aux plus hauts degrés de l'éducation nationale. Celle-ci devait lutter contre les préjugés (la propagation de la vaccine en était un exemple), mais elle était aussi confiée aux initiatives et aux réformes encouragées par des fonctionnaires éclairés, comme Biran avait indiqué la voie, en fondant une société savante. Sur une échelle idéale, il fallait combattre de la base la centralisation administrative, même s'il était dévolu à l'Etat la faculté de décider au sommet de la nature du bonheur social.

Comme chaque membre de la *Société médicale* pouvait faire lecture de mémoires se rapportant aux recherches du groupe, Biran en proposa trois, ayant pour sujet le problème qui plus l'intéressait: la vie inconsciente et la cause des affections profondes. Dans le *Mémoire sur les perceptions obscures* Rousseau réapparaît encore comme un modèle, pour sa capacité de saisir la "sensibilité intérieure" et d'aplanir le chemin de la vertu, autant que pour la force de persuasion de ses écrits:

"Il n'est point au pouvoir de la philosophie, de la raison, ou de la vertu même, [...] de créer par elle-même aucune de ces affections heureuses qui rendent si doux le sentiment immédiat de l'existence, ni de changer ces dispositions funestes qui peuvent le rendre insupportable. S'il existait quelques moyens de produire de tels effets, ce serait dans votre art, surtout, ce serait dans la médecine physique autant que morale qu'il faudrait les chercher ; et celui qui aurait trouvé un secret aussi précieux, en agissant sur la source même de la sensibilité intérieure, devait être considéré comme le premier bienfaiteur de l'espèce, le dispensateur du souverain bien, de la sagesse et de vertu même, si l'on pouvait appeler vertueux celui qui serait toujours bon sans effort, puisqu'il serait toujours calme et heureux... C'est le sentiment de cette vérité qui inspira peut-être à J. J. Rousseau ses pages les plus éloquentes, c'est à elle du moins qu'il revient toujours dans tous ses écrits avec cette force entraînante de persuasion qui lui est propre." (Tiss., V, p. 45)

Au fil des ans l'écart se creuse. A s'en tenir aux occurrences, Rousseau n'est pas le plus cité des nombreux auteurs qui accompagnent Biran dans son chemin. Le respect sincère, sinon l'admiration, des *Réflexions nées en lisant ce que dit Jean-Jacques Rousseau dans la profession du vicaire savoyard sur la conscience,* réflexions écrites dans les années du début de son journal, cède la place, à l'occasion d'une des dernières apparitions du nom du philosophe, et à propos du même sujet, à un ton presque sec, que le pèlerinage aux sites liés à la mémoire de Rousseau modère à peine :

"Du 10 au 15 mai 1819.- J'ai causé avec M. Lainé[11] de philosophie le soir à Ermenonville, dans l'auberge dite de J.J. Rousseau. Nous avons lu ensemble la profession de foi du *Vicaire savoyard*. Réflexions psychologiques contraires à cette doctrine." (II, p. 225)

Alors qu'en 1817 il écrivait encore :

"Le 12 [juin 1817], je suis parti à sept heures du matin avec le médecin Delpit[12] pour aller faire un pèlerinage dans la vallée de Mont-Morency. [...] Après le déjeuner nous sommes partis de Bury à pied suivant le chemin que faisait J. J. Rousseau, d'Aubonne à l'Hermitage, pour aller voir Mme d'Houdetot qui lui avait inspiré une si vive passion à cet âge auquel je suis parvenu et où toutes les affections se dégradent avec une vie qui tend tous les jours à s'affaiblir. Ce souvenir de J. J. m'animait dans ma course et augmentait encore l'attrait de ces lieux enchantés par eux-mêmes. La vallée, la forêt de Montmorency présentent des contrastes, des points de vue et surtout une fraîcheur, un luxe de végétation admirable dans la saison actuelle." (II, p. 49)[13]

---

[11] A Joseph Lainé (1767-1835), président de la Chambre des députés, ministre et pair de France, Biran confia ses papiers, le considérant comme un exécuteur testamentaire ; cf. l'"Index historique", dans *Journal,* III, p. 291.

[12] Membre de la Société médicale de Bergerac, il était chargé par le gouvernement de suivre les épidémies ; cf. *Ibid.* p.274.

[13] Dans le *Journal* les lieux associés à la mémoire des penseurs que Biran tenait

En ce cas, la passion amoureuse de Rousseau déjà âgé remplit Biran d'admiration, lui qui, à l'opposé, vit mal les effets du temps :

"[29 février 1916] A mesure que j'avance dans la vie, que l'agrément s'enfuit et que les défauts de l'âge avancé, la morosité, l'indifférence, le défaut d'expansion, etc..., se font remarquer en moi, je deviens un objet d'indifférence, ou même de repoussement et d'ennui ; l'amitié, la famille peuvent seuls venir à mon secours. (I, p. 108)

[Du 7 au 15 mars 1818] J'éprouve que mon imagination a tout à fait vieilli en ce qu'il n'y a plus aucune sympathie entre les idées de l'esprit et les sentiments de l'âme. Le beau et le bon ne font plus palpiter mon cœur.[...]

Je suis vieux à cinquante et-un ans. Il faut se résigner et surtout renoncer à toutes les illusions du jeune âge." (II, p. 109)

Le commencement de la vieillesse qui accable Biran exaspère son côté hypocondriaque, sans que l'écriture du *Journal* suffise à le réconforter. Jean-Jacques est loin, même celui des *Rêveries*, qui aurait pu lui indiquer le chemin :

"... je n'écris mes rêveries que pour moi. Si dans mes plus vieux jours aux approches du départ, je reste, comme je l'espère, dans la même disposition où je suis, leur lecture me rappellera la douceur que je goûte à les écrire, et faisant renaître ainsi pour moi le temps passé, doublera pour ainsi dire mon existence. En dépit des hommes je saurai goûter encore le charme de la société et je vivrai décrépit avec moi dans un autre âge, comme je vivrais avec un vieux ami."[14]

Biran écrira aussi des notes presque jusqu'à sa mort, mais il n'y a aucune forme de rêverie chez lui, seulement l'acharnement à trouver les réponses cherchées depuis toujours. Il n'est donc pas surprenant de découvrir qu'il revient encore (à la date du 18 mai 1818) sur le passage des *Confessions* consacré à la 'morale sensitive', qui l'avait frappé pendant sa jeunesse. De ce passage qui est toujours resté l'objet de son intérêt, même dans quelques-uns de ses ouvrages philosophiques (l'*Influence de l'habitude*, le *Mémoire sur la décomposition de la pensée*, et le *Mémoire sur les perceptions obscures* reporté plus haut), à présent il fixe les limites :

---

pour ses maîtres sont toujours environnés d'une atmosphère sacrée. Cf. par exemple quand il se rend à La Brède : "Le 29 [octobre 1820], j'ai déjeuné chez M. Géraud [journaliste, lui aussi auteur d'un journal, dont plusieurs passages nous renseignent sur Biran] et suis parti immédiatement pour aller visiter le château de La Brède et converser avec l'ombre du grand Montesquieu. J'ai vu en détail le château, la chambre à coucher qui porte encore ses traces, son lit, la chaise où il était assis en méditant, la cheminée où il posait le pied etc...." (II, p. 290 et III, p.284).

[14] Ed. citée, p. 11.

"Je songe à un article des *Confessions* de J. J. Rousseau qui est assez analogue aux sentiments qui m'occupent et je lis, partie 2, livre 9, p. 311 : "modifiés continuellement par nos sens et par nos organes nous portons sans nous en apercevoir dans nos idées, dans nos sentiments, dans nos notions mêmes, l'effet de ces modifications... que d'écarts on sauverait à la raison, que de vices on empêcherait de naître, si l'on savait forcer l'*économie animale* à favoriser l'ordre moral qu'elle contribue si souvent à troubler". Rousseau avait ainsi comme l'idée d'une *morale sensitive* ou du *matérialisme du sage* ; mais le peu qu'il en dit prouve qu'il comptait trop sur les moyens et impressions du dehors et ne tenait pas assez compte des impressions intérieures ou des variations et des dispositions spontanées de cette sensibilité interne, dont il était lui-même si dominé." (II, p. 124-25)

Même si Biran va trouver des réponses dans la foi, il ne fait que théoriser son expérience propre et qu'appliquer au "sens du divin", comme il l'appelait, les critères scientifiques auxquels l'amenait son positivisme psychologique. C'est par le raisonnement qu'il arrive à neutraliser le moral et à l'identifier avec la religion, à poser les vérités de la foi comme faits d'observation et à reconduire le spirituel humain, en tant qu'entité hyperorganique, à un spirituel transcendant. Mais aussi absurde que cela aurait pu lui sembler, son journal, même dans les dernières pages consacrées au salut, reste le témoignage d'un obsédant et exaspéré culte du moi: "Finalement, s'il trouve un accord profond avec le christianisme, c'est surtout au sens où cette religion dénonce inlassablement la complaisance à soi, l'analyse et donc renforce l'analyse que Maine de Biran fait lui-même"[15].

Néanmoins, il lui reste à apprivoiser un corps qui lui "fait encore la loi", comme il le dit, et qu'il n'arrivera jamais à faire taire. Le déclin de l'âge va renforcer cette blessure où la vieillesse s'identifie avec la maladie et affaiblit la lucidité de son regard; d'ailleurs, l'écriture du *Journal* - le projet et l'acte -, en estompant les contours matériels du monde, n'apporte à Biran aucune forme d'apaisement.

Le "matérialisme du sage", s'il l'avait atteint, aurait fait coïncider le regard du philosophe avec celui du savant et du psychologue, comme Rousseau le lui avait appris. La rêverie elle-même s'apparente à une forme privilégiée de ce sage matérialisme qui sauve Jean-Jacques, alors que pour Biran l'héritage de cette œuvre jamais écrite reste un lourd fardeau.

---

15 P. Pachet, *Les baromètres de l'âme. Naissance du journal intime*, Paris, Hatier, 1990, p. 42.

ROUSSEAU, AMIEL, ET LA CONNAISSANCE DE SOI

Marie-Claire GRASSI
Université de Nice-Sophia Antipolis

A Michel Launay

Dans ce que Georges Gusdorf appelle les *Ecritures du moi*, on distingue trois formes qui ont entre elles une étrange parenté : la lettre, l'autobiographie, le journal intime[1]. Sans doute, toutes les trois nous introduisent-elles, chacune à leur manière, sur les chemins escarpés de la connaissance de soi. Alain Girard a comparé lettre et journal intime[2]. Pour résumer et préciser sa pensée, nous dirons qu'il manque au journal la stratégie communicationnelle qui caractérise toute démarche épistolaire[3]. Notre réflexion concerne l'analyse comparée journal intime et autobiographie : dans quelle mesure ces écritures sont-elles des outils pour la connaissance de soi ?

Rappelons quelques étapes dans cette réflexion. En 1928, André Maurois écrit dans *Aspects de la biographie* : "Il semble que l'autobiographie, au lieu d'ouvrir le chemin de la connaissance de soi, engage son auteur dans le sens d'une infidélité à soi-même impossible à éviter"[4]. En 1948, dans *La découverte de soi*, G. Gusdorf pose le problème de manière plus générale : peut-on expliquer la vie par la pensée, "l'homme peut-il se désolidariser de sa conduite pour la juger"[5] ? L'idée de l'ouvrage est de démontrer qu'il y a deux voies vers la connaissance de soi : l'introversion, retrait du jeu de la vie, de l'action, par le témoignage contemplatif de son être, l'extraversion,

---

[1] Georges Gusdorf, *Les Ecritures du moi*, Paris, O. Jacob, 1991, 2 v.

[2] Alain Girard, *Le journal intime et la notion de personne*, Paris, Université de Paris, 1963.

[3] Pour cette problématique, voir Marie-Claire Grassi, "La mélancolie, un art féminin ? Regards sur quelques lettres nobiliaires", colloque "Difficulté dêtre et mal du siècle dans les Correspondances et Journaux intimes de la première moitié du XIXe siècle, Centre de Recherches Révolutionnaires et Romantiques, Université Blaise Pascal, Clermont-Ferrand, novembre 1995.

[4] André Maurois, *Aspects de la biographie*, Paris, Au sans pareil, 1928.

[5] Georges Gusdorf, *La découverte de soi*, Paris, PUF, 1948, introduction.

l'engagement, la mise en jeu, le risque, qui débouche sur une connaissance active. Nous ne poserons pas ce débat. La démarche ne nous intéresse ici que parce que l'auteur analyse dans la première moitié de l'ouvrage, les limites de la confession, de l'examen de conscience, après avoir distingué conscience de soi et connaissance de soi, que parce qu'il brosse à grands traits l'histoire de la démarche confessionnelle en Europe, à travers mémoires, confessions, essais, journaux, démarche qu'il reprend très longuement dans les *Ecritures du moi* en 1991. En 1962, Marcel Raymond, dans son ouvrage sur Rousseau, consacre un chapitre intitulé *J.J. Rousseau et le problème de la connaissance de soi* [6]. Il écrit : "Problème que l'on peut dire vertigineux...labyrinthe où l'on ne rencontre que des fantômes...prétendre se connaître de façon absolue, exhaustive, non déformante est une entreprise vaine, chimérique, sans espoir", et il le démontre. En 1975, dans un colloque organisé à la Sorbonne sur le thème de l'autobiographie, s'affrontent deux conceptions concernant l'historique du problème, celle de G. Gusdorf, celle de Philippe Lejeune[7]. L'idée que défend G. Gusdorf, est que la pratique de la confession ne date pas de 1782, date de la parution à Genève des six premiers livres des *Confessions*. De très nombreuses autobiographies ont été écrites et publiées en Europe. Formes multiples d'un "christianisme à la première personne", le mot même d'autobiographie est employé, dit-il, en 1798 par Frédéric Schlegel. Le mot n'indique pas l'émergence d'un nouveau genre, bien au contraire, il le consacre[8]. Rassembler les éléments de sa vie, les soumettre au jugement de Dieu et des hommes, trouver a posteriori des justifications à ses actions, telle est la démarche commune à ces écrits dont saint Augustin et Montaigne en sont d'illustres représentants. A la lumière de ces études critiques, nous prendrons deux exemples, l'oeuvre autobiogaphique de Rousseau et le journal d'Amiel. Nous développerons trois aspects : points communs, différences, limites et complémentarité. Quelques points communs sont d'ordre biographique et thématique. Les données biographiques communes aux deux hommes sont nombreuses et connues. Les deux citoyens de Genève ont été privés très tôt de leur mère. Si Rousseau a appris sur les

---

[6]Marcel Raymond, *J.J. Rousseau, la quête de soi et la rêverie*, Paris, Corti, 1962, p. 189.

[7]G. Gusdorf, "De l'autobiographie initiatique à l'autobiographie genre littéraire", *R.H.L.F.*, 1975, II.

[8]Gusdorf, *ibid.*,p.963, note 6.

genoux de son père le doux plaisir d'évoquer à la fois l'absence d'une mère, morte à sa naissance, et un monde de fuite romanesque et sensible lui permettant d'accepter, ou de tolérer le réel, on sait que le père d'Amiel se jette dans le Rhône, quelques années après la mort de sa femme en 1832 : Henri-Frédéric a onze ans. La carence affective de la mère sera grande. Amiel écrit en 1841 : "Mais la grande cause au fond, c'est que j'ai soif d'amour. Les vingt ans grondent dans la poitrine de l'orphelin. Ma jeunesse solitaire se réveille, l'absence de famille, la privation d'affections naturelles, revendiquent une compensation, c'est là ma plaie. Il me faudrait un coeur qui m'aimât, où je puisse pleurer à mon aise et qui me consolât en pleurant avec moi. Oh ! ma mère ! Ma mère ! elle m'aurait compris, soutenu, aimé". Les deux garçons sont élevés par des femmes, d'où leur rapport ambigu au maternel et la quête d'un éternel substitut. Rousseau verra des mamans partout[9]. L'effémination réelle ou potentielle, est chez lui une crainte évoquée de manière latente ou manifeste dans de nombreux points de son oeuvre. Chez Amiel, qui sait conjuguer le verbe féminiser, "J'ai féminisé, voilà tout", c'est une hantise, allant jusqu'à la peur de la castration, d'où pour les deux hommes, une situation affective "en interdit de désir", selon la belle formule d'Amiel : "Je me suis fait moralement eunuque par fausse honte du sexe et pour échapper aux passions". On pourra lire avec intérêt son "Cahier des délibérations matrimoniales" tenu pendant de longues années. Amiel connaît bien son Rousseau. Reprenant les injonctions qui émaillent *La Nouvelle Héloïse*, il l'évoque en juin 1860 : "Sois, comme dit Rousseau, homme une fois avant de mourir"[10]. Rousseau pourrait dire à sa place : "Je n'ai pas rencontré le coeur qui devait me sauver de moi-même". Leur éducation identique, rigoureuse et calviniste, faut-il rappeler le mythe rousseauiste de "l'homme illustre", du modèle à la Plutarque, va exacerber une sensibilité ancrée dans le même fond d'obéissance

---

[9]Dès le début des *Confessions*, Rousseau évoquant "le triste fruit" de l'amour entre ses parents, écrit : "Dix mois après, je naquis infirme et malade". Pour lui, la grossesse de sa mère n'est pas de neuf mois, mais de dix. Même si au XVIIIe siècle, les femmes ne connaissent pas avec précision le moment où elles ont conçu, Rousseau n'ignorait certainement pas, que le temps de gestation était de neuf mois complets de trente jour chacun, où neuf lunaisons, cf. J. Gélis, M. Laget, M. F. Morel, *Entrer dans la vie. Naissances et enfances dans la France traditionnelle*, Paris, Gallimard, 1978, p.57. Faut-il donner à cette première inexactitude une interprétation psychanalytique ?

[10]Pour le jugement d'Amiel sur Rousseau, cf. *H.F. Amiel, in J.J. Rousseau jugé par les Genevois d'aujourd'hui*, Genève, 1879.

difficile et de timidité maladive. Evoquant la douceur des chansons de la tante Suson, Rousseau se décrit ainsi dans les *Confessions* : "Telles furent les premières affections de mon entrée dans la vie : ainsi commençait à se former ou à se montrer en moi ce coeur à la fois si fier et si tendre, ce caractère efféminé mais pourtant indomptable..." Quant à Amiel : "Avec mon naturel timide et craintif, j'ai besoin d'être demandé pour répondre", dit-il. Cette commune psychologie développe deux situations voisines : le repli sur soi chez Rousseau, la paralysie face à l'action chez Amiel. "Agir est mon supplice, je voudrais être dispensé d'être, je ne sais ni ce que je suis, ni ce que je dois, ni ce que je peux encore". Faut-il, trop facilement sans doute, déduire de cette commune disposition psychologique quelques thèmes communs eux aussi ?

En premier lieu, le rapport au monde. Il s'inscrit dans une dialectique subtile que Jean Starobinski a appelé en ce qui concerne Rousseau "le remède dans le mal"[11]. Elle est omniprésente dans son oeuvre politique et autobiographique. Incompris par la société des hommes, Rousseau est acculé à une solitude qu'il ne souhaite pas, mais cette solitude dont il souffre, et qu'il trouve loin des villes, dans la nature, lui permet "la douceur de converser avec son âme". Il est seul sur la terre mais la source du vrai bonheur est en lui. La huitième promenade, véritable hymne à une solitude salvatrice, le répète : "Réduit à moi seul, je me nourris de ma propre substance...je ne m'appuie que sur moi...je n'ai que moi seul pour ressource..." L'aspect restrictif est bien connu : "Je ne suis à moi que quand je suis seul, hors de là, je suis le jouet de tous ceux qui m'entourent" (Neuvième promenade).

Le rapport au monde est identique chez Amiel. Comme Rousseau, et plus encore que Rousseau, Amiel est seul : "On rêve seul, on souffre seul, on meurt seul, on habite seul la chambrette aux six planches, mais il n'est pas interdit d'ouvrir à Dieu cette solitude". Il ne peut s'intégrer ni dans la famille de sa soeur Fanny, en marge de laquelle il vivra pendant vingt ans, ni dans la société genevoise qu'il fuit, ni dans le monde dont il se sent totalement étranger : "Je suis comme l'oiseau captif dont on a fleuri la cage et doré la mangeoire, c'est la prison qui m'est pénible. La vie est une géôle, il nous est loisible de décorer mais jamais de quitter". Cette solitude, cette mise en marge, ici aussi volontaire, favorise l'écriture introspective d'un journal démesuré,

---

[11]Jean Starobinski, *Le remède dans le mal. Critique et légitimation de l'artifice à l'âge des Lumières*, Paris, Gallimard, 1989.

16.000 pages, cent cinquante cahiers. Il représente non seulement son oeuvre unique, mais son confident, son consolateur, son "médecin du solitaire", "sa pharmacie de l'âme, qui contient à la fois, les calmants, les toniques et les excitants", le truchement pour un dialogue avec le monde, avec lui-même, avec un Dieu, démiurge universel, qui ressemble assez à celui de Rousseau. "Le journal n'est que le recueillement plume en main", écrit-il. Recueillement, tel est le terme clé de son écriture. Au coeur de cette dialectique, même absence de confiance en soi, décrite par Amiel mais qui caractérise aussi Rousseau : "Je m'aperçois que si j'ai peur de la société et même de la femme, parce qu'ils peuvent me faire souffrir, c'est encore de moi que j'ai le plus peur parce que je ne me trouve pas sûr". Et comme pour illustrer la métaphore de J. Starobinski, Amiel jouant avec son nom en 1877 en déduit : "L'amer sort du miel".

Le deuxième thème commun, corrélé au précédent, est le sentiment de la nature. Chez les deux auteurs, il y a un même élan fusionnel, une même quête d'harmonie, un même regard poétique sur le paysage "état d'âme", visant à une même auto mise en marge douloureuse mais salvatrice. Amiel est un adepte des extases printanières qui s'intègrent de manière très complexe dans le cycle cosmique diurne et saisonnier d'une mélancolie lépreuse[12]. Juin 1854 : "Je suis revenu à pied avec la gaité dans le coeur, chantant une partie de la route, puis suivant toute la machinerie grandiose d'un couchant sombre, nuageux et enflammé et écoutant le grand et mélancolique concert du soir dans les champs et les voix diverses des grillons, grenouilles, crapauds, coqs dans le lointain, rossignols dans les arbres. J'étais en harmonie avec cette vie, je revis un ancien moi, le moi symphatique et intellectuel". Mai 1871 : "Passé la matinée sous un prunier...Je m'imbibe d'impressions délicieuses et vis tout le jour en plein air. La plume m'ennuie, il y a trop à dire. Je ne puis analyser ce torrent de perceptions enchanteresses pour l'oeil, l'odorat, l'oreille, l'imagination. J'ai une bénédiction intérieure pour cette féerie incessante à laquelle je m'abandonne comme un enfant aux caresses de la mère". La nature maternelle est "joie, santé éternelle", force de vie. Rousseau, amoureux de "la mère commune", "O nature O ma mère ", éprouve une suprême jouissance couché au fond de sa barque sur le lac de Bienne, dans l'extase de deux bercements qui se répondent, celui des

---

[12]Fabrice Lascar, 'La difficulté d'être dans le Journal d'Amiel (1839-1848), colloque "Difficulté d'être et mal du siècle..."op.cit. Marie-Claire Grassi, "Amiel ou l'oeuvre mélancolique", dans *Malinconia, malattia, malinconica e letteratura moderna*, Biblioteca di cultura 437, Roma, Bulzoni, 1991.

vagues, celui de l'intérieur de son âme, bercement qui n'est "ni un repos absolu, ni trop d'agitation, mais un mouvement uniforme et modéré qui n'ait ni secousses ni intervalles", autrement dit, un doux bercement maternel, amniotique, dans une suspension de l'être et du temps.

Dernier thème, le rapport au temps. "J'ai beau oublier le temps, dit Amiel, lui ne m'oublie pas". Rousseau et Amiel sentent "passer le fleuve du temps". Pour eux, il se découpe en trois moments. Le passé, lieu d'un bonheur révolu, âge d'or, cachette matricielle à jamais perdue, l'avenir, vide effrayant qui n'a que la mort comme certitude, le présent, lieu d'un bonheur éphémère, "instant délicieux et rapide", dit Rousseau, moment douloureux de l'obligation à l'action, de la peur de souffrir, dit Amiel : "Mon péché c'est la peur, mon avenir m'effraie, la vie me dégoute, la mort ne m'attire pas. Je voudrais ne plus être moi. Soif de néant. Mélancolie morne". Amiel est hanté par l'inemploi de son temps, perdu, gâché. Il sait qu'il ne crée ni ne procrée, c'est donc la stérilité et la mort, fenêtre constamment ouverte sur le "brouillard subjectif de la mélancolie".

Si l'on peut avancer ces quelques points communs d'ordre biographique et thématique, les différences, voire les divergences, entre les deux pratiques d'écriture sont de l'ordre du fondamental. "Le Berger extravagant" et "l'écureuil malade" se sont engagés dans deux démarches radicalement différentes. D'une part l'autobiographie, regard porté a posteriori sur une existence revue et corrigée, écriture au service d'une réhabilitation possible de soi, d'autre part, le journal intime, chronique spontanée, quasi quotidienne des méandres d'une âme. Dans *Les écritures du moi*, G. Gusdorf oppose ainsi les deux démarches : l'autobiographie, livre fermé, est de l'ordre du fini, le journal, livre ouvert, du dilatoire ; l'autobiographie a une ligne directrice, elle veut proposer à autrui, au monde, à Dieu, une personnalité cohérente, harmonieuse, une vérité intengible, seconde chance donnée pour une autre lecture de soi. Le journal, lui, n'a pas de parti pris, c'est le Je à l'état brut, marqué par une "nonchalance" d'écriture[13]. Hans Jürgen Lüsebrink rappelle ces deux pôles opposés d'une "thématisation de soi", selon la formule d'Henri Lefèbvre[14] . "Autobiographie et journal intime se situent aux deux pôles opposés du champ global des formes littéraires de thématisation de soi. Ils se distinguent essentiellement par des structures et des logiques narratives

---

[13]*Les écritures du moi*, op.cit. v.1, p.317 et suivantes.
[14]*Les écritures du moi*, op.cit. p.314.

ainsi que par un raport au temps radicalement différent". Bien au-delà des consignes du "pacte autobiographique", selon la formule de Philippe Lejeune, l'auteur souligne la différence des écritures : "Le journal intime connaît une structure narrative que l'on pourrait appeler parataxique, fragmentée, scandée par la suite temporelle des jours, l'autobiographie au contraire est rétrospective et par là syntaxique, en faisant subir à l'immensité du vécu passé une logique de sélection rigoureuse"[15]. Le journal, dit Lüsebrinck, structurellement apparenté à la chronique, se trouve soumis à la concurrence du vécu quotidien, à son immédiateté où l'important et le négligable s'entremêlent. L'autobiographie, proche en cela d'un point de vue structurel des genres de la biographie et des mémoires, construit l'identité de la vie de l'auteur à partir d'un choix délibéré".

Dans son étude sur le journal intime, Béatrice Didier précise que "les limites, entre les deux genres, pour être subtiles, sont pourtant fort sensibles"[16]. Pour le journal, "l'absence de lois esthétiques fixées à l'avance permettra un jeu plus libre des mécanismes de l'écriture". C'est, dit-elle, une écriture discontinue "où la mémoire ne joue pas le rôle organique, organisateur, qui caractérise le rythme de l'autobiographie". Et d'ajouter : "Si Rousseau avait écrit le journal de sa vie au jour le jour, comme nous serions loin des *Confessions* !"[17]. Certes.

Ce qui intéresse Rousseau, ce n'est pas de tenir cahier des méandres journaliers de son âme, c'est d'affirmer son innocence, sa transparence, de dire, dans un nouveau langage, que l'homme vaut mieux que ses actes ou ses discours. Il propose une reconstruction positive de son moi et donne une explication de son existence à partir d'une philosophie qu'il s'est forgée en fait pour mieux la supporter. J. Starobinski a défini magistralement l'utopie de l'homme des *Confessions* : pour Rousseau, "le moi est un moi sans obstacle". Marcel Raymond a précisé des *Confessions* aux *Rêveries*, les trois thèmes de l'autobiographie rousseauiste : dévoilement d'un être par lui-même, tentative de disculpation, essai de récupération du bonheur[18]. Tenant compte du temps, donc de l'évolution évidente qui distingue ces

---

[15] Hans Jürgen Lüsebrink, "Journal intime et autobiographie : sociogenèse et pratique littéraire", in *Discours et pratiques de l'intime,* Institut québécois de recherche sur la culture, Québec, 1993, p.186.

[16] Béatrice Didier, *Le journal intime,* Paris, PUF, 1976.

[17] Ibid, p.9.

[18] *Jean-Jacques Rousseau. La quête de soi...*op.cit. p.203.

deux écrits, dans un certain sens complémentaires, nous serions tentés de dire que les *Rêveries* sont des *Confessions* extrêmes. Par là, nous voulons dire, qu'après la confession des *Rêveries*, Rousseau n'a plus rien à dire.

Toujours dans l'ordre du fondamental, soulignons que Rousseau écrit plus pour autrui, tout au moins dans les *Confessions*, que pour lui même : "Etre éternel, rassemble autour de moi l'innombrable foule de mes semblables, qu'ils écoutent mes confessions, qu'ils gémissent de mes indignités, qu'ils rougissent de mes misères". L'autobiographie semble rejoindre ici la démarche épistolaire : les autres, l'autre, sont l'inévitable destinataire, ou le lecteur souhaité, qui dicte en grande partie le discours. Béatrice Didier prétend que "le journal intime est un type d'écriture où autrui n'a pas sa place". Certes, Amiel n'écrit que pour lui, mais autrui est présent car constamment nié dans le constat douloureux d'une incommunication permanente. Selon nous, les différences structurelles, soulignées par Lüsebrink sont donc le fruit direct d'une situation énontiative spécifique à chaque démarche d'écriture.

Mais au-delà d'une analyse de détail, ne faut-il pas se demander si, dans le cas des deux exemples choisis, certains éléments communs, d'ordre biographique et thématique, ne se conjuguent pas dans une démarche semblable où l'on retrouve le désir matriciel dans la recherche de centration, mobile essentiel à la connaissance de soi.

A la lumière des études de Jean Starobinski, reprenons quelques lignes forces de la démarche de Rousseau[19]. "Passant ma vie avec moi, je dois me connaître...personne au monde ne me connaît que moi seul" (Lettre à monsieur de Malesherbes, 4 janvier 1762). Cette connaissance de soi est au service de la vérité. La vérité autobiographique pour Rousseau, consiste essentiellement dans une non résistance au sentiment et au souvenir, non résistance qui se traduit par un nouveau langage, le ressenti. Il s'agit en fait, selon J. Starobinski, d'une double vérité "Je ne puis me tromper sur ce que j'ai ressenti, c'est l'histoire de mon âme, je n'ai pas besoin d'autres mémoires", dit Rousseau. Premier aspect, la vraie mémoire est affective. Deuxième aspect, l'émotion ne révélera sa véritable dimension que lorsqu'elle sera revécue, c'est le message des *Rêveries*. Cette émotion est celle d'une conscience laissant le passé émerger et se représenter en elle. Starobinski conclut : la vérité

---

[19]Jean Starobinski, *Jean-Jacques Rousseau, La transparence et l'obstacle suivi de sept essais sur Rousseau*, Paris, Gallimard, 1971, *Rêveries et transmutation,* p.415 et suivantes.

consiste dans la relation que Rousseau entretient avec son passé. Il s'agit en fait de *sa* vérité, "Rousseau a été le premier, dit-il, à vivre d'une façon exemplaire, le dangereux pacte du moi avec le langage, nouvelle alliance dans laquelle l'homme se fait verbe".

Dans les *Rêveries*, on rencontre, dit J. Starobinski, "une conscience en l'état vigile", d'où sa fameuse distinction entre rêverie première et rêverie seconde, cette dernière étant comme le laboratoire alchimique de la première. Pour lui, comme pour Marcel Raymond, il ne s'agit pas d'un journal, même "d'un affreux journal", comme affirme Rousseau, mais de l'écho différé d'une parole, "le rêve d'un rêve"[20]. Le travail de la rêverie seconde consiste à transcrire, modifier et interpréter les vagues et fluctuations de la rêverie première. Peu importe qu'elles soient, elles aussi comme les *Confessions*, écrites de mémoire, donc lacunaires. D'ailleurs pour Rousseau, la mémoire est sélective, elle ne retient que ce qui est important. Le passé, sélectionné et vivifié par le souvenir, sera donc exprimé dans toute sa vérité. "Dans tous les cas, la transmutation reste le mobile essentiel qui entraîne la conscience rêveuse". Ce travail de la rêverie va de pair avec l'acte de "se circonscrire", fondamentalement lié au mythe de l'île. Dans la rêverie "douce et profonde" qui s'empare de l'âme sensible, "le contemplateur" dans son identification à l'immensité, doit, dit Rousseau, "resserer ses idées, circonscrire son imagination pour qu'il puisse observer par partie cet univers qu'il s'efforçait d'embrasser" (Septième promenade). Borner, limiter, restreindre, est donc l'acte fondamental de Rousseau, élément premier de sa psychologie matérialisé dans sa fiction romanesque par Clarens, véritable ensemble concentrique, voire concentrationnaire. Là, peut règner "un amour en tiers", sans obstacle, dans la totale transparence des coeurs.

La conscience rousseauiste en état de transmutation, étroitement liée à l'acte de se circonscrire, n'est-elle pas à rapprocher alors de ce que Amiel appelle la réimplification ? C'est une forme de thérapie spirituelle qu'il met très tôt en place, dès 1856 : "Je suis comme en suspens, je suis comme n'étant pas, en ces instants sublimes le corps a disparu, l'esprit s'est simplifié, unifié. Passions, souffrance, volonté, idées, se sont résorbées dans l'être comme les gouttes de pluie dans l'océan qui les a engendrées. L'âme est rentrée en soi, retournée à l'indétermination, elle s'est réimpliquée au-delà de sa propre vie, elle remonte dans le sein de sa mère, redevient embryon divin..."Ce refuge dans l'indétermination, retour à la situation foetale, lui permettra en fin

---

20 *J.J. Rousseau, la quête de soi...*op.cit. p.197.

de vie, d'atteindre la résignation et la force de la sagesse orientale, hors du désir, hors du temps et de la mémoire, hors des obstacles, dans l'acceptation quasi inconditionnelle de ce qui est, de ce qu'il est, véritable conscience de la conscience. G. Poulet a expliqué la démarche d'Amiel dont le journal, nous le soulignons, présente trois intérêts : philosophique, psychologique, littéraire, même si Amiel aux yeux des critiques, et très tôt aussi à ses propres yeux, a tout raté, sa vie professionnelle, intellectuelle et affective[21]. A la dilatation cosmique de la jeunesse, fait suite la centration grandissante de la maturité, puis de la vieillesse. Dès 1847, il a vingt huit ans, il écrit : "A mesure que les rêves crépusculaires de l'adolescence font place au jour de l'âge mûr, je vois se rétrécir graduellement mes proportions...En apprenant à me connaître et à comparer, je rentre dans ma coquille". 1861 : "Jadis j'ai senti palpiter en moi la vie universelle...Maintenant je suis confiné dans le cercle le plus étroit, dans le papotage du coeur dialoguant avec lui-même...mon royaume est réduit à une coquille de noix".

Pourquoi met-il en place cette thérapie spirituelle ? Pour se recentrer, pour rentrer dans sa coquille, pour se retrouver. Le mal, c'est la dispersion, l'évaporation. Le remède, c'est la concentration, la centration. Amiel est un être fasciné par la totalité et l'immensité du réel. Sa thérapie est donc à la fois réduction d'un champ d'investigation pour une meilleure action possible, et rassemblement des forces volontaires nécessaires à cette action. Cette centration, selon G. Poulet, nous permet de faire de l'oeuvre que nous poursuivons, un centre d'intérêt et d'activité, elle est "la concentration préalable de notre vouloir". Or dit Amiel, "Je n'ai pas de volonté intérieure, je suis fluide, je me dissouds, je me volatilise et m'évanouis comme une fumée". Se réimpliquer, c'est donc se simplifier, se circonscrire, pour tenter de retrouver le centre actif de soi-même.

Dans la quête douloureuse de la connaissance de soi, les deux écritures, journal et autobiographie, cependant différentes, nous l'avons souligné, ne relèvent-elles pas alors d'une même démarche, en dépit de leurs différences formelles. Il s'agit toujours de se retrouver, de se rassembler, de se recentrer, de s'accrocher coûte que coûte à une idée salvatrice que l'on se fait, seul, de soi-même, pour la proposer aux autres. Il faut s'innocenter, dans le cas de Rousseau. Il faut la prendre comme un viatique dans le cas d'Amiel. Dans les deux cas, on note

---

[21]Georges Poulet, *Les métamorphoses du cercle*, Paris, Flammarion, 1979, p. 327 et suivantes, et *Préfaces*, avec Bernard Gagnebin, du tome premier (1839-1851), de l'édition du *Journal intime* d'Amiel, Lausanne, L'âge d'homme, 1976.

même résignation à soi, même constat de ses faiblesses, même gommage des obstacles, le monde, autrui, même mise en place d'un langage de substitution, langage du ressenti. C'est dans les deux cas, la même négation de l'extérieur au profit du refuge intérieur.

G. Gusdorf voit dans toute autobiographie une recherche du centre : "Toute autobiographie digne de ce nom présente ce caractère d'une expérience initiatique d'une recherche du centre. L'intérêt porté au récit des épisodes successifs, le pittoresque des anecdotes, ne doit pas faire illusion"[22]. Soulignant la différence avec les mémoires, dont l'intérêt est essentiellement narratif, l'autobiographie est méta-historique, elle se situe, dit-il, "selon l'ordre d'une ontologie de la vie personnelle". Ce centre d'équilibre, source de paix intérieure, Rousseau et Amiel le trouvent en définitive dans l'acte d'une même confession, d'une même démarche d'écriture, qu'elle soit faite au jour le jour ou a posteriori. Il s'agit du même replis protecteur, régénérateur et vivifiant, orienté vers l'espace du dedans, vers l'espace matriciel. L'intention est identique, concentration égale toujours intériorisation, Amiel l'a seulement poussée à un degré plus haut. Soulignant les moments de recueillement intérieur d'Amiel, G. Poulet souligne le rapprochement avec Rousseau : "Comment ne pas songer aux méditations du Rousseau de la dernière époque ? Comme chez le rêveur de l'île Saint-Pierre, il y a dans le recueillement d'Amiel l'oubli du monde extérieur, un ralentissement du tempo de l'existence, un apaisement de l'être qui correspond au silence de la nature, une transparence de soi-même qui est le véritable repos. C'est que chez Amiel, comme chez Rousseau, le retour au centre est avant tout un retour à l'unité profonde de l'âme, une *simplification*"[23]. C'est sans doute dans la *Nouvelle Héloïse*, véritable fiction autobiographique, et particulièrement dans la construction concentrique de l'utopie de Clarens, que Rousseau a le mieux précisé cette notion de repos, de centration jusqu'au point ultime du cercle cosmique, social et personnel, de bonheur immobile.

Cependant il convient de poser les limites de ces deux démarches à la fois différentes et complémentaires. Ont-elles atteint leur but, la connaissance de soi ? Les deux hommes sont-ils arrivés à se connaître ou ont-ils seulement assisté au défilé des éléments et des outils nécessaires à cette connaissance? La conscience de l'échec de la démarche est sans doute plus aiguë chez Amiel que chez Rousseau. Amiel l'a eue toute sa vie. Mars 1861 : "Je me sens couler comme

---

[22]*Autobiographie* ... op.cit. p.917.
[23]*Les métamorphoses du cercle,* op.cit. p.344.

l'eau du torrent, fuir comme le sable dans la clepsydre...je suis comme une cascade dont chaque goutte aurait conscience de sa chute dans l'espace", 1876 : "Le journal intime me dépersonnalise tellement que je suis pour moi un autre et que j'ai à refaire la connaissance biographique et morale de cet autre", et le 26 juillet 1878 (il mourra en 1881, emporté par le mal qui ronge depuis longtemps "sa poitrine de papier") : "Tu as dialogué avec ton moi comme un pommier porte des pommes. Cela n'accroît pas le patrimoine de la science". Le moi, écrit G. Poulet à propos de l'échec d'Amiel, n'est pas inconnaissable, il est insaisissable, "la vérité recule à mesure que la pensée avance...il n'y a pas de connaissance de soi comme d'un objet immobile"[24]. Selon Starobinski, "A mesure que Jean-Jacques s'enfoncera dans son délire et perdra ses attaches avec les hommes, la connaissance de soi lui paraîtra plus complexe et plus difficile", d'où l'ultime sursaut des *Rêveries*, "appendice" pour pallier les carences des *Confessions*. Lorsqu'on n'écrit plus pour se justifier, alors, "Tout est à recommencer", dira Rousseau, "Le connais-toi toi-même du temple de Delphes n'est pas une maxime si facile à suivre que je l'avais crû dans mes *Confessions* (Quatrième promenade)". A trop vouloir s'objectiver, se définir conscience de la conscience, Amiel s'est tellement éloigné de lui qu'il s'est perdu. A trop vouloir se justifier, Rousseau n'a fait que se complaire, comme Amiel, dans ses propres faiblesses. "Toute introspection, dit G. Gusdorf, revêt le sens d'une rétrospective des occasions perdues"[25]. "Les météorologues de l'espace du dedans", selon sa formule, ont tenté l'objectivité. Mais, même si elle s'affirme vérité, elle est impossible. Marcel Raymond rappelle qu'on ne part jamais de zéro, qu'on ne peut se séparer de soi pour se voir, que l'homme ne peut se désolidariser de la société et du regard des autres[26]. Nous ajouterons, il n'y a que ce regard qui est juste parce que non complaisant. C'est ce que rappelle Paul Valéry, faisant "des objections contre l'analyse interne". Il écrit : "Les choses perçues en moi ne sont pas fonctions continues de mon attention. Il y a une discontinuité, peut-être alternante, et il s'introduit des figures nouvelles à chaque insistance du regard. Plus je fixe, plus je déforme, ou plutôt je change d'objet"[27]. Et de conclure : "Se connaître, détour pour s'absoudre".

---

[24]Préface aux oeuvres complètes, op.cit. p.60.
[25]*Les écritures du moi,* op.cit. v.1, p.127.
[26]J.J. Rousseau...op.cit. p.190.
[27]Paul Valéry, O.C.,*Tel Quel,* p.730.

Revenons aux conclusions de l'ouvrage pionnier de G. Gusdorf : "Le caractère paradoxal de la connaissance de soi apparaît dans le fait qu'elle ne peut s'accomplir sans se nier, elle doit passer par une connaissance de soi dans le monde...je me choisis moi-même à mes risques et périls. Plutôt que "connais-toi toi-même", la formule devrait être "deviens qui tu es", effort pour la mise en oeuvre résolue des possibilités personnelles"[28]. Le monde n'est pas "une matinée à l'anglaise".

En conclusion, ces quelques réflexions ne doivent pas nous faire oublier le courant dans lequel s'inscrivent ces deux démarches d'écriture complémentaires. Autobiographie et journal relèvent essentiellement d'un besoin de centration, véritable thérapie personnelle d'un scripteur, quelle que soit sa finalité. Même si nos deux auteurs ont été confrontés, en cours ou en fin de vie, à une profonde crise de conscience face à la difficulté d'une véritable connaissance d'un moi protéiforme, ils s'inscrivent, et c'est l'essentiel, dans un grand courant confessionnel et occidental. Rousseau a su donner au genre sa dimension littéraire, c'est-à-dire esthétique et universelle. Ce courant a été continué par les romantiques allemands, qu'Amiel affectionnait particulièrement. Il pose l'établissement du primat du langage de la subjectivité, du ressenti, sur celui de l'intellectualisme. Il affirme que l'expérience singulière a le devoir de témoigner de l'universelle. A un siècle d'intervalle, les confessions d'un homme du Tiers Etat et les déboires spirituels d'un professeur de philosophie, tous deux citoyens de Genève en désir d'amour et de monde, le démontrent.

---

[28]*La découverte de soi*, op.cit. p.501.

DIRE L'INDICIBLE À LA PREMIÈRE PERSONNE
EXPÉRIENCE CONCENTRATIONNAIRE
ET RÉCIT AUTOBIOGRAPHIQUE

Roger CHEMAIN
Université de Nice-Sophia Antipolis

De la masse des récits publiés par les survivants des camps de concentration nazis, émergent quelques textes atteignant au statut d'ouvrages littéraires. Une multitude de récits refusent au contraire, au nom de l'authenticité, d'une volonté de présenter des faits crus et nus, toute forme d'artifice, de travail sur le langage ; ils sont l'œuvre, le plus souvent, d'auteurs que rien ne disposait, de toutes façons, à faire œuvre d'écrivains.

Mais, alors que les innombrables récits de témoignage brut parus dans les années d'après-guerre produisent en fin de compte un effet de saturation, seuls demeurent, un demi-siècle après les événements, les livres "d'écrivains". Élie Wiesel, Primo Levi, Jorge Semprun, eux seuls continuent d'être lus et publiés, réédités parfois[1], seule la littérature a su, fût-ce incomplètement, fût-ce imparfaitement, prendre en charge l'hallucinant message des survivants.

La plupart de ces ouvrages sont écrits à la première personne et touchent au genre autobiographique, du moins dans le monde occidental, les exceptions de nous connues se situant aux marges de l'Occident : *Le Monde de pierre* du Polonais Todeusz Borowski[2] écrit à la première personne mais de manière non autobiographique, le narrateur ayant eu un comportement opposé à celui de l'auteur lors de son passage à Auschwitz, et *Printemps difficile* du slovène Boris Pahor[3], écrit à la troisième personne du singulier.

Il est à remarquer que la plupart des livres écrits par les anciens détenus des camps soviétiques, à commencer par *Une Journée d'Ivan Denissovitch* de Soljenitsine ont volontiers recours a des formes plus

---

[1] Élie WIESEL, *La Nuit,* Éditions de Minuit, Paris, 1958, réédité en 1988 ; Primo LEVI, *Si c'est un homme,* Julliard, Paris, 1981, réédité en 1994 (Press Pocket) ; Jorge SEMPRUN, *L'Écriture ou la vie,* NRF, Paris, 1995.

[2] Tadeusz BOROWSKI, *Le Monde de Pierre,* Christian Bourgois, Paris, 1982.

[3] Boris PAHOR, *Printemps difficile,* Phébus, 1995.

délibérément fictionnelles et usent sans réticences du récit à la troisième personne du singulier : nous essaierons d'avancer quelques explications à cette différence de démarche entre anciens "Kazettler" et anciens "zek".

"Autobiographie et fiction romanesque" : l'intitulé de ce colloque situe bien la tension entre l'exigence d'authenticité et le littéraire, assimilé à la fiction, qui marque, dès les origines, les récits d'anciens déportés.

La masse d'écrits (104 publications entre 1948 et 1965 en France, selon A. Wieworka)[4] témoigne de "la véritable hémorragie d'expression que chacun a connue" selon Robert Antelme qui ajoute : *"durant les premiers jours qui ont suivi notre retour nous avons été, tous, je pense, en proie à un véritable délire. Nous voulions parler, être entendus enfin"*[5].

Mais pourtant Robert Antelme constate dès ses premières rencontres avec les soldats américains libérateurs la difficulté à faire comprendre la réalité de l'horreur quotidienne du camp, et cette difficulté est pressentie également par certains détenus dès que les portes du camp de Buchenwald sont ouvertes, la survie assurée, le retour et le récit désormais possibles, ainsi qu'en témoigne ce dialogue rapporté par J. Semprun :

"- Écoutez les gars ! La vérité que nous avons à dire - si tant est que nous ayons envie, nombreux sont ceux qui ne l'auront jamais ! - n'est pas aisément crédible... Elle est même inimaginable... (...).
... Ça c'est juste, dit un type qui boit d'un air sombre, résolument. Tellement peu crédible que moi-même je vais cesser d'y croire dès que possible" [6].

Dans le même ouvrage, un autre fragment de dialogue instaure la tension entre authenticité et littérature : *"Voudra-t-on écouter nos histoires, même si elles sont bien racontées ? "* s'interroge un déporté, ce qui suscite la réaction indignée d'un de ses camarades... *"Ça veut dire quoi... bien racontées ?. Il faut dire les choses comme elles sont, sans artifices"*[7].

Une réaction analogue peut être observée chez un écrivain comme Jean Cayrol, revenu de Mauthausen qui, en 1953, dans la livraison d'avril de la revue *Esprit* s'en prend vivement à des

---

[4] Annette WIEWORKA, *Déportation et Génocide,* Plon, 1992, pp. 181-182.
[5] Robert ANTELME, *L'espèce humaine*, NRF, 1978, p. 9.
[6] Jorge SEMPRUN, *L'Écriture ou la vie*, p. 135.
[7] *Id,* p. 136.

romanciers comme E. M. Remarque et Robert Merle, coupables d'avoir traité du monde concentrationnaire dans leurs ouvrages *L'Étincelle de Vie* et *La Mort est mon métier*. Cayrol affirme l'opposition irréductible entre vérité des camps et toute forme de fiction, dont l'évidence surgit de l'expérience même, et qui ne concerne pas que les auteurs qui, comme les deux romanciers incriminés, n'ont pas une connaissance directe du monde concentrationnaire :

> "Il y eut des écrivains dans les camps de concentration, écrit Jean Cayrol, mais il ne leur vint pas à l'esprit d'utiliser ce qu'ils avaient vécu pour des fins littéraires. Nous songeâmes en 1943, alors que nous étions enfermés à décrire dans une fiction ce que nous supportions, et nous comprîmes rapidement le ridicule de ce projet. Nous n'étions pas des héros de romans dociles, mais ingrats". [8]

Le choix de l'univers des camps comme sujet de romans participe en fait d'un travail d'acceptation et d'oubli qui provoque d'autant plus l'indignation de Jean Cayrol qu'il en dénonce les finalités commerciales :

> "Une bonne intrigue concentrationnaire, un bourreau-maison, quelques squelettes, une légère fumée de kréma au-dessus de tout celà et nous pouvons avoir le prochain best-seller qui fera frémir l'ancien et le nouveau monde" [9].

Assurément, de tels "best-sellers" ou leurs équivalents télévisuels postérieurs n'entrent pas dans le cadre de notre étude, mais cet extrait témoigne avec force de la méfiance envers la fiction chez un écrivain revenu des camps et qui définit l'expérience concentrationnaire comme "intransmissible, solitaire, instable"[10] ce qui explique, selon lui, que les témoignages des survivants soient restés sans écho, à se vouloir écho d'une réalité incroyable :

> "On ne leur demanda que de prêter serment et de dire la vérité, rien que la vérité, toute la vérité et on ne les crut pas". [11]

C'est entre le caractère "intransmissible" de l'expérience vécue au camp et l'irrépressible désir de dire ce qu'elle a été ("l'hémorragie d'expression" mentionnée plus haut) que se déploie la littérature concentrationnaire, le recours au littéraire, à la part d'artifice qu'il comporte, apparaissant à certains auteurs comme l'unique moyen d'essayer de dire l'indicible, ou de faire entendre l'inaudible. Littérature vouée à l'aléatoire, au problématique, à l'inachevé.

---

[8] Jean CAYROL, *Témoignage et Littérature*, Esprit, 1953, p. 575.
[9] *Id.*, p. 577.
[10] *Id.*, p. 575.
[11] *Ibid.*

Roger CHEMAIN - Dire l'indicible à la première personne...

L'idée d'un recours nécessaire à l'artifice apparaît très tôt, dès les premiers textes, comme *L'Espèce humaine* ; elle est suggérée à Robert Antelme dès sa libération par le constat des difficultés du dialogue entre les déportés et leurs libérateurs : "*Les histoires que les types racontent sont toutes vraies. Mais il faut beaucoup d'artifice pour faire passer une parcelle de vérité, et, dans ces histoires, il n'y a pas cet artifice qui a raison de la nécessaire incrédulité.*"[12]

En 1947, Elizabeth Will dans *Ravensbrück et ses Kommandos, de l'Université aux camps de concentration* constate elle-même les limites de son propre récit et en appelle à la littérature :

"Les lignes que l'on vient de lire ne sont qu'une simple énumération de faits, scrupuleusement conformes à la vérité. Cependant leur pouvoir d'évocation reste imparfait.

C'est au romancier qu'il faudrait faire appel [...]. Le tableau serait peut être plus diffus, mais aussi plus véridique ; moins complet, mais tellement plus émouvant. Seul un récit qui serait une œuvre d'art saurait restituer, dans son évocation ramassée et poignante, ce que fut véritablement notre existence en enfer."[13]

Texte intéressant en ce que nous y voyons un auteur, universitaire mais non écrivain, souhaiter au terme de son témoignage, l'intervention du romancier pour que son récit "vrai" devienne "véridique".

L'insuffisance du témoignage brut est bien analysée par Jorge Semprun qui, dirigeant clandestin du parti communiste espagnol à Madrid, confronte ses souvenirs de Buchenwald au récit que son hôte lui fait de son séjour à Mauthausen :

"Manuel A. était un survivant de ce camp. Un revenant, comme moi. Il me racontait sa vie à Mauthausen, le soir, après le dîner, à l'heure du petit verre d'alcool et du cigare des Canaries.

Mais je ne reconnaissais rien, je ne m'y retrouvais pas.

Certes, entre Buchenwald et Mauthausen il y avait eu des différences : dans chacun des camps nazis l'existence des déportés a été soumise à des circonstances spécifiques. L'essentiel du système, pourtant, était identique. L'organisation des journées, le rythme de travail, la faim, le manque de sommeil, les brimades perpétuelles, le sadisme des S.S., la folie des vieux détenus, les batailles au couteau pour contrôler des parcelles du pouvoir interne : l'essentiel était identique. Je ne m'y retrouvais pourtant pas, dans les récits de Manuel A.

[12] Robert ANTELME, *op. cit.*, p. 302.
[13] Élizabeth WILL, *Ravensbrück et ses kommandos, de l'Université aux camps de concentration,* Paris, 1947, cité par A. Wieviorka, p. 181.

> C'était désordonné, confus, trop prolixe, ça s'embourbait dans les détails, il n'y avait aucune vision d'ensemble, tout était placé sous le même éclairage. C'était un témoignage à l'état brut, en somme : des images et vrac. Un déballage de faits, d'impressions, de commentaires oiseux." [14]

Et l'auteur de *L'Écriture ou la vie* d'ajouter :

> "Sa sincérité indiscutable n'était plus que de la rhétorique, sa véracité n'était même plus vraisemblable." [15]

Mais entre l'insuffisance du témoignage brut et l'expression littéraire, seule capable de rendre "véridique" une sinistre vérité s'intercalent les limites du langage, et les écrivains "concentrationnaires" savent, en toute lucidité, que leur tâche est vouée à l'incomplétude : "Notre langue manque de mots pour exprimer cette insulte : la démolition d'un homme" écrit Primo Levi, cependant que Simon Laks et René Coudy expriment ainsi l'impossibilité de tout dire de ce qu'ils ont vécu :

> "Les récits les plus fidèles, les descriptions les plus minutieuses ne reflèteront jamais la réalité telle que nous l'avons subie. Cet abîme nous ne prétendons pas le combler, sachant que c'est une chose impossible à réaliser. Nous sommes un peu comme des personnages pirandelliens, en quête d'un auteur capable de raconter notre aventure. Mais nous sommes sûrs de ne jamais en trouver un." [16]

Cette littérature qui se déploie entre l'irrépressible volonté de dire et l'impossibilité de dire est une littérature des marges, des frontières, ce dernier terme devant être pris dans son acception américaine "frontier", front de conquête, d'explorations.

Sur ce front se déploient les stratégies narratives les plus diverses, et qu'il n'est pas ici question d'analyser.

Tout au plus l'examen des titres nous permet-il de dégager deux axes thématiques. D'abord, l'idée de la mort, familière, vécue, traversée : *Les jours de notre mort*, de David Rousset, *Der Totenwald* d'Ernst Wiechert, *Le grand voyage*, *L'Écriture ou la vie*, de Jorge Sembrun, *Aucun de nous ne reviendra* de C. Delbo, cette thématique s'enracinant dans le livre séminal de Dostoïevsky *Souvenirs de la maison des morts*. Quant aux titres de Robert Antelme, *L'Espèce humaine*, ou de Primo Levi, *Si c'est un homme*, c'est évidemment à la mise en question de l'humanité de l'homme qu'ils renvoient.

---

[14] J. Semprun, *op. cit.*, p. 247.

[15] *Id.*, p. 248.

[16] Simon LAKS et René COUDY, *Musique d'un autre monde*, Paris, 1948, cité in A. Wieviorka, p. 178.

Tous ces récits utilisent le "je" autobiographique, car l'exigence d'authenticité, si elle peut s'accommoder des artifices propres à l'expression littéraire ne peut estomper le lien avec l'expérience vécue représenté par le "je", ne peut accomplir ce pas vers la fiction que représenterait la troisième personne du singulier. Par ailleurs, et les livres de Primo Lévi et de Robert Antelme le montrent bien, la forme première de résistance dans les camps est la lutte pour tenter de préserver la subjectivité, la qualité de sujet humain face à une mécanique conçue autant pour avilir que pour tuer, face à un système qui vise à transformer les détenus en objets, en "untermensch". Le "je", sa préservation héroïque, est donc au cœur de l'expérience concentrationnaire, comme des récits qui la rapportent.

Il en va tout autrement dans l'ancienne Union Soviétique *Une Journée d'Ivan Dénissovitch* ou *Le Premier Cercle* de Soljenitsine sont des romans et sont écrits à la troisième personne ; dans *Les récits de Kolyma*, Varlam Chalamov use tantôt du "il" tantôt d'un "je" qui n'est pas toujours le "je"... autobiographique, ce qui n'a créé ni débat ni scandale".

Cela tient sans doute à deux raisons, liées entre elles d'ailleurs, historique et littéraire.

En Occident, les camps nazis apparaissent comme une manifestation de barbarie soudaine, imprévue, sans précédents réels - ni les camps où Kitchener enferma les civils afrikaan pendant la guerre des Boers, ni ceux où les civils surpris en pays ennemis par la déclaration de guerre d'août 1914 furent détenus ne peuvent sérieusement être assimilés aux camps hitlériens, même si les premiers inaugurèrent l'appellation "camps de concentration". De plus, le système né avec l'arrivée des nazis au pouvoir disparut en 1945.

En Russie, au contraire, les camps prennent le relais du bagne tsariste pratiquement sans solution de continuité, les premiers étant ouverts en août 1918, par un décret signé Lénine, leur nombre s'accroissant après la victoire de la Révolution, cependant que l'institution s'intègre dans l'économie du pays (creusement du canal Baltique-Mer Blanche par les détenus).

L'œuvre de "rééducation par le travail" qui s'y accomplit est vantée par la propagande du régime jusque vers les années 1936-1937, avant que l'extension proliférante du "Goulag" ne s'accompagne d'une occultation officielle qui ne se fissure partiellement qu'avec le "dégel" de 1956 sans que pour autant l'institution disparaisse.

Cette expérience plus que séculaire de l'univers concentrationnaire a suscité de longue date une littérature d'ancien détenus : *Les Souvenirs de la Maison des morts* ou même de témoins : *L'Île de Sakaline* de Tchékov.

De plus, bien avant l'apparition des "samizdat" ou la publication d'*Une Journée d'Ivan Denissovitch*, pratiquement dès le début du régime soviétique, est apparue une littérature concentrationnaire, comme l'a très bien montré Michel Heller dans *Le Monde concentrationnaire et la littérature soviétique* [17].

Cette littérature, tout à fait officielle, fait l'apologie du Tchékiste, qui prend sur lui l'accomplissement de la "sale besogne" nécessaire au triomphe de la Révolution, et, généralement, succombe pour avoir cédé à un mouvement d'humanité. Cette intrigue stéréotypée se retrouve dans plusieurs romans ou nouvelles d'écrivains "prolétaires" comme Tarassov Rodionov[18] dans le début des années vingt. On y observe une subversion de la tradition littéraire russe de soutien aux opprimés, le transfert de la pitié de la victime au bourreau, le "pauvre Tchékiste"[19] et l'on y peut relever des passages effrayants :

> "J'ai tué cent prisonniers et je n'ai absolument pas tenu compte de leur culpabilité. Car la culpabilité existe-t-elle vraiment ? Car un bourgeois est-il coupable d'être bourgeois et un crocodile d'être crocodile ?" [20].

Plus tard "Belamorkanal" est l'ouvrage collectif d'une "brigade" de trente-cinq écrivains, dont Alexis Tolstoï, et dirigée, à sa demande, par Maxime Gorki. On y décrit, on y exalte, le creusement par les détenus du canal Baltique-Mer Blanche.

Cette entreprise suscitera même une comédie *Les Aristocrates* de Nikolaï Pogodine [21].

Mais l'on voit que les écrits des anciens "Zek" lorsqu'ils furent écrits parlèrent, au contraire de ceux des anciens Kazettler, d'une réalité

---

[17] Michel HELLER, *Le Monde concentrationnaire et la Littérature soviétique*, L'Age d'Homme, Lausanne, 1974.

[18] Ont également écrit des nouvelles sur ce thème A. AROSEV et Ilya EHRENBOURG.

[19] Membre de la Tcheka, police politique, un des divers noms portés par "les organes". Ainsi que l'on désignait dans le public le système répressif soviétique. On trouvera un tableau récapitulatif des "organes" dans *Récits de Kolyma, quai de l'Enfer,* par Valarm Chalamov, Livre de Poche, p. 370.

[20] Tarassov RODIONOV, auteur de *Sokolad* (1922), non traduit en français, roman analysé par Michel HELLER, *op. cit.*, pp. 77-80.

[21] Nikolaï POGODINE, *Les Aristocrates*. D'autres pièces sur le thème concentrationnaire furent représentées : *La Peur* , d'Alexandre AFINOGUENOV, en 1931 et *Le Mensonge,* du même auteur, en 1933.

ancienne, connue ou soupçonnée de tous et s'inscrivaient dans une tradition littéraire établie, illustrée par un Dostoïevsky ou un Tchékov, sans parler des œuvres mystificatrices des années vingt et trente.

La question de la légitimité d'une littérature sur les camps ne se pose donc pas, ou du moins pas dans les mêmes termes : le recours à la fiction romanesque - soulignée par l'usage de la troisième personne - n'y apparaît pas scandaleuse, dès lors qu'il participe de la volonté de témoigner d'une réalité vécue par l'auteur. Cette dernière condition reste importante comme en témoigne la philippique adressée par Varlam Chalamov à Boris Pasternak, coupable d'avoir évoqué un camp dans *Docteur Jivago*, et ceci malgré l'admiration que l'auteur des *Récits de la Kolyma* éprouve pour l'œuvre poétique du Prix Nobel de Littérature.

La réalité décrite par les romanciers des camps soviétiques étant de longue date, connue ou soupçonnée du public, ne revêt pas ce caractère "incroyable" qu'elle a pour les lecteurs occidentaux et ne requiert pas ce renforcement, cette accentuation de la véracité du témoignage vécu qu'introduit l'usage du "je" dans le récit. Peut-être aussi la narration s'y fait-elle plus indirecte d'être clandestine (samizdat) à la seule et éphémère exception d'*Une Journée d'Ivan Denissovitch*.

Ajoutons que dans le cas des déportés politiques d'Allemagne ou des pays occupés l'usage de la première personne peut aussi exprimer une fierté légitime, leurs épreuves étant la conséquence d'un engagement volontaire dans la lutte contre le nazisme, tous risques assumés, alors que les victimes de "l'article 58" [22] ou des diverses "purges", sont détenues en fonction d'un arbitraire incompréhensible : "*pas de héros ici, rien que des victimes* "[23] écrira Chalamov, ce qui mériterait peut-être d'être nuancé...

Si les thématiques et l'imaginaire des récits des anciens concentrationnaires, qu'ils aient connu les camps nazis ou les camps soviétiques sont identiques, les modalités du récit, l'attitude même vis-à-vis d'une possible littérature des camps, varient de l'Ouest à l'Est : en fonction de l'histoire, de l'ancienneté et de la durée du fait concentrationnaire, ici né à l'intérieur d'un pays soumis à un immémorial despotisme, tsariste ou stalinien, là relativement éphémère et imposé à des sociétés dans l'ensemble démocratiques à la faveur d'une occupation étrangère, le long et trop réel cauchemar russe ayant suscité une tradition littéraire, cependant que l'irruption de la barbarie

---

[22] L'article 58, article de loi soviétique définissant les cas de propagande contre-révolutionnaire.

[23] Varlam CHALAMOV, *op. cit.*, p. 234.

sans précédents en Europe de l'Ouest - si peu idyllique que soit par ailleurs l'histoire occidentale.

BIBLIOGRAPHIE

1. LITTÉRATURE CONCENTRATIONNAIRE

ANTELME Robert, *L'Espèce humaine*, Gallimard, 1957 (1ère édition, 1947).
BOROWSKI Tadeusz, *Le Monde de Pierre*, traduit du polonais par Laurence Dyèvre et Éric Veaux, Christian Bourgois, 1992.

CHALAMOV Varlam, *Récits de Kolyma*
    1). - *La Nuit*
    2). - *Le Quai de l'enfer*
    Traduits du Russe par Nicolas MILETITCH, Livre de Poche, 1994.
DELBO Charlotte, *Auschwitz et après*
    1). - *Aucun de nous ne reviendra*
    2). - *Connaissance inutile*
    3). - *Mesure de nos jours*, Éd. de Minuit.
LEVI Primo, *Si c'est un homme*, traduit de l'italien par Schruoffenegea, Julliard, Paris, 1977.
ROUSSET David, *Les jours de notre mort*, Le Pavois, 1947.
SOLJENITSINE, *Une journée d'Ivan Denissovitch*, Pocket, 1979, traduit par Lucia et Jean Cathala.
SEMPRUN Jorge, *Le grand voyage*, Gallimard, 1967.
-    *L'Évanouissement*, Gallimard, 1965.
-    *Quel beau dimanche*, Grasset, 1979.
-    *L'Écriture ou la vie*, Gallimard, 1994.
WIESEL Élie, *La Nuit*, Éditions de Minuit, Paris, 1958.

2. OUVRAGES SUR LES CAMPS

ROUSSET David, *L'univers concentrationnaire*, Éd. de Minuit.
KOGON Eugène, *L'État SS*, Seuil, Collection "Point".
SOLJENITSINE Alexandre, *L'Archipel du Goulag*, Seuil, 1974.
WIEVIORKA Annette, *Déportation et Génocide*, Plon, 1992.

3. OUVRAGES SUR LA LITTÉRATURE CONCENTRATIONNAIRE

HELLER Michel, *Le Monde concentrationnaire et la littérature soviétique*, L'Age d'homme, Lausanne, 1974.
PARRAU Alain, *Écrire les camps*, Berlin, 1995.

AUTOBIOGRAPHIE, FICTION ROMANESQUE ET POLITIQUE : LA COLLECTION "TAGLAÏTS" (1960-1968)

Tanguy L'AMINOT
Université de Paris IV-Sorbonne, C.N.R.S.

Dans *Le Pacte autobiographique*, Philippe Lejeune écrit :

> "Grâce à la "collection, l'éditeur s'assure un public d'acheteurs-lec-teurs, auxquels il garantit la conformité du produit à un certain "cahier des charges", et dont il exploite ou suscite les attitudes de lecture. La collection incite d'autre part les auteurs à répondre à des formes de demande traditionnelle ou nouvelle. La production autobiographique actuelle ne saurait être étudiée en dehors de ces contrats collectifs qui touchent d'ailleurs des publics différents : les mémoires politiques ou militaires dans les collections de Plon, de Fayard et d'autres éditeurs ; les collections de témoignages ("Témoins" chez Gallimard ; "Témoigner" chez Stocki "Témoignages" chez Mâme etc.) ; la mythologie du "Vécu", en particulier chez Laffont ; les confessions ou professions de foi suscitées en séries ("Idée fixe" chez Julliard ; "Ce que je crois" chez Grasset) ; les autobiographies au magnétophone de journalistes ("Les grands journalistes" chez Stock) ou d'hommes politiques, etc."[1]

L'objet de notre étude est d'examiner une de ces collections d'éditeur, en l'occurrence la collection "Taglaïts" qui paraît à *La Table ronde* de 1960 à 1968. Nous en présenterons surtout la singularité car, loin de s'attacher à un seul genre littéraire, loin de concerner une seule catégorie sociale, elle mêle à la fois roman, autobiographie, témoignage, documents et donne aussi bien la parole à des militaires ou à des hommes politiques qu'à des romanciers, des journalistes ou des professeurs. Plutôt que d'examiner la manière dont l'autobiographie et la fiction s'expriment chez tel ou tel auteur ou dans tel ou tel livre, nous aborderons la collection en elle-même. Nous la considérerons dans son ensemble et montrerons comment les divers thèmes autobiographiques et romanesques interfèrent ici à des fins politiques souhaitées par l'éditeur, à une époque marquée par la guerre d'Algérie et ses conséquences.

---

[1] P. Lejeune, *Le Pacte autobiographique*, Paris, Seuil, 1975, p. 339, note 1.

La collection "Taglaïts" comprend vingt-neuf titres, dont nous donnons présentement la liste complète, dans l'ordre chronologique de leur parution. Nous faisons précéder chacun d'eux d'un numéro auquel nous renverrons par la suite, et suivre de la date de l'"achevé d'imprimer". Nous signalons aussi les rééditions et les particularités propres à certains ouvrages.

1- Philippe Héduy : *Au lieutenant des Taglaïts* (novembre 1960).

2- Jean Brune : *Cette haine qui ressemble à l'amour* (mars 1961. L'achevé d'imprimer porte en fait "mars 1960", mais la date de mise en vente indique bien "avril 1961". De toute évidence, il faut lire 1961).

3- Cecil Saint-Laurent et Claude Martine : *A Simon l'honneur* (septembre 1961).

4- Jacques Soustelle : *L'Espérance trahie* (avril 1962)[2].

5- Bertrand de Castelbajac : *L'Officier perdu* (février 1963).

6- Jean Brune : *Journal d'exil, Suivi de Lettre à un maudit* (mars 1963).

7- Pierre Schoendoerffer : *La 317° Section* (juillet 1963. Le livre sera réédité en mai 1965, lors de la sortie du film du même nom et du même auteur, avec une couverture illustrée reproduisant l'affiche).

8- Jacques Isorni : *Jusqu'au bout de notre peine* (juillet 1963).

9- Jacques Dinfreville : *Messieurs les Ex, ou le fil de l'honneur* (août 1963).

10- Jean-Jacques Susini : *Histoire de l'O.A.S.* Tome premier : avril-septembre 1961 (octobre 1963).

11- Georges-André Groussard : *Service secret. 1940-1945* (janvier 1964).

12- Erwan Bergot : *Deuxième classe à Dien Bien Phu* (janvier 1964).

13- Hans Graf von Lehndorff : *La Mort ou l'espérance. Journal d'un médecin* (février 1964).

---

[2] "Claude Gallimard ne veut pas que son livre [de Soustelle] paraisse à La Table Ronde et Roland Laudenbach, qui craint une saisie (de Gaulle gouverne alors par le truchement de l'article 16), renonce à l'épreuve de force. Il décide, avec Gwenn-Aël Bolloré, Catherine du Vivier et Michel Déon, de créer une société écran, "Les éditions de l'Alma", dont la gérante était Marie-Yvonne Kreicher. *L'Espérance trahie* sort sous ce label et, à la surprise générale, aucune poursuite n'est engagée à son encontre. Le livre est un succès, mais dont La Table Ronde ne profite pas. Le livre reparaît à La Table Ronde en 1967, écrit Patrick Louis (*La Table Ronde : une aventure singulière*, Paris, La Table ronde, 1992, p. 174). Le livre existe en effet dans la collection Taglaïts, mais l'achevé d'imprimer est le même que celui des éditions de l'Alma et n'indique que la date de 1962.

14- Henry Lémery : *D'une république à l'autre. Souvenirs de la mêlée politique. 1894-1944* (août 1964).

15- Jacques Dinfreville : *Le Roi Jean. Vie et mort du maréchal de Lattre de Tassigny* (août 1964).

16- Jean-Louis Tixier-Vignancour : *J'ai choisi la défense* (septembre 1964).

17- Jacques Isorni : *Compte rendu. Le procès : l'accusateur public contre Isorni* (avril 1965).

18- Jacques Soustelle : *La Page n'est pas tournée* (avril 1965).

19- André Figueras : *Raoul Salan* (novembre 1965)[3].

20- Jacques Laurent : *Offenses au chef de l'État* (novembre 1965).

21- Antoine Ysquierdo : *Une guerre pour rien* (avril 1966).

22- Jean Reimbold : *Pour avoir dit non. 1960-1966* (mai 1966).

23- Gabriel Bastien-Thiry : *Plaidoyer pour un frère fusillé* (août 1966).

24- Jean Brune : *Interdit aux chiens et aux Français* (décembre 1966).

25- Nicolas Kayanakis : *Derniers châteaux en Espagne* (décembre 1966).

26- Jacques Isorni : *Pour dire et juger* (septembre 1967).

27- Pierre Sergent : *Ma peau au bout de mes idées* (mai 1968).

28- Claude Tenne : *Mais le diable marche avec nous* (juillet 1968).

29- Pierre Sergent : *Ma peau au bout de mes idées. 2-La Bataille* (octobre 1968).

Examinons d'abord ce qui fait l'unité de la collection.

Le point le plus évident est l'apparence qu'elle donne. Nombre de volumes se présentent sous une couverture typographique très reconnaissable, puisque composée de gros caractères d'affiche de couleurs brune et noire. Cette présentation concerne les trois quarts des ouvrages : la couleur diffère parfois et certains livres paraissent avec une couverture illustrée (Bergot 12, Lémery 14, Groussard 11). Les derniers volumes de la collection ont la couverture traditionnelle, mais bénéficient aussi d'une jaquette photographique (Ysquierdo 21, Sergent 27 et 29, Tenne 28).

Ce qui fait aussi l'unité d'une collection, c'est son titre. L'inscription "Collection "Taglaïts" n'apparaît cependant qu'à deux reprises : dans le livre de Jacques Isorni, *Jusqu'au bout de notre peine*, en juillet 1963, puis dans *l'Histoire de l'O.A.S.* de Jean-Jacques Susini, en octobre de la même année. Plus généralement, mais pas dans tous les livres qui vont suivre celui d'Isorni, la collection est concrétisée

---

3 Nous n'avons pas trouvé dans cette collection le livre d'A. Figuéras, bien qu'il figure dans les listes situées en fin de volume. S'agit-il du *Raoul Salan* de cet auteur publié dans la collection "L'ordre du jour" ?

sous la forme d'une liste des titres parus, précédée de l'habituel chapeau : "Dans la même collection". Cette liste est singulière dans la mesure où certains titres qui sont apparus dans un volume, disparaissent par la suite. C'est le cas de *Service secret* de Groussard qui figure dans les ouvrages de Lémery et Lehndorff, de *A Simon l'honneur* de Cecil Saint-Laurent et Claude Martine et de *La Mort et l'espérance* de Lehndorff qui cessent de figurer dans les derniers livres de la collection. Il faut peut-être voir là une volonté des éditeurs de rendre la collection plus cohérente en la centrant sur les problèmes de la décolonisation. On ne doit pas y voir en tout cas la cause dans l'épuisement de ces titres, puisque certains sont encore disponibles aujourd'hui, et, bien qu'il traite de la période allant de 1894 à 1944, l'ouvrage de Lémery continue de figurer jusqu'à la fin. La liste que nous présentons plus haut constitue la première liste complète de la Collection Taglaïts.

De telles singularités nous amènent à nous interroger sur ce "cahier des charges" entre l'éditeur et l'auteur, dont parle P. Lejeune. Les auteurs n'ont apparemment pas eu le sentiment d'entrer dans une collection. Roland Laudenbach, qui était le directeur littéraire de *La Table ronde*, ne leur a pas défini la ligne dans laquelle leur écrit allait prendre place. Nous avons interrogé les deux auteurs qui entrent dans la collection au moment où le titre de celle-ci apparaît : Pierre Schoendoerffer et Jacques Isorni. Ni l'un ni l'autre n'ont pris conscience d'une telle situation. P. Schoendoerffer nous a dit :

> "Je n'ai pas du tout eu conscience d'entrer dans une collection. Elle n'existait pas à l'époque. Je pense que les responsables de La Table ronde ont dû voir comme une espèce d'ensemble sur les problèmes de ces années-là et que c'est pour cette raison qu'ils ont fait la collection. Lorsque j'ai été édité, le mot collection n'apparaissait pas".

Le titre choisi pour cette collection place les livres dans une perspective et leur donne un sens qui concourt à l'unité du tout. Taglaïts est le nom que porte une cuvette au sein des montagnes du Constantinois : c'est le cadre dans lequel se déroule l'action du premier roman de Philippe Héduy. L'histoire est donc bien située dans l'espace et dans le temps, puisqu'elle se passe symboliquement le 14 juillet 1959. Elle justifie donc *a priori* la présence dans la collection de nombreux livres traitant de la guerre d'Algérie, du drame des Pieds-noirs et des combats de l'O.A.S.. Elle explique cependant mal, si l'on en juge ainsi, le fait que le troisième volume de la collection, celui de Cecil Saint-Laurent et Claude Martine, conte l'aventure de Simon, veilleur de nuit, ancien officier d'origine géorgienne, qui, victime de l'histoire politique européenne, a fui son pays, puis divers autres, pour se retrouver poussant une brouette au Creuzot, ou que les ouvrages de Lémery, Groussard et Lenhdorff concernent la deuxième guerre mondiale, ceux de P. Schoendoerffer et E. Bergot, la guerre d'Indochine. Le texte qui figure sur la quatrième page de couverture du roman de P. Héduy donne sans doute le sens de cette collection. On y trouve en effet ces lignes :

> "Voici le livre de ces "Réprouvés", voici leurs fatigues et leurs marches, leurs veilles et leurs combats, leur silence, leur espérance bafouée et leur sourde colère"[4].

Cette phrase peut en effet s'appliquer à tous les livres de la collection Taglaïts. Peu ou prou, ils marquent un décalage par rapport à l'idéologie dominante ou à l'histoire officielle, expriment de la nostalgie ou de la colère. L'allusion aux "Réprouvés" renvoie au roman à caractère autobiographique d'Ernst von Salomon, paru en 1930, dans lequel celui-ci évoquait l'aventure des corps francs apparus en Allemagne après la Grande Guerre : des soldats pour qui le front était devenu leur pays et leur nation, qui "auront toujours la guerre dans le sang, la mort toute proche, l'horreur, l'ivresse et le fer", des soldats qui rentrent "dans le monde paisible, ordonné, bourgeois", condamnés par ce monde et continuant "à porter en eux la patrie et la nation"[5]. Soldats perdus, militants en fuite ou en exil, prisonniers, plusieurs des auteurs de la collection sont bien de cet univers des "réprouvés" ou des "maudits" pour reprendre le terme utilisé par Jean Brune (Brune 6). Leurs écrits traduisent également leur douleur et leur révolte devant l'indifférence et le rejet que leur témoigne la métropole, accusée d'avoir sacrifié l'honneur et la vie de milliers d'hommes et de femmes à "une vie doucereuse"[6].

Même avant d'apparaître comme la collection des partisans de l'Algérie française, des soldats perdus et des membres de l'O.A.S., la collection Taglaïts est déjà celle de "réprouvés". Les séquelles de la Libération, la guerre froide ou l'abandon de l'Indochine sont encore des plaies bien vivaces dans la France des années soixante. Pierre Schoendoerffer, qui a eu l'amabilité de nous accorder un entretien à propos de *La 317° Section*, nous a expliqué "qu'à l'époque où le livre

---

4 P. Héduy, *Au lieutenant des Taglaïts*, Paris, 1960, p. 4 de couverture. On trouve un écho de cette expression dans le livre de J. Brune, paru dans la même collection : "C'est dans les communautés de réprouvés que naissent et germent les vérités futures".

5 Ernst van Salomon, *Les Réprouvés*, Paris, Plon, 1951, p. 31.

6 Nicolas Kayanakis, *Derniers châteaux en Espagne*, Paris, La Table ronde, 1966, p. 151.

est sorti, il y avait encore une ombre très noire sur la guerre d'Indochine présentée comme une guerre de colonialistes" :

> "On était des gens à part : en Indochine, on était des volontaires, on avait fait notre choix. Rien que le fait d'avoir fait un choix, même s'il n'avait pas été fait pour des raisons politiques, impliquait dans la France telle qu'elle était alors un choix politique. J'étais un salopard d'ancien d'Indochine. Ça s'est atténué depuis. Aujourd'hui, cela a totalement disparu, puisqu'il y a même une légende de l'Indochine qui nous a anoblis, mais dans les années cinquante et soixante, même soixante-dix, on était quand même montré du doigt comme le méchant mouton noir"[7].

Lenhdorff contant l'invasion de l'Allemagne par l'armée soviétique ou Henry Lémery et Serge Groussard les dessous de la Troisième République et leur action dans le gouvernement de Vichy, sont aussi des "réprouvés" dans la France du général de Gaulle.

La collection Taglaïts est donc avant tout une collection de combat. Elle veut s'opposer à l'action politique du pouvoir gaulliste et, de manière moins apparente, au marxisme. La répression du régime qui, à l'époque, fait preuve d'une brutale fermeté aussi bien contre les partisans de l'indépendance algérienne (150 morts lors de la manifestation F.L.N. de Paris en octobre 1961) que contre ceux de l'Algérie française (exécutions de Dovecar, Piegts, Degueldre et Bastien-Thiry), va s'abattre sur les Editions de la Table ronde et notamment sur la collection Taglaïts. Plusieurs livres et auteurs de celle-ci supporteront les foudres de la censure, la saisie et les tribunaux: *Jusqu'au bout de notre peine, Histoire de l'O.A.S.* et *D'une république à l'autre* sont ainsi condamnés, même si les peines ne sont appliquées que partiellement. La direction de La Table ronde subit aussi la pression des Editions Gallimard qui sont l'actionnaire majoritaire de cette maison et supportent difficilement l'antigaullisme passionnel ainsi manifesté. Elle hésite à faire paraître en 1962 *L'Espérance trahie* de Jacques Soustelle et crée, pour ce faire, une société parallèle, les Editions de l'Alma, où le livre paraît sans connaître aucun problème, à la surprise

---

7 Entretien de P. Schoendoerffer avec T. L'Aminot, 18 octobre 1996. Quand paraît le livre d'Erwan Bergot, en 1964, pour commémorer le dixième anniversaire de la bataille de Dien Bien Phu, le lecteur peut lire au dos de l'ouvrage à propos des "deuxième classe" qui font l'objet du récit : "On ne les a pas défendus. On les a salis, humiliés, on les a décriés, honnis, oubliés. C'est à eux, les "deuxième classe", ces obscurs, que ce livre est dédié" (**Deuxième classe à Dien Bien Phu**) On peut trouver un exemple de la condamnation évoquée par P. Schoendocrffer dans l'analyse fort peu cinématographique, mais viscérale, de J.-P. Jeancolas sur *Le Crabe-tambour* (**Positif,** 203, février 1978, p. 70-72.)

générale. Pierre Sergent, ancien officier de la Légion étrangère ayant participé au putsch d'Alger et depuis chef de l'O.A.S. en métropole, bien que condamné à vingt ans de réclusion criminelle par contumace, fait de soudaines apparitions clandestines à Paris, où il donne des conférences de presse aux journalistes : en novembre 1968, il les convoque afin de présenter le premier tome de *Ma peau au bout de mes idées* [8]. Jusqu'au bout, les auteurs de la collection Taglaïts en décousent avec les autorités.

La violence de cette époque est, à notre avis, à l'origine d'un certain nombre d'attitudes chez les responsables et les auteurs de la collection et, en particulier, du caractère autobiographique et personnel pris par certains livres. Il semble que ce soit là une réponse type à une situation très tendue. La tension est telle que l'individu est conduit à s'engager tout entier : sa personne (sa "peau", dit P. Sergent) et ses idées sont la justification de son action.

On peut trouver chez Jean-Jacques Rousseau, et toutes proportions gardées, une situation équivalente. Ecrire ses *Confessions* est tout à la fois, pour lui, une manière de se retrouver et de s'évader, une nécessité thérapeutique qui lui permet de connaître un certain équilibre et une réponse à ses adversaires qui déforment la réalité le concernant. Quand Rousseau, à la suite des "malheurs inouïs" qui l'accablent, décide de reprendre la plume et de composer le livre VII de ses *Confessions*, il ne peut plus tergiverser. Il cherche dès lors moins à s'abandonner aux charmes qu'entraîne l'évocation du passé qu'à contrecarrer l'influence de ses ennemis. Comme il ignore ce qu'ils savent de sa vie et ce qu'ils peuvent révéler, il est contraint de tout dire et notamment, de conter l'abandon de ses enfants. L'agression du monde extérieur détermine son comportement et sa volonté de révéler un homme dans toute la vérité de sa nature.

Rousseau, apparemment, ne fait guère partie des auteurs lus par les écrivains de la collection Taglaïts : J. Isorni et P. Schoendoerffer nous ont dit n'en avoir qu'une connaissance scolaire, P. Sergent parle

---

[8] On sait qu'à la suite des événements de mai 1968, de Gaulle avait décrété l'amnistie et fait libérer les chefs de l'O.A.S. encore emprisonnés. Sergent avait refusé : "L'amnistie est un pardon, mais nous n'avons rien à nous faire pardonner [...]. Pour moi, je refuse l'amnistie. Je ne me présenterai pas à la justice gaulliste. Je veux rester un symbole d'intransigeance" (J.-M. Lermont et P. Demaret, "Le défi du capitaine Sergent", *Le Figaro*, 22-23 juin 1968). En novembre, il maintient cette position (*Le Monde*, 7 novembre 1968).

ailleurs de "rousseauisme benêt"[9] et il n'y a guère que Jacques Laurent pour avouer son admiration pour *Les Confessions*[10]. Cependant, le sentiment d'être des maudits ou des réprouvés conduit ces auteurs à des réactions semblables à celle de Rousseau et en entraîne quelques-uns vers les voies de l'autobiographie.

Pour plusieurs d'entre eux, écrire et justifier leur rébellion est une nécessité vitale. J. Isorni exprime le besoin de catharsis qui l'a poussé à prendre la plume, quand il écrit dans ses *Mémoires* :

"Dès le mois de juillet 1962, bouleversé par les événements d'Algérie, j'avais décidé d'écrire un livre, de maudire et de me délivrer de ce mal qu'était la défaite. Je tenais à exhaler ma véhémence et ma peine d'assister, impuissant, à ce qui deviendra la destruction de l'Algérie [...]

Ecrire un livre était devenu pour moi un besoin. C'était la seule manière de libérer une conscience que les événements avaient mise à la torture. J'écrivis ce livre avec une rare passion, peut-être même avec rage, mais aussi avec beaucoup d'amour et de regret. Au fond, je le sais bien, c'est un livre d'amour, d'amour et de tristesse, qui s'était imposé à moi"[11].

Ce livre, ce sera *Jusqu'au bout de notre peine*.

L'autobiographie va occuper une place importante au sein de la collection Taglaïts. Le lecteur peut y trouver les diverses formes autobiographiques recensées par Philippe Lejeune. D'abord l'autobiographie tout court, qui est un "récit rétrospectif en prose qu'une personne réelle fait de sa propre existence, lorsqu'elle met l'accent sur sa vie individuelle, en particulier sur l'histoire de sa personnalité"[12]. P. Lejeune insiste aussi sur le fait qu'il faut qu'il y ait identité de l'auteur, du narrateur et du personnage pour qu'on puisse parler d'autobiographie. Il est également important que le lecteur

---

9 P. Sergent, *Paras-Légion. Le 2° B.E.P. en Indochine*, Paris, Presses de la Cité, 1982,   p.223.

10 "Il y a un livre du XVIIIe siècle que j'aime bien, c'est les *Confessions*", Christophe Mercier, *Conversation avec Jacques Laurent*, Paris, Julliard, 1995, p. 214. Sur le Rousseau de J. Laurent voir notre étude à paraître: "J.-J. Rousseau chez les hussards", *Mélanges Laurent Versini. Littérature et séduction*.

11 J. Isorni, *Mémoires*, Paris, Flammarion, 1980, t. 3, p. 121. Jean Brune exprime aussi cette délivrance apportée par l'écriture : "Le cycle offert au repos de la conscience s'achève avec ce livre. Après lui, le coeur apaisé, je reviendrai aux équations graphiques du dessin dont je rêve et aux fictions et aux chimères qui me fascinent" (*Interdit aux chiens et aux Français*, Paris, 1966, p. 11).

12 P. Lejeune, *op. cit.*, p. 14.

connaisse déjà l'auteur par un précédent livre afin de percevoir cette identité. Plusieurs livres de la collection Taglaïts répondent à cette définition. Les deux volumes que fait paraître Pierre Sergent (Sergent 27 et 29) notamment. S'il publie là son premier livre, l'auteur est connu du public pour avoir occupé la une de la presse française à de nombreuses reprises : son récit est attendu pour les révélations qu'il apporte des difficultés et des dissensions de la lutte clandestine, tout autant que parce qu'il est l'oeuvre d'un soldat intransigeant et invaincu qui a berné plus d'une fois la police. Sergent ne se contente pas comme d'autres (Soustelle, par exemple) d'évoquer son action politique. Chez lui, l'individu ne s'efface pas derrière l'homme public. Il expose la genèse de sa personnalité en remontant à son enfance : il est issu d'une famille d'universitaires du côté maternel et de techniciens du côté paternel ; il est bouleversé par les événements de 1936, mais encore plus par la défaite de son pays en 1940. Sa révolte devant la France soumise au joug nazi est très forte : il évoque l'apparition d'un de ses camarades de lycée contraint d'arborer l'étoile jaune et rappelle l'émotion qui l'étreignit, ainsi que leur professeur et de nombreux élèves, et leur solidarité. Ces sentiments le conduisent dans les rangs de la Résistance, puis à Saint-Cyr quand la guerre prend fin. Sa carrière militaire débute, fondée sur le refus de la défaite, la volonté de ne plus subir et un sens de la parole donnée très intense qui sera battu en brèche par la situation politique nationale et internationale en Indochine et en Algérie. Sa parole, son honneur, ce qui constituait son être, ont été bafoués et nécessitent ce recours à l'expression autobiographique, non seulement pour exposer la trahison et expliquer le sens du combat engagé avec l'O.A.S., mais pour affirmer sa véritable identité.

Le livre de Claude Tenne appartient à la même catégorie. Tout comme Sergent, cet auteur n'a rien publié jusqu'alors, étant à l'origine ouvrier aux Forges de Saint-Ouen, chez Citroën, puis caporal au 1° Régiment Étranger de Parachutistes. Il réussit cependant avec brio, en novembre 1967, une évasion spectaculaire du pénitencier de l'île de Ré, évasion qui en déclenchant le plan Rex et la mobilisation de 150.000 hommes, le fait connaître à la France entière. Son livre, *Mais le diable marche avec nous*, qui présente de réelles qualités littéraires, paraît à La Table ronde quelques mois après. Les diverses époques de sa vie (l'usine, la Légion, l'O.A.S., la prison) y alternent et entrent dans une perspective qui leur donne un sens. Tenne parle aussi de sa famille, de sa rencontre à l'usine avec un ouvrier communiste qui est un ancien légionnaire et fait naître en lui la révolte contre sa condition et l'appel de l'aventure. Comme Sergent, mais au niveau de l'homme de troupe cette fois, le livre procure le récit d'une guerre vécue par un combattant, de son incompréhension devant les décisions prises par les états-majors et les gouvernements, de sa rébellion qui le conduit à rejoindre les commandos Delta du lieutenant Roger Degueldre et à participer à l'assassinat du commissaire Gavoury à Alger, en mai 1961. S'ils sont des livres de combat, les livres de Pierre Sergent et de Claude Tenne entrent bien dans la catogorie des autobiographies, au sens complet de ce terme.

D'autres ouvrages de la collection appartiennent à des genres voisins de l'autobiographie. Ils expriment un "je" qui est encore celui de l'auteur, du narrateur et du personnage, mais entrent plutôt dans la catégorie du témoignage. Le récit ne fait pas appel, comme dans les cas précédents, à des souvenirs d'enfance et de jeunesse pour expliquer le comportement adulte, et se limite à une période bien circonscrite. C'est le cas de J. Isorni dans *Jusqu'au bout de notre peine* et de J. Soustelle dans *La Page n'est pas tournée* et *L'Espérance trahie*. Il s'agit dans ces trois livres de témoigner et, par suite, d'expliquer les événements et de s'opposer à la version déformée proposée par l'histoire "officielle". Soustelle s'en prend particulièrement à l'*Histoire de l'Organisation de l'Armée Secrète* de Morland, Barangé et Martinez qui paraît chez Julliard en 1964. Il consacre le second chapitre de *La Page n'est pas tournée* à rectifier les erreurs de ces auteurs et à leur opposer sa propre version des faits. Dans *L'Espérance trahie*, il rappelle son action dans la Résistance auprès du général de Gaulle et la part qu'il a jouée à Alger, en mai 1958, pour l'installer au pouvoir, insistant sur la duplicité du chef de l'État depuis cette date. On relève malgré tout dans ces textes qui sont bien plus historiques et politiques qn'autobiographiques, une tendance des auteurs à présenter la genèse de leur personnalité. Soustelle, par exemple, évoque ses origines cévenoles pour expliquer son esprit de résistance (à l'occupant nazi puis au général de Gaulle)[13]. Jean Reimbold offre également un témoignage de son action dans l'O.A.S., qu'il fait précéder d'un bref survol de l'histoire telle qu'il l'a perçue et vécue depuis trente-cinq ans. Les faits personnels cèdent cependant la place aux événements historiques et l'autobiographie n'y fait que de timides apparitions.

Le journal qui est aussi un genre proche de l'autobiographie, est également présent dans la collection Taglaïts avec le livre de Jean Brune: *Journal d'exil*, publié en 1963. On y trouve le récit de l'aventure vécue par l'auteur du 11 juillet 1961 au 20 février 1963, à travers les capitales européennes où il cherche refuge. Ces notes sont emplies de

---

13 J. Soustelle, *L'Espérance trahie*, Paris, 1962, p. 10.

considérations historiques, nostalgiques ou personnelles qui alternent avec l'évocation des difficultés propres à l'exil et à la clandestinité. Elles constituent un document sur l'histoire immédiate. Le document est d'ailleurs un genre très pratiqué dans la collection : y figurent en effet plusieurs recueils de plaidoiries (Tixier-Vignancour 16, Isorni 17, Laurent 20) se rapportant aux affaires d'Algérie, auxquels on peut ajouter le *Plaidoyer pour un frère fusillé* de Gabriel Bastien-Thiry et quelques annexes placées à la fin de divers volumes (Soustelle 4, Isorni 8, Sergent 29). Ce goût du document, du fait vrai, exprime une nécessité de l'heure présente ; elle est sans aucun doute une des tendances essentielles de la collection. Autobiographies, témoignages, journaux et plaidoyers sont là pour faire entendre la voix des "réprouvés". Les romans qui voisinent dans la Collection Taglaïts avec ces textes graves, n'échappent pas à cette tendance.

On peut en effet s'étonner que plusieurs romans ou récits romanesques figurent dans une telle collection et entretiennent une relation ambiguë avec des livres qui ne souhaitent pas avoir un rapport imaginaire avec la réalité et prétendent même la corriger. Le mot "Roman" figure sur la couverture ou la page de titre de plusieurs volumes de la collection, surtout parmi les premiers publiés (Cecil Saint-Laurent et Claude Martine 2, Jean Brune 3, Bertrand de Castelbajac 5). Patrick Louis, qui a écrit une histoire des éditions de La Table Ronde, a noté que, sous l'impulsion de Roland Laudenbach, la maison a certes marqué "une crispation idéologique" à l'époque de la guerre d'Algérie, mais ne s'est pas transformée "pour autant en une officine exclusivement préoccupée de propagande". Le goût de la littérature n'a pas été submergé par celui de la politique. R. Laudenbach est resté "à la recherche d'authentiques écrivains, en dehors de toute préoccupation autre"[14]. Ceci explique sans doute que des romans aient trouvé place dans cette série d'ouvrages mobilisés pour la défense d'une cause où la frivolité romanesque n'a que faire. Que cette cause soit une cause perdue après le référendum de 1962 et l'indépendance accordée à l'Algérie, constitue d'ailleurs un thème romanesque, auquel la quatrième page de couverture d'*Une haine qui ressemble à l'amour* de Jean Brune, fait référence :

"Une foule de personnages, de décors inspirants, une hauteur de vue et une tendresse profonde pour des héros qui luttent contre tout

---

14 Patrick Louis, *La Table Ronde. Une aventure singulière*, Paris, La Table ronde, 1993, p. 213.

espoir font de ce roman l'"Autant en emporte le vent" de la guerre d'Algérie"[15].

Les "avertissements" qui figurent dans de nombreux livres sont là pour marquer le rapport avec la réalité. S'il y a fiction, celle-ci est très proche des faits et des événements qui viennent de se dérouler. Le premier ouvrage, celui de P. Héduy, précisait déjà : "L'action de ce livre est située dans le Constantinois. Les noms de lieux ne sont pas toujours respectés. Les noms des personnages sont tous imaginaires"[16]. Celui de Castelbajac : "L'action de ce livre se situe à la Préfecture de Police, au Dépôt et à la Maison d'Arrêt de la Santé. Les noms de lieux ne sont pas toujours respectés. Les noms de personnages sont tous imaginaires"[17]. Le texte qui figure au dos du livre montre comment autobiographie et fiction romanesque se confondent quand le narrateur emploie, comme ici, la première personne :

> "Un capitaine de Légion, déserteur et membre de l'O.A.S., est interné à la Santé. il profite de son oisiveté forcée pour réfléchir plus profondément qu'il ne l'a jamais tenté. Jusqu'ici il agissait plutôt par instinct. Sa méditation solitaire le pousse à renier toutes les valeurs traditionnelles pour lesquelles il a combattu [...].
>
> Il est bien évident que l'auteur de cet ouvrage n'aurait pu l'écrire s'il n'avait lui-même effectué un séjour à la Santé, et rencontré à cette occasion quelques hommes évoluant loin de la médiocrité.
>
> Il ne faut pas en conclure que ce livre est autobiographique, ni que ce capitaine est un modèle d'officier perdu; il lui arrivera d'entrer en conflit avec ses codétenus.
>
> Le personnage principal de ce roman mêle l'imaginaire au réel, les souvenirs aux rêves si confusément que le lecteur aura le plus grand mal à effectuer le partage"[18].

Le mot "Roman" qui figure sur la couverture juste en dessous du titre joue sur cette confusion et donne un sens cynique à la réalité carcérale qui est le sujet du livre mais aussi le lot de nombreux militants et à laquelle est particulièrement sensible un lecteur de 1963. *Derniers châteaux en Espagne* de Nicolas Kayanakis se présente pareillement sous une forme romancée tout en étant rédigé à la première personne. L'auteur qui fait tout autant le récit d'une intrigue amoureuse que d'un

---

15 J. Brune, *Cette haine qui ressemble à l'amour,* Paris, 1961, p. 4 de couverture.

16 P. Méduy, *Au lieutenant des Taglaïts,* Paris, 1960, p. 8.

17 B. de Castelbajac, *L'Officier perdu,* Paris, 1963, p. 6.

18 *Id.*, p. 4 de couverture

complot, parle de "souvenirs imaginaires"[19]. La barrière qui sépare ici aussi le roman de l'autobiographie paraît mince, et d'autant plus que c'est le mot "Récit" qui figure cette fois sur la page de titre.

Le récit, dans la mesure où il est simplement la narration d'un fait, semble plus proche de la réalité que de la fiction. C'est cette désignation que l'on trouve sur la page de titre de *La 317° Section* de Pierre Schoendoerffer. Quand le livre est réédité chez Fixot en 1992, cette mention a cédé la place à celle de "Roman". Interrogé sur ce point, P. Schoendoerffer nous a dit :

> "*La 317° Section* s'est appelée récit au lieu de roman et je ne sais pas pourquoi. Moi, trop heureux d'être édité, quand Roland Laudenbach a dit: "On va appeler cela récit", je n'ai pas argumenté. Pour moi, c'est un roman, en ce sens qu'un récit est lié à quelque chose qu'on a vraiment vécu pas à pas. J'ai vécu des histoires en Indochine, mais pas celle de la 317° Section qui est totalement inventée. Pour moi, c'est un roman. Pour Roland, je pense que cela faisait partie d'une campagne de vente du livre. Si c'est un récit, cela sera peut-être plus facile à vendre ou à convaincre les critiques. Ce n'est pas moi qui ai choisi d'appeler le livre roman, c'est vraiment l'éditeur".

P. Schoendoerffer avait fait partie du service photographique des armées en Indochine, participé en tant que cinéaste à diverses opérations militaires et avait finalement sauté sur Dien Bien Phu. Il n'avait pas vécu les aventures de ses héros, le sous-lieutenant Torrens et l'adjudant Willsdorff, étant présent dans la cuvette encerclée au moment où se déroule l'action du livre. Il a certes utilisé des souvenirs de son expérience indochinoise et les a romancés. Même si son roman a la forme d'une chronique, il n'a qu'un rapport éloigné avec le vécu de l'auteur et n'est nullement un récit à caractère autobiographique. On peut voir dans cette attribution du mot "Récit" à l'ouvrage une volonté de R. Laudenhach de présenter sa collection tout entière comme une expression de la réalité vécue. Quand *La 317° Section* est rééditée à La Table Ronde en 1965, le mot récit y figure encore et il est renforcé par une inscription sur la couverture même : "Un vrai récit de guerre de Pierre Schoendoerffer". Le roman concourt donc ici au même but que l'autobiographie, le témoignage ou le document. Il sert une fin politique et défend certaines valeurs viriles et héroïques que les responsables de La Table ronde jugent passablement oubliées dans la France des années soixante.

---

19 N. Kayanakis, *op. cit.*, p. 7.

La frontière entre fiction romanesque, autobiographie et récit historique est d'autant plus ténue en cette circonstance que les genres sont amenés à se confondre. Plusieurs livres peuvent apparaître comme des livres à clef. Le lecteur de la collection Taglaïts qui est au courant de l'actualité militaire et politique de la guerre d'Algérie, est invité à identifier tel ou tel personnage. Des signes sont là qui voilent à peine l'allusion et lui permettent de s'y retrouver dans des écrits qui ont adopté la forme romancée. Ainsi Philippe Héduy dédie son livre *Au lieutenant des Taglaïts* "à la mémoire du lieutenant G. tombé aux Taglaïts à la tête de son commando le 3 décembre 1959" et la première page de l'ouvrage montre que le récit commence à cette même date. Quand il le réédite en 1983 dans sa propre maison d'édition, P. Héduy transcrit clairement le nom du lieutenant Gadal et porte sur la couverture la mention "Récit". De la même façon, le lecteur d'*Une guerre pour rien* d'Antoine Ysquierdo sait que celui-ci est un ancien capitaine du 1e Régiment Etranger de Parachutistes et que le récit qu'il donne est la geste de celui-ci. Il devine que le colonel Gipey n'est autre que le colonel Jeanpierre, figure emblématique de ce régiment, et que la carrière du capitaine Politès ressemble beaucoup à celle du capitaine Faulques. Le livre a bien le ton inhabituel, rauque et violent, dont parle le texte de présentation au dos. Il utilise dialogue, description et chronologie aussi bien qu'un roman traditionnel, mais en narrant des "faits authentiques", ainsi qu'il est dit dans l'introduction[20], il se

---

[20] Antoine Ysquierdo nous a aimablement adressé une lettre à propos de ses rapports avec la collection Taglaïts : "Après avoir quitté l'Armée, dans les circonstances que vous devez connaître, j'ai entrepris une nouvelle carrière au groupe St-Gobain. Je suis devenu Ingénieur papetier, spécialiste en imprimerie et autres transformations du papier dans toutes sortes d'utilisation. Le monde de l'édition, des plus grands aux plus modestes en Europe, m'étant devenu familier. Un directeur commercial m'ayant présenté un jour à Roland Laudenbach, nous sympathisions assez vite. Celui-ci me demandait d'écrire, si je le voulais bien, sur les guerres auxquelles j'avais activement participé - . D'un "seul jet" en quinze jours, je lui présentais une sorte de résumé des chapitres que je pouvais développer par la suite, en soignant la forme et le fond, en deux ouvrages au moins... Il se trouve que l'éditeur, Roland Laudenbach, me déclarait sur le champ, après lecture -1966 - qu'il allait éditer telle quelle ma "Guerre pour rien", sans en retoucher une virgule, en précisant ces mots :
"Ce livre arrive 5 ans trop tard et 25 ans trop tôt..." ! Jugement prémonitoire de Roland Laudenbach, compte tenu de ce qu'est devenu l'Algérie souveraine et indépendante ! et notre politique française à son égard... Il ne fut pas question ni de s'intégrer dans une quelconque collection, ni de Taglaïts ou autre. Je découvrais ensuite ce qu'il en était". A. Ysquierdo ajoutait également à propos de son

rapproche des témoignages et des mémoires qui font déjà partie de la collection. Même un document aussi sérieux et important que l'*Histoire de l'O.A.S.* rédigé par une des figures essentielles du mouvement, Jean-Jacques Susini, membre du Comité supérieur, responsable de l'action politique et psychologique de l'Armée secrète en Algérie, qui a pris sur lui de traiter directement avec le F.L.N. après l'indépendance, ne se contente pas d'apporter des révélations et de fournir un témoignage et des éléments d'archive. Il offre un récit qui prend parfois l'allure d'un roman, comme lorsqu'il conte une action des commandos Delta :

> "Le commando parvint devant le portail grillagé de la station. Le chef qui guidait nos hommes s'aperçut alors que la garde avait déjà été relevée. Il lâcha un juron énergique :
> - Ah ! m..., ils sont là ! Nous arrivons trop tard [...] . Entre les deux enceintes se promenaient les sentinelles. S'adressant à l'une d'elles, le chef du commando s'écria, d'un ton de quartier-maître :
> - Hep ! appelez-moi le chef de centre.
> Il se tourna aussitôt vers ses hommes et demanda à l'un d'eux:
> - Hé ! gars, comment s'appelle ce chef de centre ?
> -Mignucci, lui fut-il répondu"[21].

Le roman n'apparaît pas comme un genre mineur ou incongru. Il peut servir à faire comprendre et trouve naturellement sa place et dans les écrits les moins romancés et dans la collection Taglaïts.

La pression de l'histoire et la nécessité de dire leur vérité conduisent les partisans de l'Algérie française et particulièrement les auteurs de cette série, à s'interroger sur la méthode la plus appropriée pour le faire. Témoigner n'a pas été toujours facile : Hélie de Saint-Marc qui a obtenu en 1996 le prix Fémina de l'essai pour ses *Mémoires* s'est replié dans le silence pendant longtemps : "Le silence m'était toujours apparu comme le seul linceul qui convienne aux drames que nous avions traversés"[22]. D'autres, comme P. Sergent, ont jugé qu'il fallait parler le plus tôt possible : "Parce que la vérité est essentielle en matière d'histoire, il faut que ceux qui en détiennent une part la livrent au public. Le silence ne résout rien. Il laisse aux falsificateurs et

---

livre : "Pour vous rassurer sur le thème, il s'agit bien d'autobiographie..." (Lettre du 16 novembre 1996).

21 J.-J. Susini, *Histoire de l'O.A.S.*, Paris, 1963, p. 369-370.

22 Hélie de Saint-Marc, *Mémoires. Les champs de braises*, Paris, Perrin, 1995, p. 13.

aux adversaires la part trop belle"[23]. Ces questions, les auteurs se les sont posées très tôt et avec d'autant plus d'intérêt que la réponse leur paraissait cruciale. Dans l'avant-propos d'un livre qui paraît en 1962, et traite du même sujet que la collection Taglaïts, on peut lire :

> "Il y a un temps pour l'histoire, qui n'est pas encore venu. Les passions sont encore trop violentes, les témoignages trop rares, et surtout manque cette liberté de l'intelligence, qui prend les faits pour les faits, pour rien d'autre que les faits.
>
> Il y a le temps des mémoires. Il viendra plus vite. Des hommes rédigent les leurs dans l'exil ou la prison. Mais pourquoi écrit-on des mémoires, sinon pour se justifier ? Pour gagner sa cause en appel devant les générations à venir ?
>
> Si j'ai choisi d'écrire un roman plutôt que des mémoires, c'est d'abord pour cette raison, qui me paraît assez forte, qu'il importe moins de continuer, dans les combats de l'écriture, les querelles fratricides, que de comprendre. Les chemins du coeur sont ceux de la réconciliation. Un roman, parce qu'il vise à la vérité des âmes, aide peut-être à les ouvrir.
>
> C'est aussi parce qu'ayant été un témoin, j'ai mesuré les limites de tout témoignage. Chercher à reconstituer les événements, c'est en définitive céder trop aisément au parti de les disposer au gré d'une thèse. Laissons aux historiens de l'avenir la tâche de retracer la courbe de cette aventure brève et terrible. Ils en saisiront le dessein, la regardant de Sirius. Le romancier, parce qu'il n'a pas à se soucier d'une véracité qui ne serait que matérielle, atteint à ce que manquera toujours l'historien, à la vérité vécue des caractères et des comportements"[24].

Les auteurs de la collection Taglaïts ont voulu eux aussi exprimer cette "vérité vécue" et certains, comme Jean Brune, ont alternativement choisi le roman, le journal et l'essai pour ce faire. Dans la préface d'*Interdit aux chiens et aux Français*, celui-ci tourne le regard vers ses écrits précédents :

> "Je savais avant d'écrire la première ligne de *Cette haine qui ressemble à l'amour* que rien n'est plus antiromanesque que ce souci d'explication

---

[23] P. Sergent, *La Bataille. O.A.S./Métro*, Paris, Le Livre Poste. Albatros, 1988, p. 7.

[24] Georges Alicante, *Soldat perdu*, Paris, Au fil d'Ariane, 1962, p. 7. Il convient de noter que plusieurs des auteurs de la collection Taglaïts, qui débutaient ainsi dans la voie littéraire et romanesque, ont poursuivi. Les autobiographies de Sergent et de Claude Tenne évoquées plus haut ont donné lieu à des versions romancées. Sergent a repris sa carrière à travers trois romans : *Les Voies de l'honneur* (1987), *La Revanche* (1989), *Le Coup de Grâce* (1990). Le récit de Tenne a fortement inspiré Frédéric Musso dans *Martin est aux Afriques* (1978).

et de démonstration. Mais l'une et l'autre étaient pour moi, de très loin, plus importantes que l'éventuelle perfection esthétique. En d'autres termes, les livres publiés jusqu'ici sont , dans mon esprit, des outils de combat avant d'être des romans. J'y ai volontairement sacrifié la pure qualité littéraire à l'intention de forger une arme. Si j'ai consenti à ce sacrifice, c'est que présentée sous cette forme - on pourrait dire dans ce fourreau - l'arme me paraissait susceptible de porter plus loin des coups plus durs".[25]

Il est jusqu'à Jacques Soustelle, pourtant peu porté par sa formation vers le récit de fiction, qui écrit dans une préface procurée à un roman : "Le livre de Jacques Mercier est un roman, donc une histoire. Mais c'est aussi de l'Histoire"[26].

Les auteurs de la collection Taglaïts ont été poussés à écrire par les événements (pour la plupart c'est leur premier livre) et à adapter le genre d'expression qui leur convenait le mieux. Qu'ils aient choisi le roman, le récit historique ou l'autobiographie, ils ont eu avant tout le souci de faire coïncider les mots et la réalité qu'ils avaient vécue. Ce rapport-là a été déterminant. Il explique que des passerelles existent d'un genre à l'autre au sein de ce corpus. L'autobiographie - tout comme le récit historique ou le témoignage - utilise le dialogue, met en scène les personnages, situe l'action dans une chronologie qui, comme dans le roman, n'est pas toujours linéaire. Le roman, quant à lui, prend appui sur des faits authentiques, propose des clefs pour reconnaître telle ou telle figure héroïque, inclut des documents d'archive. L'une et l'autre interfèrent dans cette collection dans un but bien précis qui était autant de laisser un témoignage vivant à l'histoire que de contester la politique du général de Gaulle. R. Laudenbach a joué sans nul doute un rôle essentiel en choisissant les auteurs et en faisant agir les textes dans ce sens. Il a parfaitement su jouer sur les genres, transformant le roman en récit et rappelant, quand cela était possible, que l'autobiographie n'était pas loin. Il a toujours eu conscience de la qualité littéraire de ses auteurs, même quand le goût de la polémique était très vif. En véritable éditeur, il a deviné la qualité d'un texte écrit sans prétention et sans aucune précaution stylistique comme celui d'Antoine Ysquierdo, *Une guerre pour rien*, préférant le ton rauque et inhabituel au ton plus léché des mémorialistes. Il n'est pas inutile de rappeler que Pierre Schoendoerffer a commencé sa brillante carrière romanesque dans la collection Taglaïts. Encore aujourd'hui, plusieurs

---

[25] J. Brune, *op. cit.*, p. 11.
[26] J. Soustelle, "Avant-propos" de Jacques Mercier, *L'Etait un capitaine*, Paris, Editions du Scorpion, 1964, p. 5.

des livres qui la composent conservent un intérêt autre qu'historique ou polémique et connaissent des rééditions. Roger Nimier écrivait : "Il n'y a pas de dignité des genres. La littérature est une substance maligne qui se glisse partout, sans prévenir, et s'en va comme elle veut"[27]. La collection Taglaïts est bien là pour le prouver.[*]

---

[27] Roger Nimier, *Journées de lecture II,* Paris, Gallimard, 1995, p. 40.

[*] Nous remercions très vivement MM. Jacques Isorni, Piere Schoendoerffer et Antoine Ysquierdo pour les renseignements qu'ils ont eu l'amabilité de nous communiqiuer concernant la collection Taglaïts".

NOUVELLE AUTOBIOGRAPHIE ET FICTION CHEZ LES "NOUVEAUX ROMANCIERS" L'EXEMPLE DE MARGUERITE DURAS

Béatrice BONHOMME
Université de Nice-Sophia Antipolis

Les années 80 marquent en France le retour en force de l'autobiographie. Or, ce qui peut paraître très paradoxal, les écrivains dits du "Nouveau Roman" sont particulièrement concernés par le phénomène. On a vu Nathalie Sarraute (*Enfance*), Philippe Sollers (*Femmes, Portait du joueur*), Claude Ollier *(Cahiers d'écolier)* Alain Robbe-Grillet (*Le Miroir qui revient*), Serge Doubrovsky (*Un amour de soi, la vie, l'instant*), Claude Simon (*Les Géorgiques*) Marguerite Duras (*L'Amant*) recourir à la première personne du singulier. Comme le dit Aliette Armel :

> "La publication quasi simultanée de 1981 à 1985 de (ces livres) n'est donc pas un hasard. Elle est l'expression d'une évolution sinon parallèle du moins très proche, en particulier dans le domaine des rapports de l'écriture à l'autobiographie" [1].

Parfois ces romanciers ne se racontent qu'en abandonnant les partis-pris formels et esthétiques qui étaient les leurs pour des formes plus classiques mais le plus souvent, ils n'abdiquent en rien leurs positions littéraires et créent un nouveau genre, ce que Robbe-Grillet appelle la "*Nouvelle Autobiographie*".

C'est autour de cette notion de "*Nouvelle autobiographie*" que j'aimerais aujourd'hui m'interroger, plus particulièrement à propos de l'oeuvre de Marguerite Duras.

La Nouvelle Autobiographie

Essayons, avant tout, de cerner de plus près cette notion de "*Nouvelle Autobiographie*" dont Robbe-Grillet revendique la paternité. Dans un entretien de 1992 avec Roger-Michel Allemand[2], il s'exprime ainsi :

---

[1] Aliette Armel, *Marguerite Duras et l'autobiographie*, **le Castor Astral, 1990.**

[2] *Robbe-Grillet au Mesnil : images et représentations de la Nouvelle Autobiographie,* propos recueillis par Roger-Michel Allemand, in *Caractères* N° 7, Fonds d'aide à la création littéraire de Basse Normandie, Caen, Juin 1992.

"Le genre autobiographique n'est pas définitivement classé dans l'humanisme traditionnel. Il n'y a pas de raison de penser qu'on ne puisse l'en faire sortir comme pour le roman" (2 p 9).

Ce terme de *"Nouvelle Autobiographie"* s'opposerait sur plusieurs points à l'autobiographie traditionnelle et ne répondrait plus, dès lors, aux critères définis par Philippe Lejeune.

Ainsi, premièrement, le critère de cohérence qui lie le projet autobiographique n'est pas ici respecté. Il y a *"flottement des souvenirs et non pas volonté de les rassembler en une image cohérente"* (2 p 9).

L'exposition des faits est remplacée par l'exploration car le sujet lui même ne sait pas où il va et n'a pas compris le sens de sa vie.

Deuxièmement, le "je" n'a pas signé le *"Contrat de sincérité"* défini par Philippe Lejeune. Ainsi à propos de son livre *Le Miroir qui revient*, Robbe Grillet écrit-il :

"Disons qu'il y a dans *Le Miroir qui revient*, de nombreuses pages qui ont une valeur autobiographique directe ; mais je ne suis pas sûr que l'ensemble respecte le pacte autobiographique, tel que le définit Philippe Lejeune (...). Je vois *Le Miroir qui revient* comme le premier volet d'un ensemble dont le titre général pourrait être *Romanesques*." (Entretien avec J.P. Salgas dans *La Quinzaine Littéraire*, 16 Janvier 1985).

La question du vrai et du faux n'intervient pas, car, comme le dit Nathalie Sarraute :

"j'ai toujours l'impression que si j'affirme quelque chose sur ma façon d'être, le contraire sera aussi vrai. Il arrive tout de suite qu'un autre aspect apparaisse. C'est pourquoi je n'aime pas dire : voilà ce que j'éprouvais exactement" (Entretien avec F. Poirié dans *Art Press*, Juillet-Août, 1983 p 28).

Il peut ainsi très bien y avoir passage de la relation pure et simple à l'imagination : *"je peux passer sans aucune gêne intime de la relation, pure et simple, de quelque chose que je crois vrai à l'imagination de quelque chose que je sais faux"* (2 p 9).

Enfin le dernier point concerne la mobilité, les éléments de la vie sont mélangés à des spéculations plus personnelles ou à de la fiction et tout cela doit "bouger", ne pas se "figer" (2 p. 10). Résumons-nous : pour caractériser la *"Nouvelle Autobiographie"*, trois points semblent essentiels :

1) Je ne sais pas qui je suis ni où je vais.

2) Je n'ai pas signé le contrat de sincérité.

3) La fiction peut intervenir comme partie intégrante de la *"Nouvelle autobiographie"* et il existe une grande mobilité, une grande liberté, entre les différents éléments : souvenirs, spéculation et fiction.

Duras : La vie et l'oeuvre.
Le rapport de Marguerite Duras à l'autobiographie est profondément intégré à la nature même de son oeuvre.
Comme le dit Aliette Armel[3] :

> "Affirmer que l'ensemble de l'oeuvre de Marguerite Duras s'inspire de faits autobiographiques relève maintenant du lieu commun (...). On retrouve trace de ses expériences liées aux conditions particulières de son enfance et de son adolescence dès 1944 dans *La Vie Tranquille* où le comportement abusif de l'oncle Jérome ressemble déjà étrangement à celui que Marguerite Duras attribuera plus tard à son frère aîné : (...). Dans le roman suivant *Un Barrage contre le Pacifique* (1950) le personnage de Suzanne annonce celui de la jeune fille qui s'exprime à la première personne dans *l'Amant* (1984), elle est alors explicitement identifiée à l'auteur (...) la part autobiographique de l'oeuvre devient alors une évidence"

Pourtant, dans *L'Amant*, contrairement aux conclusions issues d'une lecture trop rapide, l'autobiographie ne serait qu'un moyen mis au service de l'écriture qui seule confère une quelconque valeur aux événements anecdotiques rapportés.

> "L'histoire de ma vie n'existe pas : ça n'existe pas. Il n'y a jamais de centre. Pas de chemin , pas de lignes. Il y a de vastes endroits où l'on fait croire qu'il y avait quelqu'un, ce n'est pas vrai, il n'y avait personne".

Cette phrase pourrait être symbolique de toutes les difficultés et de tous les paradoxes que comporte *L'Amant* en tant qu'autobiographie. D'emblée les problèmes de la localisation, de la chronologie et de la mémoire se posent, ainsi que celui de la vérité. *L'Amant* se caractérise tout d'abord par un grand désordre qui, semble être lié à la distance entre le présent de l'écriture et l'évocation d'un passé lointain. Cinquante années environ séparent l'enfant de la femme qui écrit. Or, comme le dit très justement Claude Simon :

> "On n'écrit jamais quelque chose qui s'est produit avant mais ce qui se passe au présent de l'écriture. Ensuite il faut prendre conscience que notre perception, puis notre mémoire, puis les contraintes et la dynamique de l'écriture déforment et gauchissent considérablement l'intention première, ce qui exclut toute prétention au réalisme ou au vérisme. Enfin (...) nous n'appréhendons le monde que de façon très fragmentaire".

---

[3] Aliette Armel, *Le Jeu autobiographique,* Magazine littéraire N° 278, Juin 1990 p 28.

La biographie réelle de Marguerite Duras reste d'ailleurs toujours très difficile à établir, les données objectives, les documents d'archives font défaut, et par exemple le *"petit frère"* aurait eu, d'après Alain Vircondelet[4], deux ans de plus qu'elle. Les indications fournies par l'auteur sont éparses, morcelées, sans datation précise. La reconstitution exacte est impossible par la difficulté même d'une localisation ou d'une chronologie : *"Ma vie, elle est dans les livres. Pas dans l'ordre mais qu'est ce que ça fait ? "* dit ainsi Marguerite Duras à Luce Perrot[5].

Dans *L'Amant*, la fragmentation de l'écrit et l'impression de désordre est mise en évidence par la technique temporelle utilisée par Marguerite Duras. Les jeux temporels, en brouillant la chronologie, nous éloignent de l'autobiographie traditionnelle et ils témoignent des flottements de la mémoire. Ainsi Duras affirme :

> "Mon histoire, elle est pulvérisée chaque jour, à chaque seconde de chaque jour par le présent de la vie et je n'ai aucune possibilité d'apercevoir clairement ce qu'on appelle ainsi : sa vie... Je me demande sur quoi se basent les gens pour raconter leur vie."[6].

Il ne s'agit pas, pour Duras, de recréer les événements tels qu'ils se sont passés, mais de rester disponible aux éléments demeurés enfouis dans une zone obscure, l'ombre interne faite d'inconscient et d'imaginaire. Il s'agit de retrouver les traces laissées en soi par le passé, transformées par le temps, la mémoire, l'imagination. Marguerite Duras voit la région écrite *"dans la mémoire de l'oubli"* . Impossible dès lors d'avoir une idée d'ensemble sur sa vie, rien de figé, rien d'arrêté, aucune idée, aucun plan préconçus.

Duras rencontre ici Claude Simon qui déclare à propos des *Géorgiques* : *"(...) il s'est développé peu à peu sans que je sache exactement où j'allais"* (Entretien avec J. Piatier, *Le Monde*, 4 Septembre 1981 p 13). Chez Marguerite Duras également il y a refus d'une histoire préalablement composée ou d'un sens univoque. L'auteur opte pour le choix d'une écriture errante".

> "Je me méfie d'une histoire faite, toute faite déjà avant d'écrire, avec un commencement, un milieu, une fin, des péripéties, je me méfie ; je ne sais jamais très bien où je vais ; si je savais, je n'écrirais pas, puisque c'est fait, ce serait fait".[7]

---

4 Alain Vircondelet, *Duras*, François Bourin, 1991.

5 Marguerite Duras, *Au-delà des pages,* entretien avec Luce Perrot, TF1, 26 Juin, 3, 10, 17 Juillet 1988.

6 Marguerite Duras, *La Vie matérielle*, POL, 1987.

7 Marguerite Duras, *Les Lieux,* Minuit, 1977.

Du personnel à l'universel

La *"vérité"* que l'on atteint ainsi est qualifiée par Marguerite Duras de *"personnelle"*, elle inclut des événements multiples sans exclure même le mensonge. C'est la seule connaissance possible que l'on peut avoir de soi, la seule façon de rendre compte par l'écrit de son histoire personnelle. Pourtant si cet intérêt pour soi frôle le narcissisme, l'écriture, elle, se détache de soi pour rejoindre l'universalité. Dans *L'Amant*, Marguerite Duras privilégie l'émotion des corps, les sensations. Toute l'imprécision, le vague qui entoure les événements contribuent à donner au livre une humanité. Dès lors cette vérité dépasse aussitôt le personnel, l'individuel pour atteindre à l'universel : *"Ecrire c'est devenir l'écriture de tous sinon il n'y a pas d'écrit."* L'écriture, paradoxalement, engage l'irresponsabilité de l'écrivain : *"Je sais bien que j'écris ; je ne sais pas très bien qui écrit"* [8]. *"Il faut le dire très simplement, on n'est pas complétement responsable de ce que l'on écrit"*[9]. Ce paradoxe peut confiner à l'insupportable : *"C'est intenable d'être un écrivain. On n'est pas là. La vie est ailleurs"*...

Ainsi l'auteur se retrouve parfois rejetée dans une sorte de marge d'où elle assiste en spectateur à l'écriture du livre et elle déclare à propos de *L'Amant* : *"J'ai le sentiment quelquefois de ne pas avoir écrit ce livre, qu'il est passé par moi, par là où je me trouvais moi. Presque d'avoir assisté à son écriture"* [10].

L'état d'écriture est un état de non-individuation et d'ouverture vers l'extérieur :

> "C'est sans doute l'état que j'essaye de rejoindre quand j'écris : un état d'écoute extrêmement intense (...) mais de l'extérieur (...) quand j'écris, j'ai le sentiment d'être dans l'extrême déconcentration, je ne me possède plus du tout, je suis moi-même une passoire, j'ai la tête trouée (...) La prétention, c'est de croire qu'on est seul devant sa feuille, alors que ça vous arrive de tous les côtés (...) ça vous arrive de l'extérieur." [11].

L'écrivain est donc dans un état de dépossession et de béance totale tournée vers l'extérieur, traversée par tout ce qui arrive de tous les

---

[8] Marguerite Duras, *La Maladie de la Mort*, Minuit, 1982, p 58

[9] *La Maladie de la Mort*, op,cit, p 23.

[10] *A propos de L'Amant*, Interview dans *Le Nouvel Observateur*, Entretien avec Hervé Le Masson. 28 Septembre-5 Octobre 1984.

[11] *Les Lieux*, Minuit, 1977 p 98-99.

côtés. Dès lors, pour Marguerite Duras l'écriture est un état de disponibilité totale :

> "Je ne connais personne qui ait moins de vie personnelle que moi (...) cette absence, cette relégation de la vie personnelle, c'est aussi une passion. Même quand j'étais embarquée dans des histoires, avant, si violentes qu'elles soient, ça a rarement remplacé cette autre passion de n'être rien qu'une sorte de mise en disposition totale vers le dehors."[12].

Comme si l'écrit n'appartenait pas en propre à l'auteur et que ce dernier soit doté au moment d'écrire d'une sorte *"d'identité impersonnelle"* ; *"écrire c'est n'être personne"* [13].

Il s'opère dans l'écriture une forme d'aliénation consentie à l'oeuvre qui s'écrit *"dans le trouble total, dans l'incertitude et dans l'inconnu"*[14]. Cela se traduit même parfois par une sorte d'angoisse devant la perte de soi-même : *"quand j'écris, je me sens séparée de moi"* [15]. L'écriture constitue, en effet, une sorte de mort à soi-même nécessaire pour rejoindre l'universel, ce "nulle part" qui est le lieu de la littérature. Mais cette dimension impersonnelle de la subjectivité créatrice est vécue dans une sorte d'effroi et de douleur presque fatale, comme si tout cela relevait avant tout d'un destin :

> "Ecrire, c'est ne plus pouvoir éviter de le faire, c'est ne plus pouvoir y échapper, c'est se sentir emporté au bout du monde, au bout de soi (...) dans un dépaysement incessant, dans un arrachement de soi qui vous laisse abandonné" [16].

L'écriture permet d'atteindre à la liquidation de tout ce qu'il y a de trop personnel dans l'expérience et le souvenir pour parvenir à l'universalité. Il y a, de ce fait, parfois, un côté "pythie" chez Marguerite Duras :

> "J'écris sans savoir, les yeux contre la vitre à essayer de voir clair dans le noir grandissant du soir de ce jour d'Octobre."[17].
>
> "Ecrire, c'est aussi ne pas savoir ce qu'on fait, être incapable de le juger, il y a certainement une parcelle de ça dans l'écrivain, un éclat qui aveugle" [18].

---

[12] *Le Camion,* 1977, Minuit, 1977 p 125.

[13] *Le Navire Night,* Mercure de France, 1979.

[14] *La Maladie de la Mort,* op cit, p 21.

[15] *Cahiers Renaud-Barrault,* n° 106, p 21.

[16] *Les Yeux Verts, Cahiers du Cinéma,* n° 5, 312-313, 1980, p 80.

[17] *Sublime, forcément sublime Christine V, Libération,* Mercredi 17 Juillet 1985.

[18] *Emily L ,* Minuit, 1957, p 58.

De l'autobiographie à L'auto-fiction

Dès lors, l'écrit autobiographique tel que le conçoit Marguerite Duras, est bel et bien un filtre alchimique qui opère une transmutation du vécu, une sorte de désincrustation de l'expérience, en tenant le réel comme l'auteur à distance et en faisant pénétrer l'imaginaire. C'est le travail d'un écrivain fantasmant la réalité en quête d'une vérité qui n'est sans doute pas LA vérité, mais une vérité quand même, à savoir celle du texte écrit. En fait, l'authenticité de l'expérience ne nous intéresse guère, ce qui importe beaucoup plus, c'est l'imaginaire et le fantasme qui envahissent l'autobiographie. La catégorie Vrai/Faux n'est plus pertinente en ce domaine puisque l'expérience si tant est qu'elle fût réelle, a dû subir pour entrer dans l'imaginaire une métamorphose. L'autobiographie inséparable de l'invention et de l'imaginaire devient une *"autofiction"* pour employer l'expression de Serge Doubrovski. De la même façon Alain Robbe-Grillet écrit : *" (...) je vois très peu de différences entre mon travail de romancier et celui-ci plus récent d'autobiographe. Les éléments constitutifs, tout d'abord, sont bien de même nature, puisés dans le même trésor opaque (...)."* Ainsi Marguerite Duras peut-elle déclarer :

> "L'histoire de notre vie, de ma vie, elle n'existe pas ou bien alors il s'agit de lexicologie. Le roman de ma vie, de nos vies, oui, mais pas l'histoire. c'est dans la reprise des temps par l'imaginaire que le souffle est rendu à la vie."[19]

L'Absence centre de l'autobiographie

D'une certaine manière, au centre même du concept d'autobiographie compris par Duras, s'ouvre le concept d'absence, d'absence à soi nous l'avons vu, mais aussi absence de l'histoire *"Ecrire, c'est (...) raconter une histoire et l'absence de cette histoire. C'est raconter une histoire qui en passe par son absence"*[20] phrase d'autant plus étonnante qu'elle est ensuite corroborée par Robbe-Grillet qui explique que *L'Amant* était initialement une autobiographie accompagnée de photos, le récit illustrant celles-ci. Il devait s'intituler *"L'image absolue"* ou *"La Photographie absolue"*. Le livre terminé, les photos ôtées, l'écriture continue à s'articuler autour de clichés absents (l'un d'eux n'ayant d'ailleurs jamais été pris) :

> "c'est encore plus surprenant maintenant qu'il n'y a plus de photos du tout, puisque Marguerite Duras continue à parler du cliché absent qui

---

19 A Hervé Le Masson dans *Le Nouvel Observateur* , op cit.
20 *La Vie Matérielle* , POL, 1987, pp 31-32.

devient le centre du livre. Très bizarrement, tout va s'organiser (...) autour du manque qui va diffuser dans toutes les directions" [21].

L'écriture durassienne s'engouffre dans une absence et en consigne le désert et comme le dit Barthes :*"une absence d'histoire (sur le plan de la fiction) engendre une histoire dense (sur le plan de l'écriture)"* [22].

Lien de l'autobiographie à la mort.

L'absence c'est aussi la mort et l'écriture autobiographique est liée à la mort de deux manières chez Marguerite Duras. Elle est d'abord une sorte de processus magique, une puissance occulte qui permet de perpétrer un certain nombre d'actes meurtriers et d'assouvir le désir de vengeance. L'écriture autobiographique peut faire mourir :

"- Tu écriras sur quoi quand tu feras des livres ?

L'enfant crie :

- Sur Paulo. Sur toi. Sur Pierre aussi mais là ce sera pour le faire mourir" (ACN 25).

L'écriture est une histoire de meurtre et l'écrivain un justicier, un assassin :

"- C'est ça qui te donne envie d'écrire ce livre...

- (...) C'est l'idée que ces gens du cadastre ne seront pas tous morts, qu'il en restera encore en vie qui liront ce livre-là et qu'ils mourront de le lire." (ACN 93).

De façon complémentaire, l'écriture autobiographique peut être aussi ce qui tente, d'une certaine manière, de répondre au vide que laisse la mort d'un être cher. L'impulsion qui préside à l'écriture de *L'Amant de la Chine du Nord* est ainsi la mort de l'amant :

"J'ai appris qu'il était mort (...) J'ai écrit l'histoire de l'amant de la Chine du Nord et de l'enfant" (ACN 12).

"Je me suis dit qu'on écrivait toujours sur le corps mort du monde et de même sur le corps mort de l'amour. Que c'était dans les états d'absence que l'écrit s'engouffrait pour ne remplacer rien de ce qui avait été vécu ou supposé l'avoir été, mais pour en consigner le désert par lui laissé ."[23].

Enfin l'écriture autobiographique est aussi ce qui fait revivre le passé, et ce qui permet la pérénisation du souvenir *"pour que le tout de l'histoire ne soit pas oublié"* (ACN 214). Elle est le souvenir devenu éternel, elle permet l'édification du monument de l'histoire par delà la mort : *"Il y aura les livres au dehors du cercueil"* (ACN 187). Dès lors l'écriture seule permet de dépasser la douleur et la mort, elle seule

---

[21] Robbe-Grillet, entretien avec Roger-Michel Allemand, op cit, p 10.

[22] Roland Barthes, *Le bruissement de la langue,* Seuil, p 68.

[23] *L'Eté 80,* Minuit, 1980.

permet de vivre : *"(...) j'ai vaguement envie de mourir (...) je vais écrire des livres"* (A 126).

Une écriture obsessionnelle

Cette conception particulière de l'autobiographie va permettre finalement à Duras, malgré de grandes difficultés, de dépasser les blocages de la pudeur et de la culpabilité et de parvenir à se raconter, tout en gardant ses distances, tout en se préservant . En 1969, l'auteur déclare :

> "Dans *Moderato Cantabile* (...) j'ai essayé de relater une expérience personnelle vécue secrétement. Alors s'est posé un problème de pudeur. J'ai construit des murs autour de cette expérience. Et je l'ai entourée de glaces. J'ai choisi une forme d'autant plus rigoureuse que l'expérience avait été vécue plus violemment (...). Je me suis cachée derrière *Moderato Cantabile* beaucoup plus que derrière mes autres livres. C'est aussi celui de mes livres sur lequel on a fait le plus d'erreurs !" [24].

En 1971, elle dit :

> "L'oeuvre la plus autobiographique, si l'on parle des événements ou des faits est *Barrage contre le Pacifique*. Du point de vue de l'expérience intérieure *Moderato Cantabile*. C'est pour cela que j'ai dû dissimuler les événements en les transformant sous une forme poétique, ce qu'est en réalité *Moderato Cantabile*." [25].

Il y a donc transformation de la réalité. L'écriture poétique transforme l'expérience réelle en écriture fictionnelle. Mais cette métamorphose de la réalité est encore plus sensible dans les débuts de Marguerite Duras qui est bloquée par la pudeur, par une sorte d'interdit. L'écriture est liée à une expérience personnelle mais elle opère une transformation, elle est un aveu indirect, une confidence :

> "J'ai beaucoup écrit de ces gens de ma famille, mais tandis que je le faisais, ils vivaient encore, la mère et les frères, et j'ai écrit, autour d'eux, autour de ces choses, sans aller jusqu'à elles. J'ai commencé à écrire dans un milieu qui me portait très fort à la pudeur."[26].

Peu à peu, cependant, cette pudeur laissera place, après la mort des personnes concernées, à une sorte d'écriture courante dans *L'Amant:: Avant j'ai parlé des périodes claires, de celles qui étaient éclairées. Ici je parle des périodes cachées de cette même jeunesse"* (A,14). Ecriture qui atteint parfois même le scandale ou l'exhibitionnisme dans des textes comme *L'Eté 80 ou Les Yeux bleus, cheveux noirs* (1986) :

---

[24] Interview à propos de *Moderato Cantabile* avec Hubert Nyssen, 1969.
[25] *The French Review*, entretiens avec Bettina Knapp, N°4, 1971.
[26] *L'Amant,* Minuit, 1984, p 14.

"J'écris dehors, publiquement, de façon indécente et le scandale est là" [27]. Marguerite Duras a pleinement conscience du caractère impudique voire immoral de cette écriture et elle ressent profondément l'inconvenance fondamentale de toute écriture :

> "Il faut être fou pour exposer comme ça son écriture. Se mettre dans le livre et vendre le livre. Il y a plus de pudeur chez la pute du bois de Boulogne qui se montre toute nue. Ecrire est plus impudique" [28].

Des débuts jusqu'à nos jours, de toutes façons, l'oeuvre est hantée par la situation familiale de l'enfance qui revient inlassablement: l'absence du père mort, une mère qui montre mal son amour pour Marguerite et paraît lui préférer son frère aîné, un petit frère dont Marguerite est amoureuse et qui meurt très jeune, un amant chinois... L'écriture autobiographique devient un moyen de se libérer de ces hantises indélébiles enfouies au plus profond de soi-même. Comme le dit Nathalie Sarraute, dans l'autobiographie, on recherche les choses cachées derrière : *"<<Ton père, ta soeur, mon petit>>, mais sait-on jamais ce qu'ils représentent ? Moi je cherche ce qu'il y a derrière."* (Entretien avec M. Gazier, *Télérama*, 11 Juillet 1984 p 38). Chacun des textes de Marguerite Duras aborde intarissablement les mêmes thèmes. Bien sûr les personnages changent de nom, de situation mais au fond c'est toujours la même histoire, le même désir d'éclaircissement *"(...) de certains enfouissements que j'aurais opérés sur certains faits, sur certains sentiments, sur certains événements"* (A 14).

Dès lors l'autobiographie dépasse le possible plaisir d'un exhibitionnisme latent pour atteindre à une sorte de psychanalyse sauvage, catharsis qui, de roman en roman, progresse vers une sorte de "guérison". La récriture inlassable de l'autobiographie irait, d'après ma lecture de l'oeuvre durassienne, dans le sens de cette guérison. L'écriture y constituerait une sorte de thérapie. Elle délivrerait de ce qui autrement ne trouverait pas d'expression. La quête d'écriture serait donc ici, avant tout, quête d'identité : *"J'ai découvert que le livre c'était moi. Le seul sujet du livre, c'est l'écriture. L'écriture, c'est moi. Donc moi c'est le livre"* [29]. Citons encore Robbe-Grillet: *"Comme je le dis dans le livre, je n'ai jamais parlé d'autre chose que de moi"* (Entretien avec J.P. Salgas dans *La Quinzaine littéraire*, 16 Janvier 1985). L'autobiographie devient finalement, plus encore que l'histoire d'une

---

[27] Quatre heures d'Entretien avec Luce Perrot, op. cit.

[28] Cité par Christiane Labarrère, **Marguerite Duras,** Les Contemporains, Seuil, 1992.

[29] A propos de **L'Amant,** 1984.

vie, l'histoire d'une écriture, une sorte de quête obsessionnelle de soi-même, de ses fantasmes, et du monde. Marguerite Duras tend à reprendre des personnages, des histoires et des situations similaires d'une façon plus ou moins explicite. Chaque texte de l'écrivain est palimpseste. Il se forme des sortes d'échos entre une oeuvre et la suivante comme si le subconscient de la romancière poursuivait la matière travaillée au delà des limites d'un seul écrit, dans la création ultérieure.

Ainsi cette forme autobiographique fictionnelle et rêvée devient-elle le gage de toute la puissance créatrice durassienne : "*L'oeuvre de Duras joue à la fois comme ensevelissement et exhumation permanents du déjà, toujours, partout, enseveli.*" De même que chaque amour est reliquaire d'un autre amour,

> "chaque histoire, chaque fiction se fait reliquaire d'une autre histoire racontée déjà. Ainsi *L'Amant* offre t-il une forme de reprise d'*Un barrage contre le Pacifique* écrit trente ans plus tôt, il est la mémoire des textes antérieurs" [30]

Encore plus représentative de ce procédé de récriture, la reprise de l'histoire de *L'Amant* dans *L'Amant de la Chine du Nord*, en effet comme le dit Marguerite Duras "*le livre aurait pu s'intituler ... Le Roman de l'amant ou L'Amant recommencé.*" (A C N 11) :

> "Avec ce livre (*l'Amant de la Chine du Nord*) ...Elle se situe donc au coeur d'un des problèmes essentiels de l'oeuvre artistique : le principe de répétition auquel nul créateur ne saurait échapper. Chaque tableau, chaque livre est une tentative toujours recommencée, pour atteindre à la perfection de l'expression sur ce thème en fait unique...c'est ce que vit Marguerite Duras à chaque texte passionnément recommencé autour de l'impossible à dire, de l'impossible à écrire..."[31]

Un regard créateur

Je vais donc maintenant m'attacher de plus près à la lecture de *L'Amant* et de *L'Amant de la Chine du Nord*, ces deux livres constituant deux exemples privilégiés de l'autobiographie durassienne.

L'autobiographie durassienne s'appuie dans ces deux textes sur le regard, un auto-regard émerveillant et créateur de soi-même qui traverse *L'Amant* ainsi que *L'Amant de la Chine du Nord*. La répétition

---

[30] Danièle Bajomée, **Duras ou la Douleur**, Ed. universitaires de Boeck , 1989, p 135.

[31] Aliette Armel, **Retour à l'Amant**, **Magazine littéraire**, N° 290 Juillet-Aout 1991, pp. 62-63.

constante des verbes *"voir"*, *"regarder"* souligne l'aspect primordial de cette thématique liée au plaisir exhibitionniste de se faire voir, plaisir de l'écriture même qui se donne à voir, à lire mais plaisir également du voyeur.Voir, être vue, de livre en livre, cette exigence va se répercuter. Elle ouvre un véritable espace analytique auquel Jacques Lacan a été sensible *"Duras s'avère savoir ce que j'enseigne..."*[32] et dans un court article il a rendu hommage à l'auteur :

> "Ce qui arrive (...) et qui révèle ce qu'il en est de l'amour tourne autour de l'image et du regard, de cette "image de soi dont l'autre nous revêt et qui nous habille" [33].

Cela évoque également *Le Miroir qui revient* dont Robbe-Grillet dira :

> "*Le Miroir qui revient* correspond au stade du miroir lacanien : l'enfant recolle ses morceaux dans la glace et s'aperçoit que l'image de lui-même est un autre !" (Entretien avec J-P. Salgas dans *La Quinzaine littéraire*, 16 Janvier 1985).

Le premier voyeurisme consiste à se voir soi-même comme une autre :

> "Soudain je me vois comme une autre, comme une autre serait vue, au dehors, mise à la disposition de tous, mise à la disposition de tous les regards, mise dans la circulation des villes, des routes, du désir" (A 20).

A cette place exacte dit Lacan, *"de qui regarde ce qui le (ou la) regarde."*

Plus important encore que le regard porté par les autres, est, en effet, le regard du créateur, de l'écrivain sur elle-même. Ainsi tout un jeu de séduction s'instaure, une sorte de narcissisme triomphant. L'auteur âgée devient créateur d'un personnage qui n'est autre qu'une projection d'elle-même, un souvenir d'elle, enfant. Dès lors ce regard crée le moi, le fait naître et le statufie, l'immobilise dans une présence rayonnante à travers le temps :*"Sur le bac, **regardez-moi**"* (A24).

L'écriture se fonde sur une sorte de jeu auto-érotique, jeu qui acquiert une valeur démiurgique, pour se créer soi-même, comme si celle qui n'est l'enfant de personne, celle qui a perdu son père, celle dont la mère préfère le frère aîné, avait besoin de cette activité, de l'écriture, pour s'affirmer et se faire naître, pour se créer elle même et devenir son propre enfant.

---

[32] *Marguerite Duras* par M. Duras, J. Lacan, D. Mascolo, M. Blanchot, V. Forrester, P. Fedida, Ed Albatros, 1979.

[33] Jacques Lacan, *Hommage fait à Duras du Ravissement de Lol V Stein. Cahiers Renaud-Barrault*, N° 52, Déc 1965, pp 7-15 cité par Pamela Tytelle *Lacan, Freud et Duras, Magazine littéraire*, N° 158, Mars 1980, pp 14-15.

Derrière toute l'écriture durassienne rôde en filigrane *"l'orphelin ramené à son seul statut d'enfant abandonné"* (L'Amant de la Chine du Nord).

Dès lors l'oeuvre s'écrit contre la mère et contre son interdit touchant l'écriture, et le regard que l'écrivain se donne à elle-même par l'écriture, permet à l'amour de circuler de nouveau. En s'écrivant l'auteur peut enfin s'accepter et s'aimer elle-même, en se regardant à travers les signes de l'écriture, elle peut à nouveau aimer, s'aimer, tout est là :*"Je ne sais pas si l'amour est un sentiment. Parfois je crois qu'aimer c'est voir."*[34] L'amour c'est le regard même, quitte à se faire provoquant. On pourrait ainsi trouver à l'oeuvre dans l'écriture de Duras un phénomène constant de provocation, c'est ce qui fait dire à Pascal Bonitzer *"Marguerite ne fait pas scandale : elle est un scandale"*[35]. Le tout est d'attirer l'attention, d'attirer le regard pour pouvoir être.

La Photographie absente

La photo s'intégre dans cette thématique autobiographique du regard, cette photo présente en filigrane comme présente-absente. L'absence et ce jeu sur l'absence est, nous l'avons vu, probablement aussi un des centres imaginaires de l'autobiographie durassienne :

> "Je pense souvent à cette image que je suis seule à voir encore et dont je n'ai jamais parlé. Elle est toujours là dans le même silence, émerveillante. **C'est entre toutes celle qui me plaît de moi-même, celle où je me reconnais, où je m'enchante**" (A 9).

Photo ou image présente dans son absence même et que les mots recréent :

> "C'est au cours de ce voyage que l'image se serait détachée, qu'elle aurait été enlevée à la somme. Elle aurait pu exister, une photographie aurait pu être prise, comme une autre, ailleurs dans d'autres circonstances. Mais elle ne l'a pas été. "(A 16-17)

Ainsi l'écriture pallie le manque et remplace l'image absente qui dans son absence même demeure absolue :

> "...cette image...elle n'existe pas. Elle a été omise. Elle a été oubliée. (...). C'est à ce manque d'avoir été faite qu'elle doit sa vertu, celle de représenter un **absolu**, d'en être justement l'auteur" (A 17).

Prise, la photo a un aspect séparé qui fait apparaître derrière la vie le fétiche, c'est à dire ce qui est définitivement coupé, séparé.

---

34 Marguerite Duras, *Emily L*, Minuit, 1987 p 139.
35 Pascal Bonitzer, *Le cinéma extrême*, *Magazine littéraire*, N° 278, Juin 1990, p 42.

Robbe-Grillet, lors de l'interview recueilli par Roger-Michel Allemand (op cit), nous apporte d'ailleurs des informations passionnantes sur la genèse de *L'Amant* et nous explique la place primordiale de la photographie comme catalyseur de la création : *"Vous savez ce que c'est que **L'Amant** ? Le fils de Duras, Jean Mascolo avait trouvé dans un grenier de vieilles photos de sa mère...".* L'idée est alors venue de donner une sorte de légende à ces photos pour les rendre publiables mais Duras, loin de se contenter de quelques légendes, écrit cent pages, ces pages qui seront *L'Amant*. Désormais les photos sont devenues inutiles, superflues et le texte sera publié aux éditions de Minuit sans les photos. Dès lors Duras construit son livre autour *"du cliché absent qui devient le centre du livre (...)."*

C'est un livre, c'est un film.

Dans *L'Amant de la Chine du nord* le livre a des allures de scénario avec un travail sur les images, et à la différence de *L'Amant,* la visualisation ne passe plus seulement par la photographie mais par la photographie en mouvement, par une vision cinématographique. Ainsi la photographie dont le souvenir provoquait le déclenchement de l'aveu autobiographique, cette image fondatrice qui donnait son premier titre à *L'Amant* (il devait s'appeler "La photographie absolue") disparait dans *L'Amant de la Chine du nord* au profit du film :

> "C'est un livre
> C'est un **film**" (ACN 17).

Dans *L'Amant de la Chine du Nord,* Marguerite Duras privilégie l'image, le son, le découpage. Dans le "film" s'imbrique également le thème si primordial du regard :

> "**En cas de film tout se passerait ainsi par le regard.** L'enchainement ce serait le regard. **Ceux qui regardent sont regardés à leur tour par d'autres**". (ACN 166).

Glaces et miroirs : L' autobiographie : une écriture de l'inceste ou l'inceste de l'écriture ?

Le jeu spéculaire autobiographique est aussi celui qui se joue à travers des jeux de miroirs et de glaces, jeux de miroirs plus nets lors de la récriture de l'oeuvre et davantage présents dans *L'Amant de la Chine du Nord* que dans *L'Amant* : *"Ils passent devant une **glace en pied** dans l'entrée du restaurant. **Elle se regarde. Elle se voit.** "* (ACN 85).

C'est d'ailleurs encore à travers "la glace" que passera l'image désirée du petit frère traversant la cour et que se produira l'inceste, centre même de toute l'autobiographie durasienne :

"L'enfant va dans la salle de bains. Elle se regarde. **La glace ovale n'a pas été enlevée.**
Dans la glace passe l'image du petit frère qui traverse la cour. L'enfant l'appelle tout bas : Paulo.
Paulo était venu dans la salle de bains...
C'avait été là qu'ils s'étaient pris pour la seule fois de leur vie." (ACN 200).

Cette scène est fondamentale, c'est celle de l'unité retrouvée à travers le mythe de l'androgyne, et la glace crée la réduplication à l'infini de cette image. Le miroir constitue ici une mise en abyme d'une écriture qui pose constamment une représentation en lieu et place d'une séparation et accumule les réparations à cette nostalgie constante de la plénitude. L'inceste répond tout particulièrement à cette volonté poétique d'unité originelle enfin retrouvée.

L'écriture de Duras, prise dans ses reflets, devient donc une écriture en miroir qui rappelle Gide. Duras n'ignore pas la fonction spéculaire de l'écriture. L'amour porté à soi-même écrivant et à l'écriture en train de se faire rappelle encore Gide à qui il arrivait d'écrire devant un miroir afin de s'inspirer de la parole et de l'écoute de son double. La mise en abyme a pour fonction de mettre en évidence la construction mutuelle de l'écrivain et de l'écrit et le jeu spéculaire est également jeu d'intertextualité, une certaine forme d'intertextualité consistant d'ailleurs, d'après Genette, à se citer soi-même. Chez Duras l'auto-citation devient primordiale et les notes en bas de page fonctionnent comme un système de référence à son oeuvre propre. Chaque oeuvre paraît se mirer dans les oeuvres qui la précèdent... Plus particulièrement le rapport de complémentarité, on pourrait presque dire de complicité et de connivence qui existe entre *L'Amant* et *L'Amant de la Chine du Nord* nous fait penser à la complémentarité qui existe entre *Les Faux-monnayeurs* et le *Journal des Faux-monnayeurs* de Gide. Le récit second réfléchissant le récit premier, une sorte de jumelage d'écritures, de réduplication, de dédoublement s'instaure, finalement, entre ces deux oeuvres.

De *L'Amant* à *L'Amant de la Chine du Nord,* Jeu sur l'autobiographie et Récriture du roman familial : Vers une guérison?

Ainsi Marguerite Duras peut-elle se permettre d'écrire et de récrire de façon à la fois toujours semblable et différente le roman de sa vie :

"Elle ne justifie rien. Elle avance (...) Elle change d'histoire. L'histoire qu'elle raconte tous les soirs n'est jamais la même (...). Chaque jour elle invente son histoire" [36]

"Je suis restée dans l'histoire avec ces gens et seulement avec eux. Je suis redevenue un écrivain de romans." (ACN 12).

D'un roman à l'autre il y a changement du mode narratif et plusieurs modifications interviennent dans le nombre des personnages ou dans l'expression des fantasmes :

"Aucun texte ne reflète ce qu'elle pense car elle ne pense rien en général. Il représente uniquement ce qu'elle en pense certaines fois, certains jours, de certaines choses." [37].

Le texte ne reflète donc pas objectivement la réalité mais uniquement l'idée que s'en fait l'auteur au moment de l'écrit, cela entraîne un certain manque d'objectivité. Il n'y a pas autobiographie selon les critères définis par Philippe Lejeune mais autobiographie rêvée. Un chant poétique obsessionnel se joue de répétitions et de variations, dans la fascination même du mythe sacré de l'enfance.

Cependant nous croyons discerner dans la récriture du livre, de L'Amant à L'Amant de la Chine du Nord, une sorte de progression positive, une réconciliation avec les membres de la famille, avec l'histoire originelle, avec soi-même comme si la récriture agissait comme une catharsis et tel l'amour produisait une alchimie purificatrice :

"et là tout est bon, il n'y a pas de déchet, les déchets sont recouverts, tout va dans le torrent, dans la force du désir "(A 55).

L'Amant est vécu, écrit, totalement dans la haine du frère aîné dans la jalousie envers la mère.

Or, si dans L'Amant de la Chine du Nord, les rapports passionnels d'amour, de jalousie et de haine existent encore et de façon explicite, ils sont cependant atténués par une tendresse, une ironie, une distance enfin heureuse, réconciliée, assortie d'un sourire, d'un rire fréquents. Ainsi d'une écriture à une récriture plusieurs modifications interviennent, certaines très profondes qui obéissent à une progression rêvée comme si l'écriture suivie de la récriture avait permis l'acceptation positive du roman des origines vers moins d'humiliation et vers une réconciliation fantasmatique avec la mère. Quant à l'écriture de l'inceste avec le petit frère, toujours présentée sous la forme d'interdit, uniquement sous-entendue de façon implicite et incomplète, elle devient

---

[36] Marguerite Duras à Apostrophes, 28 Septembre 1984.

[37] Aliette Armel, *Magazine littéraire*, n° 278, op. cit.

totalement explicite et assumée dans *L'Amant de la Chine du Nord* (ACN 200) :

> "C'avait été cet après-midi-là, dans ce désarroi soudain du bonheur, dans ce sourire moqueur et doux de son frère que l'enfant avait découvert qu'elle avait vécu un seul amour entre le Chinois de Sadec et le petit frère d'éternité." (ACN 201).

> "On ne se remet jamais de son enfance...Marguerite Duras l'a dit, l'a répété sur tous les modes permis par le théâtre, le cinéma, la littérature. Dans cette ultime version, elle le crie, en proclamant également que l'amour, lui, de tout, l'a sauvée.."[38]

Ainsi de *L'Amant* à *L'Amant de la Chine du Nord* l'écriture va vers une réconciliation avec soi-même : Marguerite Duras se crée et se recrée inlassablement dans son histoire, elle crée des poèmes, des images en lesquels elle se réalise et s'achève, sans jamais pourtant tout à fait s'achever. Elle-même est un poème : elle est l'être en perpétuelle possibilité d'être et qui dans son inachévement s'accomplit.

Dans une sorte de transformation alchimique de la vie, autobiographie et littérature se rejoignent ici pour atteindre une libération de soi qui permet la naissance d'une poétique*.

---

[38] Aliette Armel, *Magazine littéraire,* op. cit., p 63.

* **Sigles et éditions utilisées**
Au cours de cet article nous utilisons deux sigles : - A pour *L'Amant*, les éditions de Minuit, 1984 ; - ACN pour *L'Amant de la Chine du Nord*, éditions Gallimard, 1991. Ces sigles sont suivis de la pagination.

LA POETIQUE DE LA CONFESSION
CHEZ JULIEN GREEN

Anca SIRBU
Université de Iasi, Roumanie

Les oeuvres de confession ou les romans qui mélangent fiction et souvenirs sont des moyens d'expression privilégiés, souvent choisis par les auteurs contemporains. Autobiographies, journaux, mémoires, volumes de correspondance forment une littérature du vécu et sont des instruments accomplis de la révélation intime. La littérature subjective du XXe siècle devient aussi le foyer d'une discussion passionnante autour du problème de la condition humaine, à partir d'une investigation particulière, mais ayant, en même temps, une valeur de modèle. L'écrivain moderne ne fait que reprendre les principaux thèmes des *Confessions* rousseauistes et des grands journaux romantiques. Il a pourtant une perception plus aiguë des contradictions qui l'entourent, un sentiment profond de l'insécurité tragique de l'existence.

A l'époque post-moderne - qui marque un retour à la subjectivité de l'auteur - l'intimisme est interprété comme un style de vie, comme une esthétique et comme un type d'expression, et il impose de nouveaux paramètres thématiques et formels (cf. Daniel Madelénat, *L'Intimisme*, 1989) .

Bien que les conditions d'émergence de la littérature subjective puissent être déchiffrées dès la fin du XVIIIe siècle, les réflexions qu'elle a engendrées sont un phénomène assez tardif. On ne peut parler d'un véritable discours critique sur ces textes que pendant les deux dernières décennies. Parmi les diverses orientations de recherche, signalons, d'une part, la poétique et la pragmatique du texte et, d'autre part, la sociologie et l'histoire des mentalités. Au confluent des deux directions, on peut situer la nouvelle théorie des genres et de leur fonctionnnement institutionnel, liés à l'intervention d'autres dispositifs sociaux et culturels.

Les auteurs des écrits intimes ont offert, toutefois, dès le début, un discours explicatif qui a contribué à l'affirmation d'une nouvelle problématique du genre. Leur démarche autobiographique se double d'une activité métatextuelle, plus incitante parfois pour le lecteur que la première. L'analyse des conditions de production du texte subjectif et des techniques employées prendraient le pas sur la pratique textuelle proprement-dite.

Le nom de Julien Green pourrait être cité, à côté d'autres grands égotistes du XXe siècle : Gide - Mauriac - Sartre - Leiris, non seulement par l'importance de ses textes subjectifs, en contrepoint parfait avec ses oeuvres de fiction, mais aussi grâce à l'ampleur de sa méditation sur une série de questions concernant la confession. Ce sont : l'exigence de vérité et les limites de la sincérité, la phénoménologie de la mémoire, la sélection et l'organisation des souvenirs, les jeux temporels et la perspective narrative, les particularités de l'écriture intimiste. Au premier plan, se trouvent les fonctions multiples de ces textes et les rapports qu'ils entretiennent avec les oeuvres d'imagination. Toutes ces questions composent le projet fondamental du texte autobiographique qui implique toujours un engagement de l'auteur à l'égard de son discours. Dans la notion plus large de son projet, on peut incorporer celle de pacte ou de contrat communicationnel qui met aussi en oeuvre la réception des textes.

Après la publication de leurs principales oeuvres subjectives, tous ces auteurs ont fait appel, pour leur confession, à des formes complémentaires : lettres, interviews, relations de voyage, films de télévision, préfaces, biographies. On a changé les données initiales du projet intimiste : les égotistes ont trouvé des procédés nouveaux ou ont accordé d'autres fonctions aux oeuvres personnelles. On crée, de cette manière, un vaste espace autobiographique, notion mise en circulation par les livres du poéticien Philippe Lejeune - qui vise la stratégie du texte subjectif dans l'ensemble de la création d'un auteur ou dans l'ensemble de la production littéraire d'une époque. L'impossibilité de renfermer, dans une seule oeuvre, toute la substance de la vie intérieure explique le fait que la plupart des écrivains ont abordé plusieurs modalités de la littérature subjective. L'espace autobiographique suppose l'existence d'un réseau complexe de relations entre les divers livres d'un même auteur, qui tend à constituer un système, une architecture ou un "jeu de textes". (cf. Ph. Lejeune, *Le pacte autobiographique*, 1975). C'est justement par cette idée de jeu que la notion d'espace autobiographique se superpose sur celle d'intertextualité, dans le sens restreint du terme. On a en vue le rapport direct établi entre les oeuvres intimistes ou fonctionne un pacte autobiographique et les oeuvres d'imagination, ou fonctionne un pacte romanesque. Dans ce processus de l'intertextualité, créateur d'un nouvel espace et d'un nouveau temps, c'est la pensée du lecteur qui établit des liens entre les textes multiples et fragmentés. (cf. Georges

Poulet, *Lecture et interprétation du texte littéraire*, in *Qu'est ce qu'un texte* ? 1975).

Dés 1923, Julien Green avait révélé la valeur littéraire des confessions. Les livres de souvenirs, écrits à un âge avancé, qui recréent l'atmosphère de l'enfance et de l'adolescence, ont le rôle de rejoindre les notations du journal intime commencé à l'âge de 26 ans, en "articulant son existence en plusieurs points" et, finalement, en "bouclant le cercle", selon une interview de 1963.

Julien Green a découvert plus tard certaines observations quotidiennes qui datent de 1920, mais il ne les a jamais intégrées dans les éditions successives du journal. Si le moment de la rédaction des quatre volumes autobiographiques coïncide partiellement avec les notations au jour le jour, elles se réfèrent à des périodes différentes de l'existence. Même un journal fictif - celui de la romancière Jeanne (la IIIe partie de *Varouna*) -a été réalisé à une époque où le journal de l'écrivain a été interrompu. On a d'ailleurs observé que la plupart des auteurs (Stendhal, Gide, Sartre) n'ont pas fait appel en même temps aux deux grandes forces d'expression de la vie intime : Journal - autobiographie. Elles se succèdent ou alternent, mais trahissent toujours le même besoin d'offrir une image de plus en plus complète du moi. Par la pratique quotidienne du journal, Green veut obtenir "une sorte de continuité dans la vie".

C'est surtout la première articulation de la têtralogie autobiographique, *Partir avant le jour* (1963), qui dévoile la signification de toute une existence. Ce volume, dans lequel l'écrivain descend vers son enfance "comme dans une mine", pour "l'explorer avec une petite lampe", impose une certaine structure aux thèmes latents de l'oeuvre et à ses images obsédantes, en offrant des clés pour la compréhension de ses romans. La mine et la lampe sont, par excellence, des symboles et des espaces de l'intériorité et de la rêverie de la mémoire (cf. Gaston Bachelard, *La Terre et les rêveries du repos* (1948) et, notamment, *La flamme d'une chandelle*) (1961).

Une lecture parallèle des deux composantes de la création de Julien Green relève une parenté évidente par la présence des mêmes problèmes essentiels. L'oeuvre subjective et l'oeuvre de fiction s'organisent sur deux grandes coordonnées. Il y a, d'une part, la même anxieté devant le mal métaphysique, le même sentiment du tragique de la vie. D'autre part, tous les personnages greeniens, comme leur créateur, essayent de s'évader hors du quotidien. Les textes intimistes apparaissent comme "un intermédiaire indispensable entre l'existence réelle" et l'oeuvre littéraire. Espace dans lequel se forme l'écriture, ils offrent aux livres fictionnels la garantie de l'authenticité, mais aussi celle de la "densité humaine", en maintenant "le contact de l'oeuvre avec le psychisme créateur"[1].

Les livres d'imagination - résultat des rêves et des cauchemars de l'enfance - appartiennent à des zones mystérieuses, elles représentent pour Green une sorte de "Journal de l'inconscient" (16 février 1960), tandis que l'introspection du mémorialiste ne dépasse pas les limites du conscient. Les romans cachent "un chaos de désirs" (18 septembre 1928), ses frustrations et les abîmes de la tristesse, mais aussi sa soif de l'absolu. Evénements vécus et création artistique sont comme imbriqués.

Pourtant, on ne se trouve pas devant une transposition banale, d'autant plus que Julien Green n'a jamais publié un roman autobiographique dans le sens courant du terme.

Tout auteur peut affirmer : "Je suis un peu tous les personnages", mais chez Green, écrivain introverti - celui qui tire tous ses héros de lui-même - cette déclaration, qui apparaît dans le *Journal*, couvre une réalité plus troublante. Le romancier et ses exégètes ont parlé du rôle de la création fictionnelle d'exorciser ses fantasmes et de celui des personnages d'incarner "ses mille possibilités que le destin ne lui a pas offert."

Il projette ses obsessions sur des doubles romanesques faits de sa propre substance. C'est par leur truchement que l'écrivain "se met en accusation" ou dévoile ses difficultés d'ordre spirituel ; c'est l'acte d'écrire qui l'aide à trouver au fond de l'imaginaire, ses "problèmes démesurément grandis jusqu'à atteindre des proportions terrifiantes" (2 février 1949).

Les héros greeniens avouent - dans un autre registre d'expression que celui du journal et de l'autobiographie - "ma faim, mes inquiétudes, mon effroi de vivre", "l'angoisse qu'on porte en soi depuis la jeunesse" (2 février 1954). De là, l'atmosphère tragique, l'impression d'enfer terrestre, dominé par le mal métaphysique, par la haine pour les autres et par la crainte que dégagent tous ses romans. Enfin, grâce au recul que lui permet la fiction, l'écrivain peut s'approcher davantage de l'idéal que poursuivent tous les auteurs de journaux intimes, celui de l'authenticité. "Je voudrais dire ma vérité, un jour, une heure ou seulement quelques minutes ....Je ne vois

---

1 Daniel Moutote, *Egotisme français moderne*, Paris, S.E.D.E.S., 1980, p. 75, 65.

d'autre moyen de m'en tirer que d'écrire un roman"[2]. Les rôles sont inversés. L'oeuvre intimiste devient un grand roman en plusieurs volumes, tandis que la confidence, ce qu'il y a de plus profond en soi, se manifeste dans le langage de la fiction qui impose une vérité plus pure que la vérité "littérale" des écrits autobiographiques .

Ces textes - qui peuvent avoir les uns pour les autres des effets "spéculaires", de réverbérations et de réflexions continuelles - ont été comparés à la technique de la mise en abyme. L'élément en abyme du journal fonctionne comme une métaphore des écrits fictionnels, dans le processus de communication avec le public, en mettant l'oeuvre "en rapport avec les profondeurs inconscientes et préconscientes de l'auteur"[3].

J.- P. Sartre constate un phénomène de convergence, de "résonance" ou d'"osmose" (cf. *Situations IX*, 1972) entre ses diverses oeuvres : autobiographiques - biographiques - philosophiques - romanesques. A leur tour, les textes subjectifs et fictionnels greeniens ne peuvent être jugés que sous un double éclairage. L'égotisme du XXe siècle a pu être envisagé non seulement comme un système de vie basé sur l'individualisme, mais surtout comme une méthode de création et comme une méthode de communication du texte littéraire qui part de l'autobiographie.

Deux textes des plus marquants de l'égotisme moderne, Les journaux de Gide et de Green, contiennent, à coté de l'espoir du salut par la confession, des interrogations inquiètes sur la possibilité de parvenir à une sincérité totale.

Tous les écrits subjectifs sont nés d'un intense besoin de manifester l'originalité d'une existence et d'affirmer la conscience de soi. Les auteurs ont souligné la valeur cathartique et même thérapeutique de leur oeuvre personnelle. Dans une notation de son journal du 13 septembre 1973, Green assimile la confidence à la vase qui guérit un malade. C'est cette atteinte de la "plénitude vitale", cette "liquidation" ou cette "délivrance définitive" - dont parle Michel Leiris - qui permet à l'autobiographe, d'entrer dans "l'âge d'homme". La plupart des auteurs ont espéré y trouver un refuge et un équilibre. Le recours au journal s'explique, selon Maurice Blanchot, par "la peur et l'angoisse de la solitude qui arrive à l'écrivain de par l'oeuvre"[4].

---

[2] Julien Green, *Journal,* 19 juillet 1942, *Oeuvres Complètes,* tome VI, Paris, Plon, 1954-1960, p. 162.

[3] Daniel Moutote, *op. cit.,* p. 312.

[4] Maurice Blanchot, *L'espace littéraire,* Paris, N.R.F., Gallimard, 1955, p. 21.

Les écrits subjectifs ont, premièrement, une valeur documentaire, une fonction cognitive, mais aussi une finalité formative et reconstructive. L'auteur cherche à donner un contour au rêve d'être un autre, réunir les aspects fuyants du moi et à s'accomplir.

Les buts que se propose le journal greenien rappellent deux principes kierkegaardiens. "Je tâche de voir clair dans ma propre vie", "savoir ce que je dois faire", note le philosophe danois le 1er août 1835. Les mêmes intentions d'ouvrir de nouvelles perspectives intérieures se retrouvent, sous des formes différentes, dans les journaux de Stendhal et de Kafka. Pour Green, "voir plus clair en soi-même" (17 septembre 1928), mots par lesquels débute le premier volume de son journal (dans l'édition de 1928) ou "descendre en nous-mêmes pour rejoindre l'universel" (18 octobre 1941) signifient chercher une réalité supérieure qui fournit l'essence de l'être.

C'est surtout dans l'autobiographie de Julien Green (comme dans celle de Gide, de Leiris ou de Sartre), que cette volonté d'approfondir la connaissance de soi et de dissiper les ombres qui couvrent sa personnalité contradictoire est formulée d'une manière explicite. Elle est liée à un processus de cheminement, le narrateur mûr donnant l'impression d'un "aveugle qui veut se ressouvenir de la lumière". En comblant les lacunes possibles du journal, le récit rétrospectif a plus que celui-ci l'intention de déchiffrer la partie de la conscience restée obscure. "Si je pouvais revoir et bien observer l'enfant que j'étais à huit ans je comprendrais mieux l'homme que je suis devenu"[5].

Le second "éternel désir" est celui "d'immobiliser le passé" (4 décembre 1928) et de le transformer en un temps intérieur. L'auteur veut saisir et figer les sentiments et les idées qui n'apparaissent qu'une seule fois dans l'existence et faire revivre "l'un des nombreux personnages qui composent le moi" (cf. *Tenir un journal*, in Le Langage et son double, 1987). Dans la même conférence de 1941, la décision de tenir un journal est expliquée par la crainte de perdre la mémoire, de "disparaître tout entier", ainsi que par le désir "d'augmenter en nous la conscience de la vie".

Cette hantise de ne pas tomber en proie au temps et à l'oubli est rencontrée dans les textes subjectifs de toutes les époques (Rousseau, Chateaubriand, Marguerite Yourcenar). Les détails ou les conversations sans importance, les petits événements de la vie habituelle, mais qui

---

5 Julien Green, *Partir avant le jour,* Paris, Grasset, 1963, p. 78.

acquièrent, avec les années, un sens singulier, doivent être enregistrés pour lutter contre les vertiges de la mémoire.

La valeur et la vérité de tout journal consiste, selon Maurice Blanchot (op. cit.), dans les aspects apparemment banals, plutôt que dans "les remarques intéressantes, littéraires", plus nombreuses dans les autobiographies. Dans son propre journal, le penseur roumain Mircéa Eliade exprimait, en septembre 1946, son admiration pour Julien Green, "fait" pour cette façon d'écrire" et "toujours passionnant même lorsqu'il note des détails insignifiants"[6]. C'est en sauvant de l'oubli ces réminiscences - points de repère sûrs - que l'intimiste réussit à atteindre à un pur intemporel, à des moments où se concentre ce qu'il y a de plus profond dans ses sensations.

"Connnaissance de soi" et "maîtrise de soi", le journal est, à la fois, "fixation d'une image destinée à durer par delà le temps", "transformation de l'humble réalité quotidienne en une acquisition pour toujours"[7]. Double mouvement, ambigu et périlleux, très marqué dans les notations quotidiennes de Green, car le bonheur de pouvoir "enfermer avec les mots l'instant qui passe", devient aussi source de souffrance.

D'une part, la lecture des passages qui font vivre des moments de joie ou la résurrection des souvenirs qu'il aurait voulu oublier à jamais provoquent une vive nostalgie. D'autre part, il se rend compte de l'impuissance des mots à traduire l'ineffable de ses émotions.

L'oeuvre de confession de Julien Green a aussi le rôle de transmettre un message. Elle est une "bouteille à la mer " (le titre du IXe volume du *Journal* reprend le célèbre symbole de Vigny) d'un artiste qui se sent en total désaccord avec le monde contemporain. "Je me suis trompé de siècle, comme on se trompe d'étage dans une maison"[8], note-t-il avec humour en 1941. Comme Stendhal, qui écrivait pour une "heureuse élite", pour un cercle restreint de "happy few", Green s'adresse à une génération future, en voulant lui offrir "une idée de ce qui était un écrivain à notre époque". Stendhal envisageait deux dates - 1880 et 1935 - pour sa complète réception comme écrivain ; à son tour, Green propose l'année 2000. Dans ces

---

[6] Mircéa Eliade, *Fragments d'un journal,* Paris, N.R.F., Gallimard, 1973, p. 36.

[7] Georges Gusdorf, *La découverte de soi*, Paris, P.U.F., 1948, p. 64.

[8] Julien Green, *Journal,* 13 janvier 1941, *Oeuvres complètes*, t. VII, éd. cit., p. 35.

deux oeuvres subjectives, représentatives pour le XIXe et pour le XXe siècles, fonctionne ainsi parfaitement la notion "d'horizon d'attente".

Dans le cas de Green, plus détaché de son entourage, le journal compense aussi la pauvreté de sa correspondance, il est "une longue lettre que l'auteur s'écrit à lui-même mais aussi à ses innombrables lecteurs. Le soliloque y devient dialogue, la notation personnelle - confidence, accomplissant la "fonction phatique" (Roman Jakobson), essentielle dans la littérature épistolaire. C'est un type de solidarité sociale qui supplée à la participation directe à la vie publique. Le culte excessif du moi lui semble finalement "une erreur de perspective dans le journal" (cf. *Le Langage et son double*). En le definissant, en 1915, comme un miroir tendu à son prochain "pour qu'il se voie lui-même", Green réussit dépasser l'égotisme maladif qui accable ses personnages.

En tant que forme de récit, l'autobiographie renvoie davantage à une poétique de la communication et pose avec beaucoup d'acuité le problème de la relation intersubjective qui s'établit entre la concience du créateur et celle du lecteur. Le récepteur peut être un référent fictif, inscrit dans le texte, qui compose sa propre vision sur l'intériorité de l'auteur ou bien - et c'est le cas des écrits autobiographiques greeniens - un lecteur réel ou concret qui participe à l'existence de l'oeuvre. C'est le lecteur qui a obligé l'autobiographe à s'engager dans la voie de la confession complète, à s'expliquer et c'est toujours lui qui a permis à l'écrivain de surmonter sa solitude et de découvrit - grâce à son expérience personnelle - une vérité plus générale.

La pratique égotiste a aussi une dimension critique. Par ce côté - trés important dans la littérature de confession d'un homme de lettres - le journal et l'autobiographie doivent projeter des lumières sur sa vocation artistique, sur la création vue de l'intérieur. C'est la troisième fonction du texte autobiographique - celle de carnet d'écrivain qui dévoile les coulisses et les mécanismes de l'activité littéraire. On peut y inclure la fonction expressive qui double la fonction critique.

La poétique actuelle étudie l'oeuvre subjective notamment comme un métalangage de l'oeuvre fictionnelle ou comme une forme de paratexte. Elle fait partie de la catégorie de l'épitexte privé, à côté des lettres et des confidences orales. Ce sont surtout les journaux de l'expérience créatrice qui retiennent l'attention, journaux que Gérard Genette (*Seuils*, 1987) et Serge Doubrovsky (*Autobiographiques*, 1987) appellent des "journaux de bord". On a signalé la capacité autoréflexive des écrits intimes, leur rôle de "documents poétiques". Les textes personnels renseignent sur les conditions dans lesquelles est instaurée de l'oeuvre - en train de se construire - et contiennent les méditations des auteurs sur cette "production".

Julien Green n'a publié que quelques préfaces succinctes. *Le Journal* peut pourtant accomplir les mêmes fonctions que G. Genette attribue à cet important élément paratextuel. Il favorise la lecture des oeuvres d'imagination et contient des commentaires pertinents dédiés à leur genèse et à leur élaboration. Plusieurs interviews - devenus, pour Green, de vrais fragments autobiographiques" (26 octobre 1975) - et le volume *L'Homme et son ombre* (1991) reprennent certains principes déjà exprimés dane le *Journal*, où se concentre sa réflexion sur la psychologie de la création littéraire.

Ce qui assure la complexité de l'acte autobiographique, c'est la synthèse de toutes ces fonctions. Le rôle du texte subjectif comme geste de communication conditionne sa valeur cognitive et sa dimension critique.

L'une des tendances caractéristiques à l'époque contemporaine, c'est la décision des auteurs de publier, de leur vivant, une partie ou même la version intégrale du journal et de l'autobiographie. Les oeuvres personnelles acquièrent alors un nouveau statut textuel, l'intimisme étant perçu comme valeur publique. Ce moment de l'entrée dans un système commercial - élément déterminant pour l'affirmation du texte subjectif comme genre - pose aussi le problème de la sincérité. J.-P. Sartre (cf. *L'Etre et le néant*, 1943) l'appelle,"un incessant jeu de miroir et de reflet" auquel participe l'écrivain dans son intention de "vivre publiquement". Auteurs de confessions et critiques littéraires : Poe, Baudelaire, A. Thibaudet, J. Rivière, Simone de Beauvoir, J. Pouillon, M. Blanchot et, dans l'espace culturel roumain, Tudor Vianu (*La sincérité dans la littérature subjective*, 1946) ont médité sur cette question.

On a établi une distinction entre "une sincérité idéale" et "une sincérité de fait" (J. Pouillon) ou l'on a démontré l'inexistence de sa forme absolue.

La coexistence, dans le texte subjectif, d'un pacte référentiel et d'un pacte autobiographique nous aide à mieux comprendre le problème de la sincérité dans les oeuvres d'André Gide, de Michel Leiris et de Julien Green. C'est surtout le premier qui a poussé à l'extrême la recherche fiévreuse d'un idéal à jamais accessible. Il corrige plus tard l'exigence d'une sincérité totale en parlant d' un "degré de confidence" ou des mémoires "à demi- sincères" et en établissant une différence entre "l'homme sincère" et l'artiste, qui pratique "une sincérité renversée".

Chez Michel Leiris, la même obsession de la sincérité conduit à l'idée d'une véracité documentaire rigoureuse. Sa décision de s'exposer et de publier les choses les plus difficiles sur soi, de réaliser une description sans complaisance pour montrer "les dessous des cartes" et "dissiper toute vue erronée" le détermine à chercher à tout prix le risque. C'est le symbole de la corne du taureau qui, en raison de sa "menace matérielle", confère "une réalité humaine à son art. (cf. *De la littérature considérée comme une tauromachie*, 1946).

Julien Green est moins hanté que ses contemporains par ce principe ou bien il s'est rendu compte plus vite de la vanité d'un tel projet, au moins dans le cas des notations quotidiennes. Chez Green, la sincérité renvoie plutôt à la notion heideggerienne d'authenticité. Tout son art signifie fidélité vie-à-vis d'une "vérité générale", découverte après avoir cherché sa vérité personnelle. Son *Journal* n'est composé que de "feuillets arrachés à un journal intime", de jalons marquant son évolution spirituelle. Par un dosage habile et par de petites touches continues, il chemine vers un portrait total, mais ne réussit pas à le réaliser. "Impossibilité de tout dire dans le journal (21 avril 1944), c'est l'idée récurrente des écrits greeniens. "La rage de dire la vérité, honnêtement, sans choisir, sans arranger" (13 novembre 1948), le refus de tricher avec lui-même (16 juillet 1912) ou de tromper son lecteur (3 septembre 1972) restent toujours présents mais tout cela se heurte à de nombreux scrupules de conscience.

Même dans l'autobiographie, où le recul du temps permet une plus grande hardiesse, les hésitations du narrateur âgé de soixante ans devant la confession de l'enfant de six ans sont paralysantes. L' amour et le bonheur sont indicibles. Comme tout égotiste, Green est tenté de peindre les moments difficiles, plutôt que les moments élevés de l'existence. Mais il ne peut pas, comme Gide, faire part des questions les plus intimes de l'être et du croyant ou avoir des "sincérités successives".

L'idéal serait de se dédoubler, d'avoir un autre journal, "de l'homme enfin réconcilié avec lui-même" (12 août 1949), où l'on pourrait tout dire, mais qu'on devait garder secret jusqu'à la mort. On touche ici à la question du choix dans la matière du journal. Pour Julien Green, la publication des écrits intimes est une aventure risquée, mais vitale. L'absence de confiance dans l'honnêteté de la postérité le pousse à cette entreprise dangereuse de se livrer, sans tricherie ni "arrangement" de son vivant, "de prendre dans sa confidence des milliers d'inconnus" (23 octobre 1973).

Embarras et contraintes interviennent à chaque pas. Le première édition de chaque volume (entre 1926 - 1990) est toujours pleine de zones d'ombre, de demi-aveux. La peur de n'offrir une oeuvre "édifiante" le détermine à renoncer à de nombreuses réflexions religieuses. Le choix est strict, il est guidé par le désir de ne pas compromettre ses amis encore vivants et de ne pas choquer ses lecteurs. Dans son étude de 1986, *Les blancs et l'autobiographie* (in *Territoires de l'imaginaire*), Béatrice Didier parle d'une dialectique de l'élément avoué et de celui caché dans le texte autobiographique, d'une fascination du silence, lui aussi producteur de sens.

Le journal n'est pas pour Green confession publique, bien que l'idée d'un lecteur sensible et compréhensif soit toujours présente. L'écrivain a la certitude que la version intégrale ne pourra être publiée qu'après sa mort, à une époque qui "supportera mieux la vérité" (27 juillet 1950). C'est pourquoi, les cinq éditions ultérieures deviennent de plus en plue riches en notations inédites, nécessaires même si elles disent la vérité "en contretemps" (3 mai 1974) . Bien que démarches progressives, ces diverses éditions ne sont pas de simples approximations, mais des possibilités de dévoiler graduellement son existence, à la recherche d'une "autobiographie absolument sincère et non seulement sincère mais aussi exacte" (3 juillet 1972). C'est le rôle des confessions rétrospectives de faire disparaître l'image incomplète ou trop flatteuse du *Journal*, de "dire à tout prix la vérité sur la personne que je suis". "Ce que j'ai voulu faire, c'est mon examen de conscience"[9].

Dans l'autobiographie, le choix intervient au moment de l'élaboration, situé d'habitude dans un écart visible par rapport au temps vécu. Le narrateur doit, selon François Mauriac (cf. *Commencements d'une vie*, 1932), "immobiliser" ce passé, imposer des contours, délimiter et mettre en valeur les éléments essentiels. Michel Leiris préfère, au contraire, un "ensemble de faits et d'images", un "photomontage" - collage presque surréaliste de documents, transposés sans choix préalable.

Chez Julien Green on peut parler moins d'une autocensure, que d'une sélection psychologique. Elle ne traduit pas nécessairement des réticences devant des questions taboues, devant des réalités d'ordre sexuel. C'est une enquête subjective des situations enfantines essentielles, qu'il veut élucider. L'écrivain condamne l'excessive sévérité des Français devant les "sujets interdits". Le cycle de l'enfance et de l'adolescence est hardi sous cet aspect, sans pourtant tomber dans l'impudeur provocatrice où arrivent parfois Gide et Leiris. Ce choix est plutôt signe d'un effort lucide de l'autobiographe qui veut établir une distance entre lui et le riche fonds du passé. Il s'agit aussi d'une certaine intention de styliser les souvenirs, stylisation qu'on ne doit pas

---

[9] Julien Green, *Interview avec Stanislas Fumet,* "Arts", 27 mars 1963, p. 5.

regarder comme une altération de la perspective, mais, au contraire, comme une sélection esthétique, comme une recherche du sens de l'existence. "C'est une reconstitution, mais les morceaux sont authentiques". (4 janvier 1974) .

Les rapports du temps avec le narrateur, qui a le rôle d'ordonner le discours, introduit le problème du point de vue. Chez Julien Green, cette modification de l'optique selon laquelle on regarde les événements est toujours soulignée, l'autobiographie ayant la signification d'un retour à la source. L'écrivain a la conscience d'un rapport de subordination entre l'adulte qui transpose les souvenirs et l'enfant ou l'adolescent qui les a vécus. C'est lui qui oblige le narrateur à plonger dans une époque lointaine, c'est lui qui lui dicte le récit. "Je reconnais que cela m'est difficile, mais on n'entendrait rien à ce livre si l'on ne se souvenait que c'est l'étudiant de 1922 qui l'écrit, non l'homme de 1965. Le rôle de celui-ci se borne à essayer de le comprendre"[10].

L'illusion de transposition est quelquefois si parfaite, que Julien Green arrive à avoir une sensation de substitution de personne ou, sur le plan temporel, de confusion entre le moment de l'écriture et le moment où la scène s'est produite. Assez déroutante pour le lecteur, cette superposition est très importante pour le romancier. La fraîcheur et la netteté des images extraites du fonds enfantin, images qui abondent dans toute l'oeuvre fictionnelle, ainsi que le charme et la jouissance évocatrice du texte autobiographique en sont des conséquences.

En embrassant le point de vue de l'enfant, le narrateur a pourtant soin de ne pas défigurer cette personnalité en formation, "en cherchant une profondeur qu'elle n'avait pas", en lui attribuant une expérience de vie et des réflexions propre à l'âge adulte ou en interprétant les faits. Les caprices du processus mnémonique - ce que la psychanalyse appelle "les origines affectives de l'oubli" - ont, dans ce choix, une importance qu'on ne peut pas ignorer.

Il y a ainsi des souvenirs que Julien Green désire fixer à jamais ou d'autres qui s'imposent eux-mêmes avec une précision cruelle. Une série de blancs, de trous ou de fragments discontinus, parfois difficiles à rassembler, alternent avec des souvenirs évités consciemment par pudeur ou par incapacité de croire à la toute puissance de la mémoire. "(...) ce voile qui se tisse entre nous et notre passé a sans doute sa

---

10 Idem, *Terre lointaine,* Paris, Grasset, 1966, p. 29.

raison d'être (...). L'oubli est un choix qui ne laisse subsister que l'essentiel"[11].

Toute la littérature subjective traduit les efforts des auteurs de saisir les contours d'un moi mobile et contradictoire. Ils essayent de comprendre leur énigme, qui reste toujours au-delà. "Reflet illusoire", "idée incomplète" ; "idée fort inexacte de moi", "portrait partiel" sont des formules frappantes qui s'accumulent avec les années dans les méditations de Julien Green et qui témoignent de la "mauvaise conscience" inaugurée par les *Confessions* rousseauistes vis-à-vis du discours autobiographique. Le *Journal* greenien - incessant jeu de lumières et d'ombres - ne se limite pas au rôle d'enregistreur passif de l'actualité personnelle" (G. Gusdorf). L'intimiste se propose d'être, à la fois, introspectif et objectif, de distinguer "le futile de l'essentiel", d'établir des différences entre le premier plan et la toile de fond, la recherche de "la perspective la plus juste" (3 février 1939).

Le texte subjectif ne devient acte littéraire que grâce aux réflexions de l'auteur sur la capacité du langage de le définir. Chez tous les égotistes modernes on rencontre un véritable drame de l'expression littéraire, une analyse de leurs rapports aliénants avec l'écriture.

Dans la conception de Julien Green, les mots ne traduisent qu'une partie infime d'un ensemble, qu'un fragment de la vie psychologique. Au lieu de consolider les parties disparates du moi, ils contribuent, au contraire, à les détruire. La richesse d'une journée semble dénaturée ou trahie. L'abondance des sentiments, des rêves, toute l'experience humaine n'entrent pas dans la prison étroite de la langue. "L'essentiel est ineffable" (10 juillet 1955). L'idée est reprise dans une notation du 6 août 1973. "Tout ce qui est essentiel reste incommunicable". Même dans la confusion rétrospective - qui tente de capter le flux des souvenirs - ceux-ci restent faibles à cause de la même impossibilité des mots de rendre leur pouvoir hallucinatoire.

Dans les oeuvres subjectives, le problème de l'écriture se pose d'une manière différente que dans les romans. Quoique le texte intimiste soit aussi bien une pratique égotiste qu'une pratique du langage, il doit donner, de l'avis de Julien Green, une impression permanente de spontanéité, "oublier toute littérature", "renoncer à briller", présenter les faits dans leur nudité. C'est surtout le journal qui doit être écrit "au courant de la plume, sans ordre, sans autre souci que de dire clairement ce qui se trouve dans mon champ de vision"[12]. Le

---

11 Idem. *Partir avant le jour,* éd. cit., p. 78.
12 Idem, *Journal,* 27 juin 1955, Paris, Plon, 1961, p. 1027.

critère de la véracité - essentiel dans l'esthétique de la littérature de confession - est mis en doute. La peur de la fiction et de l'artifice, d'une cohésion qui n'existe pas en réalité et qui contredit les lois de la sincérité guette l'intimiste.

Dans l'autobiographie, intervient, à un certain degré, une construction du texte, ainsi qu'un rythme spécifique, demandé par la différence qui s'instaure entre l'histoire et le récit. Par rapport au journal - soumis à un ordre temporel - l'autobiographie suppose un ordre narratif : un enchaînement thématique du fonds mnémonique, le découpage des épisodes, des séries parallèles de motifs qui structurent les notations rétrospectives comme une oeuvre romanesque. "Trop de souvenirs me reviennent à l'esprit pour que je veuille les mettre en ordre, je veux dire qu'une chronologie rigoureuse tuerait toute spontanéité"[13].

Cette organisation affective qui ne poursuit pas un itinéraire précis se fonde sur une alternance des voix narratives. Le jeu entre les moments divers du passé et du présent, le dialogue enfant-adulte introduisent, dans les textes autobiographiques greeniens, comme dans *Les Mots* de Sartre, des phénomènes de double focalisation. Ils permettent au narrateur de ne pas "tomber dans la pure autobiographie".

Les textes subjectifs de Green font partie d'un tout, seul capable de donner une image plue exacte de soi. Dans la vision critique de G. Gusdorf (*Conditions et limites de l'autobiographie*, 1965) - qui discute le rapport qui unit les trois "miroirs" de l'écrivain, les trois moyens de manifestation de sa personnalité - il y a entre le journal, l'autobiographie et la création fictionnelle un régime de "constante interférence ou de correspondance symbolique", opinion qu'on peut rencontrer aussi chez Julien Green. L'image un peu voilée qui se détache notamment des rotations au jour le jour est due, d'une part, à la crainte de "s'immobiliser" dans un instantané définitif (cf. *Langage et son double*) et, d'autre part, à une tentation du mystère que l'écrivain découvrira petit à petit dans l'autobiographie et dans ses livres d'imagination.

Le *Journal* de J. Green ne se borne pas à consigner les méditations de l'écrivain, les entretiens avec ses amis ou ses impressions de lecture. Il est aussi un mémorial, par la présence des souvenirs et de certaines réflexions du passé insérées dans le quotidien, aspect considéré d'ailleurs par M. Blanchot comme naturel dans le cas du journal, issu, par excellence, du "mouvement d'écrire dans le

---

[13] Idem, *Partir avant le jour,* éd. cit., p. 84.

temps". Ce double caractère de notation au jour le jour et de mémorial impose une ligne directrice, une certaine organisation à ce texte greenien, qui doit poursuivre, au fond, les simples règles de la chronologie. On a la sensation qu'au centre de l'intérêt se trouve, comme dans l'autobiographie, l'enfant et qu'autour de lui s'ordonnent, en cercles concentriques, divers âges de l'auteur. Ce n'est pas par hasard que nous avons choisi le cercle - symbole de la perfection dans toutes les civilisations et figure archétypale de l'intimité chez Gaston Bachelard, Gilbert Durand et Georges Poulet - comme l'image assurant une charpente au journal, malgré l'apparence de discontinu propre à cette forme de la littérature subjective. Les notations quotidiennes recontrent ainsi l'autobiographie et l'ensemble de la création greenienne, en "fermant le cercle". Tout ce que j'écris procède en ligne droite de mon enfance"[14] observe l'écrivain le 31 décembre 1939.

L'exploration des souvenirs - la descente vers le moi profond - est une expérience douée d'une faculté créatrice. Situer les évenements contemporains dans l'éclairage du souvenir est une condition pour réaliser la véridicité autobiographique, vu la perspective qu'on peut obtenir. Grâce à ces obsessions définitives, l'intimiste peut revivre les moments fondamentaux de la vie et les fixer par l'écriture.

Julien Green a décelé lui-même, dans son oeuvre, "un événement personnel incontestable", plus ou moins apparent d'un texte à l'autre, qui a parfois agi contre sa volonté, comme motif de la création littéraire. La confrontation entre les écrits subjectifs et les livres de fiction rend plus évident ce "point de départ autobiographique". C'est par la présence inquiète de l'auteur que l'ensemble de sa création acquiert une admirable cohérence.

La littérature subjective apparaît au moment où le moi n'est plus haïssable. C'est alors que l'individu a commencé à se préocuper de son "modèle intérieur"(J.-J. Rousseau), qu'il s'est rendu compte que la notion de personne possède un attribut d'historicité et qu'il a eu une conscience plus aiguë de soi. Les autobiographies et les journaux lui ont permis de dévoiler progressivement la vérité sur son être, de développer les tendances latentes des personnages différents qui forment le moi. Sa confession acquiert, le plus souvent, une valeur humaine et artistique exemplaires.

---

14 Idem, *Journal*, 31 décembre 1939, *Oeuvres complètes*, t. I, éd.cit., p.87.

.IV. AUTOUR DES *CONFESSIONS* :
LE DOMAINE ETRANGER

"Il y a les irremplaçables et les autres, tous les autres."
Hans Hartung

"La société ne rend pas les hommes
différents et inégaux entre eux,
ce qu'ils sont par nature, mais dissemblables."
Leopardi.

L'AVÈNEMENT DE L'UNIQUE SELON CELLINI
OU SOUS LE SIGNE DU BÉLIER

Pierre BARUCCO
Université de Nice-Sophia Antipolis

Il reste bien entendu définitivement acquis que Benvenuto Cellini fut une figure exemplaire de l'individualisme historique calibré dans son identité et dans son énergie par la typologie de Jacob Burckhardt, même si une bibliographie clinique et plus récemment psychanalytique a repéré quelque faille plus ou moins compensée dans la personnalité d'un de ces héros majeurs de la civilisation de la Renaissance. Notre propos sera plutôt d'envisager à la suite d'une lecture en quelque sorte rétrospective, le personnage de *La Vie* comme une représentation avant la lettre de la figure de l'"unique" selon Stirner. Dans ces conditions l'évocation du protagonisme de Cellini sera moins la mesure, désormais inscrite au répertoire critique, des exploits et des transgressions d'un génie hors norme, ni leur attestation documentaire, accessoire de notre point de vue, que l'appréciation des épreuves, réellement endurées ou imaginées pour la satisfaction d'un fantasme d'individuation. Considérer ainsi, que la pratique autobiographique de l'auteur dans le texte qui est exhibé - c'est l'écrivain que nous accompagnerons plus que l'artiste - l'aura conduit de toute façon à l'expérience jubilatoire de l'individualité, quand bien même il n'aurait pas exercé vraiment le talent notoire que l'on sait, ni créé les chefs d'oeuvre glorieux d'un espace très public. Tant Cellini s'est évertué, plus qu'au modelage et au surgissement de la statue du *Persée* sur la Place de la Signoria à Florence, à la "sculpture de soi". Nous empruntons cette formule culturiste à l'essai de Michel Onfray,

La sculpture de soi[1] où l'auteur examine pour sa part "la restauration de la virtù renaissante" à travers la célébration de l'iconographie emblématique du Condottiere, celle plus particulièrement du Colleone de Verrocchio. Là où M. Onfray évoque une "morale est esthétique", nous voudrions parler d'une esthéthique de la "virtù".

Nous amorcerons également ce discours à partir d'une définition de l'individu, proposée par Alain Michel Boyer, où se trouve mise en évidence l'occupation d'un volume social à la suite d'une dynamique de la volonté. Il écrit : "l'individu, justement, cette invention de la première et de la seconde Renaissance italienne : un être qui se place délibérément à l'épreuve du monde et qui soudain prend conscience de sa situation et de son rôle dans la société"[2].

Quand cette expérience du réel s'éprouvera comme un combat et qu'il apparaîtra que Cellini pour se constituer dans sa forme individuelle aura dû se dresser comme un homme-contre.

Considérer que Cellini s'est pour sa part aussi placé "délibérément à l'épreuve du monde", c'est affirmer son initiative dans la confrontation révélatrice de soi à la réalité ambiante, celle précisément du XVIe siècle italien, lequel ne fut guère convivial. L'épreuve dans ces conditions c'est d'abord l'essai que l'on fait de soi ou des choses, le défi relevé qui fait preuve. Cellini ainsi se mettra à l'épreuve pour étalonner sa capacité dans un envisagement agonistique de la vie. Mais l'épreuve c'est aussi le malheur qui éprouve le courage. Cellini pour sa part aussi "passe par de rudes épreuves" et il fera état d'un "courage à toute épreuve" comme dirait le dictionnaire. Certains critiques soupçonneraient même un échec existentiel de l'artiste.

C'est en ces circonstances le parcours d'une volonté agressive dans un champ conflictuel et pédagogique à la fois, qui fait de *La Vie* un roman de formation. Un roman précisément plutôt qu'une chronique, dont l'historicité n'est pas documentaire mais reste fiable quand elle prise dans toute son extension. Cellini la plupart du temps n'est guère crédible, mais ses mémoires demeurent croyables au regard de la vérité romanesque. C'est qu'il y a une cohérence, un mouvement et une unité du texte, qui auront été assurés par la résolution de l'écrivain de réussir un projet de vie, celui de l'émancipation de soi. Le rappel que nous ferons des prodiges celliniens ne voudra pas de la sorte prétendre à la certification de leur qualité ni à la constitution du relevé de

---

1 Michel Onfray, *La sculpture de soi*, Grasset, 1993.
2 Alain Michel Boyer, "La nocivité des mots" in Pio Rossi, *Dictionnaire du Mensonge*, Nantes, Le Passeur, 1993, p. 12.

ces "vertus" dont Cellini aurait été nanti, et qu'il aurait consignées pour l'établissement d'un portrait conforme. Il s'agira de suivre la maturation d'un caractère et d'un style entendus comme l'avènement de l'unicité propre.

L'individuation n'allait pas de soi, ni ne fut définitive après son avènement à la Renaissance, coincée comme elle fut entre les inféodations du système socio-politique médiéval ou les conditionnements massifiants de la modernité, quand le statut de chacun avait été délimité dans l'organigramme hiérarchique, fonctionnel et anonyme à l'intérieur du cadre plus spécialement corporatif pour ce qui était de l'exercice des arts et métiers, ou réduit plus tard par les intégrations de la nation, de la patrie, des partis ou de l'Etat, variantes totalisantes ou totalitaires, selon des idéaux de socialité ou d'hégémonie ostraciste, qui dans les deux cas remettaient en cause le modèle individualiste énoncé par les exemples renaissants et plus généralement par la figure humaniste dont il a été dit il y a peu, qu'elle n'avait été qu'une fiction. Michel Foucault parmi d'autres, dont on se souviendra des dernières lignes de son livre le plus fameux, *Les mots et les choses:*

"L'homme est une invention dont l'archéologie de notre pensée montre aisément la date récente. Et peut-être la fin prochaine."[3]

Si l'humanisme n'avait donc été qu'une fissure entre le collectif et le religieux.

Alors que la révolution renaissante avait d'abord été une désacralisation de l'instance politique. Sur la leçon de Machiavel dont les recommandations n'étaient que la prise en compte d'un état de fait resté jusque là masqué, il s'était agi de constater que le pouvoir du suzerain n'était pas d'origine spirituelle ni sacrale - contrairement aux représentations et légitimations d'un Dante dans le *De Monarchia* - mais résultait de la violence ou de la ruse. De là le titre du 1° chapitre du *Prince : Combien il y a de sortes de principautés et par quels moyens on les acquiert.* De là aussi le constat des dernières pages inspiré par l'expérience du diplomate dans les cours et sur le terrain des batailles :

"On s'en rend maître, ou par les armes d'autrui, ou par les siennes propres, ou par quelque événement heureux, ou par son courage et son talent."[4]

Où Machiavel, avec un cynisme qui n'avait rien de pervers, inaugurait l'exercice de la science politique, laquelle pour la première fois se proposait moins comme science humaine, ainsi qu'il se dirait aujourd'hui, que comme science profane. Où le "courage et le talent" du

---

[3] Michel Foucault, *Les mots et les choses,* Gallimard, 1966, p.398.

[4] Machiavel, *Le Prince,* Chap.I.

Prince allaient configurer cette "virtù", qui sera aussi par plus d'un trait celle toute contemporaine de Benvenuto Cellini. C'est qu'il semble bien que la pratique du talent politique, celle du pouvoir princier, aient été éprouvées par Machiavel comme appartenant aussi aux beaux-arts, assignables par conséquent à l'esthétique ; ainsi pour ce qui est d'un stratagème subtil, d'une charge victorieuse, mais également d'une trahison avantageuse ou d'un complot réussi (on connait le prestige littéraire et mondain de la "beffa" au répertoire de la comédie du XVIe ou dans le *Courtisan* de Castiglione). C'est en tous cas l'opinion de Raymond Aron qui a pu écrire à propos du politologue florentin :

> "Enfin il envisageait la politique en artiste : dans la puissance et les conquêtes, il voyait des oeuvres à créer, comparables à des sculptures, non des actes à accomplir par une personne dont l'existence tout entière est ordonnée à une vocation spirituelle. La vertu, mélange de résolution, d'adresse, de style, suprême louange que le Florentin réservait à ceux qu'il mettait le plus haut, est comme une transposition esthétique du concept aristotélicien de vertu."[5]

Quand donc la "virtù" relèverait de la stylistique plutôt que de la morale et que les mérites du style sont ceux de la virtù. Etant acquis cependant que cette vertu, dans le cas de Cellini tout aussi bien, restait armée de traits agonistiques déployés contre les antagonismes humains et contre l'adversité naturelle, le mauvais sort, la malchance, autrement dit Fortune pour parler comme Machiavel. Il y a lieu ainsi de distinguer chez Cellini entre la vertu machiavellienne qui fut aussi la sienne et les vertus plurielles, celles du génie qui n'appartint qu'à lui. De cette excellence du caractère et de la carrière, la statue du *Persée* est la silhouette triomphale érigée sur l'éminence de son socle face au David de Michel-Ange, parmi d'autres chefs-d'oeuvre renaissants, ceux de Donatello et de Jean de Douai entre autres ; toutes oeuvres d'un art statuaire désormais émancipé. Alors que les ploiements des effigies gothiques aux portails des cathédrales, ou les contorsions des anatomies aux chapiteaux romans avaient continué à signaler l'assujétissement des corps à l'organisme architectonique et la dépendance des personnes à l'ensemble social et religieux.

Complémentairement *La Vie de Benvenuto Cellini écrite par lui-même*, est bien le titre revendicatif voulu par l'auteur, une fois de plus rétif à toute sujétion, et s'impose comme ce roman d'émancipation et d'assertion ; c'est à dire comme une autobiographie moins dictée par les aléas de la mémoire, comme l'écrivain voudrait le laisser croire, que

---

5 Raymond Aron,"La querelle du machiavellisme" in *Machiavel et les tyrannies modernes*, Paris, de Fallois, 1993, p.369.

profilée par un projet. Celui d'avoir satisfait à une vocation et d'affirmer une destinée. D'où l'alignement rétrospectif de la composition pour persuader le lecteur de l'accomplissement biographique d'un sens ; lorsque le présent advenu aura légitimé le passé, et que ce présent aura été la réalisation d'un désir moteur, celui d'être devenu soi-même. D'où cet élan existentiel déjà nietzschéen de Cellini, mobilisé par la résolution de composer sa vie comme une oeuvre d'art. C'est ce dont il s'est persuadé dès le propos de son récit où il annonce explicitement :

> "Tutti gli uomini d'ogni sorte che hanno fatto qualche cosa che sia
> virtuosa o si veramente che il virtù somigli doverieno essendo veritieri
> e da bene, di lor propria mano discrivere la loro vita"(I,1)

Où il apparaissait que la dissimilation sémantique du français entre "vertueux" et "virtuose" n'était pas opératoire dans le texte italien, quand la virtù s'exprimait encore par la virtuosité ainsi caractérisée par Michel Onfray comme :

> "la capacité à réaliser une action avec brio et efficacité. De même
> elle suppose l'excellence et la manifestation d'une personnalité d'une
> façon unique de procéder. Talentueux, habile, et supérieur dans ses
> faits et gestes, le virtuose marque le réel de sa griffe, imprime un
> style et révèle des chemins par nul autre empruntés."[6]

Les épreuves alors, affrontées et surmontées assidument, auront été la résistance de l'altérité qui lui aura révélé son identité propre.

> "L'édifice qu'il se propose, écrit encore Michel Onfray à propos de
> l'entreprise constructrice de l'individualisme du condottiere, est son
> identité ; elle doit jaillir du bloc de marbre informe qu'il est en
> arrivant à la conscience. Ce travail est monumental."[7]

Et l'écrivain d'évoquer l'effort démiurgique de Michel-Ange pour dégager la stature énergique et farouche du David, et avec lui précisément l'engagement forgeron de Cellini au four d'où surgira le *Persée*.

Cette révélation identitaire aura d'abord passé par le préalable d'un éducation professionnelle et morale à la fois. Les voyages d'apprentissage tôt entrepris dès sa première adolescence auront été plus qu'un compagnonnage pacifique, une chevauchée épique à travers l'Italie, jalonnée sans trêve par des provocations. Cellini ne se contente pas d'apprendre, il veut déjà précocement se mesurer aux autres moins pour les dépasser, ce dont il ne doute guère, que pour se dépasser et par la même se découvrir. L'étude est une guerre. Il ne lui suffit pas

---

[6] Michel Onfray, *op. cit*, p.50.
[7] *Ibid.*, p. 39.

d'acquérir la maîtrise d'une technique, il veut exceller dans toutes les spécialités :

> "a tutte queste diverse professioni con grandissimo studio mi mettevo a impararle."(I-126)

A la suite d'un illustre tuteur, Léonard de Vinci, qui recommandait dans les *Carnets* :

> "Non è laudabile quel pittore che non fa bene se non una cosa sola, come un nudo, testa, panni o animali, o paesi o simili particolari, imperocchè non è si grosso ingegno, che voltatosi ad una cosa sola, e quella sempre messa in opera, non la faccia bene."

Incitations pédagogiques, lesquelles comme on le voit, avaient moins pour objet la maîtrise d'une compétence technique que de stimuler la perfectibilité de l'artiste lui-même.

Cellini multiplie pour sa part les duels professionnels qui sont autant d'occasions de s'emparer d'un secret de métier et de s'opposer, pour affirmer sa singularité. La mimésis d'apprentissage est plus que jamais un assaut pour la dispute d'une suprématie. La concurrence s'exaspère en antagonisme, pour l'affirmation d'une hégémonie. Ainsi lors de l'arrivée d'un médailliste réputé à Rome où Cellini s'était lui-même rendu pour parfaire son instruction :

> "Non desideravo altro al mondo che di fare a gara con questo valentuomo e uscire al mondo con una tal impresa."(I-65)

La vaillance de l'adversaire, plus encore que sa valeur, étalonne l'amplitude de sa propre qualité, revendiquée surtout comme spécifique. C'est ce qui apparaît encore à l'occasion du défi qui lui est lancé de se hisser à la hauteur d'un certain Miliano Targhetta, un tailleur de diamant renommé de l'école vénitienne, "primo gioliellier del mondo in Vinizia."

Moins que jamais Cellini céderait à une dérobade, tant il brûle de l'envie de faire la montration de ses propres mérites rehaussés par ceux de l'adversaire :

> "Tanto maggior gloria m'era il combattere con un cosi'valoroso uomo d'una tanta professione."(I-92)

Quand l'émulation devient un combat dans l'arène artistique. La victoire une fois remportée et attestée par des experts ne le soulage pas. C'est que l'aiguillon de la perfection, dont il a l'ambition, est celui du dépassement d'un soi-même rendu irréductible à toute comparaison. Le voilà donc se stimuler tout après son succès :

> "Dappoi che io ho vinto Miliano, vediamo se io potessi vincer me medesimo."(I-92)

Pour parvenir au noyau identitaire de l'unicité à l'occasion des butées sociales, unicité circonscrite par Pierre Vandrepote qui écrit dans un essai sur Stirner :

"C'est justement parce que l'unicité est une unité radicale qu'elle ne peut s'éprouver que dans les expériences particulières qu'elle fait d'elle même au sein de la société."[8]

Déjà Benvenuto avait revendiqué cette appropriation de soi-même contre son père qui aurait voulu lui interdire ces voyages de formation précisément, et lui imposer l'exercice du "sonare e comporre" et plus particulièrement celui de la flûte qui lui tenait particulièrement à coeur, au lieu de cette éducation aux arts plastiques, ressentie par le fils comme propédeutique nécessaire à la satisfaction de son exigence personnelle. Cellini exècre la flûte. Le respect qu'il conserve pour son père, n'y pourra rien changer. Tout au plus consentira-t-il à négocier :

"Io lo pregavo che mi lasciassi disegnare tante ore del giorno e tutto il resto io mi metterei a sonare, solo per contentarlo" (I-7).

Il voudra endurer quelques temps encore la corvée sur laquelle il rapporte avec une tendresse insolite et avec humour :

"Sempre gli facevo cadere le lacrime con gran sospiri ogni volta che lui mi sentiva ; e bene spesso per pietà lo contentavo, mostrando che ancora io ne cavavo assai piacere."(I-12)

Allant donc jusqu'à simuler le partage du contentement paternel. Mais pas au delà de ses quinze ans, quand il estimera arrivé l'âge le son émancipation :

"Cosi malcontento mi stetti a sonare insino all'étà di quindici anni".

On imagine quelles avaient pu être, toutes ces années durant, la patience et l'endurance de l'enfant. En sa quinzième année donc le jeune homme décida d'interrompre la leçon de solfège et de couper court avec le souhait de son père, pour s'appartenir :

"Contro al volere del mio padre mi misi a bottega all'orefice"(I-7).

Cellini entrait donc dans la carrière avec la résolution que l'on voit, déjà mobilisé par cette stratégie décisive et ensuite perpétuée de l'affrontement adversatif.

Nous venons de relever un trait de tendresse de Benvenuto à l'égard de son père. Ce signe est plutôt vraie. Il n'y a pas d'évocation marquée de sa mère. Les femmes en général ne semblent guère l'avoir ému particulièrement, à s'en rapporter à *La Vie* où interviennent surtout des filles, qu'il malmena plutôt, et des dames, dont il évoque l'inimitié, celle de madame d'Etampes principalement, la favorite de François 1er, et celle d'Elisabeth de Tolède, l'épouse de Côme 1er, l'une et l'autre obstinées, à le croire, à contrecarrer ses projets auprès de ses deux mécènes et y étant parvenues.

---

8   Pierre Vandrepote, *Max Stirner chez les indiens,* Monaco, ed. du Rocher, p.134.

Pourtant Goethe dans son commentaire de *La Vie* avait cru découvrir chez l'auteur "l'entusiasta celebratore plastico e letterario dell'eterno femminino."[9]. Ce qui peut étonner pour le moins. Il y a certes dans ses mémoires, le souvenir d'un énamourement resté timide du jeune homme, lequel, parce qu'il n'aura pa sû se déclarer, verra "la bella figlioletta" livrée en mariage à un autre soupirant plus opportuniste par les parents impatientés. Dans une autre page l'auteur, pour un peu, pétrarquiserait galamment auprès d'une noble romaine qu'il aurait servie dévotement :

> "Mai mi restavo di lavorare per quella gentile donna da bene la quale mi dava assaissimo guadagno, e quasi per causa sua istessa m'ero mostro al mondo uomo da qual cosa."(I-46)

Où se trouvent associés les deux motifs courtois de la "donna gentile" et de la "donna angelicante" avec de la part de Cellini une déférence inaccoutumée.

Ailleurs il rappelle une inclination qu'il éprouva pour une belle sicilienne et quelle fut sa meurtrissure quand la mère de la jeune fille les sépara, "io stetti in procinto o d'impazzare o di morire" (I-133) se souvient-il. Il est vrai toutefois que l'amoureux qu'il fut, usa vite, dans son malheur, d'un remède point trop délicat :

> "In questo tempo io avevo atteso a tutti i piacere che immaginar si possa, e avevo preso altro amore, solo per istigner quello" (I, B).

C'est que dans sa vie les aventures ont plus de place que le sentiment. C'est avec des courtisanes ou avec les filles qui lui servent de modèles que Cellini prend un plaisir ordinaire et désinvolte. Ainsi qu'il le rapporte à l'occasion :

> "Mi misi a ritrarla e in quel mezzo vi occorse le piacevolezze carnali" (I-129)

Ou à cette autre avec une certaine Caterina :

> "la quale io tengo principalmente per servizio de l'arte mia, che senza non potrei fare ancor, perchè io sono uomo, me ne son servito ai mia piaceri carnali." (II- 117).

Quand donc l'employeur use et abuse sans ménagement d'amours ancillaires ; avec des partenaires parfois toutes jeunes, entre treize et quatorze ans qu'il dépucelle, "era nuova, nuova" dira-t-il (I-53) ou qu'il engrosse :

> "Questa giovanetta era pure e vergin e io la ingravidai" (II-132).

Plutôt que d'envisager de la sorte le dévot de l'éternel féminin postulé par Goethe, Carrara finalement moins ébloui parlera de "sensualità prepotente". C'est encore peu dire. En fait la conduite de

---

[9] cité par Carrara in *La Vita*, Turin, UTET, 1926, p.XII.

Cellini lui valut la réputation de "sodomitaccio". Une injure dont aurait voulu l'accabler à la Cour de Côme le Bandinelli, et une notoriété qui lui valut trois procès, à Florence en 1523 et en 1556 et à Paris en 1542, et deux condamnations pour ce chef d'inculpation. Encore que ce type de conduite n'était pas malgré tout infâmant et que le terme de sodomie recouvrit à l'époque un sens très historisé dont Ivan Arnaldi a rendu compte dans un chapitre de sa biographie cellinienne précisément intitulé *"Una vita indecente"*[10]. Cellini lui-même s'était prévalu à propos du soupçon dont il était chargé d'exemples illustres à commencer par celui de Zeus et de Ganymède et plus concrètement par ceux des monarques et des gens de cour, "l'usano, écrit-il, i maggior imperatori e i più gran re del mondo". Le "vice italien" effectivement était redevenu à l'occasion des alibis de l'amour grec néo-platonicien et après les clandestinités du Moyen-Age, d'une pratique répandue sinon banalisée au moins dans les cours et malgré l'interdit de la loi. Le succès des mignons de Henri III comme de ceux de Philippe II en témoigne. La sodomie toutefois ne désignait pas exclusivement l'homosexualité masculine ni même la seule homosexualité, mais les pratiques les plus hétéroclites, y compris les positions non canoniques, la masturbation, le crime de bestialité et ainsi que l'atteste un document confessionnel de Sant'Antonino :

> "uomo con uomo, donna con donna, uomo con donna, fuori del vaso naturale."[11]

C'est précisément ce mode qui valut à Cellini d'encourir le châtiment du bûcher lors du procès à Paris de 1543 à la suite de la plainte d'une dame Catherine, pour avoir usé avec elle

> "al modo italiano : qual modo s'intendeva contro natura, cioè in sodomia" (II-129)

Ce qu'il y a lieu ici de retenir c'est que la pratique pouvait avoir été, non pas un expédient pour assurer un contrôle des naissances, selon l'estimation de Arnaldi, mais le moyen de satisfaire une pulsion de domination (qu'on pourra appeler sadienne et que le cinéaste Bertolucci a traité en ce sens dans le film *Dernier tango à Paris*) à laquelle Cellini se plut sans ménagement avec la complaisance, semble-t-il, de la même Catherine, devenue sur le tard plaignante pour exercer un chantage aux dépens de Cellini. Celui-ci relate en effet quelle vengeance il avait satisfait à la suite d'une infidélité de sa concubine avec un de ses apprentis. Il obligea le couple indélicat à

---

10 Ivan Arnaldi, *La vita violenta di Benvenuto Cellini*, Bari, Laterza, 1986, p.129, 143.

11 *Ibid*, p. 132.

contracter mariage sous la menace, garda l'épouse par dévers soi pour modèle et pour maitresse, soulageant en outre occasionnellement sa colère si la mariée commettait l'impudence d'évoquer son mari :

> "La pigliavo pe'capegli e la strascicavo per la stanza, dandogli tanti calci e tante pugnia insino che ero stracco." (II-35)

Et la belle de revenir le lendemain toute meurtrie s'inquiéter de savoir s'il était fâché. Et l'empoignade de recommencer :

> " E cosi' durammo parecchi giorni, faccendo ogni di'tutte queste medesime cose, come che a stampa."(II-35)

L'érotique cellinienne ainsi est fortement marquée de violence dès lors que la prérogative de Benvenuto est mise en cause dans la relation. Pierre Vandrepote remarque de son côté problématiquement à propos de l'unique et sa propriété :

> "C'est dire que Stirner s'insurge tout entier contre la notion de "droit". Le droit c'est la panoplie des règles du jeu auxquelles je dois me soumettre sans que mon intérêt personnel soit jamais vraiment consulté."[12]

Celà jusqu'à la plausibilité de la transgression majeure, celle de l'attentat à la vie d'autrui, dès lors que celui-ci serait tout simplement un adversaire abusif, un obstacle à la propriété de cette unicité :

> "Pour moi affirme Stirner, c'est moi-même qui m'autorise à tuer, quand je ne me l'interdis pas et ne redoute pas moi-même le meurtre comme un non-droit."[13]

Or Cellini s'autorise quant à lui le meurtre à partir de cette même casuistique pour la raison majeure, historiquement située, que son génIE irréductible à quoi que ce soit, le hausse au dessus de la loi.

Ce qu'un Pompeo, un concurrent déloyal auprès du Pape, a voulu ignorer, par ses malveillances. Il en perdra dès lors la vie de deux coups de poignard que Cellini lui enfonce sous l'oreille.(I-73) Cellini ne reconnait donc d'autre autorité que celle de sa conscience. L'époque y engageait. C'est qu'il se considère en état de légitime défense. Compte tenu de la haute estime où il tient ses créations, il ne saurait se contenter en cas de préjudice de s'en remettre à la loi, qui saurait tout au plus le dédommager sans pouvoir jamais lui restituer son bien intime. Par suite il interpelle le lecteur qui voudra bien l'entendre :

> "Chi mi toglie la roba mia con le fatiche insieme, ancora se gli puo' concedere la vita ?"(I- 24)

Une autre fois la justice tardant à se prononcer à la suite des atermoiements des gens de robe :

---

12 Pierre Vandrepote, *op. cit.*, p.72.

13 *Ibid.*

"Non vedendo modo alcuno di potermi aiutare, ricorsi per mio aiuto a una gran daga che io avevo, perchè sempre mi son dilettato di tener belle armi."(II-28)

Avec au besoin la justification de l'autorité souveraine du Pape, fondé à l'absoudre et plus fondamentalement encore à le disculper en raison même de son unicité. Paul III Farnese en fait état aux gens de la Curie qui voudraient que le meurtrier de Pompeo soit châtié :

"Sappiate che gli uomini come Benvenuto, unici nella loro professione, non hanno da essere ubrigati alla legge." (I-74)

Tant la qualification artistique de Cellini a fait de lui un individu unique à protéger de la loi même, pour le plus grand profit de tous. C'est ce qu'argumentera un peu plus tard l'architecte Sansovino, à propos d'une indélicatesse qu'on lui reprocherait :

"Disse il Sansovino che i sua pari uomini ; da bene e virtuosi, potevan fare quello e maggior cosa."(I-78)

La transgression échappe donc à la sanction de la loi dans la mesure où la virtuosité même (telle que nous l'avons plus haut caractérisée) qui fait atteindre à l'unicité, garantit un bien majeur et fonde une morale supérieure, celle de l'art, quand l'excellence artistique tient lieu de vertu. Telle fut en tout cas l'estimation de Cellini. Ce qui ne manquera pas d'apparaître pour le moins problématique, mais qui releva alors d'un droit coutumier dont le sculpteur fut l'usufruitier impénitent et la papauté elle même la législatrice. Au dire de l'auteur le Pape l'assura même d'une absolution non seulement pour les crimes commis jusque là, mais pour tous ceux qu'il aurait pu commettre encore.

On conçoit dès lors, au vu de cette insubordination irréductible à la loi sociale et à la morale ordinaire, que Cellini ait pu apparaître à Vasari comme une "terribilissima persona". L'on sait quelle redoutable valeur et sublime l'auteur des *Vite* a donné à la "terribilité". Il n'y aura pas lieu de s'étonner par suite des tête-à-tête frontaux du sculpteur avec ses mécènes, fussent-ils, des tyrans despotiques ou des monarques impérieux, tels Alexandre de Médicis ou Clément VII, Paul III, François 1er ou Charles Quint ; en dépit de quelques rabrouements qu'il devra subir, ou de quelques biaisements de sa part. Il se confirme plus généralement au cours de ces rencontres que Cellini reste l'homme adversatif coutumier. Ce dont Cosme 1er à son tour fera état avec humeur :

"Io credo, dira-t-il, che questo Benvenuto lo faccia per saccenteria, il contrapporsi a ogni cosa."(II-74)

C'est précisément cet esprit de contradiction que François 1er aurait voulu briser quant à lui :

"Attendete a ubbidire a quanto v'é detto, lui ordonne-t-il un jour, perché stando cosi' ostinato a queste vostre fantasie, voi darete del capo nel muro." (II-44).

Mais la butée de Cellini est récidiviste. Ainsi déjà au Château de Nesles s'était-il obstiné contre un occupant abusif du lieu, qui lui avait reproché en des termes semblables de donner "de la testa nel muro, a voler contrastare contro a di lui" (II).

Quand fait front le cognement inamendable du bêlier. Cet entêtement lui vaudra quelques mésaventures graves infligées par les puissants qu'il n'aura pas voulu ménager - l'emprisonnement à la bastille du Château Saint-Ange entre autres - et qui ne lui aura pas en tous cas acquis tout le succès mondain et régalien qui aurait pu être le sien ; d'éviter la misère même. A un ambassadeur de Lucques qui lui décrivait le personnage comme un "terribile uomo", Cosme 1er voudra ajouter :

"Gli è molto più terribile che voi dite;e buon per lui se e' non fussi stato cosi' terribile, perché gli arebbe auto a quest'ora delle cose che e'non ha aute"(II-100)

En guise de bilan d'une faillite mondaine provoquée par une conduite fidèlement contrastive.

Plus généralement encore Cellini aura voulu toute sa vie affronter assidument le butoir du réel pour s'y mesurer, et le combat qu'il livre contre les éléments primordiaux lors de la fonte du bronze du *Persée,* est de ce point de vue emblématique, ainsi que I.Arnaldi l'a montré, et donne toute son ampleur à la vertu machiavellienne, comprise cette fois, comme mobilisation de l'énergie propre contre (une fois encore - contre) les aléas de l'infortune. Avant que le bronze ne coule docilement dans la forme qui lui est préparée, le sculpteur aura dû maîtriser préalablement la résistance de la terre par la première expérimentation que fut la moulage du buste de Cosme 1er, dont il nous dit qu'il ne le façonna "se non per fare sperienza delle terre da gittare il bronzo."(II-63)

Ce sera ensuite la domestication du feu avec l'allumage du four, poursuivie contre la rébellion des flammes qui propagent un incendie, en une lutte cataclysmique où interviendront aussi les assauts de l'air et de l'eau débridés par l'hostilité du ciel :

"Ei s'appicco' fuoco nella bottega e avevamo paura che'l tutto non ci calasse addosso ; dall'altra parte di verso l'orto il cielo.mi spigneva tant 'acqua e vento, che e' mi freddava le fornacie" (II7)

Les péripéties de l'épopée sont connues. L'épos cependant atteint cette fois à la grandeur du mythe. A l'issue de la bataille la statue pourra se dresser comme l'érection d'un menhir arrogant. Le monument en sa composition et par son rythme, par son sujet et par le tranchant du glaive monitoire s'affirme dans son haussement comme la célébration de la victoire sur l'adversité et comme la commémoration d'une existence jusqu'alors mobilisée pour le combat.

Nous soulignions plus haut l'agonisme de l'existence cellinienne. Il y aura eu de la part de Cellini jusqu'à cette heure triomphale une stratégie de l'homme-contre. Non pas toutefois que cette agressivité fut seulement celle de l'attaque, mais encore et peut-être davantage parce qu'elle fut tout entière soutenue et armée par une rébellion contre toute intrusion qui aurait voulu la déporter ou l'écraser. De ce point de vue aussi l'auteur serait un libertaire avant la lettre. C'est en ce sens désormais que nous interpréterions la contrastivité qui fut la sienne, à la manière de celle d'un Dubuffet dont Michel Ragon nous dit :

> "Anarchiste individualiste, Dubuffet l'est sans aucun doute et l'on voit qu'il l'est consciemment. N'a-t-il pas toujours fait l'éloge de ce qu'il appelle 'la sédition, la regimbe, la tête de cochon'!L'important écrit-il, c'est d'être contre...Pris comme antithétique du consensus de groupe et de la raison d'Etat, l'individu se définit essentiellement par l'objection."[14]

Telle aura été la permanente protestation de l'anarchisme artistique, quand la création en son intimité n'est que la revendication de parvenir à son être propre et de l'affirmer. Sinon que là où Dubuffet conceptualise, Cellini somatisait en quelque sorte par le passage à l'acte.

Cellini libertaire alors. D'où ensuite avec ce privilège de l'unicité conquise, l'épreuve supplémentaire de l'esseulement. L'individualisme ne saurait se soustraire au handicap de la différence dont il a eu la résolution. Atteindre à ce soi-même dans ce qu'il a d'irréductible à l'altérité, c'est nécessairement s'exposer à la solitude. Il y a une expérience propre de soi qui ne saurait plus être partagée.Telle fut l'épreuve de Cellini qui atteignit précisément à son acuité maximale après la jubilation même du triomphe. Nous dirions à la suite du triomphe. Le personnage pour surhumain qu'il ait voulu devenir, reste humain par les défaillances dont il ne fut pas exempt.

Au moment de la rédaction de *La Vie* Cellini était entré en crise. A la suite d'un certain nombre de déconvenues et de renoncements auxquels il avait été contraint, il n'avait pas été loin d'établir un constat

---

14 Michel Ragon in *Art et anarchie,* (collectif),Via Valeriano-La Vache folle, éd., 1993, p.46

d'échec. Dans un sonnet liminaire à ses mémoires il évoquait le dénuement qui était désormais le sien :

"Quel mio crudel Destin, d'offes' ha privo
Vita hor gloria e virtù più che misura,
Gratia, valor,beltà..."

Rien ne lui restait plus en main de ces prises qu'il avait disputées au sort, et plus particulièrement il se désolait de l'abandon qui l'obligeait encore valide à l'inactivité, abandon imputable à la malveillance des rivaux, à ses maladresses, mais plus fondamentalement à l'incompréhension. Edenté et sans le sous il succomberait à la lassitude :

"mesto, spennacchiato, umile e rotto",

se désole-t-il dans le sonnet 53. Sinon que Cellini était plutôt rompu que brisé et qu'il lui restait encore à écrire dans un sursaut de vitalité *La Vie*, ce texte que de nombreux critiques considéreraient comme son chef d'oeuvre. C'est que l'auteur avait gardé cette énergie du dépassement, la réduction de l'isolement par le paradoxe de l'approfondissement de l'expérience de l'unicité, dont nous venons de dire qu'elle accentue le contraste avec l'altérité. C'est l'augmentation de la polarité dans ses caractères distinctifs qui augmente la tension et assure dès lors la communication. Ainsi que le constate Pierre Vandrepote :

"or l'unicité, écrit-il, c'est précisément de l'inéchangeable échangé, un désir de communication que n'épuise pas l'échange. La poésie, l'art en sont les manifestations les plus éclatantes."[15]

C'est le désir relationnel qui aura constitué la motivation de l'écriture de *La Vie*. L'orgueil même de Cellini n'était pas autosuffisant. Plus localement c'est encore ce désir de l'autre qui rend compte du panégyrique élaboré par l'auteur tout au long de l'oeuvre à la gloire pourtant de lui-même. En fait Cellini éprouvait la nécessité de l'expertise par l'altérité afin que l'unicité soit confirmée, mais qu'en même temps la solitude soit surmontée. Ce seront ainsi les éloges apologétiques des mécènes prestigieux et surtout ceux des maîtres de la corporation. Ainsi Clément VII :

"Gli antichi non furono mai si ben serviti di medaglie."(I-71)

ou Alexandre de Médicis :

"Il Duca ardiva di dire che quelle erano le più belle monete di Cristianità."

---

15   Pierre Vandrepote, *op. cit.*, p.128.

François 1er, un connaisseur, l'hôte en France, est-il rappelé de ce que l'Italie avait alors de mieux à proposer, qui confirme à l'occasion d'une autre ciselure :

> "Veramente che tanto bel modo d'opera non credo mai che degli antichi se ne vedessi /.../ ma io non viddi mai cosa che mi movesse più grandemente che questa."(II-9)

Puis à la suite d'un nouveau prodige :

> "Questa è molta più bella cosa che mai per nessun uomo si sia veduta, et io, che pur me ne diletto e'ntendo, non n'arei immaginato la centesima parte."

Où l'auteur insiste sur la fiabilité de l'expert. De là cette complaisance complémentaire à rapporter les appréciations des gens du métier :

> "Quello che mi dava maggior contento /.../ si era, che quelli dell'arte, cioè scultori e pittori, ancora loro facevano a gara a chi meglio diceva." (II-90)

Parmi eux Pontormo, Bronzino, Giulio Romano, Bandinelli lui-même pourtant son rival en place, et par dessus tous Michel-Ange, à l'occasion d'un examen du buste de Bindo Aldoviti, qui lui adressera l'éloge depuis longtemps convoité :

> "Benvenuto mio, io v'ho conosciuto tanti anni per il maggiore orificie che mai ci sia stato notizia : e ora vi conosciero' per scultore simile."(II-79)

Ce que soulignent chaque fois les jugements des spécialistes dans ce livre d'or mis en place par le mémorialiste, c'est moins la supériorité d'un talent par rapport à celui des autres confrères, ce qui ne relèverait que d'un étalonnage quantitatif, que l'originilité inouïe d'un style, la spécificité incomparable d'un événement inédit de l'histoire de l'art. C'est qu'il ne s'était jamais agi finalement d'être le meilleur, à ce qu'il avait pu paraître, mais de se découvrir incommensurablement dissemblable. Ce qu'illustre l'apologie cellinienne, c'est à la lettre et par les actes l'unicité stirnérienne d'un artiste et d'un individu.

Ainsi par la bouche du pape Paul III Farnese, qui garantit la singularité de son génie :

> "Gli uomini come Benvenuto unici nella lor professione." (I-75)

Ou bien de la part de Cellini en personne à l'occasion d'une réplique à Côme 1er qui s'étonnerait du prix excessif à ses yeux, que lui réclame le sculpteur pour le *Persée* ; une somme qui permettrait de bâtir villes et palais, estime le mécène ; Cellini d'objecter aussitôt :

> "Risposi, come S.E. troverebbe infiniti uomini che gli saprieno fare delle città e dei palazzi ; ma che dei Persei ei non troverebbe forse uomo al mondo, che gnele sapessi fare un tale." (II-95)

Il s'avère alors que la qualité artistique, quand elle atteint à sa transparence, n'a plus de prix, parce qu'elle fonde justement l'authenticité inaliénable de l'unique et sa propriété dont elle est l'attestation. Conformément à la mise en situation historique de l'avènement du chef d'oeuvre selon Michel Onfray :

> "Dans le moment où se manifeste cette pointe d'excellence, on assiste à un happax existentiel dont la spécificité réside dans l'impossibilité d'une duplication."[16]

La langue de l'écrivain dans sa pathologie caractéristique est un autre indice majeur de cette unicité. Ce dont son premier lecteur, l'historien Benedetto Varchi, en son temps s'était déjà convaincu quand il avait refusé d'intervenir sur le manuscrit pour en corriger les erreurs de grammaire et de syntaxe, ainsi que l'aurait souhaité l'auteur. Et E.Plon d'apprécier la discrétion et le jugement littéraire de Varchi qui ont préservé l'identité du texte :

> "L'intelligent écrivain en homme de goût avait donc bien vite compris que ce serait faire perdre à l'oeuvre de l'orfèvre une partie de sa saveur et de son originalité que de la corriger en grammairien. Il se contenta de relever quelques fautes ou du moins Tarsi a cru reconnaître sa main dans un petit nombre de corrections marquées sur les premiers feuillets, et il renvoya le volume sans même rien changer au sonnet."[17]

C'est qu'en fait les aberrations grammaticales n'étaient que des écarts linguistiques, c'est à dire des traits stylistiques, ainsi qu'auront à les mesurer plus tard les spécialistes de grammaire expressive, quand on se souviendra que le style c'est l'homme même. C'est ce dont un Baretti aura eu pour sa part aussi l'nutuition quand il avait renvoyé aux académies les censeurs qui auraient voulu imposer la période de Boccace pour référence normative. Boccace à son heure, argumente-t-il, n'avait pas fait du Boccace, mais s'était satisfait d'être immédiatement soi-même sans détour mimétique. C'était recommander l'exemple à suivre et réfuter le modèle à imiter. Suivant la leçon aussi de Cellini lequel :

> "pensava unicamente a dire le cose che aveva in mente /.../ quantunque ignorante e plebeo, pure fu da lui reso il meglio maestro di stile che s'abbia l'Italia."[18]

Un jugement que confirmera Benedetto Croce, lorsqu'il récusera les corrections grammaticales qu'auraient voulu apporter Karl

---

16 Michel Onfray, *op. cit.*, p.84.
17 Emile Plon, **Benvenuto Cellini,** Plon, 1888, p.116.
18 Giuseppe Baretti, **La frusta letteraria,** Milano, Istituto Editoriale, Italiano, vol.I, p.114.

Vossler pour lequel ces interventions constitueraient tout le plaisir de lecture :

> "Il Cellini ci piace, egli ci dice, perché ci procura il diletto di comprendere subito l'errore, d'indovinare, di ordinare e rifare noi, di corregere e di sentirci superiori."[19]

Vossler considérerait donc la réduction de l'écart au degré zéro de l'écriture comme la source de la jouissance littéraire. Alors que Croce distinguant l'ordre grammatical de l'ordre esthétique répliquait :

> "no : il Cellini ci piace, perché slogicando fa uno stupendo autoritratto di quel suo fantasticare impetuoso, che lo portava a slogicare. Questa è la sola ragione che il nostro gusto artistico sappia darci ; ed è la sola vera ; "[20]

Quand cette fois l'esthétique tiendrait de la graphologie dans la mesure où l'intuition-image crocienne de l'expression artistique est ici interprétée comme le signe de l'énonciation de l'indivualité. Quand également l'esthétique se conjugue avec l'éthique. Car ce dont se sera approprié Cellini, c'est la liberté même, cette satisfaction de s'appartenir.

"Questa mia vita travagliata io scrivo", ainsi commence le sonnet inaugural de *La Vie*, qui définit et caractérise l'objet de sa narration : à savoir les épreuves d'une vie méritoire confrontée au Destin. L'autobiographie selon le propos explicité sera donc le récit existentiel global dans la perspective éthique de l'humanisme contemporain. Celle de l'affrontement adversatif des coups du sort qui ne manquent pas dans toute vie et dont la "virtù" triomphe dans les cas exemplaires. *La Vita* sera donc bien ce roman de formation d'un talent, mais plus intimement le récit racontera l'appropriation, puis la sauvegarde de la liberté, à partir d'un projet de vie juvénile porté à son accomplissement. Cette résolution par exemple du jeune apprenti, dont se disputeraient la propriété deux patrons déjà :

> "dissi ch'io ero nato libero, e cosi' libero mi volevo vivere /.../e come lavorante libero volevo andare dove mi piaceva, conosciuto non far torto a persona." (I-14)

Revendication de sa liberté de travail, éprouvée comme liberté de la personne ; ainsi qu'il se confirme cette fois à l'occasion d'une embauche entravée par de précédents engagements :

---

19 Benedetto Croce, *Problemi di estetica,* Bari, Laterza, 1954, p.150.
20 *Ibid.*

"A questo io agginnsi che non cognoscendo in modo alcuno di farli
torto, ed avendo finite l'opere mie cominciate, volevo esser mio e non
di altri." (I-14)

Il y serait presque question de travail aliénant, cependant qu'il
s'agit de défendre le droit de s'appartenir.

De la sorte les *Mémoires* ne sauraient être des souvenirs
fragmentés sur le papier, ni des confidences aléatoires faites à un
copiste. Cette autobiographie a un sujet au double sens du terme ; c'est
à dire une unité et un protagoniste ; et un thème : la liberté d'une
conscience. C'est ce dont le texte devra faire la montration. Les exploits
ne suffisent pas en soi ; encore fallait-il les attester par un récit. Cette
monstration toutefois aura d'abord été faite sur la place publique et
l'érection de la statue du *Persée*, découverte d'abord quelques heures en
1549, puis enfin définitivement exhibée en 1554, en est l'argument
majeur. Reste à remarquer maintenant la signalisation dans le texte, du
détournement de l'attention du public du monument même à son auteur,
manifestant ainsi le véritable enjeu de l'entreprise artistique cellinienne,
que nous avons qualifiée plus haut comme une esthétique de la vertu,
autrement dit encore selon la formule de Michel Onfray, comme une
sculpture de soi.

Effectivement la foule ne s'y trompa pas, à la satisfaction du
sculpteur, qui dans une jouissance retrospective écrira :

"i popoli mi mostravano con il dito a questo e a quello, come cosa
meravigliosa e nuova." (II-92)

C'est sa propre personne qui est un prodige. Ce que l'écrivain
ne se dissimule pas, mais dont il jubile glorieusement avec une
complaisance narcissique enfin comblée :

"I popoli si fermavano a guardar me, più fiso che e' non facevano al
mio Perseo." (II-92)

La complaisance n'était pas singulière mais historique dans la
mesure où les artistes de l'époque allaient ne plus supporter l'anonymat
et signeront au contraire leurs oeuvres, dont ils commençaient non
seulement à revendiquer la propriété (ainsi qu'on l'aura remarqué dans
la précédente citation) mais avec lesquelles ils s'identifieront. Selon une
légitimation plus tard énoncée à la suite de Stirner :

"La pratique réelle de la liberté pour un individu, dira-t-on désormais,
c'est la possibilité, que lui offre la société dans laquelle il vit,
d'exprimer son unicité propre, d'y manifester ce que personne d'autre
que lui ne peut mettre au jour."[21]

---

21 Pierre Vandrepote, *op. cit.*, p.92.

Etant entendu, comme Benvenuto Cellini l'avait acquis, que l'oeuvre d'art, en ce qu'elle a d'authentique, c'est à dire d'irréductible à toute altérité, manifeste le plus ostensiblement cette unicité.

Au bénéfice final de la société quelles qu'aient été les agressions de l'unicité. On a vu de quelle façon offensive Cellini avait été tout au long de sa vie un homme-contre ; comment *La Vie* était le témoignage d'une expérience conflictuelle de l'existence, en syntonie d'ailleurs avec la violence ordinaire des moeurs. Si bien qu'il serait loisible d'envisager une amoralité de la vertu ; de considérer l'historicité de l'individualisme du XVIe siècle comme une perversion de l'humanisme de la Première Renaissance. Les enseignements de ses théoriciens, ceux de Bruni, Salviati ou Alberti, soulignaient en effet les droits prioritaires de la cité. La conduite de Cellini ne s'y résigna plus. L'épilogue de sa vie pourtant, dont il eut dés sa jeunesse l'ambition, aura accompli le paradoxe, qui est somme toute celui de toute entreprise artistique, de combler la pulsion narcissique en même temps que de satisfaire au désir de communication. Ainsi en aura-t-il été de la gageure de l'autoportrait du *Persée*, haussé depuis quatre siècles sur l'espace communal pour une réjouissance collective, et de la rédaction de *La Vita*, mémoires autobiographiques, devenus roman populaire.

AUTOBIOGRAPHIES DE L'HOMME INTÉRIEUR. ROUSSEAU, MORITZ ET JEAN PAUL

Alain MONTANDON
Université Blaise Pascal, Clermond-Ferrand

Le genre autobiographique reçoit en Allemagne à la fin du XVIIIe[1] des appellations diverses et variées (Vita, Leben, Lebensbeschreibung, Lebenslauf et très souvent le terme de Biographie ou de Selbstbiographie est utilisé). Le flottement générique apparaît bien dans le fait que l'on continue à conserver parfois l'ancienne appellation de *Mémoirs* (dans les premières traductions anglaises des autobiographies d'Alfiéri et de Goethe). On emploie aussi le terme de "Bekenntnis", surtout depuis la publication des *Confessions* de Rousseau en 1782 (ainsi la série de J.G. Müller, *Bekenntnisse merkwürdiger Männer von sich selbst* (1791). Herder parle quant à lui, dans ses *Einleitenden Briefen*, de "Konfession". Jean Paul parle de Selbstbiograph et de Selbstelebensbeschreibung ou Selberlebensbeschreibung, autant de termes qui montrent l'incertitude du statut d'un genre qui oscille entre la confession religieuse de la tradition augustinienne, le modèle apologétique, la biographie historique, etc. Le problème en cette fin de XVIIIe est bien de savoir si l'autobiographie doit présenter des fragments de vie ou une totalité,

---

[1] Voir sur cette question de l'autobiographie en Allemagne à l'époque de Rousseau : Kerstin Stüssel, *Poetische Ausbildung und dichterisches Handeln. Poetik und autobiographisches Schreiben im 18. und 19. Jahrundert*, Niemeyer, Tübingen, 1993 ; Sabine Groppe, *Das Ich am Ende des Schreibens. Autobiographisches Erzählen im 18. und frühen 19. Jahrhundert*, Königshausen & Neumann, Würzburg, 1990 ; Matthias Thibaut, *Sich-Selbst-Erzählen. Schreiben als poetische Lebenspraxis*, Stuttgart, 1990 ; Jürgen Lehmann, *Bekennen, Erzählen, Berichten. Studien zu Theorie und Geschichte der Autobiographie.* Tübingen, 1988; Niggl, Günther, *Geschichte der deutschen Autobiographie im 18. Jahrhundert*, Stuttgart, 1977 ; Müller, Klaus-Detlef, *Autobiographie und Roman. Studien zur literarischen Autobiographie der Goethezeit*, Tübingen, 1976 ; Wuthenow, Raph-Rainer, *Das errinerte Ich. Europäische Autobiographie und Selbstdarstellung im 18. Jahrhundert*, München, 1974 ; Bernd Neumann, *Identität und Rollenzwang. Zur Theorie der Autobiographie.* Frankfurt/Main, 1970 ; Kaliber Th. *Die deutsche Selbstbiographie*, Stuttgart, 1921.

comment accéder à la compréhension de soi, comment inscrire dans une narration la figuration de soi, comment articuler le fictionnel et le non fictionnel, le privé et le public, l'individu et son siècle, etc. Ces questions agitent l'écriture autobiographique, que celle-ci relève du rapport réaliste ou de l'invention poétique.

Le genre autobiographique a été très fortement marqué en Allemagne par la tradition piétiste et l'histoire des conversions qui connaissent un renouveau grâce à August Hermann Francke.[2] Mais outre la dimension religieuse de la narration d'une vie placée sous le signe de la révélation divine, l'autobiographie prend des aspects plus sécularisés par mélange avec d'autres formes, comme par exemple avec celle de l'autobiographie professionnelle[3] ou encore par une introspection psychologique et personnelle plus approfondie. Les apologies d'écrivains, d'artistes, d'hommes politiques, théologiens, etc. sont légions et ces modèles biographiques servent d'exemple à l'écriture autobiographique. La tradition du vieux schéma biographique (*curriculum vitae*, portrait, *confessio, catalogus scriptorum*) subsiste fort longtemps avant que l'autobiographie ne devienne peu à peu prise de conscience de soi, conscience de classe, prise en considération de "l'individualité de chaque âme humaine". (Herder)

✳ L'autobiographie s'inscrit aussi dans une perspective narrative de plus en plus complexe, mêlant le souvenir et le vécu, confrontant dialectiquement moi et le monde. Les récits de voyage en première personne, sous forme de journal, ou le récit de souvenirs[4] peuvent servir l'inspiration du diariste. Le rôle du journal piétiste (Haller, Gellert, Lavater) à tendance psychologique est également important. Mais surtout la forme autobiographique de la fiction, celle du Robinson de Defoe, celle de l'écriture épistolaire (Richardson en particulier), en dépit de la distinction très ferme adoptée par Gottsched dans sa *Critischer Dichtkunst* (1730) entre récit poétique et récit historique remettent en cause la forme canonique de la chronique. La perspective pédagogique tend à prendre également de l'importance.

Dans un premier moment théorique, l'autobiographie recherche

---

[2] *Lebenslauf* (1690) ; voir aussi les autobiographies de Philipp Jacob Spener, Joh. E. Petersen, Joachim Lange, F.C. Oetinger, J. C. Edelmann, etc.

[3] On pourrait citer à titre d'exemple, comme le fait Niggl, Friedrich Lucä, Barthold Heinrich Brocke et Jacob Friedrich Reimmann.

[4] Comme Meister Johnn Dietz qui, dans son *Lebenslauf* (1735 environ), raconte les événements importants qui lui sont arrivés et qu'il a vus.

l'explication psychologique causale des événements qui marquent une vie, dans la lignée du pragmatisme historique de l'école de Göttingen, celle d'un Gatterer en particulier. Mais c'est surtout l'oeuvre de Laurence Sterne avec *La Vie et les Opinions de Tristram Shandy* qui marque pour l'Allemagne un moment important de l'histoire de l'autobiographie. Au moment optimiste et "scientiste" si l'on peut dire de l'Aufklärung d'un Gatterer, succède le doute quant à la possibilité de la connaissance de soi avec des auteurs aussi différent que Hippel, Kant, Schlegel. Frédéric Schlegel comme Goethe pense que le roman est une confession involontaire de son créateur et cet élément de confession autobiographique propre à la forme romanesque est pour lui l'un des plus hauts traits d'écriture romantique : "la meilleure part des meilleurs romans n'est rien qu'une auto-confession plus ou moins déguisée, le fruit de son expérience, la quintessence de son originalité".[5] Pour cette raison les *Confessions* de Rousseau sont à ses yeux "un roman au plus haut point remarquable : l' *Héloïse* n'en est qu'un très moyen".[6]

Goethe et aussi Herder replaceront l'histoire de l'homme dans celle des hommes suivant un développement organique. Goethe par la diversité et la richesse de ses études autobiographiques, *Dichtung und Wahrheit*, est considéré comme le maître du genre. Mais avant d'en arriver là, revenons à Sterne qui connaît bien l'oeuvre publiée à l'époque de Rousseau. Sterne occupe dans l'histoire des rapports de l'autobiographie fictive (mais aussi dans l'histoire des rapports de la fiction et du rôle autobiographique de celle-ci) une place à part, une place considérable qui mériterait à elle seule toute une étude[7]. Je voudrais simplement rappeler que l'autobiographie se déconstruit en se construisant, progresse en digressant, se fictionnalise par l'écriture et

---

5 F. Schlegel, *Lettre sur le roman..* Cité dans Ph. Lacoue-Labarthe et J.-L. Nancy, *L'Absolu littéraire*, Seuil, 1978, p. 329.

6 *Ibid.* En revanche les romans de Jean Paul trop bizarres et sentimentaux à son goût ne sont point des romans mais "un fourre-tout bariolé de Witz maladif". L'œuvre romanesque de Jean Paul apparaît comme une entreprise autobiographique : "voudrait-on néanmoins les rassembler [les romans] tous et en faire le simple récit, l'on obtiendrait tout au plus des confessions : l'individualité de l'homme y est trop visible [...]" (*op. cit.*, p. 322)

7 Voir à ce sujet Alain Montandon, *La réception de Laurence Sterne en Allemagne.* Association des Publications de la Faculté des Lettres de Clermont-Ferrand, 1985 et Henri Fluchère, *Laurence Sterne. De l'homme à l'œuvre*, Gallimard, 1961. Les rapports de l'autobiographie et de la fiction romanesque chez Sterne ont fait l'objet d'études approfondies.

se réalise par la fiction.

La très grande originalité de Rousseau avec les *Confessions,* fort bien perçue en Allemagne par les héritiers du Sturm und Drang, est d'inscrire avant tout une différence. C'est ce que Jean Paul ou Moritz vont également faire. L'intimité d'un moi va de pair avec celle d'une marginalité et du sentiment d'un caractère unique, et donc très difficilement communicable. Par la narration d'une "chaîne de sentiments" on essayera d'atteindre le bizarre assemblage du caractère unique de l'individu. Moritz de façon très contemporaine propose en juin 1782 dans son *Vorschlag zu einem Magazin einer Erfahrungs Seelenkunde* de dresser l'histoire depuis la plus petite enfance de l'individu dans la perspective de l'idée que les émotions de l'enfance les plus insignifiantes ont des actions déterminantes sur le caractère et la construction de l'identité de l'individu. "Connais-toi toi-même" est le mot d'ordre de ce projet autobiographique qui doit faire progresser le genre humain dans la connaissance de lui-même. Il s'agit d'une entreprise scientifique (Magazine pour la science expérimentale de l'âme) opposée à la fiction :

> "L'observateur du coeur humain doit se garder avec le plus grand soin de toute tendance à se transporter par la rêverie dans un monde "idéal"; il doit chercher à pénétrer toujours plus profondément non pas un monde idéal, mais son propre monde réel".

Si l'autobiographie peut rapporter une série de faits, d'événements successifs, elle permettra de comprendre l'histoire d'un homme, mais elle devra sans cesse rapporter ceux-ci à l'ensemble, à la totalité de la formation d'un individu qui ne peut être compris que dans sa globalité. Avant d'être un Autre, Je est Je dans son ipséité absolue, contemporaine de la prise de conscience de son existence et celle-ci ne peut se faire que dans l'enfance. Si Moritz dans *Anton Reiser* choisit la narration en troisième personne, c'est pour mieux appréhender l'objet de son étude, le mettre à distance, pour des raisons à la fois scientifiques et personnelles, car cette schizophrénie autorisée par la fiction rend possible un discours sur soi qui aurait été impossible en première personne. On pourrait penser à Kafka, lui aussi confronté à la part autobiographique que comporte toute fiction et qui hésite à écrire en première ou troisième personne. Il choisit en définitive une narration à la troisième personne, mais avec des procédés propres à une narration autobiographique.

J'aborderai deux modèles autobiographiques exemplaires pour notre perspective, ceux de Moritz et de Jean Paul sans évoquer d'autres autobiographies fort intéressantes de l'époque comme celle de Jung-

Stilling[8], ou celle de Ulrich Bräker[9] qui usent du modèle de l'idylle réaliste et articulent avec sentimentalisme le moi intérieur et le monde. Comme chez Rousseau on y trouve un plaisir extraordinaire à rappeler le passé pour conjurer les misères du temps présent. Ce qui intéresse les écrivains de l'époque en Rousseau est l'histoire de la vie intérieure et de la prise de conscience du moi en tant que tel.

L'*Anton Reiser* (1785-1790) de Karl Philipp Moritz conjugue à la fois le roman de formation et l'autobiographie. On sait combien le développement du Bildungsroman est étroitement lié à l'essor du genre autobiographique et particulièrement de l'autobiographie piétiste qui relate pas à pas l'aventure spirituelle et religieuse d'une vie suivant un schéma préformé qui mène à l'illumination attendue (*Durchbruch*) synthèse de l'expérience quotidienne, de l'intériorisation, de la méditation sur la lecture de la Bible. Moritz en parlant de son roman *Anton Reiser*, qu'il intitule "roman psychologique", écrit dans la préface qu'il "pourrait à la rigueur s'intituler aussi *Biographie*, car les faits qu'il relate sont puisés pour la plupart dans l'existence réelle."[10] En s'inspirant de sa propre vie, Moritz semble livrer une autobiographie déguisée. Mais la mise en fiction de son expérience intérieure, le jeu distancié du narrateur et de son objet font de ce récit un véritable roman, une fiction, mais une fiction "authentique" dont la vérité réaliste, avec l'évocation des détails concrets de la vie quotidienne d'un milieu modeste de Basse-Saxe à la fin du 18e siècle, constitue l'un des apports les plus originaux.

Ce roman que son auteur définit comme une "histoire intérieure de l'homme", veut attirer "davantage l'attention de l'homme sur l'homme et rendre plus importante à ses yeux son existence individuelle". La poursuite d'un tel but, qui est aussi pédagogique, doit contribuer à la formation du lecteur lui-même (" rendre plus pénétrant le regard que le lecteur jettera ensuite sur sa propre âme"). Cette histoire est de fait l'histoire d'une maladie existentielle dont les racines et les causes font l'objet d'une investigation approfondie, d'une analyse introspective ressemblant plus à un document qu'à une oeuvre d'art. L'histoire de Reiser, qui reste fragmentaire, s'achève dans la dissonance et non dans l'harmonie. On reste proche de l'autobiographie

---

8 *Heinrich Stillings Jugend* (1777).

9 Ulrich Bräker, *Lebensgeschichte und Natürliche Ebentheuer des Armen mannes im Tockenburg* (1781-1785; publié en 1788).

10 *Anton Reiser*, Préface au livre I. (Nous citons la traduction française de Georges Pauline, *Anton Reiser*, Fayard, 1986).

Alain MONTANDON - Rousseau, Moritz et Jean Paul ..

par cette absence d'idéalisation ou d'artialisation finale.

La vie du héros est replacée dans son milieu, la misère matérielle, les conflits de ses parents, les lectures de Mme Guyon, une réalité décevante et dure qui engage Anton, avec l'apprentissage de la lecture, à chercher dans l'imaginaire un autre moyen d'exister.[11] Si la lecture est une fuite, elle joue également un rôle actif dans sa formation : celle de *Werther* lui révèle le sentiment de son existence solitaire et lui permet, grâce au miroir de la fiction, de prendre conscience des contradictions externes et internes qui ont régi sa vie. Il retrouve dans cette lecture de nombreuses images de lui-même, et "son idée de la *proximité* et de l'*éloignement qu'il* avait projeté d'insérer dans son essai sur l'amour du romanesque". L'existence le ramène de l'univers idéalisé qu'il avait trouvé dans les romans et le théâtre vers le monde réel dans un mouvement de balancier allant au rythme des migraines. Ce mouvement pendulaire le mène de l'aspiration vers l'immensité au désir d'une existence retirée. Cette fuite hors des limites ressenties comme une prison et le vertige qui le ramène à ces bornes, constituent le double mouvement que le héros découvre en lui. "Toute son évolution consistera à prendre conscience de cette tension interne qui restera la même et déterminera l'alternance des hauts et des bas tout au long de sa tumultueuse carrière."[12] A l'alternance de l'extension et du rétrécissement, source de déchirures intérieures, de mélancolie profonde et du sentiment d'incompréhension radicale s'ajoute le vertige du temps, des abîmes de l'instant, de l'irréalité.

Anton Reiser avance en tâtonnant entre ses rêves et une réalité revêche. La pauvreté matérielle extrême, l'obscurantisme dont il est entouré, l'origine sociale, le milieu piétiste dans lequel il est élevé, ont formé dès sa naissance un carcan insupportable. Dans l'enfer des refoulements et des ressentiments, Anton Reiser, avec sa laideur, son infirmité découvre que la nature est mauvaise, la réussite condamnable, le plaisir coupable. Son parcours, écrit Michel Tournier, est celui "d'un désengagement, c'est-à-dire d'une libération. L'observation de soi et

---

11 "La lecture avait subitement déployé sous ses yeux un monde nouveau, et les plaisirs que celui-ci lui procurait constituaient une sorte de *compensation* pour tous les désagréments du monde réel. Désormais, quand s'élevaient autour de lui les cris et les disputes d'un ménage où régnait la discorde ou lorsqu'il avait cherché en vain un camarade de jeu, il se plongeait dans un livre.Il se trouva ainsi de bonne heure *refoulé* du monde normal de l'enfance dans un monde artificiel et idéalisé où son âme perdit le goût de ces mille joies de l'existence que d'autres dégustent avec ivresse." *Anton Reiser*, p. 26 (les termes sont soulignés par nous).
12 Albert Béguin, *L'âme romantique et le rêve*, Corti, 1960, p 26.

l'analyse intérieure enseignée par ses maîtres pour l'édification de son âme sont dénoncées comme des instruments d'autodestruction."[13]

Moritz livre le portrait psychologique d'une adolescence difficile torturée par le regard des autres, les macérations et les pénitences, une certaine volupté masochiste, et le délices des larmes (*the joy of grief*).[14]

L'auteur qui réécrit ainsi à sa manière les *Confessions* de Rousseau, est un psychologue averti, créateur du *Magazine pour la science expérimentale de l'âme* qui cherche à comprendre ce qui se passe en l'homme, observe avec réalisme le coeur humain, sonde les arcanes du rêve, de la vie nocturne, des sensations, des sonorités qui affectent la mémoire et tous les éléments qui forment un réseau complexe laissant pressentir l'unité de l'être. La préface du livre II annonce d'ailleurs un tel programme qui dans la remémorisation du passé enfui permettrait d'en saisir les raisons et la cohérence et donnerait un véritable sens au roman de formation comme redécouverte et réappropriation de soi en passant par les oripeaux de la jeunesse, véritable *épreuve de l'étranger*, de cet autre qui fut moi et dont je suis aliéné[15]. Pourtant nous restons fort loin d'un état d'achèvement, tant l'écart entre le monde et le moi, entre l'extérieur et l'intérieur est insurmontable et le sentiment de réalité lui-même vacille dans cette indistinction entre le rêve et le réel[16], le masque et l'être. Il cherche dans le théâtre moins une forme d'art qu'une quête thérapeutique, la possibilité de jouer un rôle, d'être un autre. [17]

---

13 Michel Tournier, Préface à *Anton Reiser*, Fayard, 1986.

14 *Anton Reiser*, p. 124

15 Le jeu des doubles est d'ailleurs important dans ce roman, car non seulement Anton est un double de l'auteur, mais il rencontre aussi plusieurs doubles sous la forme d'amis, dont Philipp (qui est aussi un double de l'auteur), sans parler du jeu des doubles sur la scène théâtrale.

16 "Les conséquences malheureuses des superstitions auxquelles on l'avait fait croire durant son enfance apparurent alors dans toute leur gravité : ses souffrances qu'on pourrait à bon droit qualifier d'imaginaires n'en étaient pas moins pour lui de vraies souffrances, et elles lui ravirent toute la joie de sa jeunesse." *Anton Reiser*, p. 82

17 "Le théâtre représentait pour lui le bonheur suprême, car c'était le seul endroit où il pouvait satisfaire son désir insatiable de vivre tous les aspects de la vie humaine. Durant son enfance, *il avait eu trop peu d'existence personnelle*, voilà pourquoi tout destin autre que le sien l'attirait avec tant de force ; la rage qui le prit, pendant ses années d'écolier, de lire des comédies et de fréquenter le théâtre en était la conséquence toute naturelle. Toute vie autre que la sienne l'arrachait en quelque sorte à son propre sort, et c'est dans autrui seulement qu'il retrouvait la flamme de vie

Moritz et Jean Paul retiennent de Rousseau l'importance de certains moments particuliers de l'enfance qui se gravent profondément dans le coeur de l'individu en lui donnant une brusque et singulière maturité. Si Moritz relate "la première idée qui dépassa son horizon enfantin"[18], Jean Paul s'attache quant à lui à dessiner la silhouette de ces îles enchantées qui émergent de l'océan du souvenir.

De son vrai nom Johann Paul Friedrich Richter, Jean Paul, admirateur passionné de Jean-Jacques, narre dans sa *Selberlebensbeschreibung*[19] avec son inimitable style sa naissance à Wunsiedel en 1763, en haute Franconie dans le Fichtelgebirge[20]. C'est

---

presque étouffée en lui par les contraintes extérieures.

Ce n'était donc pas une vocation authentique, un pur besoin d'incarner des personnages qui l'entraînait: il tenait plus à se jouer pour lui-même les scènes de la vie qu'à les jouer pour un public. *Il voulait garder pour lui seul tout ce que l'art exige qu'on lui sacrifie.*" **Anton Reiser,** p. 345.

18 "La première idée qui dépassa son horizon enfantin lui vint vers l'âge de quatre ans (écrit-il : en réalité, il en avait six), lorsque sa mère habitait encore avec lui au village et qu'un soir elle était assise dans la salle commune avec une vieille voisine et les demi-frères d'Anton. On se mit à parler de sa petite sœur, qui était morte peu avant, dans sa deuxième année, perte dont sa mère resta inconsolable pendant près d'un an.

"Où peut bien être Juliette maintenant ?" dit-elle après un long silence, puis elle se tut de nouveau. Anton regarda vers la fenêtre où ne brillait, dans la nuit noire, aucune lumière, et il ressentit pour la première fois l'étrange *resserrement* qui rendait son existence d'alors à peu près aussi différente de son existence présente que l'être du non-être.

"Où peut bien être Juliette ?" pensa-t-il à son tour, et, comme un éclair, le proche et le lointain, l'étroitesse et l'immensité, le présent et l'avenir traversèrent son âme. Nul trait de plume ne saurait dépeindre son sentiment, qui depuis lors s'est réveillé mille fois en lui, mais jamais avec sa violence première.

Qu'est grande la *félicité de la limitation,* que nous cherchons pourtant à fuir de toutes nos forces ! Elle est comme une petite île fortunée sur une mer orageuse; heureux celui qui peut sommeiller, en sécurité, dans son sein: nul péril ne l'éveillera, nulle tempête ne le menace. Mais malheur à celui qui, poussé par la fatale curiosité, se hasarde au-delà de ce mont crépusculaire, qui met à son horizon de bienfaisantes limites ! Il sera ballotté sur une mer sauvage d'inquiétudes et de désordres, il s'en ira chercher des régions inconnues dans les brumes lointaines, et sa petite île, asile sûr ou il vivait, a perdu pour lui tous ses charmes."

19 *Selberlebensbeschreibung* 1818, publié en 1826 par Christian Otto dans *Wahrheit aus Jean Pauls Leben.*

20 "*Es gibt keine Gegend in Deutschland, wo ein dichterisches und nachdenkendes Gemüth sich ungestörter und träumerischer in sich*

Alain MONTANDON - Rousseau, Moritz et Jean Paul ..

là que commence sa vie, "idylle modeste"[21], au milieu des montagnes et des forêts, dans une vallée où les bruits du monde arrivent avec un écho assourdi.

> "Ce fut en l'année 1763 que vint au monde, le 5 février, la paix de Hubertsbourg et, quelque temps après elle, Jean Paul Friedrich Richter, —et ce, dans le mois où avec lui vinrent encore la lavandière jaune et la grise, le rouge-gorge, la grue, la poule d'eau et maints autres oiseaux des marécages, à savoir en mars,—et ce, le jour du mois où, si l'on avait voulu couvrir son berceau de fleurs, la cochléaria et le tremble commençaient leur floraison, ainsi que le mouron, à savoir le 21 mars, —et ce, à l'heure la plus matinale et la plus fraîche du jour, à savoir à une heure et demie du matin; mais ce qui met le comble à tout, c'est que le commencement de sa vie fut aussi celui du printemps de cette armée."

Si toute autobiographie court le risque de succomber à la tentation de transformer la vie en destin, Jean Paul ne manque pas à la règle. S'il n'existe peut-être pas de déterminisme du milieu environnant, de la nature dans laquelle l'homme est enraciné, des saisons, des astres, des dates, du moins y a-t-il un symbolisme mystérieux, une harmonie qui exerce une profonde fascination et à laquelle Jean Paul croit encore en 1822, lorsqu'il dit :

> "L'égalité du jour et de la nuit, lorsque je suis né, est l'image sinon la raison d'une égalité spirituelle en moi—imagination et réflexion sont assez équilibrées, ainsi peut-être que le bon et le mal en morale, et finalement le destin. [...] La seule chose merveilleuse, à ma naissance, est que le jour et la nuit étaient égaux, prélude à mon double style"[22].

Jean Paul attache une prédilection toute particulière à ce qu'il appelle les "olympiades de l'enfance". Joditz est pour lui le lieu de sa naissance spirituelle. C'est là qu'il connaît pour la première fois l'une des plus importantes expériences de sa vie: la prise de conscience de soi. Cette naissance de la conscience, dont il se souvient toujours, est décrite en ces termes :

> "Un matin, tout enfant encore, je me tenais sur le seuil de la maison et je regardais à gauche, vers le bûcher, lorsque soudain me vint du ciel, comme un éclair, cette idée : je suis un moi, qui dès lors ne me

---

und die Natur versenken könne." (R.O. Spazier, *Jean Paul Friedrich Richter*, 1833, p. 40.)

21 «Ma biographie est une idylle, bonheur modeste.» (*"Meine Biographie ist blos eine Idylle; beschränktes Glück."*), in *Wahrheit aus Jean Paul's Leben*, 1826,1, p. XXI.

22 Cité par R.O. Spazier, op. cit., p. 46.

quitta plus, mon moi s'était vu lui-même pour la première fois, et pour toujours"[23]

Cette révélation fulgurante, décrite à la façon du *Durchbruch* piétiste, peut être considérée comme le point de départ de toute son attitude ultérieure face au monde. Jean Paul n'est certes pas le seul à faire cette expérience existentielle, mais il est l'un des rares à faire de la révélation de son moi le moteur essentiel de sa pensée théologique, philosophique et poétique. De nombreuses années plus tard, Jean Paul note dans son journal :

> "Je racontai en rêve comment, dans mon enfance, j'avais eu pour la première fois la conscience du moi, sur la porte de la maison, par la contemplation. Je disais: la conscience vient d'un coup. (18 février 1818.)

Cet événement est attaché aux souvenirs de l'enfance, gardés avec une extraordinaire clarté, et l'on sait comment ils ont été systématiquement exploités au point que l'oeuvre de Jean Paul est en grande partie autobiographique et peut être considérée comme une sorte de recherche du temps perdu. La prise de conscience tragique du moi, et par conséquent de la réalité, de tout ce qui est le non-moi, le monde extérieur est à l'origine de la nostalgie fusionnelle de l'écrivain. Elle libère en même temps les puissances de l'imagination. La quête de l'enfance est celle d'un monde d'avant la scission que Jean Paul essaie de revivre (ou de vivre) dans son autobiographie par accumulation de souvenirs très précis et détaillés, en se servant de la vision colorée de rose de l'idylle, même si celle-ci ne correspond à aucune réalité.[24]

L'intensité des souvenirs d'enfance a donné à toute la vie et aux ouvres de Jean Paul "une marque, qui les distingue fondamentalement

---

[23] WB VI, p. 1061 (Jean Paul, *Werke*, Hrsg. von Norbert Miller, Carl Hanser Verlag, 1967)

[24] "Die Erinnerungen früherer Zeiten nehmen von Jahrzehnt zu Jahrzehnt eine andere Gestalt und Wirkung für uns an."

"Tief hinunterreichende Erinnerungen aus den Kindjahren erfreuen, ja erheben den bodenlosen Menschen, der sich in diesem Wellendasein überall festklammern will, unbeschreiblich und weit mehr als das Gedächtnis seiner spätern Schwungzeiten; vielleicht aus den zwei Gründen, dass er durch dieses Rückentsinnen sich näher an die von Nächten und Geistern bewachten Pforten seines Lebens zurückdrängen meint und dass er zweitens in der geistigen Kraft eines frühen Bewusstseins gleichsam eine Unabhängigkeit vom verächtlichen kleinen Menschkörperchen zu finden glaubt. Ich bin zu meiner Freude imstande, aus meinem zwölf-, wenigstens vierzehnmonatlichen Alter eine bleiche kleine Erinnerung, gleichsam das erste geistige Schneeglöckchen aus dem dunkeln Erdboden der Kindheit noch aufzuheben." (WB VI, p. 1048.)

de toutes les autres".[25] Cependant, malgré le parfum idyllique qui s'échappe des pages de Jean Paul, le lecteur devine que la réalité est plus rude et plus dure qu'elle n'y paraît. L'explosion de joie des enfants devant les rares douceurs ne font que mieux ressortir la misère latente. A ce tableau s'ajoute la figure sévère et sombre d'un père d'humeur triste, éducateur inflexible et intransigeant[26], qui consacre son temps à l'élaboration pénible de sermons qu'il récite chaque dimanche. C'est ainsi que la vie s'égrène comme des stations sur un chemin de croix où pétales et épines s'entremêlent : premier abécédaire, prise de conscience du moi, premier baiser, première idée de la mort, etc.

L'originalité de l'entreprise autobiographique jean-paulienne est d'organiser son discours comme une descente chez les morts.[27] Car le narrateur se tourne vers l'absence, vers ce qui a disparu et qui d'une certaine manière échappe à la représentation. Jean Paul donne immédiatement une dimension symbolique à l'existence de son héros alors que celui-ci n'a pas encore commencé sa vie consciente. L'*Autobio-graphie* et la *Biographie conjecturale* conjurent les matériaux de la vie passée, la mémoire, les souvenirs. Mais parler du passé est une négation de la voix présente. Les voix passées sont cependant constitutives de la voix présente. Ainsi l'autobiographie se révèle comme circularité, circularité du passé et du présent, du réel et du fictif. Décrire le passé c'est lui donner aussi le statut de la fiction. Le jeu de la présence et de l'absence dans l'apostrophe de la vie passée bouscule les modèles de mémorisation classiques.

Rousseau opposait la reconstruction imaginative, par associations et souvenirs à celle par les textes écrits qui loin d'apporter l'ordre souhaité fait naître la confusion. Cette rencontre troublante et dérangeante des textes et témoignages écrits de la vie, avec sa froide chronologie, n'est pas propre à Rousseau. On la trouve aussi chez Ulrich Bräker. Jean Paul n'écrit son autobiographie qu'en raison de la

---

25 R.O. Spazier, op. cit., p. 46.

26 Jean Paul raconte les méthodes pédagogiques très singulières de son père : "Quatre heures le matin et trois heures l'après-midi notre père nous donnait un enseignement qui consistait à nous faire apprendre par cœur des sentences, le catéchisme, des mots latins et la grammaire de Lange. Il nous fallait apprendre sans les comprendre les longues règles des genres de chaque déclinaison, avec toutes les exceptions et les exemples en latin."

27 "Ich kehre aber zu unserer Geschichte zurück und begebe mich unter die Toten" (VI, 1040)

destruction de ces monuments de la mémoire.[28] Alors que la plupart des autobiographies trouvent dans les premiers souvenirs des points de repères assurant les premières continuités dans le fil de la vie et assurant à la narration son orientation téléologique, permettant également de poser l'identité d'un sujet (et d'un narrateur), les premiers souvenirs au contraire chez Jean Paul ont pour fonction de poser une discontinuité. Le souvenir des origines ne sert pas l'identification de soi, mais en signifie la perte. Plus il remonte dans ses souvenirs, plus l'homme sans fondement ("bodenlose Mensch") s'éloigne de lui-même pour s'approcher des "portes de la vie". L'état d'enfance se caractérise par un autre statut de la conscience, par une autre mémoire, différente, autonome, monadique. Les conséquences en sont pour l'autobiographie radicales : l'hétérogénéité fondamentale, la solution de continuité en marquent le projet narratif. Il y a fondamentalement des lacunes, des trous de mémoire qui rendent la narration contingente. Aucun ordre n'est assuré. Seul la subjectivité du narrateur est souveraine, qui vient briser les formes d'un genre à la mode et que l'on ne peut plus aborder pour Jean Paul que dans une perspective distanciée, parodique et humoristique. Jean Paul trouve bien ridicule ces futurs chercheurs qui essayeront de trouver dans l'histoire présente un ordre à partir des débris. Le narrateur jean-paulien ne saurait concevoir en effet son récit comme l'intégration des détails et des événements en un ensemble ordonné et signifiant. Il ne peut donner qu'une suite déliée de souvenirs épars qui ne sont eux-mêmes justifiés que par l'émotion vitale dont ils sont chargés.

Ce ne sont point des scènes historiques, des informations sur le passé, mais des figures souriantes, transfigurées, des fantômes qui sont suggérés. Lorsqu'il séjourne chez le baron von Hardenberg, Jean Paul se souvient dans sa *Biographie conjecturale* du passé qui vient comme les vagues battre aux pieds du présent :

> "Je repose à présent [...] sur les rives de la Saale, dont la végétation est si romantique et je regarde ce fleuve familier auprès duquel j'ai grandi et dans lequel l'enfant rêveur a souvent suivi des

---

28   "Tief hinunterreichende Erinnerungen aus den Kindjahren erfreuen, ja erheben den bodenlosen Menschen, der sich in diesem Wellendasein überall festklammern will, unbeschreiblich und weit mehr, als das Gedächtnis seiner späteren Schwungzeiten; vielleicht aus den zwei Gründen, daß er durch dieses Rückentsinnen sich näher an die von Nächten und Geistern bewachten Pforten seiner Lebens zurückzudrängen meint und daß er zweitens in der geistigen Kraft eines frühen Bewußtseins gleichsam eine Unabhängigkeit vom verächtlichen kleinen Menschenkörperchen zu finden glaubt" (WB VI, 1048)

yeux, longuement, son sourire flottant, et que je retrouve après si longtemps ici, loin de chez moi. O comme tes flots aimés coulent doucement et tendrement devant moi, les mêmes qui ont passé devant ceux que j'aime à Hof, tandis qu'ils se promènent — Plein de nostalgie, je reconnais et je regarde venir chaque vague qui s'approche en battant des ailes et je suis des yeux longuement les ronds dans l'eau qui s'enfuient et je voudrais boire le flot chéri et m'asperger la poitrine de sa fraîcheur. Puissiez-vous, ô vagues, avoir reflété dans votre miroir l'image de silhouettes souriantes, de soirs rougeoyants, et la vaste clarté de la nuit lunaire, et que pas une larme ne coule jusqu'à moi dans votre cours!" [29]

Mais ce qu'il voit ne sont que des reflets, car ce qui dure, ce n'est que la sensation éparpillée de l'éternité. On comprend que la biographie ne puisse être que conjecturale. Jean Paul se sert des concepts biographiques idylliques de Wutz, Fixlein, Fibel pour construire sa *Selberlebensbeschreibung*. Il se cite lui-même. Cette autoréférentialité des oeuvres et de l'autobiographie montrent la proximité entre l'invention, la vie et le souvenir. Le détour par la fiction comme écriture de la transcendance est nécessaire à celui qui joue de son enfance comme d'une idylle. On peut penser à la bibliothèque de Wutz. Seules les oeuvres écrites par lui sont authentiques. Il en est de même pour l'autobiographie : ce ne sont pas les documents, les rapports, les témoignages historiques, mais ce que le narrateur a vécu, ses émotions distillées qui sont authentiques. Il y a dans la mer de l'enfance des îles qu'on ne peut perdre de vue, et c'est d'abord l'expérience du Moi, ou bien les moments de terreur (dont le modèle se trouve dans *Emile* de Rousseau[30]) ou d'autres moments qui sont des moments d'éternité où l'on rencontre le Moi, la Mort, le premier baiser [31]. C'est l'évidence de la transcendance qui rend possible l'entreprise autobiographique suivant une écriture à double hélice, écriture d'escargot consistant à la fois à rentrer dans sa coquille et à tendre ses cornes vers l'infini. Cette écriture qui est celle du souvenir et de l'imagination est propédeutique, la vie n'étant que "Vorhof des Seins" (IV, 1080), l'autobiographie ne peut se construire que sur les bases de sa propre disparition ou Aufhebung.

---

29 WB IV, 1077 (traduction française de Rolland Pierre, *Biographie conjecturale*, Aubier Montaigne, 1981, p. 111)

30 Ainsi quand Jean Paul rapporte comment il devait traverser la sacristie pour aller chercher la Bible du père. (voir le livre II d'*Emile*)

31 "Einzigperle von Minute" (IV, 1099) ; "eine ganze sehnsüchtige Vergangenheit und Zukunft-Traum war in einem Augenblick zusammen eingepreßt" (IV, 1099).

La biographie conçue comme clé pour l'oeuvre romanesque[32] joue de la dé-référentialisation[33] comme on le voit par exemple avec le jeu sur les noms (ainsi au fil du texte a-t-on affaire à Paul, Fritz, Held, Hans Paul, Pfarrsohn, Professeur), mais aussi de multiples renversements. La lanterne magique de l'idylle enfantine lui permet de projeter sa vie future comme souvenir dans la *Konjektural-Biographie*, et lui qui s'est présenté et longuement décrit comme narrateur dans ses fictions devient maintenant une fiction de sa narration. En mettant l'accent sur l'acte de narration plus que sur son contenu, il replace l'acte autobiographique dans le vertige de l'activité d'un sujet qui ne saurait s'atteindre que dans la mesure où il se dérobe.

---

[32] Ecrite d'ailleurs non sans peine : "Jetzt arbeite ich an der Beschreibung meines Lebens; ich bin aber durch die Romane so sehr ans Lügen gewöhnt, daß ich zehnmal lieber jedes andere beschriebe" (lettre du 3 août à son ami Emmanuel Osmund).

[33] "Das Spiel der Namen als Entreferentialisierung von naturwüchsiger Identität und die Diskontinuität des Erinnerns würden zu einem Erzählen führen, das sich nur in den Schleifen der Selbstbezüglichkeiten erzählerischer Konstruktionspläne ergeht." (Ralf Simon, "Zwei Studien über Autobiographik", in *Jahrbuch der Jean Paul Gesellschaft*, 1994, p. 138).

LES *MÉMOIRES* DE CARLO GOLDONI

Renée MOLITERNO
Université de Nice-Sophia Antipolis

Pourquoi écrire le récit de sa vie ? Si la frontière reste indécise entre mémoires et autobiographie, Goldoni est parfaitement clair quant au sens qu'il entend donner au terme de "mémoires". En effet, le titre où s'étale le nom de l'homme célèbre - *Mémoires* de M. Goldoni - est suivi d'un sous-titre qui explicite la fonction de son ouvrage : "pour servir à l'histoire de sa vie et à celle de son théâtre". Mais dans la préface, Goldoni privilégie nettement la seconde de ces orientations écrivant que "sa vie n'est pas intéressante"[1] et que le récit de celle-ci n'a lieu d'être que dans la mesure où un lecteur, découvrant ses œuvres dans une bibliothèque, pourrait avoir le désir de connaître l'auteur d'une importante collection[2]. Ses *Mémoires* sont donc avant tout une autobiographie au service de l'auteur qui, après son départ de Venise en 1761, a souffert de voir que son théâtre était "au pillage partout".

Dans cette perspective, il ne faut point s'attendre à des révélations sur sa vie personnelle et intime, à la manière d'un J.J. Rousseau. Avec Goldoni, c'est l'homme public qui s'exprime et surtout l'homme qui entend laisser à la postérité une image de soi véridique - dit-il - car tout portrait fait après sa mort pourrait être altéré soit par un excès de sympathie soit par une intention satirique. Goldoni a conscience de s'inscrire dans une mode de son temps, comme il le déclare en tête de sa préface. Son choix de la langue française comporte plusieurs motifs évidents : éloignement de Venise, protection du roi de France, comme le rappelle sa dédicace adressée à Louis XVI et rédigée en 1787 avec des éloges dithyrambiques que l'histoire, se chargera de balayer, fierté personnelle d'écrire en une langue qui est celle de Molière, enfin, primauté de la langue française au XVIIIe siècle en Europe.

---

[1] Goldoni, *Mémoires*, Aubier, Paris, 1992. Introduction et notes par Norbert Jonard. Orthographe du XVIIIe siècle.

[2] Goldoni donne le chiffre de cent cinquante comédies, mais N. Jonard nous rappelle que l'édition complète de 1935-56 (Mondadori) en comprend cent dix-sept.

Avant de disparaître - quand il entreprend de rédiger ses mémoires Goldoni est presque octogénaire - il entend rappeler à toute l'élite intellectuelle européenne qu'il a été le grand réformateur du théâtre italien. Il s'est d'ailleurs toujours personnellement occupé des portraits qui ornent les éditions de son théâtre, exécutés par des peintres célèbres comme nous le rappelle F. Angelini[3]. Cette tentative pour éviter l'oubli le libère en quelque sorte aussi de la mort d'autant qu'au terme d'une vie aventureuse et trépidante, entouré d'acteur et d'actrices qu'il préférait à toute autre compagnie[4], Goldoni se retrouve seul, endetté, loin de sa patrie. Revivre ses souvenirs devait aussi signifier pour lui ranimer les jours heureux du passé et oublier la tristesse du présent. Mais si le bonheur de la réminiscence est indéniable, ce qui prime néanmoins chez Goldoni c'est le désir de donner un point d'aboutissement à une entreprise publique. Aussi entretient-il avec le lecteur une relation toute particulière qui s'annonce dès la préface et ne se dément pas tout au cours de son ouvrage.

Certains autobiographes, surtout contemporains, s'interrogent sur les pièges et les difficultés qui les attendent ; rien de tel chez Goldoni : "La vérité a toujours été ma vertu favorite" déclare-t-il dans sa préface et il conclut le récit de sa vie avec la même assurance : "tout le soin que j'ai employé dans mes Mémoires, a été de ne dire que la vérité"[5]. L'expression habituelle et constante par laquelle Goldoni apostrophe le lecteur est toujours "mon cher lecteur" et il ne s'interrompt pas moins de onze fois dans la première partie où il est surtout question de sa vocation, sept fois dans la deuxième partie qui correspond à la mise en œuvre de son projet théâtral. Dans la troisième partie qui relate la période parisienne, la relation varie quelque peu ; il n'y a plus d'apostrophe au narrataire selon la formule consacrée "mon cher lecteur", mais celle-ci se transforme en un pluriel, sans adjectivation, puisque désormais son œuvre est presque achevée et qu'il n'a plus à inviter qui que ce soit à le suivre. La préface, par contre, fait

---

[3] F. Angelini, *Vita di Goldoni*, Laterza, Roma-Bari, 1993. Le critique cite en particulier Alessandro Longhi, G.B. Piazzetta, Lorenzo Tiepolo dit Tiepoletto. Quant à N. Jonard (*Ibidem*, p. 695), il nous rappelle en note que nous devons à Charles Nicolas Cochin le portrait de Goldoni en tête du premier tome des *Mémoires*.

[4] Goldoni, *Mémoires*, I, 35, p. 160. Goldoni apprend par sa tante que son ex-fiancée et sa mère ne risquent plus de l'inquiéter depuis qu'elles ont appris qu'il fréquentait les comédiens : "Je suis avec les Comédiens comme un Artiste dans son atelier. Ce sont d'honnêtes gens, beaucoup plus estimables que les esclaves de l'orgueil et de l'ambition."

[5] *Ibid.*, p. 7 et p. 605.

apparaître clairement un destinataire. Goldoni n'est jamais seul, face à la page blanche et face à lui-même ; le public est constamment présent à son esprit, comme si le récit de sa vie se déroulait dans un salon où on se serait réuni pour la conversation. Aussi s'exprime-t-il, avec la plus courtoise affabilité car après avoir recherché, dans la dédicace, la protection du pouvoir politique, il lui faut à présent chercher un public à une époque où le système de souscription est une mode[6] :

> "Voilà tout ce que j'avais à dire à mes lecteurs : je les prie de me lire, et de me faire la grâce de me croire ;"[7].

Les marques de séduction à l'adresse d'un lecteur idéal - celui que Goldoni voudrait avoir - s'étalent avec la plus totale évidence puisqu'il s'agit pour l'auteur - dit-il - d'établir une relation franche et loyale :

> "J'aime à dire les choses comme elles sont, plutôt que de les embellir."[8]

C'est ainsi qu'il n'hésite pas à ironiser sur lui-même au sujet de ses difficultés scolaires :

> "Vous allez voir, mon cher Lecteur, comme ce Grammairien Vénitien, qui ne manquait, pas de se vanter d'avoir composé une pièce, se trouva rapetissé en un instant."[9]

Ailleurs, il s'excuse auprès du lecteur de s'être "un peu délecté" à la narration d'une anecdote[10]. Lorsque la narration d'un fait requiert un trop long développement, il prévient les réactions de "son" Lecteur, mais il n'en poursuit pas moins son récit puisqu'il va relater son aventure au collège Ghislieri de Pavie d'où il a été expulsé après avoir écrit une satire sur les femmes de cette ville :

> "J'abuse un peu trop, peut-être, mon cher Lecteur, de votre complaisance ; je vous entretiens de misères qui ne doivent pas vous intéresser, et qui ne vous amusent pas davantage ; mais je voudrais bien vous parler de ce Collège où j'aurais dû faire ma fortune, et où j'ai fait mon malheur."[11]

Tantôt il imagine les objections de son lecteur lui donnant ainsi l'illusion d'intervenir dans l'élaboration de son récit :

> "Ne dites pas mon cher Lecteur, que je me donne les violens ;"[12],

---

[6] F. Angelini, *op. cit.*., p. 133.

[7] Goldoni, *Mémoires*, *op. cit.*, p. 7.

[8] *Ibid.*, I, 1, p. 14.

[9] *Ibid.*, I, 2, p. 17.

[10] *Ibid.*, I, 7, p. 36.

[11] *Ibid.*, I, 9, p. 41.

[12] *Ibid.*, I, 19, p. 89.

tantôt encore, il prévient son ennui comprenant que telle séquence peut apparaître inutile :

> "Ne vous ennuyez pas, mon cher Lecteur, à cette digression ; vous verrez combien elle aura été nécessaire à l'enchaînement de mon histoire."[13]

Ce procédé est fréquemment employé dans la deuxième partie des Mémoires où Goldoni fait une "longue kyrielle" comme il précise lui-même[14] - d'un grand nombre de ses pièces, à laquelle, cependant, il n'entend pas renoncer. Ces différentes observations montrent combien Goldoni était attentif à satisfaire son lecteur, à communier avec lui, tout en poursuivant son récit avec autorité. A la fin de son ouvrage, il n'emploie plus que le terme générique de "lecteurs", convaincu que, qui l'a suivi jusque là, est devenu ce lecteur modèle et complice dont il a rêvé.

Goldoni se préoccupe avant tout de plaire tout en étant lui-même ou plus exactement celui qu'il s'imaginait être ou avoir été. Dès le premier chapitre de ses *Mémoires* consacré à sa naissance et à sa généalogie, toutes les bonnes fées se sont penchées sur son berceau pour lui offrir un grand-père riche, grand amateur de théâtre, de banquets et de fêtes, un père très sociable, passionné de voyages mais encore de théâtre, une mère aimante à souhait qui le "mit au monde presque sans souffrir". Comment s'étonner s'il devint le "bijou de la maison" ? Né dans une atmosphère joyeuse et bruyante, comment aurait-il pu "mépriser les spectacles" et ne pas "aimer la gaieté"[15] ? Il n'aurait pu souhaiter un milieu familial plus propice à éveiller sa vocation d'autant que, dès l'âge de quatre ans, son père lui fit bâtir un théâtre de marionnettes. Il faut dire qu'il n'y eut probablement jamais enfant plus sage que lui :

> "J'étais doux, tranquille, obéissant ; à l'âge de quatre ans, je lisois, j'écrivois, je savois mon catéchisme par cœur, et on me donna un précepteur"[16].

Vu du haut de son grand âge, l'enfance est une fête et se déroule au rythme d'un pas de danse comme ce menuet de Tiepolo en première page de couverture de la réédition de ses *Mémoires* par N. Jonard. Après avoir inventé tant de personnages, c'est au tour de l'auteur de créer son propre personnage et de nous inviter à l'occasion de cet ultime

---

13 *Ibid.*, I, 29, p. 133.

14 *Ibid.*, II, 35, p. 394.

15 *Ibid.*, I, 1, p. 12.

16 *Ibid.*, I, 1, p. 13.

ouvrage, à le suivre pour nous amuser avec lui au spectacle de sa vie. N'est-il pas, comme il le déclare à la fin de ce premier chapitre qui donne le ton, le "héros de la pièce" ? La suite de cette première partie qui couvre, environ les quarante premières années de sa vie, est la plus intéressante des *Mémoires* d'un point de vue strictement autobiographique, car si le théâtre est sa religion, s'il est à l'affût de toutes les lectures et de tous les spectacles qui ont trait à cet art, il devra patienter jusqu'à la quarantaine pour imposer sa réforme. Alors toute sa vie sera transférée dans cette activité et ses mémoires ressembleront plus à un catalogue de ses productions et de ses démêlés nombreux avec directeurs de théâtre, acteurs et concurrents. D'un point de vue stylistique et humain cette première partie des *Mémoires* est sans conteste la plus brillante nourrie de toute l'expérience qu'il acquiert en menant une vie aventureuse, riche en rencontres nombreuses et en expériences personnelles qui alimenteront, ensuite, la vaste fresque de ses comédies. Goldoni fait de son récit un chef-d'œuvre romanesque, en nous présentant non seulement sa vie comme un roman mais en introduisant aussi dans ses *Mémoires* maintes anecdotes, portraits et dialogues qui constituent autant de sketches divers. Tout ce qui est humain l'intéresse et tout est relaté avec la bienveillance amusée qui caractérise sa comédie humaine. Les épisodes narratifs (son premier voyage à cheval, son embarquement avec une troupe de comédiens en abandonnant études et bagages, le "minet" de la première Amoureuse[17]... pour ne citer que les plus cocasses) sont d'une spontanéité et d'une fraîcheur qui nous enchantent encore aujourd'hui, fussent-ils inventés comme celui où il se place premier à une épreuve de latin, alors qu'en vérité il avait échoué[18]. Goldoni n'est pas à la recherche d'une vérité sur lui-même contrairement à Rousseau. Il ne se contente pas de ressusciter les faits, il les réinvente quand il ne les invente pas. Seul compte le plaisir du lecteur, son propre plaisir au moment de l'écriture et son désir d'embellissement[19].

A côté de sa vie personnelle et de sa vocation pour le théâtre, nous trouvons dans les Mémoires de fréquentes digressions qui offrent un témoignage sur l'époque et les nombreuses villes que Goldoni a traversées ou fréquentées. Et comme il écrit, à Paris, son ouvrage présente la double fonction d'informer les Français sur les choses

---

17 Respectivement : I, 2, p. 116 ; I, 4, p. 23.

18 *Ibid.*, I, 2, p. 18 et note de N. Jonard, p. 609.

19 Pour toutes les ruptures de contrat de vérité, on trouvera de précieux éclaircissements dans la réédition soigneusement préparée par N. Jonard.

italiennes et les Italiens sur la vie parisienne. En grand observateur, toujours curieux de tout ce qui est humain ou de ce qui a été crée par l'homme, il sait toujours saisir la particularité qui distingue une ville de l'autre. A Turin il note l'uniformité des bâtiments, la courtoisie des Turinois et leur ressemblance avec les Français[20]. A Rome, il exprime sa stupeur devant "l'exactitude des proportions dans son immense étendue"[21]. Mais il sait aussi nous faire rire lorsque, ayant rendu visite au pape, au moment de se retirer, il voit le Saint-Père remuer ses pieds, ses bras, tousser, le regarder et ne rien dire : tout cela parce que Goldoni a oublié de "baiser le pied du Successeur de Saint Pierre"[22]. Si pour se rendre dans cette ville, il choisit de passer par Notre Dame de Loret, par dévotion, une fois sur place, il s'extasie sur les caves de vin :

> "Il n'est pas possible d'en voir de plus vastes et de mieux bâties ; ce sont des réservoirs immenses de bons vins pour l'usage d'un monde infini de prêtres, de desservans, de pénitenciers, de voyageurs, de pèlerins, de domestiques et de fainéans, et cela prouve l'immensité des biens fonds que la piété chrétienne a consacré à la dévotion des étrangers, et à l'aisance des habitans"[23].

Le carnaval romain le frappe tout particulièrement ; or, il ne manquait pas d'expérience en la matière. Il est époustouflé de voir tant de masques, de boisseaux de dragées, de banquets, de bals et de tables de jeu. Et ces divertissements ne cessent même pas pendant le carême où "l'on change de décoration, mais on ne s'amuse pas moins"[24].

Le Frioul est la région dont il donne la description, la plus complète et la plus détaillée, peut-être parce qu'elle est plus susceptible d'intéresser les Français - et surtout les Parisiens - en cette fin de siècle marquée par la philosophie des lumières : délimitation géographique, histoire, richesses agricoles et artistiques, particularités dialectales (terminaison du pluriel en "s" comme pour la langue française, précise-t-il) et surtout organisation politique puisque, dans le château d'Udine, il y a "une salle de Parlement, où les États se rassemblent, privilège unique, qui n'existe dans aucune autre Province de l'Italie"[25].

Mais c'est évidemment Venise et sa région qui offrent le plus d'informations sur la vie quotidienne de l'époque : le goût pour la

---

[20] *Ibid.*, II, 12, p. 295.

[21] *Ibid.*, II, 37, p. 401.

[22] *Ibid.*

[23] *Ibid.*, II, 36, p. 398.

[24] *Ibid.*, II, 39, p. 407.

[25] *Ibid.*, I, 15, p. 65.

comédie, le jeu, les dépenses faramineuses pour les mariages, la manière dont est financé l'éclairage des rues (par un tirage de plus par an de la loterie), les moyens de transport dont le fameux Burchiello, voyageant entre Venise et Pavie, où on navigue au son de la musique et où on s'adonne à maints divertissements, enfin, le pavement lui-même ne manque pas de faire l'objet d'une description des plus précises :

"Vous marchez sur des pierres quarrées de marbre d'Istrie, et piquetées à coup de ciseau pour empêcher qu'elles ne soient glissantes"[26].

Goldoni adhère entièrement à son temps, il en accepte tout ; à l'occasion il signale des améliorations possibles souhaitant, par exemple, que "les maîtres du Pô lisent (ses) mémoires, et profitent de (son) avis"[27]. S'il se souvient d'un vase à boire, d'une forme exceptionnelle, vu à Wippach, il tient à en faire la description pour que son souvenir - au cas où il n'existerait plus - soit au moins conservé[28].

Comme on le voit, la finalité des *Mémoires* n'est pas strictement limitée au service de l'artiste car l'auteur est attentif à toute la réalité sociale et historique de son époque. En vieil homme qui sent s'approcher la fin, il pense qu'il peut encore faire profiter les générations futures de son savoir et de ses connaissances. Aussi ses *Mémoires* peuvent-ils être apparentés à une sorte d'annales du XVIIIe siècle.

Lorsqu'il arrive en France - il débarque à Nice précisément - Goldoni voyage en homme de son temps qui savoure toutes ses découvertes, lentement, appréciant tout particulièrement l'accueil des "riches fabriquans lyonnais" et regrettant de ne pas pouvoir aller jusqu'à Genève où il aimerait rencontrer son ami Voltaire.

A Paris, tout l'enchante et le charme : le Palais Royal grouillant de monde cosmopolite, les Tuileries dont il parcourt l'infinie variété d'allées, notant au passage bosquets, terrasses, bassins et parterres, poussé par une sorte d'avidité et de gourmandise de la découverte. Mais Paris lui inspire aussi une réelle anxiété de déraciné ; aussi n'est-il pas fâché de quitter la capitale pour un lieu plus recueilli, à Fontainebleau, où les opportunités de se mêler à la cour sont plus nombreuses et aisées :

---

26 *Ibid.*, I, 7, p. 36.
27 *Ibid.*, I, 18, p. 82.
28 *Ibid.*, I, 17, p. 75.

> "Je voyois tous les jours la Famille Royale, les Princes de Sang, les Grands du Royaume, les Ministres Français, les Ministres Étrangers."[29]

A l'énumération de tous ces titres, on imagine le plaisir que Goldoni devait savourer en se figurant les sentiments que ses amis, et surtout ses rivaux vénitiens, ne manqueraient pas d'éprouver au récit des splendeurs de la cour française. Mais outre que la vie à la cour flattait sa vanité, elle satisfaisait aussi son goût pour les déplacements (six semaines en été à Compiègne, autant en automne, à Fontainebleau) et comblait sa curiosité artistique. Il pouvait savourer des yeux les beautés et les richesses des châteaux et des parcs en visiteur privilégié. De passage au château de Chantilly, il s'extasie devant tout :

> "Que de beautés ! que de richesses ! quelle position heureuse ! quelle abondance d'eau ! Je n'y est pas perdu mon tems, j'ai tout vu, j'ai tout examiné, les jardins, les écuries, les appartements, les tableaux, le cabinet d'histoire naturelle."[30]

Mais après les éblouissements de la nouveauté, il commence à trouver que la vie à la cour n'est pas exempt de contraintes auxquelles, par tempérament et par nécessité, il s'adapte, tout en notant au passage que sa femme profite des bois de Vincennes en compagnie de leurs chiens[31]. Ses déboires avec les comédiens italiens, ses déceptions occasionnées par les changements advenus à la cour (mort de sa protectrice, la Dauphine), sa lassitude d'une vie qui, malgré ses fastes, ne manquait pas d'être ennuyeuse, ainsi que des raisons plus personnelles - problèmes de santé, difficultés financières - vont inciter Goldoni à s'installer à Paris. Il ne le regrette pas car il y fréquente l'élite intellectuelle de la capitale participant au groupe des "Dominicaux" qui réunissait journalistes, peintres, abbés, poètes, rédacteurs de revues, musiciens, médecins, etc.... Si Goldoni n'est plus au centre de l'action, il devient un spectateur et un chroniqueur de tous les événements parisiens jusqu'en 1787, date à laquelle ses *Mémoires* seront publiés. Par exemple, il nous informe sur la transformation du Palais Royal (1781) sur un ton qui dénote une audace que nous n'étions pas accoutumés à trouver dans les *Mémoires*. Certains se plaignent - écrit-il - que le Palais Royal ne soit pas un endroit réservé aux personnes comme il faut mais soit ouvert au peuple, et Goldoni d'ajouter :

---

29 *Ibid.*, III, 3, p. 450.
30 *Ibid.*, III, 8, p. 473.
31 *Ibid.*, III, 9, p. 474.

"les cotillons des Bonnes ne salissent pas les robes des Dames parées"[32].

Les dernières pages de ses *Mémoires* sont truffées de comptes rendus sur l'organisation et la vie quotidienne à Paris. On est loin de la fadeur où il rendait compte des fastes et de la magnificence de la cour. D'ailleurs, il en est tout à fait conscient en déclarant :

"En m'approchant de la fin des Mémoires, je rencontre de plus en plus de sujets agréables à traiter"[33].

C'est ainsi qu'il rend compte de la grande quantité de périodiques français et étrangers qui se publient à Paris, avec pour chacun un commentaire très personnel. Ses observations sur les moyens de transport parisiens, entre autres sur les cochers qui ont la réputation d'être grossiers, ne manquent pas de nous faire sourire par leur pénétration psychologique. Contrairement aux Français qui les "gourmandent" et les "tutoyent", Goldoni leur parle avec "douceur" et il est "bien servi",

"ces gens sans éducation ne risquent rien à renchérir sur la mauvaise opinion que l'on a de leur état"[34].

Nous sommes également informés sur les dix-sept corps de garde de pompiers et leur abnégation, sur la "Petite Poste de Paris" qui permet d'écrire et de recevoir la réponse dans le jour même, sur les "bureaux de placement" pour toutes sortes de métiers et d'emplois, y compris les nourrices, ce qui offre l'occasion à Goldoni de donner son avis sur l'allaitement maternel avec son habituelle ironie :

"les femmes qui étaient autrefois trop délicates pour le soutenir, sont devenues vigoureuses."[35].

Bref, il a beau déclarer que cet ouvrage commence à le fatiguer, il n'a jamais été si attentif à la vie publique dans toute son organisation et ses structures.

C'est dans ce genre de chronique mi-bienveillante, mi-ironique que Goldoni se sent le plus à l'aise car toute sa vie, et dans ses *Mémoires* qui en sont le reflet, il s'est employé à ménager ses ennemis et à neutraliser les critiques :

"Je ne nommerai jamais les personnes qui ont eu l'intention de me faire du mal."[36].

---

32 *Ibid.*, III, 31, p. 569.

33 *Ibid.*, III, 39, p. 600.

34 *Ibid.*, III, 34, p. 580.

35 *Ibid.*, III, 34, p. 582.

36 *Ibid.*, II, 5, p. 265.

Aussi, ne dit-il rien de la guerre des théâtres qui dura plusieurs années, partageant Venise en deux camps, et il est fort capable de se déclarer "l'homme le plus heureux" alors qu'il est en pleine polémique avec son ex-directeur de théâtre allié à son ex-éditeur, tous deux, cherchant à publier ses comédies sans son accord[37]. S'il accepte l'invitation parisienne ce n'est pas uniquement par goût du changement comme il voudrait le faire accroire, mais parce que les attaques de ses rivaux avaient redoublé avec force invectives et injures, comme nous le rappelle N. Jonard[38]. Mais aux yeux de ses lecteurs il veut gommer toutes ces difficultés et se présenter en fils "chéri, fêté, applaudi" de sa ville natale[39]. Pourquoi Goldoni s'est-il tant appliqué à se construire ce masque de l'homme heureux ? C'était d'abord une façon de se conformer à l'idéal de son temps où la quête du bonheur était une aspiration de tous : peintres (Watteau, Greuze), musiciens (Lulli, Rameau, Mozart) et évidemment écrivains. Le culte de cette illusion est égrené tout au long de ses *Mémoires* où il tient à donner de lui une image optimiste de son caractère plus par obligation que par goût. Ce raisonneur était aussi un grand sensible et il est peut-être un des tout premiers à avoir compris l'âme tourmentée de Rousseau auquel il rendra visite une seule fois, n'osant pas retourner le voir avec son "*Bourru bienfaisant* ". Goldoni craignait trop que Rousseau ne se reconnût en son personnage. Il sera d'ailleurs profondément ému et peiné de voir "l'homme de lettres faire le copiste" et "sa femme faire la servante", même s'il ne peut s'empêcher d'exprimer une certaine réprobation à l'égard de Rousseau dont "le mépris des hommes" ne pouvait "tourner à son avantage"[40]. Car Goldoni ne peut supporter de ne pas être aimé des autres. Durement traité par Diderot, alors que Goldoni n'avait fait qu'essayer de dédramatiser la polémique déclenchée par Fréron, selon laquelle le français aurait plagié l'italien, il réussira à forcer sa porte avec la complicité d'un ami commun et se réconciliera avec le philosophe [41]. Tant de prudence, de raison, de goût pour la conciliation vont à l'encontre d'une autobiographie où le narrateur étalerait un moi trop intime, poussant la confession jusqu'à avouer certaines "singularités sur son compte, qui pourraient lui faire du tort" comme il observe à propos de Rousseau dont il a lu les

---

[37] *Ibid.*, II, 22, p. 339.
[38] Goldoni, *Mémoires, op. cit.*, p. 677.
[39] *Ibid.*, II, 43, p. 424.
[40] *Ibid.*, III, 16, p. 514.
[41] *Ibid.*, III, 5, p. 458.

Confessions [42]. Aussi, ne laisse-t-il pas vagabonder sa plume car il se soucie trop de son public et de ce fait son récit est beaucoup plus événementiel qu'intime. Pour parvenir à traquer sa vérité d'homme tel qu'il était, il serait sans doute plus instructif de lire sa correspondance où il se livre plus ouvertement. Pourtant, il y a deux événements de sa vie que Goldoni ne passe pas sous silence dans ses *Mémoires* et qui, de prime abord, ne sont pas en faveur de son portrait d'homme pacifique et équilibré qu'il entend donner de lui-même. Le premier a trait à sa maladie dépressive dont il est fréquemment question dans son ouvrage [43]. Ses "vapeurs hypocondriaques" selon la dénomination en vigueur au XVIIIe siècle, surgissent généralement lorsqu'il lui faut se plier à un devoir d'obéissance. Cet aveu ne manque pas d'être étonnant de la part d'un homme qui veut donner une belle image de soi ; mais comme nous le rappelle N. Jonard, il s'agit d'une maladie à la mode au XVIIIe siècle, qui touche surtout les artistes et les intellectuels [44]. En somme, dans un tableau si uniforme de modération et de vie honorable, une telle particularité apporte une touche de coquetterie. Le deuxième aveu de Goldoni a un caractère plus troublant car il concerne sa profonde antipathie pour son frère cadet. Enfant et adolescent, Goldoni n'est heureux que lorsque son frère est absent de la maison et cela se vérifie d'ailleurs assez fréquemment puisque le cadet a été mis en pension très jeune, tous les soins de la famille se reportant sur l'aîné. Lors d'un déplacement familial à Chioggia auquel son frère participe, Goldoni note sèchement "mon frère y était par dessus le marché" [45]. Outre la jalousie fréquemment observée entre frères, les deux hommes étaient de tempérament tout à fait opposé : autant l'un était - ou s'efforçait d'être - posé et prudent, malgré quelques peccadilles de jeunesse, autant l'autre était fougueux et impulsif et ne réapparaissait, après de longues absences que pour réclamer de l'argent. Il ne fait aucun doute que cette "tête brûlante" [46] le fera trembler plus d'une fois pour la réputation de son nom auquel il tenait tant. Lorsqu'il se rend incognito dans un célèbre café de Bologne, un client annonce aussitôt son arrivée à ses amis. Tandis que la plupart s'en désintéressent, il s'en trouve un pour s'exclamer bien haut : "grand Auteur ! magnifique

---

[42] *Ibid.*, III, 16, p. 511.

[43] *Ibid.*, I, 7, p. 33-34 ; II, 22, p. 339-340 ; II, 31, p. 380.

[44] Goldoni, *Mémoires, op. cit.*, p. 611.

[45] *Ibid.*, I, 4, p. 20.

[46] *Ibid.*, I, 31, p. 143.

Auteur, qui a supprimé les masques (...)" et celui qui l'avait reconnu dit en l'embrassant "ah !, mon cher Goldoni, soyez le bien arrivé"[47].

C'est cette glorification du moi public que son frère cadet, par ses excès et ses extravagances pas toujours honnêtes, risquait d'entacher. Comme l'écrit Philippe Lejeune : "Le sujet de l'autobiographie c'est le nom propre"[48].

Reprocher à Goldoni son infidélité à son contrat de confiance passé entre l'auteur et ses lecteurs au titre de toutes les déformations dénoncées ou à jamais secrètes, n'a pas véritablement de sens, parce que Goldoni a voulu nous présenter *sa* vérité. Et pourquoi n'y aurait-il pas un Goldoni parlant de Goldoni, après toutes les interprétations que les critiques ont données de cet auteur depuis deux siècles ? Les *Mémoires* sont l'autoportrait parfait d'un auteur célèbre qui s'idéalise : la partie la plus secrète, intime et privée, est volontairement laissée dans l'ombre, tandis que la partie placée en pleine lumière est celle officielle, mondaine d'un intellectuel du XVIIIe siècle et d'un grand auteur qui a redonné à la scène ses titres de noblesse. Dans cet ultime ouvrage, Goldoni affiche clairement sa volonté d'écrire sa vie pour la postérité et sa confiance dans l'écriture qui seule permet de durer dans la mémoire des hommes. En écrivant ses souvenirs, il érige son propre monument, mieux que n'importe quelle statue devant laquelle le passant finit par ne plus s'arrêter. Qui ouvre les *Mémoires* ne peut s'en détourner si facilement tant le style goldonien, drôle, léger, séducteur est adapté à son objet. Qu'importe que Goldoni nous ait parfois menti ! C'est à travers ses omissions, ses transpositions, ses aveux savamment calculés, son désir de plaire et de charmer qu'il nous enchante et nous offre une biographie d'artiste, représentatif de son époque et obsédé d'immortalité.

---

[47] *Ibid.*, II, 15, p. 308.
[48] P. Lejeune, *Le pacte autobiographique*, Seuil, Paris, 1975.

> The concept, the work, seemed almost alive, animal-like
> in its capacity to live on, evolve and adapt itself to the
> multitude of obstacles the century placed in its way. *The
> Confessions* had a life of sorts, that was true.
> William BOYD, *The New Confessions*, 1987, p. 418.

CONFESSIONS SUR UN SIÈCLE
CONFESSIONS FIN-DE-SIÈCLE

Evanghélia STEAD
Université de Nice-Sophia Antipolis

«Je forme une entreprise qui n'eut jamais d'exemple et dont l'exécution n'aura point d'imitateur» : certes, la postérité littéraire et critique de Rousseau a pleinement validé la prétention à l'originalité qui informe la première phrase de l'ouvrage qui nous réunit ici. Et pourtant, si l'auteur était revenu en chair et en os dans la salle des Catalogues de la Bibliothèque Nationale quelque cent cinquante ans après que cette affirmation eut été rendue publique, il s'en trouverait sans doute embarrassé, voire effaré. Car, quelques semaines de travail sur les volumes de la Librairie Française, le Catalogue des Livres Imprimés et le fichier des Anonymes auraient suffi à lui prouver l'incontestable profusion de titres auxquels le projet de se confesser publiquement avait entre-temps donné naissance.

L'étonnement que l'on peut ressentir à voir surgir une telle quantité de livres intitulés *Confession...* ou *La/Les Confession(s)...*, lors d'une première exploration rapide, est précisément à l'origine des pages que l'on va lire. Le phénomène étant remarquable en soi, il m'a paru, en effet, intéressant de le suivre sur un siècle, à savoir, essentiellement sur une centaine d'années de littérature française pour en mesurer la densité et l'étendue, sans faire intervenir dans ce repérage des critères qualitatifs, et dans le dessein d'en déterminer l'importance quantitative dans les années qui voient l'éclosion et l'expansion des textes décadents. Le tableau chronologique qui suit se limite donc à l'auteur et au titre retenu, tout en fournissant des renseignements éclairant les intentions manifestes dans le sous-titre, l'ampleur de l'œuvre et sa place dans une collection ; à la suite de l'édition originale, il mentionne les rééditions chaque fois qu'il fut possible d'avoir des renseignements bibliographiques en ce sens ; il ne répertorie que les œuvres de la librairie française bien qu'il recueille également certains textes étrangers liés aux lettres françaises de l'époque pour des raisons qui apparaîtront plus loin ; il fait toutefois mention des textes étrangers, traduits en français, qui répondent au critère du titre pendant la période examinée, puisque ces traductions permettent aux *Confessions* étrangères de s'acclimater dans le paysage littéraire français ; enfin, il ne prétend qu'à l'exhaustivité que les instruments de travail mentionnés dans le premier paragraphe peuvent garantir tout en assumant des lacunes produites par le fait que les fiches des anonymes ne sont que partiellement lisibles dans certains cas. Les titres suivis d'un astérisque correspondent à des œuvres que je n'ai pu consulter soit parce qu'elles ne semblent pas avoir été déposées, soit parce que leur état et leur emplacement ne le permettaient pas.

Partons donc des années romantiques. Les registres sont divergeants et mêlés : la chronologie débute quasiment avec le premier roman français «*à tirer matière [...] de l'idée même de la confession*» [1], *La Confession* de Jules Janin. Livre centré sur la «*monotone indifférence du siècle*», il est signé par «l'auteur de l'*Ane mort et la femme guillotinée*» dans un semi-anonymat qui, sous couleur de respecter le rituel obligé du confessionnal, rappelle un récent succès de librairie. Suit de près l'important texte romantique de Musset et le roman historique d'Amédée de Bast *Le Confessionnal de l'Hôtel de Sens*, lequel, sous couleur de remercier Mérimée, inspecteur général des Monuments Historiques, qui organisa son achat par l'état, avoue une ferveur toute hugolienne et même une légère influence de *The Italian, or The Confessional of the Black Penitents* d'Ann Radcliffe (1797). Alexandre de Saillet, directeur de la *Revue encyclopédique de la Jeunesse*, recueille *Les Confessions d'un Écolier*, les expurge des hardiesses du style et les publie en déployant un prosélytisme tout pédagogique. Et pourtant, lorsqu'on fait connaissance avec le héros, ce

---

[1] Cf. Henri Godin, «Variations littéraires sur le thème de la confession», *French Studies*, V, n° 3, July 1951, pp. 197-216, p. 198. Il y a d'infimes recoupements entre cet article et l'étude que j'entreprends. M. Godin étudie certains textes des XIXe-XXe siècles d'un point de vue thématique [Janin; Balzac, *Le Curé de village* ; Joyce, *Portrait of the Artist as a Young Man*; Bernanos, *L'Imposture* ; Chateaubriand, *Mémoires d'Outre-Tombe* ; une des trois «Confession» de Maupassant ; Huysmans, *En route* ; Renan, *Souvenirs d'Enfance et de Jeunesse* ; Goncourt, *Germinie Lacerteux* ; Bourget, *Le Disciple* ; Marcelle Tinayre, *L'Oiseau d'orage* ; Graham Greene, *The Heart of the Matter* ; F. Mauriac, *Ce qui était perdu* ; F.T. Powys, *The Only Penitent*]. Il s'attache surtout à la scène de la confession proprement dite, celle qui met en présence pécheur et confesseur.

«*petit jeune homme blond cendré, coiffé, patchoulisé, ganté de jaune, chaussé de bottes vernies, et tenant encore un panatella à demi consumé entre le pouce et l'index. A ses traits efféminés, à ses yeux bleus, à sa voix douce, à la nonchalance étudiée de ses mouvements, je me doutai que j'étais en présence d'un des Girondins en herbe de notre époque, et je pressentis l'auteur des* Confessions d'un Écolier» [2], on se rend compte que ce type de livre, pour édifiant qu'il se veuille, mettra fréquemment en avant de profonds contrastes, des épisodes inattendus et extraordinaires.

La présentation sous forme de tableau a le mérite de replonger de grands noms, tels Baudelaire et Zola, dans la foule des créateurs moindres que l'histoire littéraire a dédaignés et de montrer que leur titre – qui a «*une valeur d'ostensoir*», comme disait Léon Bloy – ne diffère nullement de ceux choisis par d'autres. Il permet de passer rapidement en revue une décennie après l'autre et d'observer la fortune croissante de ce mot, dont la répétition insistante sur la couverture des livres du XIXe équivaut à la création d'un *genre*. Xavier de Montépin, jeune romancier dont le nom perce en 1849-1850, se représentant en train de noircir du papier à la recherche d'un sujet dans *Les Confessions d'un Bohême*, ne doute pas un instant que le louis payé pour que le Bohême lui dévoile ce qui sera son titre n'est pas de l'argent perdu : «*rien que sur les quatre mots qui le composent vous pourriez bâtir dix volumes*» (il s'en tiendra modestement à cinq)[3]. Comme il le dit, il existe bien un «Marché de la Confession»[4] : il se signale par deux textes importants dans les années 1830, s'affirme dans les années 1840 et 1850, emporte les plumes après 1860, et, après un court répit, se déploie avec une belle ampleur dans la période fin-de-siècle. Il n'est qu'à voir avec quel sans-façon Maupassant donne, en l'espace d'un an, ce même titre à *trois* nouvelles, parues dans trois journaux parisiens différents, sans s'inquiéter ni de la confusion qu'il est susceptible d'engendrer ni du manque d'originalité qu'il manifeste dans une fin de siècle généralement friande de titres inédits, sinon aguicheurs[5]. Si la guerre

---

[2] Alexandre de Saillet, *Les Confessions d'un Ecolier*, recueillies et mises en ordre par M. Alexandre de Saillet, maître de pension (Paris : Belin-Leprieur et Morizot, 1848), p. 7.

[3] Comte Xavier de Montépin, *Confessions d'un Bohême* (Paris : Alexandre Cadot, 1849-1850), 5 vol., I, p. 34.

[4] C'est le titre qu'il donne à son introduction, ibid., pp. 3-41.

[5] Voir «La Confession» [*Marguerite de Thérelles allait mourir...*], *Le Gaulois*, 21 octobre 1883, recueilli dans *Contes du jour et de la nuit* [1885], repris dans *Contes*

de 14 paraît arrêter cette production commerciale, son esprit revit sans conteste (par de nombreuses rééditions, mais aussi l'éclosion d'auteurs et de titres nouveaux) bien avant dans les années 1920.

Plusieurs raisons me font arrêter ce tableau chronologique juste après 1930 : tout d'abord, la publication de deux textes qui couronnent – chacun pour des raisons différentes – la production fin-de-siècle, «La Confession nocturne» d'Henri de Régnier en 1926 et *Confessions. A Study in Pathology* de Arthur Symons en 1930. Ensuite, le constat que l'on assiste à une véritable décadence du genre : il choit dans le registre animal, avec Gaston Picard et *La Confession du Chat*, Prix National de Littérature en 1920, dit par le préfacier (J.H. Rosny aîné de l'Académie Goncourt) équivalent du Prix de Rome [6], et avec Maurice Pierre Boyé et *La Confession au clair de lune (récit d'un lièvre)* en 1929 ; il sert bientôt les considérations sociologiques de répartition du travail ainsi que les plaintes contre l'administration (le Dr Adolphe Javal s'en veut le champion avec *La Confession d'un agriculteur, «livre d'économie politique et sociale»*, émaillé d'anecdotes, et *Mes luttes avec M. Lebureau (Les Confessions d'un administré)*, dédié aux *«37. 981 Secrétaires de Mairies de France»* qu'il *«admire et plaint»*) [7] ; il alimente bientôt les fascicules palpitants du roman populaire à en croire la geste irrépressible de Marcel Priollet *Les Confessions d'Amour* en 30 fascicules in -4° paraissant tous les samedis. C'est dans les années 1930 par ailleurs que la confession selon les différentes religions devient objet d'étude de manière systématique et internationale [8]. Enfin, 1929 est à la fois l'année fictive où John James Todd, héros des *New Confessions* de William Boyd, réalise dans la fiction la version

---

et Nouvelles, éd. Louis Forestier, Bibl. de la Pléiade, 1974, I, pp. 1035-1039. «La Confession» [*Quand le capitaine Hector-Marie de Fontenne...*], *Gil Blas*, 12 août 1884, recueilli dans *Le Rosier de Madame Husson* [1888], repris dans *Contes et Nouvelles*, 1979, II, pp. 218-224. «La Confession» [*Tout Véziers-le-Réthel avait assisté ...*], *Le Figaro*, 10 novembre 1884, recueilli dans *Toine* [1885, en fait, 1886], repris dans *Contes et Nouvelles*, 1979, II, pp. 371-378.

[6] Gaston PICARD est également l'auteur de *Surprises de sens* (1922) et de *Voluptés de Mauve* (1922).

[7] Dr. Adolphe Javal, *Mes luttes avec M. Lebureau (La Confession d'un administré)* (Paris: Ernest Flammarion, s.d. [© 1930]). Dans ce livre le Dr. Javal annonçait encore *La Confession d'un mobilisé (La Pagaïe)*.

[8] Deux volumes de la Bibliothèque Historique des Religions, à la Librairie Ernest Leroux: Raffaelle Pettazzoni, *La Confession des Péchés : 1ère partie*, vol. I, *Primitifs, Amérique ancienne* et vol. II, *Japon, Chine, Brahmanisme, Jaïnisme, Boudhisme*, traduits par R. Monnot (1931-1932).

cinématographique de la première partie des *Confessions* de Rousseau (ce film *épique* – trois fois trois heures – ne s'accomplira jamais) et l'année de publication des *Confessions de Dan Yack* d'un autre suisse écrivant en français, Blaise Cendrars. Pour des raisons que j'espère pouvoir expliciter plus loin, on se trouve résolument avec Cendrars dans un registre différent. «End of en Era» dira de son côté Boyd et ce titre de chapitre fera immédiatement suite à «The Confessions : Part I» [9].

Il est évident que le XIXe siècle et en particulier le dernier quart – dont l'influence s'étend bien avant dans le XXe, et certainement au-delà des limites de la première guerre mondiale –, se trouve sous le charme d'une manière qui tente à tour de rôle des plumes très différentes. Elle favorise quelques ouvrages anticléricaux comme elle nourrit les plaquettes tirées au format catéchisme, les communications spirites, les brochures édifiantes et les récits de conversion. Elle ne recule ni devant la défense virulente des bas-bleus, ni devant les comptes rendus d'activités politiques et les considérations sociologiques. Elle encourage la réimpression de pamphlets du dix-huitième [10], les éditions des petits auteurs du dix-septième [11], les rééditions de tableaux de mœurs épicés, voire les vérités licencieuses visant à pénétrer l'intimité de quelque nom connu, quitte à promouvoir les ventes en remuant la fange [12]. Elle inspire même des plaquettes publicitaires pour le profit des compagnies d'assurance sur la vie [13] !

---

[9] William Boyd, *The New Confessions* (London : Hamish Hamilton, [© 1987]), 462 p..

[10] Tel *La Confession générale d'Audinot*, réimpression textuelle sur le pamphlet original et rarissime de 1774, enrichi d'un avant-propos et de notes critiques et biographiques par Aug. Paër et orné d'un joli Frontispice gravé sur cuivre (Rouen : Chez J. Lemmonyer, libraire, 1880).

[11] Voir *Les Confessions de Jean-Jacques Bouchard, Parisien, suivies de Son Voyage de Paris à Rome, en 1630*, publiées pour la première fois sur le Manuscrit de l'Auteur [par Alcide Bonneau] (Paris : Isidore Lisieux, 1881).

[12] On voit ainsi *La Jeune Belgique* protester contre l'«*odeur écœurante*» des «*linges lavés en public*» à propos des *Confessions d'une Comédienne [Caroline Bauer]*, publiées par Louis de Hessem [pseud. d'Auguste Lavallé], à la Librairie Illustrée, en 1886, au sujet de ses amours avec Léopold Ier.

[13] *La Confession de Madame X...*, publiée par L[ouis] Bergeron (Paris : Armand Anger, 1875), 24 p., promu par *Le Moniteur des Assurances*, revue mensuelle. Neuf éditions jusqu'en 1888. Comment, par superstition stupide, une épouse refuse son consentement au projet d'assurance qu'entend contracter son mari pour l'avenir de leurs enfants. La sotte femme est punie comme cela se doit : l'avenir des enfants

Elle donne surtout naissance à un récit expansif, haut en couleurs et riche en épisodes angoissants, palpitants, voire scabreux ; une narration qui ouvre les alcôves, aère les placards des souvenirs enfouis et viole les tiroirs dépositaires des consciences coupables ; un type de livre qui produit ici et là un succès de librairie en attisant la curiosité d'un lecteur au mieux promu au rang de confesseur, au pire assimilé à l'indiscret qui prend furtivement connaissance d'un journal ou d'une correspondance privés. A ceci près – et c'est important – qu'au manuscrit personnel s'est substitué le papier imprimé, à l'écriture d'une main, une typographie uniformisante. Ainsi, le libraire, assisté de l'éditeur du manuscrit intime (entendons, l'auteur, qui, par préface et préambule interposés, l'offre au public) enlève au lecteur toute mauvaise conscience. La vitrine et le comptoir se chargent au XIXe siècle d'exposer ce qu'on serait allé chercher en violant force tiroirs. Le but n'est plus de faire concurrence à l'état civil, mais à la puissance créatrice et à l'inventivité des romanciers [14]. Voici pourquoi Toby Flock (nom de plume d'Alexis-Victor Doinet) est, dans la même année 1865, l'auteur de *Confessions d'amour* et de *Par le trou de la serrure...* Ce dernier est, comme par hasard, également fondé sur une confession de moine, relançant, à intervalles réguliers, le récit [15].

Dans l'impossibilité matérielle de traiter ce corpus de manière exhaustive, soulevons simplement quelques questions qui rejoignent l'intitulé que le colloque offre à notre réflexion.

PLAISIR DE LA FICTION OU LA CHAIR CONTRE L'AME

Commençons par ce qui nous a tous attirés au métier des lettres, le plaisir de la fiction. Il s'exprime dans la chronologie par la prédominance nette d'un genre, le roman. Certains sous-titres l'avouent franchement, d'autres y insistent par un qualificatif (roman *dramatique*, *sardonique*, *inédit*...) destiné à émoustiller le lecteur : grande parade de secrets de la conscience, d'indiscrétions de la passion où l'influence des *Confessions d'un Enfant du Siècle* de Musset ne cesse de se faire sentir, le plus souvent amputé de sa dimension historique. Le mot de «*confidence*», souvent avancé dès les premières

---

est brisé après la mort du père.

[14] Voir Charles Mérouvel [pseud. de Charles Chartier], *Confession d'un gentilhomme* (Paris : E. Dentu, 1891), p. 6.

[15] Flock Toby, *Confessions d'amour : Marie-Anne - Madame X**** (Paris : Michel Lévy frères, 1865), et *Par le trou de la serrure*, avec portrait (Paris : Chez tous les libraires, [1865]).

phrases, comme chez Louis de Caters en 1894 [16] et Marie Anne de Bovet en 1896 [17], convient d'ailleurs beaucoup mieux à un récit où soit l'on clabaude sur la vertu de l'héroïne et le roman se charge de la rétablir, soit celle-ci affiche ses propos décapants, francs ou cyniques, brave l'honnêteté en couchant en français ce qui demanderait le voile pudique du latin, soit encore, un jeune homme tourmenté, instinctif ou désabusé effeuille ses conquêtes féminines, avant de parvenir à un compromis sortable pour son égoïsme. Même lorsque le texte affiche un caractère historique ou documentaire, on y recherche plutôt l'anecdote que l'histoire et l'on constitue les personnages à l'aide de notations cueillies dans les écrits compulsés [18]. La nature des épisodes est plus inventive qu'analytique et rend son pouvoir au déroulement ininterrompu de la fiction. Les formes privilégiées n'étonneront pas : journal magiquement transformé en roman, lettres retraçant les étapes principales à intervalles réguliers, récit linéaire, divisé en séquences narratives, simplement numérotées, dépourvues de toute surcharge de titre, d'épigraphe ou d'exergue... En somme, pages et feuillets couverts d'une écriture où l'âme se livre en jet continu, sans apprêt et en multiples exemplaires : «*Effrayante pensée ! Nous sommes tous comme des planches lithographiques dont une infinité de copies se tirent par la médisance...*» [19].

Dans la majorité, ce sont d'ailleurs des narratrices plutôt que des narrateurs qui parlent. Henri Godin l'avait signalé : «*Il est des natures pour qui la confession est pur délice. Les femmes [...]*» [20]. Suivre les plumes féminines permet de souligner la ligne de partage entre «*[l]a main d'une femme [qui] a des délicatesses infinies pour peindre les choses du cœur [...] la fleur du pastel, le duvet de la pêche, le bleu*

---

16 Louis de Caters, *La Confession d'une Femme du Monde – L'Amour brutal* (Paris: Ernest Flammarion, s.d. [1894]), p. 2, je souligne : «*Puissent les* confidences *que je vais vous faire soulager mon cœur du poids qui l'oppresse !*».

17 Marie-Anne de Bovet, *Confessions conjugales* (Paris : A. Lemerre, 1896), p. i, je souligne : «*De même qu'elle m'avait communiqué ses premières* confidences [par référence au roman *Confessions d'une fille de trente ans*, publié l'année précédente], *elle m'a confié les secondes, où j'ai retrouvé le cynisme, l'immoralité, l'impertinence qui m'avaient plu dans les autres*».

18 Voir Henri Allais, *Les Confessions de Riquet* (Paris : Calmann Lévy, 1894), propos liminaire.

19 Phrase de Balzac servant d'épigraphe à Louis de Caters, *La Confession d'une Femme du Monde* (1894).

20 H. Godin, art. cit., p. 205.

matinal qu'une lumière trop vive efface et dévore» [21] et *«la petite femme intellectuelle»* d'allure jugée cynique qui ose enfin se faire entendre vers 1902 [22]. On aurait pu croire qu'avec la parodie des héroïnes ardentes et téméraires de George Sand (elle-même auteur de *La Confession d'une jeune fille*, 1865), amorcée par la Dame masquée en 1868 [23], la littérature contée *«pour conter avec le sentiment de l'art et de la vérité»* [24] aurait pris fin. Cette belle masquée de la *fashion* parisienne défraya la chronique par des cheveux rouge carotte ; elle régna sur une orgie russe où l'on se gorgeait sans pouvoir dégorger ; vitriolée, elle porte, quand elle sort, *«un loup noir, [...] mais augmenté d'une barbe en soie double»*, pendant que, chez elle, *«le loup et la barbe sont de satin rose tendre»* [25] ; se fait ardemment aimer dans le noir et séduit par des robes capiteuses et des parfums pénétrants ; car, autre Pulchérie tenant front à Lélia, elle préfère braver la honte, être plutôt *«une courtisane qu'une parjure»* [26] ! Le récit est fondé sur ce renvoi parodique à la *Lélia* de George Sand (1833, éd. remaniée 1839), dont on connaît le retentissement français et européen. Or, les études psychologiques qui réjouissent les jeunes filles tenaient bon. En 1902, entre *La Confession d'une fille* de Henry Caen – où la prostituée ne cherche ni à piquer la curiosité, ni l'étalage du vice (qui est connu), pas plus que la gloriole littéraire, mais obéit au devoir maternel envers les débutantes en amour, en tout premier sa fille, qui ne saurait être qu'une fille comme elle (!) – et *La Confession de* (la cynique) *Nicaise* de Pierre Valdagne, on trouve encore *La Confession d'une Religieuse*

---

[21] Mlle Marie Garcia, *La Confession d'Antonine*, préf. de Léon Gozlan (Paris : Michel Lévy Frères, 1864), p. [viii].

[22] Pierre Valdagne, *La Confession de Nicaise*, roman (Paris : Ollendorff, 1902), p. 21. Toutefois le propos demeure franchement misogyne puisque, dans ce roman qui adopte la forme du journal intime, la femme se sent prédestinée à devenir adultère non pas par amour mais par inclinaison fatale de sa nature, et fait tout pour faire durer le plaisir de l'attente avant de commettre la faute...

[23] *Confession de la Dame Masquée*, par elle-même (Paris : Chez tous les libraires, 1868).

[24] Mme A. Reney-Le Bas, *Confessions d'une cantatrice*, avec une préface de M. Arsène Houssaye (Paris : E. Dentu, 1885), préface, p. v. Houssaye fait lui-même référence à George Sand, après avoir affirmé, p. iii : *«Aujourd'hui les femmes font des romans. Eh bien ! je n'y vois pas de mal, puisque ce sont elles surtout qui ont le don de conter.»*

[25] *Confession de la Dame Masquée*, p. 111.

[26] Ibid., p. 13.

d'Olivier de Tréville [27], auteur de *Les Jeunes filles peintes par elles-mêmes*, réponse en 1901 aux *Demi-Vierges* de Marcel Prévost.

La Décadence – faut-il s'en étonner – est justement contre la «*littérature émolliente pour jeunes filles sans tache*» [28]. Avant que ses héroïnes préférées ne se disent *fatales* ou *méchantes* dans le titre [29], elles commencèrent par se désillusionner sur les héros, par afficher leur coquetterie, par prendre parti pour les grosses fautes («*C'est s'abaisser que de commettre des peccadilles*») [30]. Elles affirmèrent que *fille* était une célibataire de sexe féminin, et non pas la traduction de *virgo* [31]. Mais le mariage, qui s'imposa dans la plupart des cas romanesques, brisa ces élans. Le traitement que Mme Stanislas Meunier réserve à la confession féminine de son héroïne N... (N... comme narratrice par excellence, et N... comme naïade, rôle approprié dans *L'Eau qui dort*) en est exemplaire : en 1903, l'adultère se suicide doublement, en absorbant un poison et en se piquant la main sur le cadavre pourrissant d'un chien mort, prédilection pour la décomposition qui résume bien la Décadence [32]; mais en 1904, et sous lun chapeau commun, la même histoire, résumée et mise en abyme, éclaire le dilemme secret de Mme Cheverny, restée, elle, honnête femme car la maladie (petite vérole) est

---

[27] Olivier de Tréville, *La Confession d'une Religieuse* (Paris : Ollendorff, 1902). On notera que Valdagne et Tréville sont publiés par le même éditeur, Ollendorff.

[28] Marie Laparcerie, *CONFESSIONS DE FEMMES. Ginette, femme fatale*, roman (Paris : Ernest Flammarion, s.d. [©1928]), p. 14.

[29] Selon la page des œuvres du même auteur de*Ginette, femme fatale*, *CONFESSIONS DE FEMMES* coiffe aussi *Pourquoi j'ai tué* chez le même éditeur (1925) et sert à annoncer la publication prochaine de *Une femme méchante* qui ne parut pas. Marie Laparcerie est par ailleurs l'auteur de *Comment trouver un mari après la guerre* (Paris : A. Méricant, [1916]), 72 p..

[30] Voir Quatrelles, «Jeux innocents. *(Pages d'album). Le Livre des Confessions*», dans *Mon petit dernier*, (Paris : J. Hetzel et Cie, 1885), pp. 244-252, cette citation p. 249. Quatre questionnaires suivis de Devises et Maximes assorties, remplis par la Maréchale, princesse de Tilsitt, la Marquise de la Tour de Pise, la Comtesse O'Tempora O'Mores, partisane des grosses fautes, et la Duchesse Candide de la Villette.

[31] Voir Marie-Anne de Bovet, *Confessions d'une fille de trente ans* (Paris : A. Lemerre, 1895), surtout p. 15, sur l'«*état hybride, donc monstrueux*» de l'être «*Vierge de corps, mais non de cœur ni surtout d'esprit*». Henri Kist[emaeckers] dans *La Confession d'un autre Enfant du Siècle* et Gaston Derys dans *La Confession de deux Amants* partent à leur tour à la chasse vaine à la jeune fille....

[32] Mme Stanislas Meunier [née Léonide Levallois], *CONFESSIONS D'HONNÊTES FEMMES [L'Eau qui dort]*, roman (Paris : A. Lemerre, 1903).

venue à son secours [33] ! Il est vrai que N... était russe et grande liseuse de romans, Mme de Cheverny française et la raison même... Il devient ainsi manifeste que le triomphe de l'amour conjugal par lequel se solde fréquemment la confession féminine, commencée comme un *«petit travail de falbalas recherchés»* [34], compromet le développement de ce sous-genre et conduit les intrigues vers le marasme et le poncif. Il y aurait, enfin, beaucoup à dire sur les différences sexuelles qui guident les plumes fin-de-siècle et confinent invariablement la narratrice à la banalité du titre *«La Confession de... [de la Reine, d'une Orpheline, d'une Religieuse, d'une Chanteuse, d'une Jeune Fille, d'une Jolie Fille, de la Dame Masquée, de Mme X***]»*, alors qu'ils réservent au narrateur le statut d'un personnage romanesque constitué dès le titre. Il n'est qu'à penser au poignant roman de Camille Lemonnier *L'Homme en Amour* [35], comme au beau texte de Catulle Mendès *Le Chercheur de Tares*, constitué de sept cahiers manuscrits... [36]

Je ne puis m'empêcher de citer :

"J'ai souvent évoqué cette lune enchantée,
Ce silence et cette langueur,
Et cette confidence horrible chuchotée
Au confessionnal du cœur".

La pièce XLV des *Fleurs du mal* met en musique la banalité et Baudelaire commente ses propres vers, dans la lettre à Mme Sabatier qui les accompagne, ainsi : *«imbécile rimaillerie anonyme, qui sent horriblement l'enfantillage»* [37].

C'est certainement à cette banalité qu'aspire Pierre Louÿs avec «La Confession de Mlle X.», paru dans *Sanguines*, par un titre volontairement quelconque, par l'anonymat et par une expérience de confessionnal proprement dite. Le narrateur, confesseur de tout Paris,

---

[33] Mme Stanislas Meunier, *CONFESSIONS D'HONNÊTES FEMMES. La Comédie secrète*, roman (Paris : A. Lemercier, 1904).

[34] M. Gonfaz, *Les Confessions de Louisa Burnat* (Paris-Neuilly : Editions du "Creuset", 1907), préface, pp. vii-ix.

[35] Camille Lemonnier, *L'Homme en Amour* (Paris : Paul Ollendorff, 1897), rééd. dans La Bibliothèque Décadente; Editions Séguier, 1993.

[36] Catulle Mendès, *Le Chercheur de Tares*, roman contemporain (Paris : Eugène Fasquelle, 1898), 519 p.

[37] Lettre citée par Claude Pichois dans l'éd. de la Pléiade, I, p. 916. Le passage de ce poème du statut intime de poésie jointe à une déclaration d'amour à celui de pièce publiée est parfaitement dans l'air du temps.

rappelle bien le XVIIIe siècle par son allure aussi religieuse que mondaine, mais démonte le mécanisme pervers de la description de la faute à éviter, puisque, dit-il, le cas narré s'enracine dans la mémoire et finit par servir d'excuse et non pas d'*exemplum*. Louÿs synthétise dans cette nouvelle une tendance bien affirmée dans les lettres fin-de-siècle. Henri Godin rappela à juste titre la Germinie Lacerteux des Goncourt *«allant à la pénitence comme on va à l'amour»* (1864) ainsi que *«la sensation du confessionnal»* de Paul Bourget (*Le Disciple*, 1889) [38]. Partout, le confessionnal est un lieu familier, l'aveu, *«une habitude agréable»*, surtout parce qu'il donne lieu à la narration, à *«des récits qui n'en finissent point»* [39]. Le péché réellement accompli s'y prolonge par le vice imaginé. Au fond de toute confession, il y a un plaisir incontestable d'entendre raconter une histoire. Voici la première particularité de la confession fin-de-siècle : déplacer l'intérêt du péché aux circonstances, de l'infraction de la règle divine à l'embellissement de l'histoire humaine et placer dans le confessionnal deux personnages qui ne sont plus directeur de conscience et pénitent, mais auditeur et conteur, voire narrateur et lecteur. De là, faire du confessionnal le fond de commerce des cabinets de lecture de l'époque il n'y a qu'un pas. Si, à la fin du récit de Louÿs, le prêtre-narrateur n'a pas violé le secret de la confession, c'est que le lourd péché qu'il a entendu (inceste parental, compliqué de viol adelphique et couronné d'empoisonnement), est... totalement imaginaire. *«Lasciva pagina, vita proba»*, propose-t-il en conclusion [40] : il emprunte cette asyndète lapidaire au dernier vers d'une célèbre épigramme de Martial [41], reprise par Ausone envoyant à Paulin son *Centon nuptial* [42], et fait du livre un exutoire, recueillant la *«lœta materia»* d'une *«vita severa»*.

Admettre cette séparation c'est avaliser la posture moralisante dont se dote souvent la Décadence, mais c'est aussi occulter la force avec laquelle le corps reprend ses droits dans les lettres du siècle

---

38 H. Godin, art. cit., p. 206.

39 Pierre Louÿs, «La Confession de Mademoiselle X.», *Sanguines* (Paris : Bibliothèque-Charpentier, Eugène Fasquelle éd., 1903), pp. 163-180, cité dans l'éd. Albin Michel, s.d. [1929], p. 169.

40 Ibid., p. 177.

41 Martialis, *Epigrammaton liber I*, iv : *«Contigeris nostros, Caesar, si forte libellos [...] lasciva est nobis pagina, vita proba»*.

42 Ainsi que le dit Remy de Gourmont dans «Marginalia sur Edgar Poe et sur Baudelaire», dans *Promenades Littéraires* (Paris : Société du Mercure de France, 1904), pp. 352-353.

finissant. Corps épanoui ou maltraité, érotisé ou souffrant, désirable et répugnant, il est au centre d'une opération où le rôle de l'âme, accessoire superflu, voire gênant, n'est plus que constater la chute, voire jouir de la distance parcourue du haut vers le bas :

"Sin is no sin when virtue is forgot.
It is so good in sin to keep in sight
The white hills whence we fell, to
measure by –
To say I was so high, so white, so
pure,
And I am so low, so blood-stained and
so base [43] " ;

"La vertu oubliée, le péché n'est plus péché.
Dans le péché, il est si bon de voir encore
Les blanches collines d'où l'on tomba, de mesurer –
De dire j'étais si haut, si blanc, si pur,
Et me voilà si bas, couvert de sang, si vil " ;

affirme Richard Le Gallienne dans le célèbre poème fin-de-siècle, «The *Décadent* to His Soul».

Que le corps vienne donc supplanter l'âme et usurper son langage dans l'exercice même de la confession revient à opérer un de ces revirements spectaculaires de la pratique coutumière des lettres dont on n'a pas tout à fait encore mesuré la signification. Elle est au centre du recueil de Catulle Mendès *Le Confessionnal (contes chuchotés)*, qui institue non seulement un espace narratif, mais aussi un mode de narration approprié, le chuchotis, autrement dit, le murmure de l'âme devenu balbutiement de la chair, dans l'église parée des montants du lit brisé par les exploits amoureux du couple confesseur–pécheresse [44], ainsi qu'un registre représentatif, celui de l'aperture et de l'obstruction, matérialisé dans la typographie par l'emploi insinuant du tiret, de la virgule et de la parenthèse. *Le Confessionnal* de Mendès n'est cependant pas un recueil de contes lestes qui, examiné un peu trop rapidement, serait à rejeter au second rayon. Dans un article emporté, la critique animalisait dès 1885 la phrase *«irritante, titillante»* de l'auteur, et la dotait d'un véritable pouvoir animal et sexuel : *«elle se glisse*

---

[43] Richard Le Gallienne, «The *Décadent* to His Soul», dans *English Poems* (London : Elkin Mathews and John Lane ; New York : The Cassell Publishing Co., 1892), pp. 106-109, p. 107.

[44] Catulle Mendès, *Le Confessionnal (contes chuchotés)* (Paris : G. Charpentier et Cie, 1890) ; voir le premier conte, qui donne son titre au recueil, pp. 1-13, p. 11 : *«l'église fut ornée du boudoir converti !»*.

*comme une couleuvre dans les alcôves, escalade les couches, maraude
sur les poitrines parfumées[,] se pavane aux pointes rouges des seins,
se perd dans des profondeurs nébuleuses avec des léchotteries et des
mignardises qui allument des piqures [sic] à l'épiderme»* [45]. Aussi
bien cette image que celle du confessionnal fait d'un lit rompu
traduisent bien la violence avec laquelle l'écriture de la chair s'érige
dans l'espace littéraire réservé aux tourments de l'âme. Mendès en avait
posé le principe dès 1877 dans un de ses premiers livres de contes, *Les
Folies Amoureuses* : *«La nudité, c'est quelque chose comme une
confession physique, et les âmes immaculées se confessent sans
difficulté»*, ce qui, reformulé en termes de chair, revient à dire : les
nudités parfaites se montrent aisément [46]. Des *Confessions* au
Confessionnal, l'étude des hommes est toujours à faire – cette fois-ci,
sous l'aspect sexuel, ce qui fléchit l'esprit voluptueux de Rousseau
vers la charnalité.

Or, lorsque *«l'illustre, la délicieuse marquise Angeline
d'Albereine»* [47], qui mourra si on ne desserre pas son corset, détourne
le poète – un poète bien romantique habitant sous les toits – *«des trois
cents variantes d'un seul sonnet»* [48] vers des délassements plus
profanes, il convient de se demander si le projet littéraire audacieux de
Mendès ne met pas en cause non seulement la confession comme
genre, mais également les distinctions traditionnelles entre les genres et
l'écriture elle-même comme moyen. Du lit rompu du premier conte au
lit brisé du dernier [49], le *Confessionnal* s'organise en cycle parfait,
mais arrivé au dernier conte on est à peine parvenu à la page cent
quatre-vingt-dix-neuf d'un volume qui en compte deux cent quatre-
vingt-sept. Fatigue... Mendès emploie les cent dernières pages pour
aligner quarante-deux «Rondels sans Rimes» (en refondant la musique
des vers dans la prose nombreuse et souple de trois paragraphes-
couplets) où viennent se mirer plusieurs des motifs du *Confessionnal*.
La visée apologétique de la confession a été remplacée par la visée
stylistique, mais celle-ci vient encore buter contre *«Un mur dur, un*

---

45 G.-M., «Livres et Revues : [...] *Le Rose et le Noir*, par C. Mendès», *La Revue
moderniste*, n° 3, mars 1885, p. 209.

46 Catulle Mendès, «Naïs & Amymone», dans *Les Folies Amoureuses* (Paris : E.
Dentu, 1877), cité dans l'éd. Edouard Rouveyre, 1885, p. 194.

47 Mendès, «L'Honnête Réciprocité», dans *Le Confessionnal*, p. 16.

48 *Id., ibid.*

49 Voir «Faute d'un lit...», dans *Le Confessionnal*, pp. 185-197, derniers mots :
«le lit au ciel de satin bleu, le pauvre lit brisé!».

mur sombre, un infrangible mur» – pour citer le refrain du tout dernier rondel, «Le Mur», symbole évident de l'infranchissable [50]. La fusion des vers dans la prose est le signe annonciateur d'un bouleversement essentiel qu'on retrouvera plus loin.

TRACES DE JEAN-JACQUES

Sans doute une des questions fondamentales à poser à ce corpus est l'influence de Rousseau. En 1856, *Confessions d'un bohémien* d'Arnould Frémy [51], romancier, mais aussi docteur ès lettres, professeur suppléant de littérature à la Faculté de Lyon, révoqué pour collaboration aux journaux (tâche peu sérieuse) et ami de Stendhal [52], ménage, dans sa cinquième partie, plusieurs allusions aux *Confessions* et un espace qu'il faut qualifier de rousseauiste. Le jeune philosophe de ce roman, bohémien au sens d'*«aventurier de l'intelligence, des sentiments du cœur»* [53], et qui, las des livres, vagabonde pour de vrai aux trousses d'une belle écuyère, s'y voit enfin offrir un logement, une bibliothèque et des tâches intellectuelles à l'avenant, par un protecteur, ami des arts. Ce havre de paix équivaut à une réhabilitation romanesque des Lumières et de Jean-Jacques avant diverses défaillances et langueurs du personnage, qui finira fou dans un asile, suivant un scénario lourd de réminiscences et de parallèles signifiants. Mais il s'agit sans doute d'une exception, puisque *«le XIXe siècle dans son ensemble»*, comme Raymond Trousson l'a dit, *«a été hostile à Rousseau. A côté des plaidoyers de Sand, de Blanc ou de Michelet, que d'attaques dont la rage et la sauvagerie surprennent !»* [54]. Parmi les textes réunis ici, Alexandre Dumas ne le ménage guère dans *Les Confessions de la marquise*, lorsqu'il le place entre *«[l]a vieille Levasseur [qui] ressemblait à une abbesse de mauvais lieu au marché des Innocents, et Thérèse [...] une de ses nymphes»* et qu'il lui attribue les *«intrigues les plus basses»* contre Madame d'Epinay qui vient de le recueillir [55]. Plus tard, il n'est qu'à entendre la virulence des propos

---

[50] *Le Confessionnal*, pp. 283-284, dernier texte du recueil.

[51] Arnould Frémy, *Confessions d'un bohémien* (Paris : Librairie nouvelle, 1857 [1856]).

[52] Voir Richard Bolster, *Documents littéraires de l'époque romantique* (Paris : Minard/Lettres Modernes, 1983), p. 216.

[53] Frémy, *Confessions d'un bohémien*, p. 2.

[54] Raymond Trousson, *Rousseau et sa fortune littéraire* (Paris : A.G. Nizet, 1977), p. 103.

[55] Alexandre Dumas, *Les Confessions de la Marquise*, Suite et fin des *Mémoires*

de Remy de Gourmont, affirmant d'emblée dans «La Femme naturelle» : *«Le XVIIIe siècle fut une des époques où l'on raisonna le plus mal»* [56], pour avoir confirmation de l'hostilité persistante. Voici un petit florilège d'opinions sur Jean-Jacques, tiré des *Promenades Littéraires* de Gourmont, de plus en plus acide : *«être naïf, quoique de bonne volonté»* [57] ; *«esprit vague et sentimental»* [58] ; *«est, en philosophie naturelle, de la force d'un petit enfant qui revient du catéchisme»* [59] ; *«Les paradoxes du Genevois ont même quelque chose de triste à la fois et de répugnant, on dirait de gluant»* [60]. Enfin, *«le sentimentalisme de Jean-Jacques Rousseau, ce poison qui donna à la France des convulsions dont elle est encore secouée»* [61]. Dans *La Jeune Belgique*, Max Waller soumit *Les Confessions* à une lecture irrévérencieuse soulignant volontiers la physiologie déréglée selon le meilleur paradigme décadent [62] : *«Quelle œuvre de vieux Charlot épuisé !»*, s'exclama-t-il ; *«et comme il l'avoue !»* [63].

La prétention solennelle de Jean-Jacques à la singularité que j'évoquais en introduction ne fut pas sans gêner. Alcide Bonneau, publiant pour la première fois *Les Confessions de Jean-Jacques Bouchard* en 1881, s'amusa à le taquiner : n'avait-il pas sous la main un autre Jean-Jacques, et, qui plus est, antérieur à Rousseau, se dévoilant comme le Genevois, mais avec plus de naturel *«pour se montrer sous l'aspect ridicule et piteux d'un impuissant, nous raconter des histoires où il joue presque toujours un vilain rôle»* [64] ? *Les*

---

d'une Aveugle (Paris : Michel Lévy Frères, 1862, vol. II, pp. 24-25. *«Il faut voir ses* Confessions *!»*, y lit-on. *«Elles sont bien ignobles, ce n'est rien en comparaison de la vérité.»*

[56] Remy de Gourmont, «La Femme naturelle», *Promenades Littéraires* (Paris : Société du Mercure de France, 1904), pp. 289-303, p. 289.

[57] Id., ibid., postulat général pour le philosophe du XVIIIe, suivi de *«Le plus naïf est Jean-Jacques Rousseau».*

[58] Ibid., p. 290.

[59] Ibid., p. 300, appliqué autant à Laclos qu'à Rousseau.

[60] Ibid., p. 301.

[61] Ibid., «La Littérature anglaise en France», pp. 304-329, p. 313.

[62] Max Waller, «Lettres de mon cottage, II», *La Jeune Belgique* (Bruxelles), VII, août 1888, p. 251. La mort de Mme de Vercellis le sollicita tout particulièrement en relation avec Armand-Crepitus Silvestre...

[63] Le renvoi, fréquent à l'époque, est au roman de Paul Bonnetain *Charlot s'amuse* traitant l'onanisme.

[64] *Les Confessions de Jean-Jacques Bouchard, Parisien, suivies de Son Voyage de*

Confessions demandaient un anti-héros. C'est alors sous le double sceau de la gaudriole et du vaudeville que Maxence Gilet présenta Polycarpe Bouffard depuis Lons-le-Saunier. Et proférant gravement à son tour

> "Que la trompette du jugement dernier sonne quand elle voudra ; je viendrai, ce livre à la main, me présenter devant le souverain juge. Je dirai hautement : voilà ce que j'ai fait, ce que j'ai pensé, ce que je fus" [65],

il précisa : *«l'homme le plus gai de France»*. La véhémence du ton restait toute biblique même pour ce couturier pour dames :

> "Et, Seigneur, ajouterai-je, si tu trouves que Bouffard, comme célibataire, comme époux, comme coupeur dans toutes les villes de France où il y a au moins un sous-préfet, s'est jamais conduit en pleutre, viens me confondre devant mes lecteurs plus nombreux que les épis dans la plaine de Villevieux, et que le plus vil des garçons tailleurs me jette la pierre, en me disant Raca ! "[66]

Pourtant, c'est sur le ton mélancolique de la rêverie et en alliant au sizain la minutie, l'intimité et le souvenir endeuillé liés au *médaillon* que Boyer d'Agen inscrivit Jean-Jacques dans la poésie fin-de-siècle en trois scènes typiques de sa vie, toutes trois encloses dans ce cadre circulaire ou ovale si caractéristique du *retour* [67]. Sur la même voie, Francis Jammes réprimanda Mme de Warens et prit, dirait-on, la place de *«cet enfant à la figure un peu espiègle»*, son protégé [68]. Il revenait presque de droit à la revue *L'Ermitage* de dresser de Rousseau un portrait nuancé dans les lettres du siècle finissant. La tâche incomba à Léon Bocquet qui s'en acquitta raisonnablement bien pour *Les Rêveries*, lesquelles ne sont pas sans rapport intime, comme on sait, avec *Les Confessions* [69]. Voici donc ce que la fin du siècle reprocha à Rousseau : son manque de scepticisme, sa présomption orgueilleuse d'égaler Dieu, son bavardage, sa vantardise, son enthousiasme et sa

---

Paris à Rome, en 1630, éd. cit., p. xix.

[65] Jean-Jacques Rousseau, *Les Confessions*, éd. de Jacques Voisine (Paris : Garnier Frères, [© 1964]), p. 4 et Maxence Gilet, *Les Confessions de Polycarpe Bouffard* (Lons-le-Saunier : Imprimerie Victor Damelet, 1880), p. 6.

[66] Gilet, *Les Confessions de Polycarpe Bouffard*, pp. 6-7.

[67] Boyer d'Agen, «Jean-Jacques Rousseau (Médaillons)», *Les Fleurs noires (1876-18...)* (Paris : V. Havard, 1889), pp. 292-294, trois rêveries-médaillons sur les lectures avec le père, Mme de Warens, la vieillesse à l'Ermitage.

[68] Francis Jammes, «Madame de Warens...», *L'Ermitage*, vol. XVI, n° 6, juin 1898, pp. 453-454.

[69] Sur ce point, voir l'Introduction de J. Voisine à l'éd. Garnier, pp. vii et cvi.

déclamation juvéniles, enfin et surtout, l'exagération du culte du moi, non pas dans le sens de la conscience malade et coupable (ce qui eût été étonnant pour les émules de Maurice Barrès), mais dans celui de l'absence des passions nuisibles, de l'amertume et de la révolte contre la divinité. Pour le dire brièvement, le fait de parler trop avec suffisance et naïveté. Mais Bocquet souligna aussi en lui, avec sympathie, sa hautaine misanthropie [70], son lyrisme latent, son portrait en «*malade original, dévoré d'orgueil, d'ennui et d'inquiétude*», précurseur des romantiques. Rousseau était le premier ennemi de lui-même lors de ses crises d'anthropophobie, un individu ombrageux et hanté, souffrant d'hyperesthésie. Il connaissait la dépression de la volonté, ce mal de la conscience aboulique qui hanta la fin du siècle. La folie et la neurasthénie finirent par faire peser la balance de son côté : «*il porte le signe fatal du malheur*» conclut Boquet et plaça les mysticistes sensuels du symbolisme, les naturistes et les décadents dans la filiation directe de Jean-Jacques [71]. Sa pratique de la confession publique et sécularisée avalisa un phénomène de librairie et séduisit Wilde : «*Humanity will always love Rousseau for having confessed his sins, not to a priest, but to the world*» [72]. Et Verlaine conclut la deuxième partie de ses propres *Confessions* en se réclamant d'un mot de Rousseau comme d'un mot de l'évêque d'Hippone, ce qui complique – tout en l'affinant – le problème de l'influence.

PALIMPSESTE

La question est centrale pour appréhender la Décadence, ce savoir somptueux, malade de son propre excès, et qui n'est écriture que par le palimpseste, par variation, imitation, trituration constante d'un écrit antérieur. La fortune du syntagme *Confession de...* dans les titres de 1880 à 1920 le prouve amplement, mais derrière ce seul mot et aux côtés de Rousseau, c'est au moins trois autres modèles littéraires qu'il faudrait prendre en considération.

La première place revient sans conteste aux *Confessions* de

---

[70] Trait également souligné par Barrès [«*cette haine des vivants*»] dans le chap. IX du *Jardin de Bérénice* (1891).

[71] Léon Bocquet, «Le Jean-Jacques des *Rêveries*», *L'Ermitage*, vol. XXV, n° 7, 8 et 9, juillet, août et septembre 1902, pp. 42-57, 122-127 et 210-216:

[72] Oscar Wilde, «The Critic as Artist» [paru sous le titre «The True Function and Value of Criticism», *Nineteenth Century*, XXVIII (July 1890), 123-147], recueilli et cité dans *Literary Criticism of Oscar Wilde*, ed. by Stanley Weintraub (Lincoln : University of Nebraska Press, [1968]), pp. 197-228, p. 197.

l'évêque d'Hippone, en qui la Décadence vit volontiers un saint pécheur, témoin d'une fin de monde, offrant un portrait aussi complexe que représentatif de l'homme [73]. Il est significatif qu'Arthur Symons, durablement travaillé, comme Alan Johnson l'a montré, par le projet de sa propre confession [74], l'homme précisément qui découvrit à Dux les deux chapitres manquants des *Mémoires* de Casanova de Seingalt, édita et préfaça les *Confessions* de saint Augustin en 1898 [75] en dressant clairement la ligne de partage entre cette première autobiographie, la seule à s'adresser à Dieu, et les autres : pour lui, Rousseau voulut s'expliquer et non se justifier par défiance de l'autre, Cellini céda à la jubilation élogieuse de soi et Casanova à l'adoration pathétique du passé, dernière sensation pour ce grand sensuel [76]. Pour Symons, l'écriture augustinienne dans les *Confessions* est un acte de pénitence utile à autrui, autrement dit le modèle d'un objectif que la Décadence pervertira, comme on a pu le voir avec la fille écrivant pour sa fille naturelle, laquelle sera naturellement une prostituée (Henry Caen). La signification symbolique et divine qui informe la trame de la vie augustinienne dans ses moindres incidents fut certainement pour Symons un but impossible à atteindre dans sa propre écriture digressive, labyrinthique et éclatée entre *Spiritual Adventures* (1905) et *Confessions* [77]. Mais le lyrisme exalté qui habite la prose augustinienne séduisit durablement la Décadence. Plus encore, à quatre ans de distance, le John Norton de George Moore comme le Hubert d'Entragues de Remy de Gourmont y virent la source de *«toute la théorie et de la pratique de la littérature moderne»* [78], l'endroit d'où

---

[73] La résonance de l'augustinisme dans les textes décadents dépasse de loin les quelques lignes que je leur consacre ici. Francesco Arru fit une première exploration de la question dans l'exposé qu'il consacra à «Saint Augustin et les écrivains de la Décadence» le 23 mars 1994 au séminaire de Jean de Palacio «Basse latinité, Bas Empire». Il consacra au même sujet un Mémoire de Maîtrise qu'il eut l'amabilité de me communiquer.

[74] Voir Alan Johnson, «Waifs of Memory : Arthur Symons's *Confessions*», dans *Twilight of Dawn : Studies in English Literature in Transition*, ed. by O.M. Brack Jr. (Tucson : The University of Arizona Press, [© 1987]), pp. 153-167.

[75] *The Confessions of Saint Augustine*, edited, with an Introduction, by Arthur Symons [Translation by Pusey] (London : Walter Scott Ltd., s.d. [1898]).

[76] Ibid., pp. ix-x.

[77] Le sujet reste à traiter ; il n'est pas possible de lui faire une place ici.

[78] George Moore, *A Mere Accident* (London : Vizetelly and Co. [New York, Washington and Chicago : Brentano's], 1887), p. 86.

surgit le «*roman des esprits*», véritable confirmation de la vie cérébrale. Remy de Gourmont fut en ce sens catégorique : «*les premières histoires d'une âme, le premier roman analytique naquit spontanément dans le génie nouveau d'un esprit christianisé et ce fut saint Augustin qui l'écrivit : la littérature moderne commence aux* Confessions» [79]. L'un comme l'autre se prononçaient sous le coup d'une certaine ivresse, ascétique pour le premier, éthylique pour le second, ce qui nous conduit naturellement à de Quincey.

La deuxième place revient – surtout pour des raisons chronologiques, comme le montre le tableau – aux *Confessions of an English Opium-Eater* de Thomas de Quincey, publié sans nom d'auteur en 1821-1822, rapidement adapté par Musset dans *L'Anglais mangeur d'opium* [80], puis dramatisé, condensé, ordonné et reversé, accru de ses propres sensations personnelles, par Baudelaire dans «Un Mangeur d'opium» des *Paradis artificiels* (1860) [81]. Sa fortune en France et son influence, surtout sur Musset, Balzac et Gautier ont été longuement étudiées dans le *Mercure de France* et *La Revue de Littérature Comparée*, non sans soulever quelque débat [82]. Une étude plus axée sur la fin du siècle dernier, qui voit la publication en français de la version intégrale du texte anglais [83], mériterait d'être donnée. En 1925, *Confessions d'une Opiomane* de Tita Legrand s'inscrit encore clairement dans la filiation de Thomas de Quincey. Un passage de *The Confessions of an English Opium-Eater*, cité *in extenso*, fonde une

---

[79] Remy de Gourmont, *Sixtine*, roman de la vie cérébrale (Paris : Albert Savine, 1890), cité sur l'édition U.G.E., 10/18, 1982, p. 279.

[80] [Thomas de Quincey], *L'Anglais mangeur d'opium*, traduit de l'anglais par A.D.M. [Alfred de Musset] (Paris : Mame et Delaunay-Vallée, 1828).

[81] Le point sur la question est fait, de manière fort précise, par Claude Pichois dans sa notice aux *Paradis artificiels*, de la Bibl. de la Pléiade, I, pp. 1358-1368.

[82] Voir Paul Peltier, «Musset et Baudelaire à propos des *Confessions d'un Mangeur d'Opium*», *Mercure de France*, CXXX, n° 492, 16 décembre 1918, pp. 637-647 et G.A. Astre, «Honoré de Balzac et "L'Anglais mangeur d'opium"», *RLC*, 15 (1935). L'article présomptueux de Randolph Hughes «Vers la contrée du rêve : Balzac, Gautier et Baudelaire disciples de Quincey», *Mercure de France*, CCXCIII, n° 987, 1er août 1939, pp. 545-593, suscita de nombreuses réactions, ibid., en 1939-40.

[83] Thomas de Quincey, *Confessions d'un mangeur d'opium*, première traduction intégrale par V. Descreux (Paris : Albert Savine, 1890). Le texte sera repris dans la Bibliothèque Cosmopolite de Stock en 1903 (vol. 8), précédé des *Souvenirs autobiographiques du mangeur d'opium* (vol. 9), qui traite cependant la vie de de Quincey antérieure à sa dépendance.

partie de l'intrigue (traitement de la phtisie pulmonaire latente par l'opium), la plus décadente, puisque la drogue est mise au service du plus troublant hermaphrodite qui soit, La Dorée ou L'Adoré de son amante Andrée, qui n'est pas Andros [84], le tout sous l'œil sympathique de la narratrice, femme de lettres de son métier, discret *alter ego* de l'auteur et familièrement appelée Petit-Sand !

Il importe d'ajouter à ces textes *La Confession d'un Enfant du Siècle* de Musset (1836). La fin du siècle le connut essentiellement non pas dans la première version non expurgée, où, selon un principe tout baudelairien, on *ensanglante son mal* et on *gratte sa plaie*, et où le registre clinique s'applique aux maux de l'âme dès le prologue, mais dans la version assagie et atténuée constamment diffusée par la Bibliothèque Charpentier depuis l'édition in-8° de 1840 [85], ce qui ne tarda pas à entraîner divers travestissements et contrefaçons, bien que la reprise du titre en Angleterre dans *A Child of the Age* de Francis Adams en montre la résonance [86]. La fin du siècle semble réécrire Musset au féminin avec *La Confession d'une Femme du Siècle* de Fanny Eméric en 1907 [87] et *La Confession d'une Femme du Monde*, titre commun à Louis de Caters en 1894 [88] et à Georges-Clément Lechartier en 1913 [89]. Mais la réécriture sent parfois la parodie franchement décadente : dans la même année 1897, Michel Corday et Henri Kist[emaeckers] donnent, le premier *La Confession d'un Enfant*

[84] Tita Legrand, *Confessions d'une Opiomane*, préface du Dr H. Nermord (Paris : Albin Michel, [© 1925]), pp. 71-72, 75-76 et 85 (citation de de Quincey).

[85] Voir à ce sujet Maurice Clouard, *Bibliographie des œuvres d'Alfred de Musset* (Paris : P. Rouquette, 1883), pp. 3-4, 9, 10-11 et 13-14. Le texte non expurgé de l'édition originale (Bonnaire, 1836, en 2 vol.) sera repris par Paul de Musset seulement en 1865 dans l'édition de luxe dédiée aux Amis du Poète et dans les *Œuvres complètes* de la Librairie Lemerre en 1874. Ce n'est pourtant pas cette version qui fut massivement lue au XIXe.

[86] Francis Adams, *A Child of the Age* (London : John Lane ; Boston : Roberts Bros., 1894).

[87] Fanny Eméric, *La Confession d'une Femme du Siècle*, roman (Paris : Messein, 1907). En dépit de tous mes efforts pour le localiser, ce texte, répertorié pourtant par Otto Lorenz dans son *Catalogue de la Librairie Française*, ne paraît pas avoir été déposé. Ce n'est pas le premier texte publié par Messein qui ait connu ce sort.

[88] Louis de Caters, *La Confession d'une Femme du Monde – L'Amour brutal* (Paris : Ernest Flammarion, s.d. [1894]).

[89] Georges-Clément Lechartier, *La Confession d'une Femme du Monde* (Paris : Librairie Plon, Plon-Nourrit et Cie, [© 1913]).

du Siège, le second *La Confession d'un autre Enfant du Siècle, Roman Sardonique*, et en 1925, le titre d'Armand France, *La Confession d'un Pontife du Siècle*, est bien entendu oxymorique, mais parfaitement adapté à ce personnage rêvant d'une sinécure qui serait un bureau de tabac... [90]. Il suffit de clore ces indications par «A Monsieur Ousquémont-Hyatt à Gand», signé Alphonse Allais, raillerie dirigée contre les aptitudes sportives du symboliste Maeterlinck et lui annonçant la prochaine publication des *Confessions d'un enfant du cycle...* [91]. *Elle* et *lui* restaient liés, cette fois-ci sous le persiflage des épigones.

A noter enfin que les diverses formes autobiographiques fusionnent et que la complexité est de mise. Un exemple caractéristique, qui fut aussi un succès de librairie : *Confession d'un Enfant d'hier* et *Confession d'un Homme d'aujourd'hui* d'Abel Hermant, parus en 1903, font se rencontrer la confession et le roman par lettres, puisque le dévoilement du moi passe par la confidence épistolaire, alors que le titre qui les coiffe, *MÉMOIRES POUR SERVIR À L'HISTOIRE DE LA SOCIÉTÉ*, inscrit fortement ces deux opérations dans l'histoire, ce qui en principe leur est étranger. Quand j'aurai ajouté que ces deux volumes sont le deuxième et troisième d'un cycle de quatorze, réunis sous ce chapeau commun, on reconnaîtra qu'on est dans une somme romanesque s'échelonnant sur une douzaine d'années, ce qui pose évidemment d'autres problèmes narratifs [92].

SINGULARITÉ D'UN LIVRE : *CONFESSIONS OF A YOUNG MAN* DE GEORGE MOORE

Pour toutes ces raisons, l'énergie avec laquelle le jeune George Moore affirme vouloir faire table rase dans *Confessions of a Young*

---

[90] Armand France, *La Confession d'un Pontife du Siècle* (Bordeaux : Impr. Rayot, 1925 [9 juin 1926]), 221 p..

[91] Alphonse Allais, «A Monsieur Ousquémont-Hyatt à Gand» [*Deux et deux font cinq* (Ollendorff, 1895)], cité dans *Œuvres anthumes*,éd. de François Caradec (Robert Laffont/Bouquins, [© 1989]), pp. 529-531.

[92] On notera que la nécessité d'un témoignage romanesque sur l'époque se mêle fréquemment à un ton plus confidentiel dans ces quatorze étapes, ainsi détaillées : *Souvenirs du Vte de Courpière, par un témoin* (1901), *Confession d'un Enfant d'hier* (1903), *Confession d'un Homme d'aujourd'hui* (1903 [1904 pour Talvart]), *M. de Courpière marié (Nouveaux Souvenirs)* (1905), *Les Grands Bourgeois* (1906), *La Discorde* (1907), *Les Affranchis* (1908), *Chronique du Cadet de Courtras* (1909), *Coutras Soldat* (1909), *Les Confidences d'une biche, 1859-1871* (1909), *La Biche relancée* (1911), *Histoire d'un fils de roi* (1911), *Les Renards* (1911), *Coutras voyage* (1912).

Man (1887-1888) suffit à attirer l'attention, pour deux raisons surtout :
parce que l'auteur entendait son livre comme la mauvaise greffe
française qui, entée sur la littérature anglaise esthète et préraphaélite,
allait accélérer le processus de maturation, et parce que, comme certains
travaux récents l'ont montré, Moore ne cessa de réécrire ses
Confessions de 1887 à 1923, à savoir la période que couvre quasiment
sa production littéraire [93]. Il n'est pas non plus indifférent qu'il ait
exercé une influence certaine sur James Joyce de *Portrait of the Artist
as a Young Man* à *Ulysses* [94]. Dans une préface, quelque peu
postérieure aux premières versions, Moore avoue d'emblée qu'il
ignorait Rousseau : *«a page of Jean Jacques would have made the book
I am prefacing an impossibility ; another book more complete but less
original might have been written»* [95]. Mais, outre la familiarité
troublante que révèle l'emploi du *prénom* de Rousseau dans les dires
de Moore, de même que Rousseau avait l'intime conviction de sa
personnalité *unique*, Moore revendique d'emblée avec ses *Confessions*
d'avoir fait le livre *le plus original* du XIXe siècle.

Il y a bien de quoi. *Confessions of a Young Man* met en scène
un être malléable, paresseux et nul – une âme sans mémoire, qui dut
être plongée dans les eaux du Léthé – lancé dans le labyrinthe des
désirs pour y suivre une succession d'itinéraires divergeants. On peut y
voir un *Bildungsroman*, dans la mesure où le jeune Irlandais qui en est
le héros, à la fois personnage et image réfractée de Moore lui-même, se
trouve, à la mort de son père, suffisamment libre et riche pour aller à
Paris, tâter de la peinture, puis de l'écriture, et revient à Londres,
cherchant toujours une manière qui lui soit propre. Cependant, plus
que d'un apprentissage de vie et de la formation d'une personnalité, il

---

[93] On doit à Susan Dick l'édition de référence du texte des *Confessions of a Young
Man*, fondée sur le texte original anglais de 1888 et répertoriant les ajouts et les
variantes dans leur état final (Montreal and London : McGill-Queen's University
Press, 1972), viii -266 p.. Pour mon travail sur le texte, j'ai d'abord utilisé une
édition tardive (London : William Heinemann, 1952) qui reprend l'édition
Heinemann de 1926, elle-même postérieure à l'édition de 1918, la dernière à
comporter des révisions importantes, puis l'édition de Susan Dick. Les deux lectures
sont nécessaires non seulement parce qu'elles recoupent la chronologie présentée ici,
mais aussi parce que Moore travailla son texte dans le sens de l'unité narrative. Je
renverrai, la plupart du temps, aux deux éditions.

[94] Des nombreux articles sur Moore et Joyce, on retiendra Patrick A. MacCarthy,
«The Moore-Joyce Nexus : an Irish Literary Comedy», dans *George Moore in
Perspective*, Janet Egleson Dunleavy ed. (1983), pp. 99-116.

[95] Préface à l'éd. américaine de 1917, cité dans l'éd. Dick, p. 42.

s'agit en fait d'un *apprentissage narratif* qui part de l'écriture théâtrale (comédie), s'aventure vers les vers, s'essaie à la poésie naturaliste, puis au journalisme et à la nouvelle, pour aboutir, enfin, non sans difficulté et tiraillements, à l'écriture romanesque.

Le livre épouse la forme de la confession alors qu'au moment même où le récit commence, le personnage est renvoyé de son internat pour avoir refusé d'aller à confesse [96]. Ce n'est pas là un simple paradoxe, mais une pratique de l'envers, une obsession de l'à rebours fondatrice de la Décadence. *Confessions of a Young Man* donne les étapes de vie d'un athée en empruntant à la conversion son vocabulaire et son rituel. Donnant voix à un violent déni du Christ [97], et se réclamant de la poésie de Baudelaire, pour la préservation de laquelle l'ange de Dieu peut bien passer et égorger les enfants aînés et mâles de l'Europe [98], comme dans l'*Exode* [99], Moore clame l'avènement du poète dans un royaume qui est celui des mots et de la chair. Autour d'un livre, *Mademoiselle de Maupin* de Gautier, il pose un idéal épicène et un dieu androgyne, une physiologie hybride [100]. Un apologue décadent des organes vils remplaçant les organes nobles traverse le texte : son esprit, affirme le héros, est comme un estomac, qui aspire, digère, absorbe, assimile [101] ; «*the strange, abnormal and unhealthy in art*» [102]; violer tout instinct naturel de la langue comme le fait Verlaine ; affinités littéraires qui correspondent à des affinités sexuelles [103]. Voici sa conversion : la divinité du corps [104].

Il est vertigineux d'observer chez Moore la manière dont le JE se dédouble pour couvrir toute la gamme de la fiction à l'autobiographie. Les deux premières versions du texte (dans *Time, A Monthly Magazine* en 1887, et chez Swan Sonnenschein en 1888) comportaient un héros

---

[96] Passage ajouté en 1889 ; éd. Dick, pp. 196-197; éd. Heinemann, 1952, p. 8.

[97] Ed. Dick, pp. 123-124 et éd. Heinemann, pp. 93-94.

[98] Ed. Dick, p. 125 : «*I would give many lives to save one sonnet by Baudelaire ; for the hymn*, "A la très-chère, à la très-belle, qui remplit mon cœur de clarté," *let the first-born in every house in Europe be slain*». Ed. Heinemnn, pp. 94-95.

[99] *Exode*, 11.

[100] Ed. Dick, pp. 78-80 ; éd. Heinemann, pp. 40-42.

[101] Ed. Dick, p. 62-63; éd. Heinemann, p. 21-22.

[102] Ed. Dick, p. 87 ; éd. Heinemann, p. 51.

[103] Ed. Dick, p. 99 ; éd. Heinemann, p. 65-66 : «*there are affinities in literature corresponding to, and very analogous to, sexual affinities*».

[104] Ed. Dick, p. 79 ; éd. Heinemann, p. 41.

fictif, au prénom d'ailleurs variable, Edwin, Edward, ou Eduard Dayne. Celui-ci disparaît dans la première édition française en 1888 (dans *La Revue Indépendante*, puis en volume) [105] pour laisser la place à George Moore, personnage et auteur, qui, peu avant ce changement important, indiqué à Edouard Dujardin, directeur de *La Revue Indépendante* [106], offre à l'éditeur anglais de son texte une photo à insérer dans le livre : *«I think it would be well to print my portrait in the confessions* [sic]. *It would attract attention for I have a photograph that is very like the author of the confessions»* [107]. JE est donc un autre : il est d'abord *he*, l'enfant qui apparaît dans le premier chapitre [108]; il est ensuite le moi futur, le George Moore idéal qui naîtra de ce livre de la création du moi ; il se perd entre question et négation : *«was it I who was glad ? No, it was not I»* [109] ; il devient plus loin *«a young man of refined mind – a bachelor who spends at least a pound a day on his pleasures, and in whose library are found some few volumes of modern poetry»*, qui vient d'entrer dans la fiction de la femme de trente ans [110] ; il est le moi dont on suit l'histoire chronologique ; mais aussi le moi qui écrit dix ans après, regardant parfois d'un œil critique certaines de ses extravagances. Sexuellement, il est ambigu : *«I am feminine, morbid, perverse. But above all perverse»* [111]. Et vu de l'angle linguistique, instable, comme il convient aux deux langues (français et anglais) qui se disputent l'écriture et à l'apprentissage linguistique continuel que pose le récit [112]. Véritable kaléidoscope de l'identité que traduit avec force l'image d'un seul gosier rempli de voix qui s'y pressent, comme une tour sur laquelle on ne s'entendrait plus. Babel n'est pas loin, surtout

---

[105] George Moore, *Confessions d'un Jeune Anglais* [sous le titre «Confessions», *La Revue Indépendante*, mars-août 1888] (Paris : Nouvelle Librairie Parisienne, Albert Savine, 1889).

[106] Voir *Letters from George Moore to Edouard Dujardin, 1886-1922*, John Eglinton ed. & trans. (New York : Crosby-Caige, 1929).

[107] Lettre à un certain Mr. Wigram, préposé à l'édition du texte chez Swan Sonnenschein, citée par Edwin Gilcher, *A Bibliography of George Moore* (Dekalb, Illinois : Northern Illinois UP, s.d. [© 1970]), p. 21.

[108] Ed. Dick, p. 50 ; éd. Heinemann, p. 2.

[109] Passage ajouté en 1889 ; éd. Dick, p. 195 ; éd. Heinemann, p. 6.

[110] Ed. Dick, p. 8 ; éd. Heinemann, p. 54.

[111] Ed. Dick, p. 76 ; éd. Heinemann, p. 38.

[112] Ed. Dick, p. 130 ; éd. Heinemann, p. 99.

lorsque l'on sait que ce passage parut d'abord dans un chapitre spécialement écrit pour la version française : «*Maintenant je me sens plein d'ardentes impulsions qui grondent et hululent comme le vent dans les chambres d'une tour*» [113] [«*Now I am full of eager impulses that mourn and howl by turns, striving for utterance like wind in turret chambers*» [114]].

Il y a donc du Rousseau des *Dialogues* chez Moore, mais un Rousseau décadent qui prône dans *Confessions of a Young Man* l'homme naturel contre l'homme universitaire, nourri de la poussière des âges [115] ; qui se réclame d'une pure émotion, vraie ou fausse, contre la grammaire de l'art ; qui, incapable d'éducation, s'oppose à l'élève idéal ; qui, féminin et pervers, est du côté de la lecture [*reading*], là l'homme universitaire est du côté de l'érudition [*scholarship*]. La lecture, voilà le fin mot du texte. Si *Confessions of a Young Man* penche du côté de la fiction, c'est parce que le personnage y lit. Moore dresse explicitement le parallèle : dans un roman, dit-il, la passion amoureuse amène le désastre ; dans ces *Confessions*, le désastre est amené par la lecture d'un livre [116]. De quatre livres, ou plutôt de quatre auteurs, qui résument l'itinéraire intellectuel du *Young Man* : les poèmes de Shelley, *Mademoiselle de Maupin* de Gautier, l'œuvre de Balzac et *Marius the Epicurean* de Walter Pater.

Bien plus, *Confessions of a Young Man* est un véritable compendium des arts et des lettres du XIXe siècle. Moore y introduit et y discute Degas, Pissarro, Morizot, Guillaumin, Monet, Renoir, Hugo, Musset, Baudelaire, Aloysius Bertrand, Pétrus Borel, Leconte de Lisle, Villliers de l'Isle-Adam, Banville, Coppée, Hérédia, Mendès, Mallarmé, Verlaine, Poe, Swinburne, Rossetti, Zola, Balzac, Manet, Duranty, Goncourt, Whistler – et j'en passe. Il se place délibérément à «*an hour of artistic convulsion*» – dans le sens de *gésine* artistique [117] – et, en passant en revue les diverses doctrines, il les met aussi en application : des morceaux d'écriture impressionniste, des notations rapides, de brèves études côtoient ainsi des instantanés cruels ; dans un chapitre, *La Femme de trente ans* de Balzac est réécrite en une

---

113 Moore, *Confessions d'un Jeune Anglais*, éd. citée, p. 245. Début du chapitre «Examen de minuit», fondé sur le dialogue entre le personnage et sa conscience.

114 Ed. Dick, p. 217 ; éd. Heinemann, p. 155.

115 Ed. Dick, p. 53 ; éd. Heinemann, p. 7.

116 Ed. Dick, p. 80 ; éd. Heinemann, p. 42.

117 Ed. Dick, pp. 107-108 ; éd. Heinemann, p. 75. La version française donne, assez platement, «*cette heure de convulsion*».

succession de scènes où, soudain, surgit tel titre célèbre, emprunté à Barbey d'Aurevilly [118]; des mises en scène du moi écrivant ou traduisant jouxtent des apostrophes lyriques, une lettre d'adieu, des poèmes en anglais et en français. Le lecteur peut y reconstruire un roman d'adultère elliptique, interrompu par le brusque retour du narrateur en Angleterre ; une réécriture de Dickens dépouillée de tout sentimentalisme ; même une situation naturaliste, traitée comme un poème en prose, qui ne serait pas loin de la *Germinie Lacerteux* des Goncourt. Le livre de Moore contient encore un aperçu de la naissance de l'impressionnisme et de ses tendances, un traité de versification française fait à la diable, une explication du symbolisme de Mallarmé, une autre explication de la symphonie naturaliste appliquée à *L'Assommoir* de Zola, un petit traité de l'aphorisme, des vignettes critiques en trois lignes, plusieurs commentaires comparés [119], un éditorial, un pamphlet, une parodie du style héroï-comique, un éloge du music-hall, une critique virulente de la comédie des mœurs et une dissertation sur l'état actuel de la littérature anglaise.

En effet, qui s'y frotte, s'y pique. A trop lire, l'homme naturel s'est rapproché de l'homme universitaire et sa pure émotion, contaminée désormais par la doctrine, a besoin de professer. Et Moore de se reprendre : *«But this book is not a course of litterature but the story of the artistic development of me, Edward Dayne»* [120], avant de se laisser de nouveau aller, un peu plus loin, à propos de telle remarque sur Balzac qu'il croit particulièrement fine : *«No critic has ever noticed this»* [121]. Il s'exclamera plus loin qu'il faut nier l'idée, que le mot est tout, tout en avouant sa lassitude, avant que sa conscience n'apparaisse, dans l'avant-dernier chapitre, pour l'inviter à un examen.

«La chair est triste, hélas ! et j'ai lu tous les livres» : le vers convient au George Moore des *Confessions*, qui y traduit précisément deux poèmes en prose de Mallarmé, précédés du célèbre passage d'*A*

---

[118] Ed. Dick, pp. 89-92 ; éd. Heinemann, pp. 53-58. C'est le chap. V, où apparaît l'expression «happiness in crime», traduction transparente de «Le Bonheur dans le Crime», une des *Diaboliques*.

[119] Au sens de l'exercice proposé aux étudiants en Littérature Comparée et qui consiste à commenter deux ou trois textes d'auteurs et de langues différents en déterminant le point commun qui les réunit.

[120] Ed. Dick, p. 165. Catriona Seth m'a fait remarquer, à juste titre, que l'anglais de Moore semble curieusement influencé par le français dans cette phrase. Il aurait dû effectivement écrire *«a course in literature»*.

[121] Ed. Dick, p. 168 ; éd. Heinemann, p. 143.

rebours sur la décadence d'une littérature [122]. On le voit, il ne s'agit pas du tout d'une *tabula rasa*, mais de la réécriture constante et condensée des principales thèses esthétiques de l'époque. Cela pourrait être une manifestation de l'image polyphonique de tout à l'heure. Cela pose en tous cas de redoutables problèmes d'interprétation et l'on a pu voir dans ce texte à la fois une image implacable et sombre des postulats décadents [123] et une farce [124]. *Confessions of a Young Man* est tout cela et plus encore, puisque le livre s'inscrit subtilement dans la tradition de la confession. La comparaison entre Moore et l'évêque d'Hipponne est explicite : «*St. Augustine's Confessions are the story of a God-tortured, mine of an art-tortured, soul*» [125]. La conscience de Moore – qu'il accuse d'excès mélodramatiques – affirme : «*you are a true child of the century*» [126], et ce Moore-Musset, qui note «*a page of Huysmans is as a dose of opium, a glass of some exquisite and powerful liqueur*» [127], est un de Quincey troquant les ivresses de la drogue pour l'ivresse des mots.

En se démarquant cependant de ces contemporains, il nous invite à mesurer l'innovation que constituent, au sein d'un projet romanesque complexe, l'inscription, la conquête et l'affirmation d'une *écriture critique*, belle étrangère de l'espace réservé au moi. «*[T]he highest criticism [...] is the record of one's own soul. [...] It is the only civilized form of autobiography*» déclare à la même époque Oscar Wilde, dans «The Critic as Artist» [128], ce qui jette une étrange lumière

---

[122] Ed. Dick, pp. 169-171 ; éd. Heinemann, pp. 144-146. Les textes de Mallarmé sont «Plainte d'automne» et «Frisson d'hiver».

[123] Voir Pascale Guillot-McGarry, «Les Miniatures dans *Confessions of a Young Man*», dans *Cahiers du Centre d'Etudes Irlandaises* (Rennes), 8, 1983, pp. 7-15, surtout p. 9.

[124] Voir Robert Langenfeld, «A Reconsideration : *Confessions of a Young Man* as Farce», dans *Twilight of Dawn : Studies in English Literature in Transition*, op. cit., pp. 91-110.

[125] Passage ajouté dans l'éd. anglaise de 1889. Ed. Dick, p. 217 ; éd. Heinemann, p. 149.

[126] Ed. Dick, p. 225 ; éd. Heinemann, p. 163. Passage ajouté dans le chap. «Examen de minuit» de l'éd. française qui donne : «*vous êtes bien un enfant du siècle*», p. 256.

[127] Ed. Dick, p. 169.

[128] Oscar Wilde, «The Critic as Artist» [paru sous le titre «The True Function and Value of Criticism», *Nineteenth Century*, XXVIII (July 1890), 123-147], recueilli dans *Literary Criticism of Oscar Wilde*, ed. Stanley Weintraub (Lincoln : University

sur nos propres travaux autour de l'autobiographie [129].

EN GUISE DE CONCLUSION : LOGORRHÉE ET SILENCE

«*Toute bouche qui parle est astreinte à la confession, et si la parole était retirée à l'homme il se confesserait par signes et par gestes*» déclarait dramatiquement Louis d'Apilly en 1866 [130]. Pendant plus d'un siècle, la librairie française allait endiguer cette formidable logorrhée. L'aveu, par flots successifs et irrépressibles, couvrait des pages et faisait des livres. Il était attendu que le corps en pâtisse, le cœur au bord des lèvres, spasmodiquement entr'ouvertes, rendant avec rage. Dans cette marée d'encre coupable et expiatrice, Maupassant, dans une de ses trois «Confession», s'arrête tantôt sur l'oreille buvant les paroles pour la magnifier par une expression métaphorique («*tout oreilles*» [131]), tantôt sur la bouche et le corps, l'une habitée, l'autre secoué par le fou rire de l'épouse coupable, mais muette, et cependant plus éloquente que jamais [132]. Ce rire, qui vaut l'aveu, et tue le cri sur les lèvres du mari qui s'est effectivement confessé pour se voir réduit au silence, marque le passage de la parole au signe et confirme l'ère de l'insuffisance de la plénitude de l'écrit. «*Tout le récit n'est qu'une immense litote*», dira Louis Forestier, «*qui requiert le lecteur de comprendre le plus quand on lui dit le moins*» [133]. C'est considérablement différent du *bavardage* de Musset, du caractère *performatif* du langage, que souligna Martine Reid, dans un bel article sur *La Confession d'un Enfant du Siècle* ; mais la parole dévastatrice qui nomme pour défaire, la parole réversible qui interdit de se fier aux signes, circonscrite dans ce même texte [134], me semble être à l'origine

---

of Nebraska Press, s.d. [© 1968]), pp. 197-228, p. 222.

[129] Voir également parmi les aphorismes liminaires de *The Picture of Dorian Gray* cette phrase : «*The highest, as the lowest, form of criticism is a mode of autobiography*».

[130] Louis d'Apilly, «Confession de l'auteur», texte liminaire dans *Les Confessions involontaires* (Paris : Louis Clauet, 1866), vol. I, p. vii. Louis d'Apilly est d'ailleurs le nom de plume de Louis Clauet, qui apparaît ici comme éditeur.

[131] Guy de Maupassant, «La Confession» [Quand le capitaine Hector-Marie de Fontenne...], *Gil Blas*, 12 août 1884, recueilli dans *Le Rosier de Madame Husson*, cité dans *Contes et Nouvelles*, éd. Louis Forestier, Bibl. de la Pléiade, 1979, II, pp. 218-224, p. 222.

[132] Ibid., p. 223.

[133] Ibid., p. 1383.

[134] Voir Martine Reid, «La Confession selon Musset», dans *Littérature* n° 67 [Le

de l'aboutissement observé chez Maupassant.

Il est alors pour le moins suspect que l'inépuisable chantre de Venise que fut Henri de Régnier place une «Confession nocturne» précisément dans cette ville pour consacrer les quatre premières pages du récit à *une négation de description* qu'il ne veut ni romantique, ni décadente, ni symboliste [135]. En entraînant le lecteur jusqu'au bar Cattamuzzi, *«un lieu vraiment et exclusivement moderne»* [136], il entend se défaire de *«tous les déguisements romanesques»* [137], et dans un lieu bien éclairé, propre, méthodique, amorcer une cure de tant de pages littéraires passées. La face morne et insignifiante d'un personnage quelconque joue, face à un verre d'alcool, un long drame silencieux au point d'en devenir *«d'une inépuisable éloquence. Cent masques s'y succédaient en leur vivante diversité et je demeurais stupéfait devant ce spectacle énigmatique, devant cette surprenante pantomime faciale dont je ne m'expliquais pas le sens»* [138]. Exercice splendide sur la puissance des passions dans la médiocrité, ce récit de Régnier, par son refus du bavardage de l'aveu et sa censure de l'événementiel, place désormais la confession dans l'espace énigmatique que délimitent les plis faciaux d'un côté, l'aporie romanesque de l'autre : *«J'aurais pu bâtir là-dessus tout un roman [...]»* [139] – ce que le narrateur se refuse de faire.

Blaise Cendrars qui s'y risqua trois ans plus tard avec *Les Confessions de Dan Yack* fit un livre double : raconté au dictaphone par Dan Yack, passionné de phonographes, amateur d'automates et champion imitateur de toutes sortes de sons, il enclôt (et il chérit) deux méchants petits cahiers, transcrits en italique, où se confesse Mireille, la femme-enfant monstrueuse et virginale, celle qui joue au cinéma l'Eve future, et fournit au récit la matière qui le nourrit. Or, si elle manie encore la plume, elle ne se meurt pas moins dans le rôle de *Gribouille*, son *alter ego* masculin, qui incarne sa dualité sexuelle (ce que le texte dit explicitement) et symbolise surtout une écriture aux abois (ce que le texte ne dit pas). Il n'est pas déplaisant de voir ainsi

---

Nid mystérieux des familles (Ecriture et Parenté)], octobre 1987, pp. 53-72., surtout pp. 55-63.

[135] Henri de Régnier, «La Confession nocturne», dans *Contes pour Chacun de nous*, illustrés par A. Mayeur (Paris : Aux Editions Lapina, [1926]), pp. 45-55.

[136] Ibid., p. 48.

[137] Ibid., p. 49.

[138] Ibid., pp. 52-53.

[139] Ibid., p. 55, début du paragraphe final.

surgir en fin de chronologie, et par le truchement d'une des descendantes *virginales* de George Sand, le mot même qui venait mettre fin («*fin comme gribouille*») aux incessants calembours de Bambochinet, pitre et homme de lettres, dans *Les Confessions de Bambochinet, ouvrage taciturne et ennuyeux, contenant un tas de bêtises plus stupides les unes que les autres, orné d'absurdités et enrichi de balourdises de plus en plus embêtantes* [140]. Il importe de souligner qu'au moment crucial où la maladie de Mireille sera révélée (coprostase pithiatique), et l'hypothèse de la monstruosité formulée, le texte met en avant une série impressionnante d'encriers gigantesques et vides, couverts d'inscriptions «*en russe, grec, turc, arabe, chinois, copte*», tous alphabets étrangers à l'alphabet latin :

> "Des encriers de bronze ou d'airain, des encriers en or ou en argent, des encriers en galuchat, des encriers en maroquin, des encriers Bouddha, des encriers lion, des encriers fer à cheval, des encriers porte-bonheur, des encriers locomotives, tender, fourgon-postal, wagon-lits, des encriers en forme de tour, de pont, de chaudière, de gare, de sémaphore, de château-d'eau, des encriers composés de groupes de femmes nues, d'armes compliquées, de coquillages, de cristaux, de pépites, de boulons, surmontés de bustes de chefs d'Etat, de statues, ornés d'insignes corporatifs, d'emblèmes de sociétés, d'écussons communaux, de devises, de palmes, de couronnes, de victoires, de roues dentées, d'enclumes, de pinces et de marteaux."[141]

Cet étalage de mauvais goût pourrait représenter, au pire, la production qu'on vient d'examiner ; au mieux, une image concrète de l'écriture épuisée dans son aspect le plus monumental, pierre tombale de Gribouille qui s'y essaya parmi les premiers, comme en dernier. La voix n'évince pas l'écrit chez Cendrars, elle en est l'alternative ailée. Elle ne signe pas, comme pour le John James Todd de William Boyd, la fin inéluctable du film *muet* qu'il aurait voulu *épique* [142]. Aux confins de l'écriture, sur l'aire de la parole tue, là où pour la Décadence palpita l'aile mystérieuse du silence, Cendrars eut encore le courage d'écrire :

---

[140] Plaquette de 11 pages. On lit sur la couverture : «*nouvelle édition (comme la soupe aux choux) revue et massacrée par Bambochinet*» ([Nantes] : [Impr. de W. Busseuil], [1848]). Sur la 4e de couverture, un Petit Dictionnaire d'Argot.

[141] Blaise Cendrars, *Les Confessions de Dan Yack*, roman (Paris : Au Sans Pareil, 1929), cité dans l'éd. Denoël des Œuvres complètes, vol. III, pp. 217-218.

[142] L'arrivée du son est la clé du chapitre «End of an Era» de Boyd.

NOTE
Ce livre deuxième n'a pas été écrit.
Il a été entièrement dicté *au DICTAPHONE.*
Quel dommage que l'imprimerie ne puisse pas également enregistrer
la voix de Dan Yack et quel dommage que les pages
d'un livre ne soient pas encore sonores.
Mais cela viendra.
Pauvres poètes, travaillons.

B.C.

APPENDICE

1821 [Thomas de QUINCEY] «Confessions of an English Opium Eater», première publication en deux émissions, *London Magazine* (septembre et octobre). Paru en volume en 1822.

1828 [Thomas de QUINCEY] *L'Anglais mangeur d'opium*, traduit de l'anglais par A.D.M. [Alfred de Musset], réédité et réhabilité en 1878 par Heulard

1830 [Jules JANIN] *La Confession*, par l'auteur de «L'Ane mort et la Femme guillotinée», 2 vol., 2e éd. dans la même année, rééd. en 1861

1834 Gustave DROUINEAU *Confessions poétiques*

1836 Alfred de MUSSET *La Confession d'un Enfant du Siècle*, nouvelle édition en 1840 (nombreuses suppressions)

1840 Amédée de BAST *Le Confessionnal de l'Hôtel de Sens, ou Les Pages du roi en 1375*, roman historique [avait paru en 1838 sous le titre *Les Pages du roi d'Arménie, ou l'Hôtel de Sens en 1375*]

Frédéric SOULIÉ *Confession générale*, réédité en 1840-1848 (Souverain, 7 vol.), en 1848 (Boulé), en 1856 (sous le titre *Les Confessions générales*, La Librairie Théâtrale), en 1857 (Aux Bureaux du Constitutionnel), en 1858 et en 1865-67 (Michel Lévy).

1843 *Confession d'un Criminel*
La Confession d'une Plume de fer, par J.-A.H.

1846 *Les Confessions d'une Jolie Fille*, mises en lumière par un clerc d'avoué

1847 Auguste LUCHET *Souvenirs de Fontainebleau. Le Confessionnal de Sœur Marie*, 2 vol.

1848 *Les Confessions de Bambochinet, ouvrage taciturne et ennuyeux*
Alexandre de SAILLET *Les Confessions d'un Ecolier*

1849 CHAMPFLEURY *Confessions de Sylvius* [Les Veillées littéraires illustrées, III]
Confessions d'un Communiste-Icarien, simples récits

1849-50 Cte Xavier de MONTÉPIN *Confessions d'un Bohême*, 5 vol. in-8°, réédité en 1878 (in-4° à 2 col., fig.) ; suite de *Le Vicomte Raphaël*

1851 Emile SOUVESTRE *Confessions d'un ouvrier*, 3e éd. revue et augmentée en 1852, réédité en 1857, 1864, 1867, 1872 [*Le Droit chemin, confessions d'un ouvrier*], 1873, 1905, etc...

1852 Eugène de MIRECOURT *Les Confessions de Marion Delorme*, 8 vol., réédité en 1856 et 1858 (Havard), 1860 (Bourdillat), 1864, 1870 (Impr. de P. Dupont, in-4°, fig.), 1874, 1876 et 1879 (Michel Lévy Frères) et 1903 (Impr. de E. Colin)

1853 Cléophas-Reimbold DAUTREVAUX *Les Confessions du dernier septembriseur*
Clémence ROBERT *Le Confesseur de la Reine*, 3 vol., réédité sous le titre *Le Pasteur du peuple* (1861).

1855 *Les Confessions d'un Loup, Manuscrit découvert par un Bûcheron dans un arbre ayant servi d'habitation à un Hibou, ex-Sténographe à l'Assemblée Législative des Animaux*, rééd. en 1858, 1861, 1862, 1865, 1869

1856 Arnould FRÉMY *Confessions d'un bohémien* [Bibliothèque nouvelle]

1857	Charles BAUDELAIRE	«Confession», *Les Fleurs du Mal*, pièce XLV

1859 Nicolas de SÉMÉNOW — *La Confession d'un poète* [roman]

1860 — *La Confession d'un Etudiant, estaminets, bouges et ruisseaux par un Bohême*

Dr. S. C. MAETTS — *Confession authentique d'un pendu ressuscité (Albert W. Heecks de Beldloc's-Island)*, traduit par Patrick O'Sullivan

1861 Cte Xavier de MONTÉPIN — *La Confession* *

1862 Alexandre DUMAS — *Les Confessions de la Marquise*, suite et fin des *Mémoires d'une Aveugle*, 2 vol. [Avait paru en 1856-1857 sous le titre *Madame du Deffand* en 8 vol.], rééd. en 1864 (Musée Littéraire Contemporain à 10 c la livraison).

1863 Charles DOLLFUS — *La Confession de Madeleine*

Adolphe Mathurin de LESCURE — *Les Confessions de l'abbesse de Chelles, fille du Régent*, rééd. en 1890 ["Les Maîtres du Roman"].

1864 Mlle Marie GARCIA — *La Confession d'Antonine*, préface de Léon Gozlan

1865 Toby FLOCK — *Confessions d'amour : Marie-Anne – Mme X****

Léon de MARANCOURT — *Confessions d'un commis voyageur*, 3 éd. dans l'année

Edouard OURLIAC — *Les Confessions de Nazarille* [suite de *Suzanne*]

George SAND — *La Confession d'une jeune fille*, 2 vol., réédité la même année

Emile ZOLA — *La Confession de Claude* (daté de 1866), réédité en 1880

1866 — *Le Confesseur*, par l'abbé ***, auteur du *Maudit*, 2 vol. *

Les Confessions d'Henriette [ouvrage incomplet]

Adolphine de Jonge VALTER — *Les Confessions de la Comtesse d'Aquilar*, étude historique [sic]

1866-68 Louis d'APILLY — *LES CONFESSIONS INVOLONTAIRES* : I. *L'Idiot*, II. [*La Tache originelle*], III. *Les Catacombes de Naples*, IV. *L'Ecole des Affligés*, V. *La Maison sans Dieu*, 5 vol. in-18.

1867 Eugène MORET — *Confession d'une jolie femme*, 5e éd. en 1869, réédité en 1880 (Dentu) [1]

1868 — *Confession de la Dame Masquée*, par elle-même

Félicien MALLEFILLE — *La Confession du gaucho. Le Champ de Mars*

Vte Georges M'EN-DAWY — *Les Confessions de la comtesse Mathilde D*** (de Florence)*, 2 vol.

Raoul de NAVÉRY — *La Confession de la Reine*

1869 Alfred ASSOLLANT — *La Confession de l'abbé Passereau*

Emile FAURE et Thomas PUECH — *Le Confessionnal*

1870 — *Les Confessions d'un Prêtre par Lui-Même*

1871 [Alain KÉROUAN] — *Les Confessions d'un séminariste breton* [publié par livraisons, incomplet]

1873 Cte Xavier de MONTÉPIN — *Les Confessions de Tullia*, réédité en 1888 sous le titre *Les Débuts d'une étoile* (Dentu)

1875 L[ouis] BERGERON — *La Confession de Madame X...*, 2e éd. dans l'année, 9e éd. en 1888

1876 Eugène de MARGERIE — *La Confession de Romain Pugnadorès*

1878 — *Confession d'un Ecolier*, rééd. en 1885 et en 1896 [plaquette format

---

Eugène Moret a signé en 1873-1874 non moins de *quatre* volumes intitulés *Confession*, tous parus au Bureau/à la Librairie des Célébrités Modernes : *Les Confessions de Ninon de Lenclos* (1873); *Confession de Mme de Pompadour* (1873); *Confession de la Ctesse du Barry* (1874); *Confession de Mlle de La Vallière* (1874).

catéchisme]

1880   *Confession d'un abbé*, recueilli[e] par la sœur X., auteur des *Mémoires d'une religieuse* [Mme Veuve Guéranger] *
La Confession générale d'Audinot [1774], réimpression avec notes, par Auguste Paër

Maxence GILET   *Les Confessions de Polycarpe Bouffard*

1881   *Les Confessions de Jean-Jacques Bouchard, Parisien, suivies de Son Voyage de Paris à Rome, en 1630*, rééd. en 1930

Paul VITEAU   *Confession d'une toute jeune femme et Fantaisies anodines* [vers]

1882 Louis NICOLARDOT   *Confession de Sainte-Beuve*
Louis ULBACH   *La Confession d'un abbé*, 3e éd. en 1883 et nouv. éd. en 1891
Guy de MAUPASSANT   «Confessions d'une femme», 28 juin

1883 J.W. von GOETHE   *Les Confessions d'une belle âme* [Bekenntnisse einer schönen Seele], trad. nouvelle par Paul Lallier [*Wilhelm Meisters Lehrjahre*, VI]

Guy de MAUPASSANT   «La Confession de Théodule Sabot», 9 octobre
Aurélien SCHOLL   «La Confession d'un Enfant du Siècle», *L'Orgie Parisienne*

«La Confession» [*Marguerite de Thérelles allait mourir...*], 21 octobre

1884 Guy de MAUPASSANT «La Confession» [*Quand le capitaine Hector-Marie de Fontenne...*], 12 août
«La Confession» [*Tout Véziers-le-Réthel avait assisté...*], 10 novembre 1884

Léon SAINT-FRANÇOIS   *Confession galante, souvenirs d'un irrégulier*

1885 Mme A. RENEY-LEBAS   *Confessions d'une cantatrice*, préface d'Arsène Houssaye
Albert TREVAD   *La Confession de Jobic*

1885-91 Arsène HOUSSAYE   *Les Confessions, souvenirs d'un demi-siècle, 1830-1880*, 6 vol.

1886 Mme Manoël de GRANDFORT   *Confessions féminines*, illustrations de Fernand Fau
Louis de HESSEM   *Les Confessions d'une Comédienne* [Caroline Bauer], publiées par [...]
Paul MARGUERITTE   *La Confession posthume*, rééd. en 1890 [coll. "Auteurs célèbres, n° 182"], en 1891 (Librairie Marpon et Flammarion) et dans *Avril* en 1905 [Fayard, Modern-Bibliothèque, n° 19].
Amédée PIGEON   *La Confession de Mme de Weyre*

1887 Charles DORIGNY   *Confessions de Georges Vuillemin, ou Méditations sur le bonheur*
George MOORE   *Confessions of a Young Man*, neuf chapitres sur douze dans *Time*, (juillet à novembre)

1888   *Confessions d'une repentie écrites par elle-même* (*La Bohème dorée du grand monde*) *

Baron de CHÉSYLVAIN   *Confessions d'un poseur de lapins*
Charles Pinot DUCLOS   *Les Confessions du comte de *** [1741], nouv. éd. en 1889, rééd. en 1920, 1923 etc.
Albert GAGNIERE   *Les Confessions d'une Abbesse du XVIe siècle [Felice Rasponi]*, d'après un manuscrit de la bibliothèque de Ravenne

---

George MOORE   *Confessions of a Young Man* (Swan Sonnenschein, Lowry & Co.).
(mars Première édition anglaise

Version française dans *La Revue Indépendante*, dir. Edouard Dujardin (mars à août)
Le nom du héros fictif Edwin Dayne le cède à celui de George Moore.

1889	Gustave ETHBER	*A TOUS LES MARIS ! A TOUS LES PERES DE FAMILLE ! La Confession d'un confesseur, par l'Abbé Henry Z****, ouvrage publié après le suicide de son auteur [Bibl. ouvrière cosmopolite]
	Victor FOURNEL	*La Confession d'un père*, nouv. éd. en 1901
	George MOORE	*Confessions d'un Jeune Anglais* (Paris : Albert Savine). Ajout du chapitre XII, «Examen de minuit». *Confessions of a Young Man*, 3e [sic, pour 2e] éd. anglaise remaniée, probablement postérieure à l'édition française.

1890	Arsène HOUSSAYE	*La Confession de Caroline* [Auteurs célèbres, n° 142] *
	Catulle MENDES	*Le Confessionnal (contes chuchotés)*
	Thomas de QUINCEY	*Confessions d'un mangeur d'opium*, première trad. intégrale par V. Descreux, réédité en 1903
	Léo TRÉZENIK	*La Confession d'un fou*

| 1891 | Charles MÉROUVEL | *Confession d'un gentilhomme*, 3 rééd. non datées antérieures à 1906, format grand in-8° avec fig.; réédité en 1918 avec le sous-titre «roman tragique» |
| | Marcel PRÉVOST | *La Confession d'un Amant*, 10 éd. dans l'année, réédité en 1905, 1907, 1919, 1925 ["Nouvelle Bibl. Flammarion"], 1929 (Fayard), 1932, 1933. |

| 1894 | Henri ALLAIS | *Les Confessions de Riquet* |
| | Louis de CATERS | *La Confession d'une Femme du Monde – L'Amour brutal* |

| 1895 | Marie Anne de BOVET | *Confessions d'une fille de trente ans*, cinq éd. en 1895, rééd. en 1918 |
| | Paul VERLAINE | *Confessions, notes autobiographiques*, réédité en 1899 avec les illustrations de F.-A. Cazals |

1896	Marie Anne de BOVET	*Confessions conjugales*, réédité en 1926
	Philippe CHAPERON	*La Confession de Jacques, mémoires d'un fils*, 3e éd. [sic]
	Martial MOULIN	*La Confession d'un paysan*

1897	Michel CORDAY	*Confession d'un Enfant du Siège*
	Henry KIST[EMAECKERS]	*La Confession d'un autre Enfant du Siècle*, Roman Sardonique
	Maximilienne NOSSEK	*Le Confesseur* *

| 1898 | Eugène de LA QUEYSSIE | *LES CONFESSIONS : Bonnes Gens* [annoncés à paraître, deux volumes supplémentaires de ce cycle, *La Femme de Tantale* et *Le Ramasseur d'épaves*]. |
| | Pierre de VAUDEMONT | *Confessions d'une Orpheline* |

| 1901 | Edouard de MORSIER | *Confessions* [vers ; fait suite au volume *Angoisses*] |

1902	Henry CAEN	*La Confession d'une fille*
	Olivier de TRÉVILLE	*La Confession d'une Religieuse*
	Pierre VALDAGNE	*La Confession de Nicaise*, réédité en 1909 et en 1922

1903	Gaston DERYS	*Confession de deux Amants*, roman, réédité en 1927
	Abel HERMANT	MÉMOIRES POUR SERVIR À L'HISTOIRE DE LA SOCIÉTÉ. [II]. *Confession d'un Enfant d'hier*, 9 éd. en 1903, rééd. en 1909 et en 1925
	Abel HERMANT	MÉMOIRES POUR SERVIR À L'HISTOIRE DE LA SOCIÉTÉ. [III]. *Confession d'un Homme d'aujourd'hui*, à son 11e éd. en 1904, rééd. en 1910 et en 1926
	Pierre LOUŸS	«La Confession de Mademoiselle X.», dans *Sanguines*
	Mme Stanislas MEUNIER	*Confessions d'Honnêtes Femmes [L'Eau qui dort]*, roman, 2e éd. [sic]

| 1904 | Judith CLADEL | *Confessions d'une Amante*, roman |
| | Mme Stanislas MEUNIER | *Confessions d'Honnêtes Femmes. La Comédie secrète*, roman, 2e éd. [sic] |

1905 Jane de LA VAUDERE et Théo CRITT [Théodore Cahu]
    Confessions Galantes, illustré de 60 compositions de Préjelean

1906 X.X.X.   *Confessions d'une jeune femme*
    Jules HOCHE   *Confessions d'une Princesse. Journal authentique de la princesse de Saxe*,
                                    traduit de l'allemand par [...]
    Jules HOCHE   *Confessions d'un homme de lettres*
    Marie-Louise de SAINTE-SUZANNE *Confession* *

1907 *La Confession d'un Prêtre et ses Conseils, après son retour à la vie spirituelle*
    Fanny ÉMERIC   *La Confession d'une Femme du Siècle*, roman *
    M. GONFAZ   *Les Confessions de Louisa Burnat* ["Pour jeunes filles"]
    Wanda de SACHER-MASOCH *Confession de ma vie*, 4e éd. dans l'année

1908 Tancrède de VISAN   *Lettres à l'Elue. Confession d'un Intellectuel*, préface de Maurice Barrès *

1909 Maksim GORKI   *Une Confession*, roman, traduit d'après le ms. par S. Persky
    Louis HÉBRAS   *Confession d'Artiste*, nouvelle
    Frédéric MARCELIN   *La Confession de Bazoote* *
    Edith WHARTON   «Le Confessionnal» [*Crucial Instances*, 1901], traduit dans *Les Metteurs en
                             scène*, par Jeanne Chalenson

1912 Alice LOBERT   *La Confession d'une Vierge*

1913 Julien HAWTHORNE   *Le N° 29759. La Confession d'un condamné*, trad. d'Albert Savine *
    Georges-Clément LECHARTIER   *La Confession d'une Femme du Monde*, réédité en 1925 (Plon-
                             Nourrit) et en 1929 (Plon)

1914 Robert Hugh BENSON   *Les Confessions d'un converti* [Ave Maria, 1906-1907], traduit de l'anglais
                             par Téodor de Wyzewa, 7e édition en 1932

1917 Georges DOCQUOIS   *La Confession légère* [Parisienne-Collection, n° 10]

1920 Georges DUHAMEL   *Confession de minuit*, rééd. en 1923 (Crès), 1925, 1926 (Jonquières), 1927
                       (Fayard), 1930 (Nelson), 1931 (Meulenhoff), 1936 (Flammarion), 1944 (La
                       Palatine) etc.
    Gaston PICARD   *La Confession du Chat*, préfacé par J.H. Rosny aîné [Prix National de
                       Littérature]

1922 Fédor DOSTOIEVSKI *La Confession de Stavroguine*, complétée par une partie inédite du *Journal de
                       l'écrivain* [Les Possédés, 1873], traduit par E. Halpérine-Kaminski
    Sergeï A. ESSENINE   *Confession d'un voyou* [1921], traduit par Marie Miloslawski

1925 Marie BASHKIRTSEFF *Confessions* [Cahiers féminins, 3] *
    Armand FRANCE   *La Confession d'un Pontife du Siècle*
    René JOUGLET   *Les Confessions amoureuses*
    Tita LEGRAND   *Confessions d'une Opiomane*, préface du Dr. H. Nermord
    Jacques LOMBART   *La Confession nocturne*

1926 Sir Ernest J.-P. BENN   *Les Confessions d'un Capitaliste*, traduit de l'anglais par Marie Salomon
    Georges MALDAGUE   *La Confession de la Renaude* [Mon roman complet inédit et illustré, n° 145]
                       *

    | Henri de RÉGNIER   «La Confession nocturne», *Contes pour Chacun de nous* |

1926-27 Marcel PRIOLLET   *LES CONFESSIONS D'AMOUR* : 18. *J'ai tué mon cœur !*, 20. *Le Miracle des
                       baisers*, 22. *Morte au champ d'amour...*, 24. *Drame d'alcôve*, 26. *L'Epouse
                       traquée*, 28. *Le Baiser de Carmen*, 30. *Elle aimait trop la danse*, 32. *Une
                       chaumière... et deux cœurs*
                                  [Romans célèbres de drame et d'amour, n° 18-32] *

1926-1932 Marcel PRIOLLET   *LES CONFESSIONS D'AMOUR* : [1. *Cœurs poignardés*, 2. *A la recherche de
                       l'oubli]*, 3. *L'Homme de la nuit*, 4. *Les Deux Innocentes*, 5. *Entre l'ange et

le démon, 6. L'Enterrement d'une vie de garçon, 7. Prince et Vagabond, 8. Coureur de dot, 9. La Faute d'une femme, 10. La Fin d'un secret, 11. Leur nuit nuptiale, 12. Face aux bourreaux, 13. Le Serment violé, 14. Le Galop vers la mort, 15. Mère aux abois, 16. A la poursuite de l'adorée, 17. Loups autour d'un berceau, 18. A cause d'une femme, 19. Un cas de conscience, 20. Lune de miel, 21. Le Hors la loi, 22. L'Infidèle, 23. Le Mari se venge, 24. Le Cœur ne vieillit pas, 25. Sous le Joug d'un Homme, 26. La Tentatrice, 27. Le Diamant fatal, 28. Madame X..., 29. Amoureuse... Ensorceleuse... Voleuse..., 30. La Bâillonnée.
[roman populaire illustré, imprimé sur deux colonnes, paraissant tous les samedis, pagination continue, 30 fascicules in-4°, couv. ill.]

1927	Charles-Henry HIRSCH	Confession d'un voleur

1928	Maurice BOUCHOR	Confession de foi, poème
	Jean DESJARDINS	La Confession d'un séducteur, roman dramatique inédit * [Mon livre favori, n° 394]
	Marie LAPARCERIE	CONFESSIONS DE FEMMES. Ginette, femme fatale, roman. [Sous le même chapeau, il parut Pourquoi j'ai tué ; est annoncé à paraître Une femme méchante].
	Abraham Lêb ZISSU	La Confession d'un Candélabre [Spovedania unui candelabru], traduit du roumain par B. Fondane

1929	Maurice Pierre BOYÉ	La Confession au clair de lune (récit d'un lièvre) [Les Cahiers du Haut-Doubs, 2]
	Blaise CENDRARS	Les Confessions de Dan Yack, roman
	Jean DUMSER	Les Confessions d'un autonomiste alsacien-lorrain
	Renée DUNAN	La Confession cynique, roman
	Dr Adolphe JAVAL	La Confession d'un agriculteur
	Thomas MANN	«Les Confessions du chevalier d'industrie Félix Krull» [Bekenntnisse des Hochstaplers Felix Krull, 1911], trad. par Joseph Delage, dans Désordre, mention de 12e éd. dans l'année

1930	Dr Adolphe JAVAL	Mes luttes avec M. Lebureau (La Confession d'un administré)
	Maurice MAGRE	Confessions sur les femmes, l'amour, l'opium, l'idéal, etc....
	Arthur SYMONS	Confessions. A Study in Pathology

1932	Mikhaïl A. BAKOUNIN	Confession [1857], traduit du russe par Paulette Brupbacher

1933	Rositta GIRARDOT	Confession d'une femme, roman
	Dr. Eugène-Bernard LEROY	Confession d'un Incroyant, Document Psychologique [1913]
	Marcel ROUFF	«La Confession du Pacifique, roman inédit et complet» [Les Œuvres Libres, CXLIX]

SARAH D'AL-AKKAD :
ENTRE LES THÉORIES OCCIDENTALES
ET L'OPTIQUE ÉGYPTIENNE

Oussama NABIL
Université Al-Azhar, Egypte

Sarah, publié en 1939, est le "roman" unique d'Abbas Mahmoud Al-Akkad : En effet, il écrit cet ouvrage non seulement pour manifester son talent romanesque à ses contemporains mais aussi pour répondre à son besoin psychologique intérieur : Al-Akkad est un écrivain orgueilleux ; difficile de reconnaître aucune faiblesse : il se sent souvent étranger dans le milieu intellectuel de son temps.

C'est un écrivain autodidacte ; semblable à Rousseau à plusieurs égards, mais deux siècles plus tard : il pense que les autres le comprennent mal ou ne le comprennent pas du tout. Dans son autobiographie *"Moi"*, Al-Akkad exprime son étonnement lorsqu'il les entend parler de lui ou le décrire "j'ai l'impression - dit - il - qu'ils parlent d'un homme que je n'ai jamais rencontré (…) C'est un homme (toujours selon les autres) maîtrisé par le pouvoir de la logique et de la reflexion : le pouvoir du coeur et de la passion n'ont aucune influence sur lui[1].

Or Al-Akkad se voit autrement, "un homme excessivement modeste ; tolérant, qui ne vit pas "parmi les livres, et mène la vie. C'est un homme qui n'échappe pas un seul moment, de la journée, ou la nuit, au pouvoir du coeur et de la passion"[2].

Cependant, Al-Akkad avoue qu'il est d'une nature méfiante. Sa méfiance provient de sa façon de voir les choses. Les idées doivent être soumises à ses propres critères : ceux-ci le poussent souvent à rechercher, dans les idées, des arguments convaincants et selon lui, "rares sont les arguments convaincants".

١- عباس محمود العقاد، أنا *(Moi)* ، القاهرة، دار الهلال، ١٩٨٣ص٢٧-٢٨ 'حين أسمعهم يصنفون أو يتحدثون عنه، حتى ليخطر لى فى اكثر الأحيان أنهم يتحدثون عن إنسان لم أعرفه قط ولم ألتق به مره فى مكان (...) ورجل يملكه سلطان المنطق والتفكير ولا سلطان للقلب ولا للعاطفه عليه.'

٢- أنا ' *Moi* ' ص٢٨ ' رجل مفرط فى التواضع ورجل مفرط فى الرحمه واللين ورجل لا يعيش بين الكتب إلا أنه يباشر الحياة، رجل لا يفلت لحظة واحدة فى ليله ونهاره من سلطان القلب والعاطفه.'

Al-Akkad a écrit deux récits, reconnus par la critique égyptienne comme autobiographiques, ouvrage[3] tantôt à la première personne, tantôt à la troisième personne du singulier, l'emploi de la troisième personne n'a pas masqué l'identité de l'auteur, au contraire, il a donné, au récit une certaine clarté.

Dans ces deux récits[4], Al-Akkad nous raconte non seulement ses souvenirs d'enfance et ses relations intellectuelles mais il nous parle également de ses conceptions littéraires et artistiques.

L'auteur n'y dévoile pas ses relations sentimentales. Il s'y est contenté plutôt de défendre sa technique romanesque.

> "On a dit à plusieurs reprises que *Sarah* ne s'accorde pas avec le système moderne du roman : ces critiques n'ont pas dit quelle est la méthode qu'il faut suivre, quelles sont les théories techniques qu'ils imposent à chaque écrivain..."[5].

Selon Al-Akkad, *Sarah* "Hammane constitue ni la biographie de son héros ni celle de Sarah, l'héroïne du roman" il est plutôt l'histoire d'une relation entre homme et femme. Cette histoire s'est passée dans un temps limité. Son but est de décrire les raisons intérieures et extérieures qui mènent aux doutes et aux perturbations.

Sarah entre l'autobiographie et la fiction

Sarah est un récit à la troisième personne ... Au premier abord l'oeuvre semble annoncer que l'auteur est lui-même le narrateur quoiqu'il ne soit pas le personnage central du récit. Le narrateur raconte une histoire qui n'est pas la sienne. Le nom du héros est fictif. Tous les indices apparents placent le récit dans la fiction. On le baptise, alors, roman.

Une profonde lecture du contenu de l'oeuvre ne garantit pas ce classement. Le lecteur peut deviner des ressemblances entre Auteur et personnage central. Ces ressemblances diminuent l'espace "fictionnel " dans le récit. On y ressent un glissement "factuel". Nous envisageons, alors, un ouvrage, à cheval, entre la fiction et la réalité : la problématique que nous rencontrons est celle d'une lecture. Lisons-nous *Sarah*, comme étant une fiction ou une autobiographie ?

3– أنا ' *Moi* '

4– عباس محمود العقاد، حياة قلم (*la vie d'une plume*)، القاهرة، دار المعارف، ١٩٨٣ '

5– أنا *Moi* '، ص١٢٧ وقـد قيل غيره مـره أن 'سـاره' لا تجرى على منهج القصـة المتبـع، ولم يقل أصحاب هذا مـا هو منهج المتبع الذى يعنونه وما هو القانون الفنى الذى يفرضه على كل كاتب'.

Serait-il peut-être plus efficace de définir l'Autobiographie avant de répondre à une telle question.?

Selon Abdel Aziz charaf *"l'autobiographie coule du dictionnnaire humain, qui contient, de toutes les langues humaines, des mots exprimant la solitude, I'isolation, la timidité, la contemplation, l'introspection, la réflexion intellectuelle, la pensée intime, et la conscience individuelle."*

Il ajoute que l'aueur de l'autobiographie[6] aurait la possibilité de vivre sa vie intérieure, extérieure et métaphysique, à travers ses souvenirs, de dévoiler les secrets de sa vie intime, de se méditer au fond de soi."[7]

Philippe Lejeune définit l'autobiographie en tant que

"récit rétrospectif en prose qu'une personne réelle fait de sa propre existence, lorsqu'elle met l'accent sur sa vie individuelle, en particulier sur l'histoire de sa personnalité". [8]

Selon lui, pour qu'il y ait une autobiographie il faut ce qu'il appelle "un pacte autobiographique, c'est-à-dire : Auteur = Narrateur = Personnage central.

Gérard Genette pense, que le récit devient factuel lorsque Auteur = Narrateur et la dissociation de l'auteur "définit la fiction, c'est-à-dire un tvpe de récit dont l'auteur n'assume pas la véracité"[9].

La critique française tout comme la critique égyptienne sait distinguer entre autobiographie et les genres voisins comme : mémoire, biographie, roman personnel, poème autobiographique, journal intime, et autoportrait ou essai.

Concernant le récit incertain, hésitant entre l'autobiographie et le roman, la critique occidentale, en particulier la critique française accorde une grande importance à ce genre d'écriture, né à la fois, du roman et de l'autobiographie.

Alors, baptisé, "roman autobiographique ou autofiction" tout récit autobiographique à la troisième personne :

6- د/ عباس عبد العزيز شرف، *أدب السيرة الذاتية*، القاهرة، لونجمـان، ١٩٩٢ · 'فالسيرة الذاتيـة إذا تتبع مـن القـامـوس الانسـانى، الذى يحوى فى معظـم لغات البشر كلمـات تعبر مـن الوحدة، والعزلـه، والأنطواء، والتأمل، والأستبطان، والتفكير العقلى، والضمير، والوعى الفردى·'
7- د/ عباس عبد العزيز شرف، *أدب السيرة الذاتية*، · 'تسـير لـه أن يعيش حياته الداخلية والخارجية والعليا من خلال ذكرياته، والكشف عن أسرار حياته البا'نية، وتأمل ذاته العميقة، بمـا فيها مـن ثراء داخلى، يمثل عالمـا أصغر·'

8 Philippe Lejeune, *Le Pacte autobiographique*, Paris, Seuil, 1975, p. 14.
9 Gérard Genette, *Fiction et diction*, Paris, Seuil, 1991, p. 80.

"J'appellerai (roman autobiographique) ainsi que tous les textes de fictions dans lesquels le lecteur peut avoir des raisons de soupçonner, à partir des ressemblances qu'il croit deviner, qu'il y a identité de l'auteur et du personnage, alors, lui, a choisi de nier cette identité ou du moins de ne pas l'affirmer. (...) Il (le roman autobiographique) se définit de son contenu."[10]

Par contre la critique égyptienne ne se contente pas de canoniser les limites entre Autobiographie et Roman. L'espace autobiographique est son seul critère capable de distinguer entre roman et autobiographie. Par exemple aux yeux de la critique égyptienne, le *Livre des jours* de Taha Hussein est une vraie autobiographie grâce à l'espace autobiographique considérable qui abonde dans le récit. Par contre, selon les critères de Philippe Lejeune, le *Livre des jours* est une autofiction ou roman autobiographique où le pacte autobiographique est absent .

De méme, selon l'optique égyptienne, *Sarah* est un roman car le texte est écrit dans un cadre romanesque .

"*Le livre des jours* est une autobiographie littéraire, si ses éléments sont légèrement changés il devient un roman comme *Le retour de l'âme* de Taofik el Hakim,Ibrahim el Kateb, *l'Ecrivain* d' Al Mazni, ou *Sarah* d'Al-Ahkad dans ces derniers les éléments autobiographiques ne sont pas minimes, les sujets sont écrits dans un cadre romanesque, c'est pourquoi ils appartiennent au roman non pas à l'autobiographie (...) *Le livre des jours* reste l'autobiographie littéraire la plus complète dans notre littérature"[11].

L'appellation autobiographie littéraire pour désigner un roman autobiographique (ou autofiction) manque de précision car le mot "littéraire" est un mot vague et englobe divers sens.

Sommes-nous certains que *Le livre des jours* de Taha Hussein manque d'imagination ? Sommes-nous certains que toute autobiographie même à la première personne est conforme à la réalité vécue de son auteur ? Une fidèle autobiographie n'existe pas. On a tort de croire pouvoir supprimer les frontières entre les genres littéraires.

---

10 Philippe Lejeune, *op. cit.*, p. 25.

١١ـ د / إحسان عباس، *فن السيره*، بيروت، دار الثقافة، ١٩٥٥، ص ١٥١ "وكتاب " الأيام "سيره" ذاتية ادبية، إذا تحولت عناصره بعض التحول، أصبح قصة كما فعل توفيق الحكيم فى " عودة الروح " والمازنى فى " إبراهيم الثابت " والعقاد فى قصة ســاره، فغى هذه الكتب شىء غير قليل من العناصر الذاتية والترجمة الشخصية، غير أنه موضوع فى إناء قصصى، ممزوج بقسط غير قليل من الخيال، فهى كتب لاحقه بالقصة "السيرة الذاتية"، وفى هذا الموقف المتوسط بين طرفين يظل كتاب " الأيام " أكمل ترجمة ذاتية أدبية فى أدبنا الحديث ."

Ihssan Abbas considère *Sarah* comme roman alléguant le manque de certitude, il est incertain au niveau de la description, au niveau de la narration comme au niveau des personnages.

En voyant les choses ainsi, le critique perd le bon chemin car rien n'est certain dans une oeuvre littéraire. Par contre l'incertitude est la chaîne perdue entre le réel et l'imaginaire. C'est elle qui marie les deux genres.

Plus se confirme la distance entre les genres plus on se glisse dans l'incorrection . Par contre plus on réduit au maximum cette distance entre les genres plus on approche de la réalité de l'oeuvre.

Certes, Sarah est un ouvrage qui se distingue par l'indécision. La confusion entre la réalité autobiographique et les fantasmes de son auteur constitue son contenu. Selon Philippe Lejeune, ce genre de récit est une forme indirecte du pacte autobiographique. Il l'appelle un pacte "fantasmatique".

Cette écriture incertaine, "Stéréographe", double, qui est ni une autobiographie ni un roman, mais un mélange de deux genres, emprunte à l'autobiographie l'exactitude et au roman la complexité.

Cette fusion produit une sorte d'ambiguïté qui marque nous semble-t-il, tout roman dit autobiographique .

Cette ambiguïté née d'une écriture double se lit, à la fois, comme une autobiographie et un roman : lequel est plus vrai ? c'est une question qui embarrasse la critique jusqu'a nos jours :

> "C'est en tant qu'autobiographie que le roman est décrété plus vrai. (…) le lecteur est aussi invité à lire le roman non seulement comme fiction, renvoyant à une vérité de 1a nature humaine, mais aussi comme des fantasmes, révélateurs d'un individu"[12].

I. Témoins et Ressemblances

Dans un article publié en 1938, dans la revue El Rissalah[13], Sayed Kotb nous a présenté *Sarah* comme l'évolution d'une expérience sentimentale. Les événements de cette expérience se déroulent dans l'esprit et le coeur de son auteur. Pour lui, *Sarah* est la biographie d'un coeur. Ce coeur est celui d'Al- Akkad .

D'autre part, Nemaate Ahmed Fouad affirme que dans *Sarah*, Hammam (le personnage central) n'est qu'Al-Akkad lui-même : "Le seul roman qu'il (Al-Akkad) a écrit, est son autobiographie[14]".

---

12 Philippe Lejeune, *op. cit.*, p. 42.

13- مجلة الرسالة ١٨ / ٧ / ١٩٣٨ ص ١١٧٩ .

14- نعمات احمد فؤاد ، الجمال والحرية والشخصية الإنسانية فى أدب انعقـاد، دار المعـارف القـاهرة.
١٩٨٣ . ص١٧٠ " القصه الوحيدة التى كتبها " سـاره " قصته هو .

Elle pense que chaque prénom, dans *Sarah*, a son homologue dans la réalité. Par exemple, le personnage de Hinde joue le rôle de Mayy Ziada dans la réalité.

Al-Akkad est de ceux qui sont en tête du salon littéraire de Mayy, il fréquentait ses réunions, et "Mayy" est "Hinde" dans *Sarah*"[15].

Chawki Daïf, un des disciples d'Al-Akkad, décrit *Sarah* comme un roman psychologique inspiré d'un événement réel de la vie

(d 'Al-Akkad,) "une violente histoire d'amour s'est déclenchée entre lui et celle qu'il a appelée Sarah"[16].

Kamel Al Chinawi indique, lui aussi, que Hinde est Mayy Ziada et Al-Akkad n'a pas nié la ressemblance entre Hinde et Mayy.

"J'ai remarqué dit il à Al-Akkad les traits de Mayy dans le roman de Sarah (...)".

"Vous avez décrit une d'elles, en disant qu'elle est entourée d'un fleuve qui aide à l'atteindre ... vous avez décrit l'autre comme une femme entourée d'un fleuve qui la protège. Mayy est sans doute cette dernière"[17].

Quant au personnage de *Sarah*, Daif nous apprend qu'elle est une jeune femme chrétienne étrangère. Al-Akkad la connaissait au cours des années vingt.

Al-Akkad a publié en 1924-1925 quelques articles sur les lettres et les arts où il parle de la femme orientale, de ce qu'elle doit garder de la tradition et de ce qu'elle doit emprunter aux femmes occidentales. Au début de cette période ou peu avant, un amour a frappé la vie d'Al-

---

[15] ـ فى *أدب العقاد* ٠ ص ٠ ٢٣١ ٠ فالعقاد من ذلك الرهط الذى كان يؤم صالون (مى) مجالسها، ومى هى بعينها (هند) فى (اره) ٠

[16] ـ د / شوقى ضيف، *مع العقاد*، دار المعارف، القاهرة، ١٩٨٨ ٠ ص٩١ ٠ وهى تحليلية نفسية أستمدها مَن واقعه حقيقية له، فقد نشب بينه وبين تلك التى اسماها سارا عنيف ٠

[17] ـ كامل الشناوى، *الذين أحبوا مى*، دار المعارف، القاهرة، ١٩٨٧ ص ٢٣ ـ ٢٤ ٠ قلت : ولقد رأيت كل ملامح ٠ مى٠ فى قصة ٠ سارة٠ ٠٠إن ٠ مى٠ هى ابطلة المنافسة ٠ لسارة٠ لقد وصفت إحداهما فقلت إن حولها نهرا يساعد على الوصول إليها ووضعت الأخرى فقلت إن حولها نهرا يمنع من الوصول إنيها ٠

Akkad en la personne d'une fille chrétienne étrangère, c'était plus tard le sujet de son unique roman *Sarah*[18].

Sachant la relation entre Al-Akkad et Sarah, Mayy a dû interrompre toute relation avec lui.

Taher Al-Tanahi nous signale que *Sarah* est une histoire vraie mais le personnage est présenté sous un faux nom. Al-Akkad lui même avoue cela lorsqu'il dit :

"Dans ma vie j'ai aimé deux fois Sarah et Mayy[19]" ; le livre d'Annis Mansour, *Dans le Salon d'Al-Akkad,* nous apprend qu'Al-Akkad connaissait trois femmes : Sarah, Mayy Ziada, et une actrice égyptienne.

En prenant en considération les ressemblances que les critiques essaient de prouver, nous lisons *Sarah* avec un oeil averti. Et malgré la difficulté que le texte impose, nous tâchons d'en dégager quelques indications autobiographiques.

Hammam ou Al-Akkad

Au chapitre 13, le narrateur fait allusion à l'âge de son héros :

"Il était dans la quarantaine quand il s'est attaché à elle"[20]. Au chapitre 14, le narrateur indique pour la deuxième fois l'âge du héros : "Il n'était pas très jeune dans la prime jeunesse car il a dépassé la trentaine, il est en train d'avoir quarante ans"[21].

Un calcul très rapide nous permet de dire qu'Al-Akkad avait 49 ans lors de la publication de *Sarah* (Al-Akkad est né en 1889, *Sarah* est publié en 1938). Comme Daïf le signale, la relation entre Sarah et Al-Akkad s'est passée dans les années vingt, c'est-à-dire

---

18‫ ـ‬ مع العقاد ص٣٩ ' وفيها يتحدث عن المرأة الشرقية وما يحس أن تستبقى من أخلاقها التقليدية وما يحس أن تقتبس من شقيقتها الغريبة ' ويجرى فى حياته منذ أوائل هذه المرحلة أو قبلها تقليل ضرب من الحب لفتاه أجنبية مسيحية، وفيها كتب، فيما بعد، قصته الفريدة "سارة".

19‫ ـ‬ عباس محمود العقاد، أنا، دار الهلال، القاهرة ١٩٦٤، ص ٢٠ ' لقد أحببت فى حياتى مرتين ' سارة' و ' مى'.

20‫ ـ‬ عباس محمود العقاد، سارة، نهضة مصر، القاهرة، ص ١١٤ ' تعلق بها وهو فى العقد الرابع من عمره ''

21‫ ـ‬ سارة ص ١٢١ ' لم يكن شابا فى مقتبل أيامه، لأنه جاوز الثلاثين وأوشك أن يصعد إلى الأربعين '.

lorsqu'Al-Akkad était dans la trentaine. Ce calcul prouve que l'auteur et son personnage ont presque le même âge.

Le narrateur ne déclare pas explicitement le métier de son héros. Cependant, le texte nous apprend que le héros est un homme très instruit, il lit Paul Bourget, Nietzsche, Schopenhauer, Carlyle, Goethe, J.J. Rousseau, Heine..., le nom de Napoléon figure dans le roman. L'allusion aux écrivains arabes est très rapide. Tout prouve que Hammam est d'une grande connaissance dans les domaines littéraires et philosophiques.

Au chapitre dix, Hammam écrit une courte pièce de théâtre dont Sarah est l'unique personnage, qui joue, en effet, trois rôles : Sarah la libertine, Sarah la sage et Sarah la mère.

Au chapitre quatre, Hammam écrit un cours de morale sous forme d'une lettre adressée à Sarah. Nous y voyons une forte indication autobiographique voire, une confession. C'est un message adressé par homme qui décrit un petit moment de sa vie et il veut garder ce souvenir propre et honnête jusqu'à la fin de sa vie[22].

Ajoutons que l'emploi du terme "notre ami" qui figure dans plusieurs situations renforce l'espace autobiographique dans le récit. Car, dans la littérature arabe, le terme Notre ami est une façon de dire "je".

Il nous semble ainsi que les commentaires et les ressemblances que le texte impose assurent la présence d'un espace autobiographique dans *Sarah*.

Une question s'impose pourquoi Al-Akkad écrit-il (cet instant autobiographique) sous forme d'un roman ?

Al-Akkad a écrit deux récits autobiographiques :

(*La vie d'une plume*)[23] et (*Moi*).

Ces deux livres[24] sont écrits à la première personne du singulier : Auteur = Narrateur = personnage central, la fierté et le courage marquent ces deux récits où l'auteur nous parle explicitement de lui même ainsi que de son entourage. Il nous raconte également les problèmes qu'il a envisagés. L'histoire de Sarah et celle de Mayy ne figurent ni dans *Moi*, ni dans *La vie d'une plume*. Al-Akkad y évite l'allusion à sa vie sentimentale. Ces instants intimes doivent être écrits

---

22– ساره ص ٣٧ ٠ أنها كلمه إنسـان يذكر برهـه مـن حياتـه ويـود أن يحتفظ بهذه الذكرى نظيفة شريفة إلى اخر ايام الحياه ٠

23– عباس محمود العقاد – /أنا – القاهرة – دار الهلال – ١٩٦٣ ٠

24– عباس محمود العقاد – حياة قلم – القاهرة – دار المعارف – ١٩٨٣ ٠

sous forme d'un roman pour trois raisons : personnelle, sociologique et psychologique .

A) Raison personnelle

Al-Akkad est un homme très célèbre dans le monde littéraire, philosophique et politique. Les femmes avec qui il établissait des rapports, étaient des femmes célèbres, soit dans le monde littéraire, soit dans le monde artistique. La forme romanesque permet à son auteur, de tout dire, sous prétexte que le roman est généralement une fiction. Dans ce cas, la forme romanesque n'est qu'un masque derrière lequel l'auteur raconte ses propres expériences.

B) Raison sociologique

Al-Akkad est musulman. Il est considéré comme un philosophe musulman. Le mariage est la seule forme que la société égyptienne musulmane accepte pour un couple.

Cependant, Al-Akkad ne respectait guère cette règle. Il avait des rapports avec des femmes de religion différentes Mayy Ziada est d'origine libanaise, elle est chrétienne, Sarah (Alice Daghir) elle aussi est libanaise, Daïf pense qu'elle est chrétienne mais le texte de Sarah ne confirme pas ce point de vue. Nous pensons qu'elle est plutôt juive, la troisième est la vedette du cinéma égyptienne Madiha Youssri qui est musulmane. Al-Akkad choisit la fiction pour pouvoir cacher des relations que la société égyptienne dénonce.

C) Raison psychologique

Al-Akkad écrit *Sarah* pour se débarrasser d'un fardeau. L'expérience le gêne. *Sarah* est une confession à soi même plus qu'à quelqu'un d'autre. Le but de cette confession n'est pas seulement la découverte du Moi errant et incertain, mais aussi le remède d'une crise sentimentale. Le traitement de cette crise est une défense contre ceux qui le prennent pour un homme cruel manquant de tendresse comme c'était la réputation d'Al-Akkad a l'époque. Dans *Sarah*, Al-Akkad tient à dessiner les mouvements intérieurs de son esprit, le dessin d'un secret caché que les autres ignorent .

Aprés avoir examiné les raisons pour lesquelles Al-Akkad écrit *Sarah* sous forme fictionnelle, une deuxième question se pose comment peut-on lire *Sarah* ? Cette question nous invite à étudier la structure du texte.

Structure

Sarah est composé de seize chapitres non numérotés. L'auteur se sert de la surface textuelle pour raconter sa propre expérience : son rapport avec Sarah .

Cette expérience est racontée deux fois dans le récit. La première se trouve dans les huit premiers chapitres et la deuxième dans les huit derniers chapitres.

Dans la première lecture, le télescopage porte sur Hammam. Trois thèmes la dominent : a) - l'amour b) - les doutes c) - la rupture.

Dans cette partie, la chronologie n'est pas respectée.

Pour des raisons purement psychologiques, l'auteur entame la narration par la fin. L'expérience doit être narrée selon la logique de son auteur et non pas selon la logique naturelle de l'histoire. C'est ainsi que le premier chapitre commence. Il a pour titre *Oh, c'est toi*, l'embarras, l'inquiétude et l'hésitation marquent l'atmosphère du chapitre, le héros rencontre sa bien aimée après une rupture, qui a duré cinq mois. Qu'elle soit réelle ou imaginaire cette rencontre est nécessaire pour le déclenchement du récit :

> "Cinq mois sont passés, auparavant, il (Hammam) n'osait pas traverser la rue à pied. Cette rue n'est pas décrétée effrayante car elle est entourée de bâtiments et peuplée de deux cotés par les passants et les habitants. Cette rue n'est pas loin de chez lui , car il en a besoin pour son aller et son retour car il habite dans la banlieue de la ville. Cette rue était le lieu de leur rencontre quand ils allaient au cinéma puis ils se rencontraient lors de la sortie"[25].

Dans ce chapitre, le narrateur jette la lumière sur le caractère sceptique et orgueilleux du héros. Le paraître et le caché se confrontent pour souligner une crise aiguë qui tourmente l'esprit du héros :

> "A ce moment (l'heure de la rencontre) il se sent noyé (...) dans la profondeur de l'océan houleux"[26].

Le lendemain, à 5 heures, ils se rencontrent. Ainsi se termine le premier chapitre. Ce rendez-vous sert non seulement à enchaîner le premier avec le chapitre suivant mais aussi à croître le climat angoissant du récit.

-25— ساره ص ٣ " مضت خمسه أشهر قبل أن يجروؤ على عبور ذلك الشارع شينا على قدميه وليس الشارع مقفرا أو مخيفا، لأنه محاط بالعمار مزدحم ى جوانبه بالسابله والسكان، وليس بالبعيد عن طريقه لأنه يوشك ان يحتاج إليه فى ذهابه وإيابه على حيث يقيم صاحبه المدينة، ولكنه كان شارعا يليتقيان فيه منذ ذهابهما إلى دار الصور المتحركة، ثم يلتقيان عند خروجهما منها ".

ساره ص ١٠ " وشعر بنفسه فى تلك اللحظة غريقا (٠٠٠) فى أعماق الأوقيانوس الهدار".

Ainsi, nous imaginons ce rendez-vous comme un épicentre d'un cercle autour lequel tourne l'action .

"Un rendez-vous" est également le titre du chapitre deux. Ce chapitre est un dessin très fin du moi morcelé du héros. L'action progresse lentement. A un moment donné, elle devient une focalisation sur la position du héros vis-à-vis du rendez-vous. On réussit, peut être, à connaître le moi multiple de Hammam :

- Un moi refusant
- Un moi désireux
- Un moi décisif

Hammam est fou de Sarah mais le doute le déchire :

"Mais pourquoi tous ces doutes qui ne se terminent pas .... Ecarte-les une fois pour toutes, suppose les pires hypothèses. Suppose qu'elle te trompe et toi tu jouis avec elle pendant que passele temps. Ni sa sincérité ni sa trahison ne te concernent plus"[27].

Les doutes deviennent le titre du troisième chapitre. Le récit progresse avec beaucoup de difficulté. Nous sommes dans le cercle que le premier chapitre impose.

Le narrateur n'arrête pas les analyses psychologiques de son héros. Le texte nous donne peu d'information sur Sarah (Ses aveux sur ses ex-expériences). Il est vrai que les informations données sur Sarah sont minimes, mais elle fonctionnent bien avec l'intention du narrateur qui tient a nous présenter des indices qui pourraient accuser Sarah de trahison.

Le quatrième chapitre a pour titre la remède de la méfiance. La méfiance dérange le texte, elle devient une leitmotiv et l'engrenage qui fait tourner le cercle (l'action). La remède de la méfiance n'est qu'un essai de la part de l'auteur afin d'assurer l'équilibre de ses analyses. La lettre insérée dans le chapitre garantit l'espace autobiographique et donne une certaine richesse au récit, sur le plan technique et idéologique.

Au niveau technique, la lettre soulage le ton angoissant de la narration et prépare le terrain à l'accusation de Sarah. Au niveau idéologique, la lettre est un cours de morale adressé à Sarah :

"Regarde ton visage dans le miroir. Regarde la souffrance de ta conscience qui te fait benucoup pleurer, sans doute, au moment de la solitude et de l'isolement".

27- ساره ص ١٥ ' لكن علام كل هذه الشكوك التى ليس لها من أول ولا أخر.. أصرفها عنك مره واحده وأفرض أسوأ الفروض - وقدر أنها تخومك راسك تلهو بها فى ساعات فراغك، ولا يعنيك من شأنها بعد ذلك إخلاص ولا خداع .'

Oussama NABIL - Sarah d'Al-Akkad...

des indices qui lui permettent d'éliminer Sarah de sa vie. Amin un nouveau personnage apparaît pour la première fois. Il est chargé de surveiller Sarah. Le chapitre cinq est important dans la mesure où le narrateur se trouve obligé de choisir des prénoms pour ses personnages afin d'éviter la confusion :

"Quant à notre ami, on le prénomme Hamman et on la prénomme désormais Sarah pour faciliter la parole sur eux"[28].

Nous lisons aussi dans ces chapitres une critique sociale contre quelques hommes de religion qui se caractérisent par l'hypocrisie. Cette critique est une indice de plus pour accuser Sarah.

"(Pour elle) un des hommes de religion mérite toute l'admiration et tout le respect car dans sa vie privée il contredit ce qu'il prêche aux gens dans sa vie publique"[29].

Malgré le ton atténue du récit, grâce au rôle d'Amin, l'hésitation et l'inquiétude dominent la narration :

"Oh Hammam, Veux-tu la perdre et elle est dans le poing de tes mains ? Non, compagnon ! Je ne suis pas d'accord avec toi ..on néglige ce qu'on rattrape ou ce qu'on remplace mais pour ce qui n'est pas rattrapable ou irremplaçable, il vaut mieux supporter le mal qu'elle me cause que de supporter sa perte et son affliction"[30].

La surveillance se termine par un échec. Le narrateur choisit la rupture pour qu'il soit le titre du huitième chapitre afin d'annoncer sa décision et mettre un terme à son expérience mais non pas à ses souffrances et à sa douleur.

"C'est une bonne condition lorsque la femme que tu perds, devient un repas que tu achèves jusqu'à la dernière bouchée. Mais cette femme fait partie de ta vie. Elle ne se retire qu'en faisant séparer avec elle une partie de sa peau de son sang, de son paraître et de son intérieur, alors c'est la consolation la plus faible, elle est plutôt le contraire de la consolation"[31].

28‏- سارة ص ٣٩ ' أم أن صاحبنا - وليكن اسمه هماما وليكن اسمها منذ الآن ' سارة ' لتسير الكلام عنها٠٠٠'

29‏- سارة ص ٣٨ ' إن الرجل من رجال الدين ليستحق عندها كل إكبار وتحميل لأنه يخالف فى حياته الخاصه ما يفط به الناس فى حياته العامه ٠'

30‏- سارة ص ٤٢ ' تريد التفريط ياهمام وهى فى قبضة يديك، لا ياصاح إلست معك فى هذا إنى التفريط فيها يعوض ويستبدل فأما الذى لا عوض عنه ولا بديل له فان إحتمال الأذى فيه لخير من أحتمال ضياعه واللهفة عليه٠'

31‏- سارة ص ٦٨ ' عزاء حسن حين تكون المرأه التى تفقدها مائدة تفرغ منها وقد أتيت على أخر نقمة فيها٠ أما حين تكون جزءا من الحياة إلا تنفصل إلا حصلت معها شطرا من لحمها ودمها وظاهرها وباطنها فذلك أضعف العزاء، بل هو نقيض العزاء٠'

La première lecture nous a présenté un récit circulaire car début et fin se rencontrent pour annoncer la rupture.

La deuxième lecture commence au chapitre neuf où l'auteur nous raconte l'histoire selon un ordre réel. Dans le chapitre neuf intitulé Qu'est-ce ?

Le narrateur décrit Sarah. Sa méthode est souvent comparative. Les caractères de Hammam sont toujours la base de toute comparaison. Le sujet du chapitre dix représente une certaine rupture avec l'histoire racontée. Le narrateur analyse le portrait de Napoléon qui inspire plusieurs impressions. Ce genre d'analyse a pour but de mettre l'accent sur les caractères hypocrites des êtres humains que Hammam dénonce. Napoléon reste toujours un prétexte. Du point de vue technique, nous ne voyons pas la valeur de la présence de ce chapitre car il dérange le cours de la narration. Il parait que l'auteur s'est rendu compte de cette faiblesse. La courte pièce du théâtre vient alors pour sauver le chapitre. Certes, elle place le texte dans la fiction mais elle décrit Sarah et ses multiples facettes :

> "Sarah : Est ce que vous avez un banquet, demain ?
> A part nous, qui sont les femmes invitées ?
> Sarah : J'ai invité Sarah et...
> Sarah : Sarah ! je crains qu'elle soit cette jeune fille qui ne parle jamais que de sa toilette, ses bijoux, son coiffeur et ses peignes.
> Sarah : Non, c'est Sarah qui ne parle jamais que de son enfant"[32].

Dans le chapitre onze, Hammam décrit comment il a rencontré Sarah et comment le coup de foudre fut rapide. Dans les chapitres onze et treize le narrateur signale les raisons pour lesquelles Hammam est tombé amoureux et pourquoi cet amour le fait souffrir.

Au chapitre quatorze, le narrateur fait allusion à Mayy Ziada (Hinde dans le roman). Puis, il fait une excellente comparaison entre les deux femmes (Sarah et Hinde), l'auteur commence à perdre le fil de

---

32- ساره : وهل عندك وليمه غدا ؟ من دعوت إليها غيرنا من السيدات

ساره : دعوت سارهو . . . .

ساره : ساره ! أ، تكون تلك الفتاه التى لا تتحدث أبدا إلا عن زينتها وجوارهرها وحلاقها ومواشطها .

ساره : لا بل هى ساره التى لا تتحدث أبدا إلا عن وليدها .

la narration. Si Hinde est unique dans ses caractères, Sarah se multiplie, elle devient la synthèse de toutes les femmes.

Les deux derniers chapitres ressemblent aux chapitres huit et neuf car ils traitent les mêmes thèmes : la méfiance, ses raisons et la rupture. Cette répétition vient pour assurer l'incertitude et l'atmosphère angoissante du récit. Grâce à ces deux chapitres le récit reprend le chemin circulaire. Début et fin se rencontrent pour dire implicitement que la rupture est le leitmotiv de ce récit .

Choix des pseudonymes

En donnant de faux prénoms pour ses personnages, Al-Akkad place le texte dans la fiction, c'est-à-dire se permettre de commenter, d'analyser, d'inventer ou même de mentir.

Mais il nous semble que le choix de pseudonymes place le texte dans l'actualité. Philippe Lejeune dit à ce propos :

"Le pseudonyme est simplement une différenciation, un dédoublement du nom, qui ne change rien à l'identité"[33].

Le choix des pseudonymes dans *Sarah* n'est pas gratuit. Les pseudonymes ont des valeurs sémantiques particulières. Hammam signifie selon Lisson Al-Arabe, un maître (Seigneur) courageux, généreux, signifie également un Lion.

Nous voyons dans le choix du prénom Hammam une description fidèle de la personnalité d'Al-Akkad qui se caractérise par le courage, la critique violente même excessive.

Sarah, un prénom qui a deux sens dans Lisson Al Arabe le premier signifie "dévoiler les secrets" le deuxième désigne "celle qui fait plaisir".

Ce prénom fictif dessine avec exactitude, le personnage de Sarah (Alice Daghir) dans la réalité.

Elle est décrite, dans le récit, comme la seule femme qui a pu faire plaisir à Hammam. Et elle a eu le courage de lui avouer ses secrets les plus intimes.

Quant au choix du prénom Hinde (pour désigner Mayy Ziada), il est précis car en arabe Hinde signifie également l'Inde, pays de sagesse, de la patience, de l'honneur et du sacrifice. Mayy Ziada était aussi le symbole de la sagesse, de la patience, de l'honneur et du sacrifice .

Amin veut dire en arabe celui qui garde les secrets (l'honnête). Il joue le rôle de l'ami de Hammam dans le texte son homologue dans

---

[33] Philippe Lejeune, *Le pacte autobiographique*, op. cit., p. 24.

la réalité est Al-Guabalawy l'ami de Al-Akkad, son rôle dans *Sarah* ne diffère guère de son rôle dans la réalité.

Ainsi, le pseudonyme joue un double rôle dans le récit de *Sarah*. Il représente un masque derrière lequel l'auteur cache son identité et celles de ses amis. Le pseudonyme est aussi une preuve invitant le lecteur à établir une similitude entre l'auteur et son héros, et entre ceux qui participent au déroulement de l'action et leurs homologues dans la réalité. Ce double rôle contradictoire assure la place incertaine du récit entre l'autobiographie et la fiction .

Personnages

Le personnage est une élément fondamental dans la structure du récit. *Sarah* se distingue par la présence de trois catégories de personnages :
- **A) Personnages historiques**
- **B) Personnages extradiégétiques**
- **C) Héros**

A. Personnage historiques

Ces personnages sont nombreux dans *Sarah*. Certains ont joué un rôle considérable dans l'histoire de l'humanité comme Jeanne d'Arc et Napoléon, d'autres sont des écrivains, des philosophes et penseurs étrangers comme Byron (Georges), Schopenhauer (Arthur), Carlyle (Thomas), Nietzsche (Friedrich), Bourget (Paul), Heine (Henri). Ceux-ci ont exercé une grande influence sur Al-Akkad. Leurs présences dans le texte expliquent sa passion pour le génie individuel et sa position hostile contre les femmes.

> "Lui (Nietzsche), aime la femme au foyer qui y devient la première servante car elle est la seule maîtresse de la maison, et il méprise la femme qui déteste salir ses mains dans sa cuisine"[34] .

Soulignons que ces figures intégrées dans le texte servent essentiellement "d'ancrage référentiel en renvoyant au texte de l'idéologie, des clichés, ou de la culture"[35].

B - personnages extradiégétiques

---

[34]- ساره ص ١٠٠ ' وهو يحب ربه البيت التى تكون أول خادمة فيه لأنها سيدته الوحيدة، ويحتقر المرأه التى ـانف من تلويث يديها فى مطبخها' •

[35] Philippe Hamon, *Pour un statut sémiotique du personnage*, in *Poétique du récit*, Paris, Seuil, p. 183.

D'après Gérard Genette, ces personnage fonctionnent en analyse externe. Ils sont extérieurs à l'histoire comme les personnages historiques mais ils sont caractérisés par une faible occurrence, comme le domestique de Hammam, Zahir son ami ainsi que Mariana, la couturière française chez qui travaille Sarah ou Hamman l'a recontrée pour la première fois. La présence du servant a complété le dessin du caractère angoissé de Hammam ; la présence de Zahir et celle de Mariana servent a nous décrire le moment où se rencontrent Hamman et Sarah.

C - Héros

Hammam, Sarah, Hinde sont les trois personnages principaux dans *Sarah* autour duquel se déroule l'action. Sans Sarah le roman n'aurait pas d'action. Hinde doit figurer dans l'histoire parce qu'elle est le contraire de Sarah.

Hammam

Ce personnage joue plus ou moins le rôle d'Al-Akkad dans *Sarah*. La lecture de *Sarah* nous donne une image de son auteur différente de celle que les contemporains d'Al-Akkad dessinent. On ne peut pas nier qu'Al-Akkad se distingue par son tempérament aiguë et instable, son esprit orgueilleux et méfiant. Mais on ne peut pas affirmer qu'il est un homme sévère, cruel et insensible. C'est surtout Al-Akkad l'homme sensible que le roman de *Sarah* décrit. La sensibilité excessive est le motif principal qui a pousse l'auteur à écrire *Sarah*, sa rencontre avec Sarah après cinq mois de rupture a déclenché chez Al-Akkad un puits de sentiments.

Depuis la rencontre "un déluge de pressentiments a envahi son esprit "le vocabulaire de toutes les langues humaines est incapable de produire des énoncés exprimant des milliers des contradictions et des surprises où s'y réunissent l'horreur et la joie, le désir et le refus, l'amour et le dégoût"[36].

Le texte nous dessine Hammam en tant qu'un homme hésitant embarrassé parce qu'il est amoureux.

Dans *Sarah*, l'amour est un ensemble de sentiments contradictoires car l'âme amoureuse se glisse dans l'indécision "où

36- ساره ص٧ " ألوف من النقائض والمفاجآت التى يجتمع فيها الرعب والسرور والشوق والنفور والهيام والاشمئزاز" .

37- ساره ص٧ " تـ بد النفس أن تقف وتريد فيها القم أن تسـير ، بل تريد فيها النفس أن تقف، لأنها لا تقوى على أن تريد" .

l'âme veut s'arrêter dit le narrateur mais les pieds veulent avancer, (alors) l'âme s'arrête car elle est abolie"[37].

L'impossibilité de la description des sentiments met l'accent sur la déchirement intérieur du héros. Ce qui nous invite à voir dans la peinture de Hammam une sorte de défense de soi contre ceux qui le prennent pour un homme insensible. Or chez Hammam, les sentiments ne peuvent pas être exprimés par un discours mais plutôt par un ensemble de conflit dans son for intérieur, un conflit entre le vouloir faire et le refus :

"La parole qu'il voulait lui dire, c'était de lui donner un rendez-vous, le lendemain (...) mais c'est cette même parole qu'il refusait lui dire"[38].

La peinture psychologique de Hammam attire l'attention du lecteur. Le lecteur voit en lui un homme souffrant déchiré entre deux univers c'est pourquoi il est décrit étant être indécis, ou se disputent en lui le conscient, l'inconscient et le subconscient :

"A 4 heures et quelques minutes le dialogue fut vif sans décision - Notre ami a remarqué qu'il porte les habits de la sortie, il ouvre la porte de sa chambre il descend l'escalier vers une distination inconnue où il se trouve hors de la maison et c'est tout"[39].

Si dans la première lecture du récit l'analyse porte sur le moi errant de l'auteur dans la deuxième lecture l'analyse du moi est presque absente, le télescopage porte plutôt sur le personnage du Sarah.

Sarah

Son Vrai nom est Alice Daghir, une femme libanaise, vivant en Egypte au cours des années vingt ou elle a rencontré Al-Akkad.

"En ce qui concerne cette question d'amour, ce misogyne aime réellement trois fois vu qu'une âme assez sensible tel qu'Al-Akkad ne peut vivre sans amour. Il révèle ses deux amours dans Sarah dont les

39- ساره ص ١٦ ' ففى الساعه الرابعه وبضع دقائق - والحوار على اشده بغير قرار - وجد صاحبنا أنه يلبس ملابس الخروج ويفتح باب حجرته وينحدر على الدرح إلى حيث لا يعلم إلا أنه خارج من المنزل وكفى '.

38- ساره ص ٨ ' كان الكلام الذى يريده هو القواعد إلى غير حيث يلتقيان فى المنزل وبعيدان ويتأهبان للغدر ويتأهبان للملام ' ولكن هذا هو بعينه الكلام الذى كان لا يريده '.

40 Zinab Ismaïl, *Le Salon d'Al-Akkad et son influence sur la vie littéraire en Egypte*, thèse de doctorat, Université Al-Azhar, p. 194.

personnages sont tirés de la réalité les deux héroïnes, Sarah et Hinde représentent respectivement Alice Daghir et Mayy Ziada"[40].

Dans *Sarah*, le narrateur nous présente l'héroïne comme un personnage miroir à plusieurs facettes. Elle représente un obstacle infernal un personnage contre lequel Hammam se trouve incapable de lutter.

Si le personnage de Sarah constitue l'axe principal de l'action du roman, c'est parce qu'Al-Akkad lui accorde une liberté, une volonté et un pouvoir extraordinaire sur le le héros.

Cette femme est peinte comme une femme mystérieuse et belle. Ses traits se caractérisent par la contradiction :

> "Sarah a un teint de miel limpide écrit-il qui tire les belles nuances des couleurs, la blancheur, le bronzage, la rougeur, la paleur et ceci en une seule. Elle a deux grands yeux qui cachent des mystères, mais qui ne cachent pas les passions On y trouve l'acuité d'un faucon et la douceur d'une colombe"[41].

Au moment où on la croit la plus indifférente, on la trouve la plus avertie. On la trouve même plus avertie que les femmes de Laclos.

Lorsqu'elle a remarqué que Hammam regarde admirablement une de ses amies, elle a pensé tout de suite à jouer le rôle de l'intermédiaire entre son amie et Hammam :

> "J'ai senti que je serai contente de lui faire plaisir si sa joie doit passer par un chemin humiliant"[42].

Sarah est, à la fois un être innocent et diabolique :

> "Devant le miroir, elle est brillante, belle comme un fruit mur au rayon de l'aube et comme un diable"[43].

C'est une femme excessivement franche dans la mesure ou elle a pu déclarer à Hammam ses ruses par lesquelles elle reçoit son premier amant[44] et elle est aussi trompeuse que la menteuse de Paul Bourget. Elle a une réponse à chaque question de façon que son ex-mari ne prouve rien contre elle.

---

[40] Zinab Ismaïl, *Le Salon d'Al-Akkad et son influence sur la vie littéraire en Egypte*, thèse de doctorat, Université Al-Azhar, p. 194.

[41] Traduit par Zeinab Ismail, *op. cit.*, p. 195.

42- ساره ١١ ' شعرت أنى سأفرح بأن أسره وان جاء سروره من هذا الطريق المهين'.

43- ساره ٤٢ ' وإذا هى أمام المرأه مصقولة ندية كالثمرة الناضجة فى شعاع الفجر

44- ساره ص ٢١ ' الحيل البارعه لتلقى عشيقها الأول'.

45- ساره ص ٨٣ ' تسع أطفال العالم'.

Sa nature trompeuse de bohémienne ne l'empêche pas d'être une mère tendre au point que "sa tendresse peut suffire à tous les enfants du monde"[45].

Pourtant, elle n'a jamais connu une vie stable. Sa physionomie reflète la contradiction qui domine son être. Hammam nous la décrit comme une femme incroyante "elle n'a jamais entendu parler de la Mecque, de Jérusalem, du mont Sinaï"[46].

L'impression que donne son visage est double tantôt elle ressemble à une soeur, soumise "prête à prier"[47] tantôt elle est comme une nymphe ivre sur l'ancienne terre grecque prête à danser dans la vigne de Bacchus[48].

Elle est très faible devant les tentation du corps le plaisir du corps le plaisir devient la seule occupation de Sarah .

Le narrateur la dessine comme si la trabison habite sous sa peau et dans son sang. Si Eve est la cause de la chute d'Adam, Sarah est la cause du malheur et de la souffrance de Hammam. Ainsi l'auteur décrit Sarah comme symbole de trahison, le personnage d'Hinde vient pour réaliser l'équilibre, soulager le ton aigu du roman et annonce l'apparition d'un personnage opposé à Sarah.

Hinde

Son vrai nom est Mayy Ziada. Al-Akkad nous a parlé d'elle dans les dernières pages de *Sarah*. Il lui a prêté le prénom "Hinde". Al-Akkad fréquentait son salon littéraire. Le texte nous apprend que Hammam aimait Sarah et Hinde en même temps. Mais son amour pour Hinde était platonique. Découvrant sa relation avec Sarah, Hinde décide de renoncer à cet amour.

Si la présence d'Hinde assure l'espace autobiographique dans le roman de *Sarah*, nous pensons que sa présence a une valeur technique. La peinture des caractères d'Hinde, tout à fait opposée à ceux de Sarah, vient pour confirmer le point de vue de l'auteur concernant cette dernière. Le tableau ci-dessous montre que l'opposition entre les caractères de deux femmes aimées par l'auteur est intégrée dans le texte, au moment où le narrateur décide de condamner Sarah pour trahison. Hinde vient pour dire implicitement que les analyses du narrateur sont objectives et basées sur des preuves convaincantes :

---

[46]– ساره ص ٧٦ ' لم تسمع قط بمكه وبيت المقدس وطور سيناء'.
[47]– ساره ص ٨٣ ' تمثلت لك راهبة خاشعه تتم بالصلاة '.
[48]– ساره ص ٨٢ ' ضحية من ضحايا الألهه تساق بمحراب القربان '.

[49] Traduit par Zeinab Ismail, *op. cit.*, p. 195.

Sarah	Hinde
De Nature païenne	Une religieuse dans un cloître
Son jour préféré est la pâque	Celui d'Hinde est le vendredi saint
Elle préfére le plaisir et la joie	Elle est pour la tristesse sublime et la douleur
Elle tient à dévoiler ses masques	Elle tient à cacher son visage
Elle est vaniteuse	Elle est gentille et courtoise
Belle, sa beauté est le passage par lequel les admirateurs peuvent l'atteindre.	Sa beauté est son ange gardien

Au terme de ce travail visant à placer Sarah d'Al-Akkad entre les théories occcidentales et l'optique égyptienne, nous espérons pouvoir lui accorder la place que ce roman mérite dans la critique contemporaine.

Notre modeste étude a montré que Sarah n'est pas "un recueil d'articles" comme prétend Annis Mansour mais un récit bien enchaîné. Ce récit n'appartient pas au roman comme les critiques égyptiens pensent. Mais il appartient à un nouveau genre littéraire théorisé par la critique française et baptisé "Autofiction". Et là, réside la richesse de Sarah. Autofiction définit, nous semble-t-il, tout récit hésitant entre le factuel et le fictionnel, l'ambiguïté et la confusion constituent ses traits

---

1- ساره ص ١١٩ " كلتاهما جميلة، ولكن الجمال فى هند كالحصن الذى يحيط به الخندق، أما الجمال فـى ساره فكالبستان الذى يحيط به جدول من المال النمير، هو جزء من البستان لا حاجز دون البستان، وهو للعبور أكثر مما يكون للثد والنفور".

saillants. Le factuel se glisse par la présence indirecte de l'auteur dans son texte, tandis que le fictionnel se réalise par le présence de fantasmes de l'auteur. L'étude de la structure, des pseudonymes, des personnages démontrent que la présence de l'auteur et ses fantasmes se confondent pour constituer, enfin, *Sarah*.

Ainsi nous pensons que *Sarah* a une double valeur dans la mesure où il ajoute aux autres textes autobiographiques d'Al-Akkad une réalité autobiographique écrite dans un cadre romanesque.

Bibliographie

I. Corpus
- Abbas Mahmoud Al- Akkad, *Sarah*, le Caire, Nahd't Massr, 1994.
II. Autres Textes d'Al-Akkad
Abbas Mahamoud Al-Akkad, *Ana (Moi)*, Le Caire, Dar Al-Hilal, 1963.
Abbas Mahamoud A1-Akkad, *La vie d'une plume*, le Caire, Dar Al-Maarif, 1983.
II1- Oeuvres de Critique francaise
- Benveniste (E), *Problèmes de liguistigue générale*, Tome I, Paris, Gallimard, 1966.
- Bakhtine (M), *Esthétique et théorie du Roman*, Paris, Gallimard, 1978.
- Bergez (P), *Introduction aux méthodes critiques pour l'analyse littéraire*, Paris, Bordas, 1990.
- Chartier (P), *Introduction aux grandes théories du Roman*, Paris, Bordas, 1990.
- Didier (B), *Le journal intime*, Paris, Puf, 1976.
- Genette (G), *Figures III*, Paris, Le Seuil, 1972.
- Genette (G), *Fiction et diction*, Paris, collection Poétique, Le Seuil, 1991.
- Hamon (Ph), *Introduction à l'analyse du descriptif*, Paris, Hachette, 1981.
- Hamon (Ph), *Texte et idéologie*, Paris, Puf, 1984.
- Lacan (L), *Ecrits II*, Paris, Gallimard, 1971.
- Lejeune (Ph), *L'autobiographie en France*, Paris, A Colin, 1971.
- Lejeune (Ph), *Le pacte autobiographique*, Paris, Le Seuil, 1975.
- Lejeune (Ph), *Je est un autre*, Paris, Le Seuil,1980.
- Mancier (A), *Psychologie et critique littéraire*, Toulouse, Edouard Privat, 1973.
- Mai (G), *L'Autobiographie*, Paris, Puf, 1979.
- Rank (0), *Don juan et le double*, (traduit de l'allemand par le Dr. Lautman), Paris, Payot, 1973.
- Ricardou (J), *Problèmes du nouveau roman*, Paris,Le Seuil, 1967.
- Todorov (T), *Qu'est ce que le structuralisme ?* Paris, Le Seuil,1978.
- Zeraffa (M), *Roman et société*, Paris, Puf,1976.
IV - Oeuvres de critique arabe
- Ihssan Abbas, *L'art de la biographie*, Beyrouth, Dar-el-Sakala, (date d'édition non mentionnée)
- Ahad Ibrahim Al-Hawari, *Les sources de la critique du roman dans la littérature arabe contemporaine en Egypte*, Le Caire, Dar-el-Marrif, 1983.

- Al Said Al Waraki, *Les tendances du roman arabe contemporain*, Alexandrie, Dar-el-Maarfa, 1989.
- Annis Mansour, *Dans le-salon d'Al-Akkad*, Le Caire, Dar-el-Maarfa, 1983.
- Shaoki Daif, *L'autobiographie*,
- Shaoki Daif, *Avec Al-Akkad*, Le Caire, Dar-el-Marrif, 1988.
- Sophie Abdelalla, *Yves et Quatre grands hommes*, Le Caire, El Haïa-el-Massria Elama, Likitab, 1976.
- Amer Al-Akkad, *Des aspects inconnus de la vie d'Al-Akkad*, Beyrouth, Dar-el-Kitab, 1968.
- Abdel Hay Diab, *La femme dans la vie d'Al-Akkad*, Le Caire, Dar-el-Shaab, 1968.
- Aldel Aziz Charaf, *Littérature autobiographique*, Le Caire, Longman, 1992.
- Ali A Raai, *Etudes sur le roman égyptien*, Le Caire, El Haïa el-Masria-el-Ama, Likitab, 1979.
- Abdel Fatah Al Didi, *Le génie d'Al-Akkad*, Le Caire, Al-Dar el-Kawmia, Litibau wa el-nashr, 1965.
- Abd Al-Mohsen Taha Badr, *L'évolution du roman arabe contemporain en Egypte, (1870-1938)*, Le Caire, Dal-el-Marrif, 1992.
- Kamel El -Shinawi, *Ceux qui ont aimé Mayy*, Le Caire, Dal-el-Marrif, 1987.
- M. T.Al-Gabalawy, *Avec Al-Akkad dans l'univers de l'amour et de la beauté*, Le Caire, El-Anglo el-Masria, 1964.
- M.T. Al-Gabalawy, *Des souvenirs en compagnie d'Al-Akkad*, Le Caire, El-Anglo-el-Masria, 1967.

V- Articles sur Al-Akkad - Journaux - Quotidiens
Al-Akhabar
- Fatma Saïd, *Al-Akkad et la femme*, 2 mai 1976.
- Husn Shah, *Al-Akkad s'est-t-il marié ou a-t- il des enfants ?* 13 mai 1976.
Al Gomhourya
- Nadia Gamal, *La femme dans la vie d'Al-Akkad*, 10 mars 1968.
- Sami Dawod, *Etude Sur Al-Akkad* , 3 mars 1974.
Al-Missa
- M.T. Al-Gabalawy, *Al-Akkad dans l'univers de l'amour et de la beauté*, 13 septembre 1969.
- Sayed Al Akkad, *Images inconnues de la vie d' Al-Akkad*, 12 mars 1979.
Revues
Al-Mussawar
- Abdel Now Khalil, *Mayy était jalouse de Sarah*, Sur Al Akkad, 29 août 1980.
- Abdel Nour Khalil, *Les amantes d'Al-Akkad*, 31 octobre 1980.
Doha
- Salah Taher, *Dimension et analyses spéciaux de la personnalité d' Al-Akkad*, décembre 1977.
- Salah Abd Al-Sabour, *De femme aux yeux de l'art*, septembre 1979.
Al-Hilal
-Taher Al-Tanahi, *Al-Akkad, Sa vie, Sa foi, son amour*, avril 1964.
-Taber Al-Tanahi, *Les larmes de l'amour*, juillet 1964.
-Taber Al-Tanahi, *L'amour d'Al-Akkad et Mlle Mayy*, 1964.
- Abdel Rahman Sidiki, *La femme et Al-Akkad*, mai 1965.

- Abdel Rahman Sidki, *Sarah d' Al-Akkad, sa naissance, ses causes, sa place dans l'art du roman* , mai 1972.

-Amer Al-Akkad, *Une page inconnue de la vie de Akkad*, mai 1969.

- Abdel Fatah Al-Didi, *Al-Akkad et la théorie de la littérature psychologique*, mars 1972.

- Mahmoud Al-Akkad, *Al-Akkad et son domestique*, janvier 1973.

- Ali Adham, *L'amour dans la vie d'Al-Akkad et sa littérature*, juillet 1973.

- Ahmed Al Sayed Mohamed, *Al-Akkad et la femme*, septembre 1975.

- Hafez Mahmoud, *La nature d'Al-Akkad*, mars 1980.

Thèses

- Zeinab Ismail, *Le salon d'Al-Akkad et son influence sur la vie littéraire en Egypte*, Faculté des Sciences Humaines Université Al-Azhar, Le Caire, 1994.

MENEE AUTOBIOGRAPHIQUE D'EDITH SODERGRAN (1892-1923)

Pierre GROUIX
E.N.S. Fontenay

Til Birgitta og Patrick Griolet, med vennlig hilsen
Vad är ett liv ? (Qu'est-ce qu'une vie ?)
E.S

Quel genre de flammes vacillantes sommes-nous donc?
Avec quelle facilité l'obscurité peut mouiller et éteindre nos
vies.C'est tout simplement un pur miracle que nous
existions.Quand la seule chose que nous ayons à opposer à
la nuit et à l'éternité sont les Caresses, ce qu'il y a de plus
éphémère.

Goran Tunström

J'étais seule sur la rive ensoleillée/du lac bleu pâle au fond de la
fôret,/dans le ciel un seul nuage flottait/sur le lac une seule île.[1]

---

[1] Edith Södergran, *Le pays qui n'est pas* suivi de *Poèmes*, traduit du suédois par Carl Gustaf Bjurström et Lucie Albertini, Orphée La Différence, 1992, p. 63. Mes références à cette édition. Site obligé du romantisme depuis les *lakists* et le lyrisme anglais, toujours si proche des écritures scandinaves, le lac est aussi bien un souvenir du domaine d'enfance (*En bas, tout au fond de mon jardin un lac somnole,* p. 141) qu'un symbole de l'âme *(le lac pâle de l'automne,* p. 53) et qu'une réalité géographique omniprésente du pays le plus septentrional du monde. *Le pays aux mille lacs* dit, soixante-deux fois en-dessous de la réalité, le *Goethe du Nord,* le poète Runeberg (1804-1877) auteur de l'hymne national *Maamme* (notre pays). Voir les détrempes d'Aleksi Gallén-Kallela ou le *Roseaux au bord du lac. Paysage d'automne* de Eero Jarnefelt au Atenemin Taiddemuseo, présenté aux *Lumières du nord* au Petit Palais en 1987. Alvar Aalto donne la forme d'un lac à une coupe en verre. En musique, le motif lacustre dans *Lac de forêt,* troisième pièce des cinq morceaux des esquisses de 1929 de Sibélius. Ou encore le livre de Mauri Sariola *Sur un lac finlandais.*Ou enfin les photos d'Arno R. Minkkinen commentées par Tournier

D'emblée, l'existence pour Edith Södergran se découpe sur fond de solitude. *Je serai un arbre solitaire dans la plaine.*[2] Le moi est seul centre du monde. Tout se vit à la première personne. Les autres, la nature sont moins passés sous silence que rapportés, ramenés à ce foyer rayonnant, irradiant : le moi. D'entrée de jeu -d'entrée de je- dire c'est se dire; écrire, c'est s'écrire. Tout se passe entre moi et moi. *Mon coeur est au loin/dans une île perdue* .[3] Ni les préoccupations formelles très présentes dans cet âge d'expérimentation de l'écriture nordique que sont les années 1910-1920, ni les considérations sociales ou historiques, que la position géo-politique, la géographie tragique des frontières si théoriques du Grand Duché de Finlande exacerbent pourtant, n'empêchent, ne contrarient la belle et libre franchise d'un mouvement au meilleur sens du terme individualiste. De même aucun souci moral ou religieux n'occulte la pureté d'un geste parent de celui de Kierkegaard par lequel, au nom de la liberté d'être, l'individu s'affranchit des carcans de la tradition -ici de l'écriture traditionnelle-, du règne et de l'anonymat du *on (man* suédois ou *das man* heideggerien) pour acquiescer -avec quelle ferveur- à la singularité de son originalité originaire. La subjectivité, c'est la vérité[4]. La *Janteloven*, ou loi de Jante, décalque luthérien du Décalogue, formulée comme lui sous forme d'impératifs négatifs et plus tard définie par le dano-norvégien Axel Sandemose (1899-1965) interdit formellement de se préférer au nom de l'égalité des êtres et rend le statut du grand homme problématique dans

---

hyperboréen " Noter ici comment les images du lac (île d'eau sur la terre) et surtout de l'île redoublent, comme chez Strinberg (dans cette fin de partie qu'est *La danse de mort*) ou Bergman (*La honte, A travers le miroir*), le huis-clos de la conscience et le sentiment de la solitude : *il attacha une scintillante étoile à mon front/et me laissa, tremblante de larmes/ sur une île qui a nom hiver* (p. 49). Edith ne voyagera pour ainsi dire pas. L'envie d'ailleurs se referme en fatalité du dedans. Sa poésie ne se sépare pas du cadre qui l'a vu naître, pour toujours son cadre substantiel. Les termes ö (île) ou sjö (lac) ménagent par ailleurs la rime sémantique avec dö (mourir).

[2] P. 45.

[3] P. 141.

[4] *Un digter ne peut jamais avoir tort d'être subjectif; car en soi c'est le signe de la quantité de poésie qu'il porte en soi* dit Andersen dans son journal. Cité par R. Boyer, Contes, Pléiade, 1992, p. XLVII

[5] *Edith Södergran* , Nouvellles Editions Debresse, 1970, p. 13.

le Nord, jusqu'à le conduire, de Tycho Brahe à Strindberg ou Ibsen à l'exil (vingt-sept ans pour ce dernier!). Rien·de tel ici. Conscient de sa valeur, le moi ose se dire et·définit les lois d'une approche profonde, donc poétique de lui-même.

S'inscrivant dans le vaste mouvement nordique et européen par lequel le romantisme, dans le sillage d'Herder, offre à un peuple ses racines, et au sens fort, un *sentiment* national, après six siècles de présence suédoise puis l'occupation russe, Elias Lönnröt a redonné conscience aux Finnois de la richesse de leurs racines et de la profondeur d'un folklore recueilli sur les lieux mêmes où vécut Edith Södergran par les poèmes du *Kanteletar* puis par les chants de l'épopée nationale du *Kalevala* (1835, 1849, traduit à trois reprises en français) plus tard mis en musique par Sibélius (symphonie *Kullervo*, du nom d'un héros du troisième cycle de l'oeuvre, qui est également le titre d'une tragédie d'Aleksis Kivi en 1864). Mais le romantisme de tous s'oppose au romantisme de soi. Edith recherche son *pays qui n'est pas*, pas sa patrie. Et rien ne fera que la voix qui s'élève ici dans des accents bouleversants de franchise ne soit celle d'une seule personne seule, volontairement tenue à l'écart de ces mouvements et tendances que sa vaste culture lui interdisent de ne pas connaître mais où elle a cru bon -l'essentiel étant toujours ailleurs- de ne pas s'arrêter. Edith Södergran, c'est l'un des sens de sa solitude, sera toujours à côté, ou plus loin.

Lorsqu'elle se définit à ce point, la singularité, qui plus est romantique, est absolument irréductible. La résolution -c'est le fond de son caractère- d'Edith est empreinte d'expressionnisme, celui de Severianin, de Maiakovski, de Trakl. Mais à tous les autres -*ismes* possibles et imaginables (ceux que l'Europe s'invente à même époque : futurisme, dadaïsme bientôt surréalisme), Edith préférera la simple grandeur de cet *Isthme* de Carélie, en Finlande orientale, sur la route de Saint-Petersbourg, et Finlande dans la Finlande, province si particulière dans les lettres finnoises, terreau du folklore, point de rencontre par excellence de l'Est et de l'Ouest, de l'Orient et de l'Occident (*mariage étonnant du Nord et de l'Orient byzantin* écrit Loup de Fages, le spécialiste français d'Edith Södergran[5]) où l'on croisera un temps les ombres de Tchekhov et de Mandelstam. Comme le Varmland pour les

[5] *Edith Södergran* , Nouvelles Editions Debresse, 1970, p. 13.

poètes suédois -et pour André Frénaud!- ou le Telemark vesaasien, la Carélie est un terre naturelle de la poésie. Le poème y est chez lui. Loin des figures de l'estompement, de la disparition, de la timidité d'être, le moi s'aperçoit, se hèle au loin, s'appréhende, se sonde, se parcourt et d'un même mouvement s'écrit. D'où la force peu commune de son affirmation : *Mon assurance vient de ce que j'ai découvert mes dimensions. Il ne me sied pas de me faire plus petite que je ne suis* . [6] Ailleurs : *Qu'est-ce que la beauté ? Interroge les âmes/(...)/la beauté c'est un trait net, un ton singulier : c'est moi* .[7] Force à relier à la puissance expressionniste de certaines images : *Mon coeur, je le jette sur la route/que les vautours se le partagent* .[8] Ce que dit Edith Södergran, c'est Edith Södergran. Par cet approfondissement réflexif constitutif de la démarche autobiographique, l'être s'élit comme centre exclusif du discours. Ce qu'il perd en extension, il le gagne en compréhension. La préférence du moi est posée, assumée, revendiquée : elle ne quitte pas les devants du texte, elle est au coeur des routes imaginaires construites. L'être est à lui-même sa tour d'ivoire, son territoire d'élection. Son avenir ? Il entend en répondre: *Je le doterai du*

---

[6] Cité par L. Albertini dans sa présentation, p. 9.

[7] P. 105. Par un évident souci aristocratique, la beauté du moi est réaffirmée, e.a p. 113 (*Je n'ai rien vu de plus beau que mes pieds*), (*ces merveilleuses mains rapaces*, p.165) ou relativisée (*ma beauté malade*, p. 93). Cet extrait lie justement beauté et santé. La beauté est le point culminant de la santé.

[8] P. 290. Cf p. 101 (...) *plus loin est étendu un coeur de femme/que les vautours déchirent*. A rapprocher du Bjarkemal, premier poème danois connu : *Bientôt vont nous déchirer/les serres de l'aigle affamé/des corbeaux avides/ vont se disputer notre cadavre*. Le thème de la mort aux oiseaux hante, depuis les sagas, l'imaginaire scandinave. Je le retrouve ici avec les oiseaux d'Odin (Huginn-pensée et Muffin-mémoire, qui rapportent à leurs maîtres les nouvelles du monde), les corbeaux, *les oiseaux des fines blessures* de l'*Edda poétique* et des bannières vikings, dans "l'éducation sentimentale danoise", le livre tant aimé de Rilke, source directe des *Cahiers de-Malte Laurids Brigge, Niels Lyhne*, de Jens-Peter Jacobsen (1880) : *Par nuée les sombres pensées affluèrent de tous côtés : autant de corbeaux qu'attiraient le cadavre de son bonheur*. Voir aussi la très belle image de S. U. Thomsen *: Quand les corbeaux déchirent le tissu du vent,/ l'obscurité se déploie* (*Nye digte*, Nouveaux poèmes, 1987)

souterrain secret/qui s'appelle mon âme./Je le doterai de la haute tour/qui s'appelle solitude [9].

Pour autant cette force d'être soi, cet impérialisme du moi ne peut se comprendre, prendre sa profondeur, sa raison, l'épaisseur de son sens qu'en regard de données biographiques précises, au premier rang desquelles l'expérience métaphysique de la maladie, ce mal dont Edith a horreur et qui est pourtant la toile de fond de son univers, bientôt l'angle privilégié de sa vision du monde, le cadre a priori de la sensibilité, et dont la présence s'inscrit, s'insinue dans les titres des poèmes (*Jours malades*, *Le dieu malade*). L'être se construit sur ce qui le détruit, se fonde sur ce qui le mine. Là -et là seulement- les termes de disparition, d'effacement prennent un sens redoutablement précis : la tuberculose. La maladie rejette l'être vers lui-même et sa souffrance, l'enfonce plus avant dans sa solitude. Elle est la solitude de la solitude. La douleur est si profonde (*je souffre simplement comme une bête.*[10]) que l'enfer même lui est préférable : *Oh, comme il fait bon en enfer!/ En enfer on ne parle pas de la mort./(...)/ En enfer on ne tombe pas malade et on ne se fatigue pas* .[11] L'être est en sursis, c'est cette certitude du pire qui commande, au nom d'une morale ou d'une pureté -mais c'est tout un- de se connaître avant que d'être détruit. C'est dire ce que cette démarche désespérée peut avoir d'authentique et de vraie : la maladie interdit les mises en intrigue puériles, elle demande, comme le fait Aleksander dans la plus bergmanien des films, *Le sacrifice* (*Offret*) de Tarkovski, d'abandonner le théâtre. La poésie est le contraire du théâtre, elle est la vérité de l'être.

Dès lors cette assurance déroutante, source possible de fausses lectures (si Edith était lue, si l'on comprenait davantage quel joyau se donne là) n'était que l'envers noir d'une autre, hissée au rang de certitude et auprès de laquelle elle semble dérisoire : celle de pouvoir à chaque seconde être supprimé, amputé du monde. L'orgueil de vivre que disent les *lèvres orgueilleuses* [12] n'est pas la lie de l'ambition,

---

[9] P. 139.

[10] P. 135.

[11] P. 117.

[12] P. 39. Ou simplement *fières* (*stolta*). Voir ce que le moderniste Diktonius écrit d'Edith à la fin de sa vie : *"plus Surhomme que toute autre personne (...) pas de corps*

interdite par définition aux âmes nobles. Le moi ne peut compter que sur sa volonté pour se rejoindre : *Ces lèvres rouges brûlent d'un feu qui ne s'éteindra jamais,/ces insouciantes mains officieront dans la lugubre nuit couleur de feu* .[13] L'autobiographie est pure affirmation d'être. Elle fait par là l'économie de ce qui l'accompagne si souvent dans les écritures protestantes, parfois de manière lassante : la mauvaise conscience, le besoin de se justifier, de répondre de ses actes devant Dieu, la culpabilité, le remords. Si, principale langue étrangère, l'allemand, qu'Edith maîtrisait à la perfection comme nombre de cosmopolites de ce milieu et de cette région du monde, lui a servi à composer deux cents poèmes, il lui a également permis de lire et de relire son phare spirituel : Nietzsche, *le grand chasseur*. Comment ne pas l'entendre ici : *Une citadelle abandonnée domine le monde,/la citadelle sans nom de la force* .[14] L'intérêt pour soi est épaulé, soutenu par la puissance du vouloir. Edith Södergran ou la volonté. *Je ne suis rien qu'une immense volonté,/(...)/Quand éclatera ma volonté, je mourrai :/Ma vie, ma mort et mon destin, je vous salue* .[15] Compris comme tentative de fondation de l'être, le volontarisme est la forme aiguë de la réalisation de la première personne, son point d'incandescence. Dieu lui-même est appréhendé en termes de volonté, ici celle du désir : *dieu est ce que le désir peut forcer à descendre sur terre* .[16] Cette préférence accordée à la volonté de l'âme -il se peut même qu'âme et volonté se confondent- réduit l'importance du corps et de son vécu. Malgré l'omniprésence irrécusable de cette *ombre de la mort* chère à Dagerman (Edith dit quant à elle *l'ombre de l'avenir, Framstidens skugga*, titre d'un des cinq recueils), corps et âme s'opposent comme histoire et éternité, relatif et absolu. A la différence de l'expressionnisme théâtral ou filmique contemporain, le moi ne sort pas de lui-même, ne s'excède pas, ne se dilapide pas en gestes, en effets : il s'arpente, se sonde, part à sa propre

---

mais un merveilleux visage plein d'âme". Et de son art : *"aucun poète n'approcha de si près cet embryon indéfinissable de la vie qui porte tant de noms et que l'on appelle plus communément Dieu."*

[13] P. 165.
[14] P. 161.
[15] P. 163.
[16] P. 37.

rencontre, se *comprend*. La violence libératrice de l'affirmation de soi ne se retourne pas contre l'autre, elle est mise par le biais de l'autobiographie au service d'une quête heuristique du moi par lui-même. La poésie dit Rilke est connaissance du *vécu* de l'âme, de son *éprouvé*. L'autobiographie est parcours de l'âme, expérience de la profondeur, poésie. Le *chemin mystérieux* novalien va vers l'intérieur : *Ferme les yeux et plonge ton regard dans ton coeur* [17]. Fermer les yeux, c'est voir.

Si la solitude, proche de celle de tous les personnages vesaasiens, est une donnée de base indépassable, en même temps qu'une évidence triste sous ces latitudes peu peuplées, vastes étendues forestières de pins et d'épicéas dans le pays le plus boisé d'Europe; elle est dans un premier temps moins revendiquée que subie. Elle n'est pas la solitude du banni, comme celle du héros de la tardive Saga de Grettir. Elle ne fait suite à aucune malédiction, elle est. Aucune idée chez Edith d'un splendide isolement, d'un éloignement par rapport aux autres au nom d'une quelconque supériorité que la conscience de sa valeur propre pourrait induire et dont la mise à l'écart volontaire du moi serait la traduction dans l'espace. L'âme noble ne se préfère pas. L'absence des autres est une perte, ressentie comme telle, ou plutôt l'écriture est cette perte. Ce serait vrai d'Andersen, de Karen Blixen : la main qui écrit est le deuil de la main qui caresse.

De la même façon qu'elle est écartelée entre une langue -le suédois- et un pays -celui de ses parents, la Finlande coupée elle aussi de ses bases finno-ougriennes [18] -; qu'elle est, comme tout poète, déchirée entre un ici et un là-bas, Edith passe sa vie entre moi et toi, cette dernière opposition recouvrant largement la précédente. Vivre n'est ce pas toujours vivre ici avec soi et rêver de vivre là-bas, avec l'autre, en quête de *l'amour qui jamais n'arrive* ?[19] L'écrit est la marque désolée

---

[17] P. 45.

[18] Le bilinguisme suédois et finlandais est une donnée de fait dans la Finlande de l'époque, en même temps qu'un enjeu politique dans la lutte vers l'indépendance. *Grosso modo*, le suédois est la langue de l'élite. Mais les écrivains de Finlande écrivent, et ajoute Brecht, se taisent dans deux langues. Ceci rend problématique la place de cette Finno-suédoise dans les histoires littéraires où elle n'occupe manifestement pas la place qui devrait être la sienne : la toute première.

[19] P. 47.

d'un rapport avorté et peut-être impossible à l'autre, pourtant présenté comme la forme la plus haute de réalisation. Aimer avant de mourir. Ainsi dans ce vers définition parfaite de son titre (*Amour*) : *Oh, serre-moi si fort dans tes bras que je n'ai plus besoin de rien* .[20] Dans le poème éponyme du recueil *Le pays qui n'est pas*, le paradis est très nettement lié à l'amour de l'autre. Mon paradis est dans les bras de l'autre : *Dans le pays qui n'est pas, mon amour/se promène ceint d'une couronne étincelante/(...)/ Vient alors une réponse : Je suis/ Celui que tu aimes et toujours aimera* .[21] Comment ne pas sentir derrière l'airain des certitudes les émois d'une jeune fille, comme si cette dureté était l'envers d'une âme prête à s'abandonner, à s'offrir ? Si sur ses photographies Edith veut se vieillir, on trouve toujours en elle la fragilité vibrante, la pureté de l'amoureuse, voire, ce n'est rien lui ôter, de la midinette. A tous les égards, et en rapport avec cette maladie qu'il ne faut pas oublier, et qui, elle, ne se laisse jamais oublier, l'amour est le rêve de toucher, fût-ce du bout des doigts, un peu de la matière de l'éternel dans l'ici-bas. Le rêve d'Edith est incontestablement un rêve d'amour avec l'autre, une intimité à deux : cette poésie solitaire est l'une des plus ouvertes à l'autre, des plus *altérées* . *Maintenant j'habite le pays où tout est à toi* .[22] L'accent est sur l'autre : *quand je ferme les yeux, il se tient devant moi,/pour lui j'ai tant et tant de pensées et aucune pour les autres* .[23] Le comble de cet amour est la caresse (*toi la caressante* [24]) ou ce mouvement : placer sa tête sur le corps de l'autre.[25] *Comme il serait étrange de sentir/une nuit, une seule, une nuit pareille/ta*

---

[20] P. 93.

[21] P. 179.

[22] P. 95. Le vers suivant donne : *la mort ne pénètre jamais en ce royaume*.

[23] P. 85. Toutes les valeurs de la solitude s'inversent dans la solitude idéale avec l'autre.

[24] P. 99.

[25] P. 109 : *tu peux enfouir ton visage dans son sein*. Le geste a également une valeur très complexe de repliement maternel (p. 131 : *je sens la respiration d'une mère sur mes yeux*). La caresse a une valeur inverse, comme dans tout le poème, en ce qui concerne la Princesse : *chaque nouvelle caresse emplissait son coeur de douceur amère*, p. 137.

lourde tête sur mon épaule .[26] Bien plus que la sexualité, ces gestes simples sont les plus hauts degrés de la présence à autrui. Le poème *touche* à l'autre.

Mais la caresse est un luxe, une rareté, ou c'est celle de l'amant traître à l'autre femme, ou bien la caresse à la mort : *La mort n'est pas différente,/tu peux la caresser, tenir sa main, lisser ses cheveux* .[27] L'intimité est aussi celle de la vie et de la mort : *comme un instant vie et mort/dans une vague endormie s'enlacent* .[28] Les images récurrentes de l'alliance de l'anneau, quelque soit l'enfermement qu'ils rendent possible par leur forme circulaire[29] parcourent le recueil et traduisent l'image obsessionnelle des noces (*lorsque la fille lumière de la forêt célébra ses noces/ plus un seul malheureux sur terre* [30]). L'un recherche recherche l'autre, voire *une rare caresse* [31] : *Viens assieds-toi près de*

---

[26] P. 25.

[27] P. 109.

[28] P. 53.

[29] *La vie est l'étroite circonférence qui nous retient prisonnier,/le cercle invisible que nous ne transgressons pas.* (p. 115) . *Mon cercle est étroit et l'anneau de mes pensées/fait le tour de mon doigt* (p. 133). Autre hantise du monde fermé, p. 145 : *Or vient le jour où l'enfer est vide, où l'on ferme le ciel.* Au-delà de l'image du couple, celle de l'enfant à naître, pudiquement esquissée, est reliée en fin de parcours à l'enfant Jésus. Très net dans *0 céleste clarté*, p. 169 ou, p. 131 : *Ah, comme de tous côtés devenait vaste le monde/ quand son petit dormait.* A noter que dans ce rapprochement, la figure de l'homme, du père n'existe pas. Comme si l'intimité était réservée aux femmes ou, plus douloureusement, à soi.

[30] P. 71. Mais ce sont les noces d'une autre.

[31] P. 115.

moi, je te dirai mes chagrins,/ nous échangerons nos secrets .[32] Mais l'attente est déçue. La caresse est prison : *je savais seulement que tes caresses me retenaient prisonnières* [33] Et *C'est la douleur qui forge toutes les alliances d'or* .[34] Le plus souvent, dans l'attente de l'âme (*den väntande själen*) et du corps, à l'image de Sappho, la femme qui *cherche longtemps du regard la lueur du soleil* [35] est seule sur le rivage à attendre. *Ce soir, un coeur vient de saigner sur le rocher* .[36] Ces vers disent une vie : *Je suis seule j'attends,/je n'ai vu passer personne* .[37] L'amour s'est confondu avec son attente sur *le plat rivage* de la réalité : *Légers les oiseaux hauts dans le ciel/ne volent pas pour moi,/mais les pesantes pierres du plat rivage/reposent pour moi* .[38] Ce qui est permis aux oiseaux est interdit aux hommes, sauf en rêve : *Un aigle m'a enlevée sur ses ailes-/loin du monde/j'ai la paix/Assise sur les nuages, je chante.*[39] L'ici impose sa tyrannie : *Ici des roses rouges poussent autour de puits sans fond.*[40] Même image du puits dans ce constat désolé : *la vie, c'est se mépriser soi-même/et rester immobile au fonds d'un puits/et savoir que là-haut le soleil brille,/que des oiseaux dorés traversent l'espace.* [41] Quels sont alors les *gros lots* de la vie? *L'amour, la solitude et la face de la mort* [42]. Quoi qu'il en soit, *elle n'avait jamais vu d'autre coeur que le sien* [43]. Au même titre que la maladie (*pourquoi*

---

[32] P. 89.

[33] P. 93. et p. 35 : *On m' a dit que j'étais née en captivité.*

[34] P. 121.

[35] P. 79.

[36] Ibidem.

[37] P. 119.

[38] P. 77. Le thème du rivage, de la rive est récurrent et dit l'embarquemment impossible pour Cythère. Edith est celle qui reste (*Ma corne puissante à mes côtés, je ne sonne pas le départ*, p. 151) et qui ne peut pas partir : *Toi qui n'a jamais quitté ton petit jardin*, p. 33.

[39] P. 155.

[40] P. 95.

[41] P. 115.

[42] P. 121.

[43] P. 137.

laisses-tu la maladie t'enchaîner? [44]) l'amour est prison. Le moi est prisonnier : *Prisonnière, prisonnière... je veux briser mes chaînes./Les lèvres tordues de colère, je traverse la vie* .[45] Rien ni malheureusement personne ne permet d'échapper à l'érosion temporelle : *Ah comme lentement le temps détruit l'essence des choses/et comme silencieusement le dur talon du destin piétine* .[46] Le bonheur est à tout jamais reculé dans la fiction d'un *pays qui n'existe pas* . La félicité n'est pas de ce monde, le poème en est le deuil éclatant. Poésie et bonheur sont antinomiques. Les rares moments de bonheur, une larme dans la mer, ne suffisent pas à remplir les exigences morales d'un coeur de femme, à donner le change au désir.

En effet, cette relation rêvée n'est possible, ne peut s'inscrire dans le réel, que si l'autre est en mesure de comprendre, de recevoir puis de répondre à la nécessité sourde d'aimer. Le rêve de l'âme -éternel romantisme d'Edith Södergran- c'est l'âme jumelle, le même dans l'autre masculin. Et pourtant. Réalisation de soi et fréquentation de l'homme sont exclusives l'une de l'autre. L'idéal -la pleine coïncidence avec l'autre et en l'autre- ne tient pas dans les cadres du réel. L'autobiographie s'écrit au singulier de solitude. Elle est la solitude faite style. L'histoire ce ne sera pas notre histoire, ou l'histoire de l'amour, ce ne sera que mon histoire. Biographiquement sans doute (un professeur français et un médecin allemand) mais plus encore sexuellement, ontologiquement, l'homme est un étranger. Les deux termes sont de parfaits synonymes : *Et ces troublantes paroles, c'est un étranger/qui les a gravées sur la dure tablette qu'est mon âme.* [47] Celui qui dans l'insondable profondeur des rêveries sexuelles de l'enfance

---

[44] P. 167.

[45] P. 159.

[46] P. 29. Ce piétinement illustre entre autres image la *brutalité* du contact rêve-réel.

[47] P. 81. Très net p. 91 : *aujourd'hui un étranger est assis à mes côtés.* Le mot n'a jamais le sens de : celui qui vient d'un autre pays. Même idée de l'inscription dans cette confession : *Celui qui de ses ongles sanglants ne grave pas sa marque dans le mur du quotidien/- et en dehors de ça tout peut périr-/ n'est pas digne de regarder le soleil* La parole poétique n'est pas une simple notation, elle est, comme les runes, inscription rouge sur blanc, de l'essentiel sur une matière dure et pérenne, et peut-être seule forme permise de permanence.

était imaginé comme le coeur même du coeur se révèle l'autre par excellence. Le rêve de proximité se fracasse en constat d'éloignement. L'amour reste, comme dans la chanson *Béatrice-Aurore* de Harriet Löwenhjelm, la grande image inatteignable -*oatkomliga*- : *J'ai vu un arbre plus haut que tous les autres/chargé de pommes de pin hors de portée* .[48] Le soleil qui ne luira pas, le mystérieux *sampo* du *Kalevala*, inaccessible et pourtant nécessaire. L'étoile du soir, Vénus, est inatteignable et le trèfle à quatre feuilles du bonheur tout autant.

Vivre avec un homme, c'est pour une femme renoncer à elle-même. Les rencontres, il faut donner à ce terme son sens le plus neutre, sont aussi rares que momentanées, et pour tous dire illusoires. Elles se traduisent par un rapport profondément dissymétrique entre maître et esclave. L'homme c'est *le vainqueur* [49] , *le maître aux yeux froids* [50] : *Déjà je sens sa main lourde sur mon bras léger ... /(...)/Où est l'éclat de mon rire de vierge,/ma liberté de femme qui va tête haute?/Déjà je sens sa poigne sur mon corps frémissant/Déjà j'entends le choc brutal du réel/sur mes rêves fragiles, fragiles* [51]. Le vocabulaire martial dit l'impossibilité d'une confiance, d'une estime, d'un amour mutuels. La verticalité hiérarchique empêche l'horizontalité heureuse, le rapport de force le rapport véritable. Il se peut même, conséquence logique de cet inaboutissement, et illustration d'un radicalisme si scandinave, que l'homme n'existe pas : *L'homme n'est pas apparu, il n'a jamais été, il ne sera jamais.../L'homme est un miroir trompeur que la fille du soleilbrise rageusement contre le rocher/l'homme est un mensonge* (*lögn*)[52]. En un sens, l'amour est un sentiment trop grave pour être confié aux hommes, sa vérité commence loin d'eux. Car le maître est aussi le traître. Même déception ici : *Soeur, ma belle, ne t'en va pas*

---

[48] P. 23, le recueil s'ouvre sur ce constat d'impuissance. Le texte finit par : *Autour de ces choses était tracé un cercle/que personne ne franchit*. La notion d'obstacle se retrouve, avec le même motif, p. 35 : *Me voici au pied de l'arbre bruissant, prête/à grimper à ces troncs glissants, mais comment?*

[49] P. 49.

[50] P. 25. J'ignore qui est ce *puissant seigneur* (qui) *daigne me tendre la main*, p. 171.

[51] P. 27.

[52] P. 39.

dans les rochers : ils m'ont trompée/ils n'avaient rien à offrir à mon désir .[53] Loin de réaliser l'idéal de proximité, l'étranger renvoie le moi à lui-même : *solitairement marchait une femme qu'il n'avait jamais aimée* .[54] Il redouble le sentiment douloureux d'étrangeté à soi (*la vie c'est être étranger à soi* [55]) et au monde : *Ici, tout m'est étranger, n'éveille en moi aucun souvenir,/mes pensées ne sont pas nées en ces lieux*[56.] Par un violent retournement des choses, l'approfondissement de soi par soi, dont l'autobiographie est le lieu, est menacé par l'intrusion d'autrui. La centration sur le moi s'accompagnera dès lors d'une douloureuse mise à distance de l'autre, désormais moins subie que nécessaire, salutaire. La pâle copie de l'amour que l'homme propose, le peu qu'il a à offrir, est un leurre ou, dans un jeu crissant de sonorités, simulacre et trahison, (*sken och svek* [57]), à l'image d'une vie qui est peut-être elle-même un mirage : *Ma vie fut une brûlante illusion .*[58] L'homme est venu pour prendre. L'altérité se prolonge, se parodie en aliénation, en possession. Partant, c'est un pan entier du lyrisme qui se trouve nié : le rêve d'une union entre homme et femme comme source de plénitude. Pas plus que celle de famille, de nation, et au même titre que l'ensemble des figures du pluriel, le couple n'apparaît. Au rebours le chaos masculin menace le cosmos féminin. L'homme est lié à l'image apocalyptique si chère au romantisme, celle du soleil voilé, de l'éclipse : *Des nuages errants ont barré la route du soleil* [59]. Ou ici, dans l'étrangeté d'un malaise, à cette découverte : *Ton amour obscurcit mon étoile-/ta lune se lève sur ma vie./Ma main n'est pas chez elle dans la tienne .*[60] Plus grave, la pseudo relation à l'autre désaccorde l'être profond, le rend parjure de son idéal : *Mon coeur s'est fait indocile et froid/depuis que j'ai commencé à désirer*

---

[53] P. 89.

[54] P. 111.

[55] P. 115.

[56] P. 77.

[57] P. 65.

[58] P. 179.

[59] P. 61.

[60] P. 127. Même imaginaire léthal de la lune, p. 173 : *l'orbite de la lune/est trajectoire de la mort*

*tes caresses./(...)/mes soeurs, j'ai fait ce que je n'ai jamais voulu
faire/(...)/ma vie est devenue menaçante comme un ciel d'orages/ma vie
est fausse comme un miroir d'eau* .[61] Les termes d'homme et de
fausseté s'aimantent l'un l'autre. Ailleurs : *J'ai tout oublié, j'ai oublié
mon enfance et ma patrie* [62]. Une seule fois semble-t-il les distances se
sont amenuisées, l'obstacle a été franchi, la réalité cessé d'être la
contrefaçon du rêve. Les mots une fois (*en gang* ou *engang*) sont ainsi
le leitmotive triste de l'hapax : *Une fois, j'ai aimé un homme* .[63]
Ailleurs : *une fois, mon âme assoiffée à pu boire* .[64] Ailleurs encore :
*parce que j'avais en vain tendu les bras/vers un étranger que j'avais
entrevu, une fois* [65]. Une seconde d'égarement - là aussi que d'accents
protestants- menace le projet architectural de soi : *le caprice d'une
seconde/m'a volé mon avenir* .[66] Au mieux, la relation à l'homme est
physique quand tout s'accomplit dans la profondeur de l'âme : *Tu
cherches une source/et tu trouves la mer./Tu cherchais une femme/et tu
trouves une âme/tu es déçu* .[67] Pour elle, *la Princesse connaissait des
corps/et cherchait des coeurs*.[68] Entre homme et femme, une équivoque
fâcheuse, un malentendu (*Ta main est plaisir-/la mienne est désir* [69]), et
pour la femme, un péril spirituel qui risque de faire d'elle, par
contagion, une étrangère aux arbres de son enfance (*Tu es devenue
femme, haïssable étrangère*.[70]) Une différence dans le rapport au

---

[61] P. 85.

[62] P. 93.

[63] P. 73.

[64] P . 81.

[65] P. 113 ou, p. 49 : *une fois je fus aussi douce qu'une feuille vert tendre/ flottant
haut dans l'air bleu*

[66] P. 139.

[67] P. 27. Rendue possible en français, la rime sémantique âme/femme est au coeur
du projet d'écrire.

[68] P. 137.

[69] P. 127.

[70] P. 167. Le dialogue avec les arbres est la certitude qu'Edith n'est plus une
étrangère dans ce pays qui a été, l'enfance : *Autour de moi, les arbres de mon enfance
exultent : ô femme!/et l'herbe salue mon retour de pays trangers*, p. 171.

monde, au temps, à l'amour s'établit, dont la différenciation sexuelle n'est que le degré le plus superficiel. Une femme n'est pas chez elle avec un homme.

Ce référent spatial est central chez Edith. La réalisation de soi est indissociable de l'entrée rêvée, jamais achevée, dans un pays à soi. L'accomplissement est posé en termes d'accès. L'ensemble du trajet poétique est interprétable en termes géographiques, qui débordent même les données temporelles : *au pays des journées vides et vaines et si loin du destin* .[71] Devenir soi pour Edith, se rejoindre, s'ajointer à soi et d'un même mouvement être libre (*je suis un bond dans la liberté et le soi* [72]), c'est atteindre son pays, rêves et aspirations ensemble. Etre soi c'est trouver son pays; écrire c'est le chercher : le géographique est la condition de l'ontologique. Vivre loin de soi, c'est vivre dans un pays étranger qui ne comblera pas les promesses de l'ailleurs. La relation à l'autre, ou plutôt cette coexistence spatiale fugace qui ne s'approfondit jamais dans la profondeur d'une relation partagée, désaccorde le moi profond : *toutes mes paroles, je les ai reprises* [73]. L'image de l'homme et celle, baroque, du reflet trompeur s'appellent l'une l'autre. L'appel reste sans echo (*utan eko* [74]) Inversion notable du schéma biblique, l'homme est tromperie. *La* vérité, *le* mensonge. Entre moi et moi, il y a l'autre; me rejoindre, ce sera le contourner.

L'amour tant rêvé est d'abord une expérience de la douleur. Les vers d'Edith le répétent à l'envi : le romantisme n'est pas une littérature de l'amour, c'est une littérature de l'amour malheureux : *La deuxième*

---

[71] P. 41.

[72] P. 43.

[73] P. 87.

[74] P. 59. *Silence sans écho/solitude sans miroir/ à travers les failles bleuit le ciel.* Ne pas être vue, c'est ne pas exister (*ma grandeur en deuil répand des pleurs amers,/personne ne les perçoit,* p. 29. Ou *Dans l'eau échouent toutes mes pensées/que personne n'a vues/mes pensées que je n'ose montrer à personne,* p. 141. *Esse est percipi.* D'où une définition originale de la solitude : être sans écho. Inversement aimer l'autre c'est lui offrir son attention : *et je t'offrirai mon silence et mon habitude d'écouter* (p. 88). Le silence n'est pas silence de Dieu (*Guds tysnadet* dans *Les communiants* de Bergman) mais celui de l'autre, ou du monde : *pourquoi le vide est-il si lourd, pourquoi ne dit-il rien ?,* p. 75 ou de la nuit : *Et dans le silence de la nuit une voix d'ange chantait,* p. 131.

soeur aima de toute son âme,/on dit qu'elle fut malheureuse [75] . Eros est
expérience du mal. *Eros, toi le plus cruel des dieux/pourquoi
m'emmenas-tu dans le pays obscur?/Quand les jeunes filles
grandissent/on les exclut de la lumière/et on les jette dans une sombre
demeure* [76.] Il est prison, sortie du paradis dont ces vers rendent
compte, qui juxtaposent l'image si rare de l'étoile heureuse et la brutalité
du choc à l'autre et au réel : *Mon âme ne flottait-elle pas dans
l'air/comme une étoile heureuse/avant d'être entraînée dans ta ronde
rouge?/vois je suis pieds et poings liés* [77] L'homme m'éloigne de moi,
me répudie en moi. *Maintenant je tourne le dos à ce que j'ai vécu* [78]
Une femme au sens si noble, si haut, et sans doute illusoire où l'entend
Edith n'a rien à gagner à si stérile fréquentation.

Obsédée par l'idée de richesse, avide d'intensité, assoiffée de
pureté, Edith ne peut se résoudre à cet état de fait. Par une résolution si
brusque, si caractéristique de son radicalisme, par une décision qui
trouve sans doute sa source dans une blessure biographique, elle se
détourne des hommes. Des deux chemins chers à Strindberg et à l'esprit
scandinave (le *enten... eller* kierkegaardien), des deux routes, l'une est
ici, dans des échos très nettement luthériens, à laisser : *Tu dois
abandonner ton ancienne route,/cette route est souillée :/des hommes
aux regards avides la fréquentent* [79].

Pour la Selma Lagerlöf de *La saga de Gösta Berling* et la Sigrid
Unset de *Christine Lavransdatter*, l'homme est redimé par la femme et

---

[75] P. 103. A relier à un universel de la douleur. La blessure intime s'est élargie à
l'entier du monde : *Le roi fit interdire à la Cour les mots "chagrin"/ et" malheur",
"amour" et "bonheur", qui tous faisaient mal* (p. 107).

[76] P. 135. A noter qu'Eros est l'une des formes seulement d'un désir qui en connaît
une autre : le *längtan* ,qui est finalement désir de monde. Eros est désir de l'autre,
längtan du pays perdu. Dans les deux cas, être = désirer. La mort marque l'extinction
du désir.

[77] Ibid.

[78] P. 171.

[79] P. 101.

accède par son intermédiaire à la profondeur du sentiment.[80] Ce mouvement altruiste se dessine jusqu'à l'épure dans *Peer Gynt*. Le vrai sujet de l'odyssée de la conscience ibsénienne, ce ne sont pas les agissements fantasques, les *boîtements de cerveau* du fils d'Aase (sujet apparent, théâtral) mais bien l'attente de Solveig (sujet profond, poétique). Peer n'aura eu de consistance que dans *la foi, l'espérance et l'amour* de la femme qui l'aime. Dans ces oeuvres qui privilégient toutes un rapport un tant soit peu maternel et sacrificiel à l'homme et disent le bien fondé, conforme à la nature, de la dimension du couple, la femme se préoccupe du devenir de l'homme. Au contraire et comme Nora -qui porte le Nord jusque dans la matérialité de son nom- l'avait fait d'Elmer, Edith, ayant assez à vivre avec le sien, abandonne l'homme à son sort, la superficialité. Poésie et masculin n'ont rien à se dire. D'où l'importance de l'état qui le supprime : la virginité, vue comme ressource éternelle d'énergie (*dieu est une réserve d'énergie et une nuit virginale* .[81] Ailleurs : *Depuis les temps originels je porte en moi des crépuscules violets,/des vierges nues qui jouent avec des centaures galopants* [82]. Ce paradis mythique de la *vierge moderne*, que le romantisme a rappelé du walhalle, est surtout féminin. Il est réservé, comme dans son étymon religieux, aux seuls êtres de valeur. La femme reprend à l'échelle du monde une autorité morale que les vikings ne lui reconnaissaient qu'à l'intérieur du foyer (*innanstokks*). La dépréciation de l'homme entraîne une survalorisation conséquente de la femme. Ame, femme, poésie : dans un chant à ce point marqué par le ternaire (*Le chant des trois tombes, Trois soeurs* [83]) il est tentant d'évoquer une

---

[80] Sven Delblanc, *Selma Lagerlöf, Portraits suédois*, Svenska Institutet, Stockholm, 1991, p. 4 : *L'amour de la femme est le sauveur qui ramène l'homme au sein de la famille, de la collectivité, de la communauté humaine.*

[81] P. 37.

[82] P. 39. NB : l'original donne min *urtid :* mon *temps originel*. La solitude était peut-être déjà une donnée du paradis, rompue par l'irruption de l'autre masculin.

[83] P. 97 puis p. 103 mais aussi p. 69 (*Chat porte-bonheur, ô mon chat/donne-moi trois choses*); p. 111 (*trois femmes assistèrent à son enterrement*); p. 129 (*Trois vierges allaient*), passim. La lecture d'une trinité religieuse est à écarter.

trinité existentielle féminine : la poésie serait la langue naturelle de l'âme d'une femme. C'est dire que la caractéristique de cette approche sera d'abord d'être féminine. Comme le dit la *vierge moderne* (titre français) *Je suis un toast porté en l'honneur de toutes les femmes* .[84] Cet amour de la sororalité soulignera implicitement l'échec de l'amour.

Quand le terme de frère est absent de ce vocabulaire, une femme est la *soeur* d'une autre femme, comme la mort est la *soeur de la vie*; comme Singa -l'orpheline recueillie par la famille- sera la *soeur perdue*, ou Hagar Olsson, femme de lettres qui définira Edith comme un champ de forces, *la soeur intellectuelle*. Edith n'est pourtant pas une militante de la cause féminine, rôle dévolu en Finlande à Minna Canth (1844-1897) à l'engagement pionnier de laquelle les finlandaises doivent de voter depuis 1906. Entrer dans une cause, même noble, c'est renoncer à son moi, c'est se diluer, se perdre dans les autres. Les combats spirituels n'ont rien des polémiques ou des engagements militants. L'autobiographie se fait transpersonnelle, générique : se dire, c'est d'un même élan dire les femmes. Autobiographie et allobiographie se recoupent dans la généralité d'une expérience commune, d'un universel féminin. Ce qu'écrit dans une oeuvre autobiographique un homme ou une femme n'est-ce pas, qu'il le veuille ou non, l'autobiographie de son sexe? Pour autant Edith n'est pas la militante de la cause du sien. Par la force de son octroi, la poésie s'interdit ce qui n'est pas elle. L'engagement en soi grève toute échappée sur le dehors. Edith est trop attentive à elle-même pour se fourvoyer au service d'une idéologie, si généreuse soit-elle, même si certains textes ont un accent féministe indéniable : *Mes soeurs, mes beautés, venez sur les plus rudes roches/toutes nous sommes vierges guerrières, héroïnes, cavalières* .[85] Par une conscience extrême d'elle-même, la poésie, qui a su garder loin d'elle les rumeurs de l'histoire, qui sont pour Edith une des formes privilégiées de la brutalité, dénonce le didactisme comme son autre absolu. La soif de lucidité et le lyrisme personnel l'emportent sur les soucis collectifs. Si les femmes, les *soeurs* sont la forme majoritaire du pluriel que sa poésie reconnaisse, et en dépit de l'actualité du thème du couple et de sa place sur les tréteaux nordiques (les positions

---

[84] P. 43.
[85] P. 39.

extrêmement tranchées de Strindberg y sont une réponse à Ibsen), Edith n'est pourtant pas la soeur de l'héroïne de *La maison de poupée* ibsénienne, même si elle oppose elle aussi nettement, comme cette dernière, les devoirs envers soi et les devoirs envers les autres. Le souci du féminin se démarque du féminisme. La *kvinesak* (littéralement cause des femmes) d'Edith Södergran ne va pas aussi loin que celle de Stuart Mill (*The subjection of women*, très lu dans le Nord), de Bjornsterne Bjornson (*Un gant*) ou celle d'Ibsen, dont l'origine est à chercher, Maurice Gravier l'a pointé[86], dans les écrits de la féministe norvégienne Camilla Collet. Ces réflexions féministes tournent d'ailleurs autour du rôle et de la place de la femme dans une structure qu'Edith n'a pas connue : le couple. Dans un souci d'éveil là aussi strictement nietzschéen, et qui affleure dans plus d'un texte (*morte, nous voudrions te réveiller de ton sommeil* [87]), l'auteur se borne à rappeler ses soeurs à la conscience de leur être irréductiblement, irrémédiablement féminin. Etre qui ne saurait se préciser, se définir que loin des hommes sans que l'on puisse lire seulement une relation de cause à effet dans ce déplacement d'accent. Le rapport d'Edith aux hommes est une profonde, lourde et réelle déception, pas l'effet une vengeance rageuse. Au vrai, la déception est proportionnelle aux attentes déçues, infinie : *mais ma jeunesse, les joues en feu/attendait, jubilait : le soleil va venir !/Et le soleil arriva (...)/Un souffle froid monta du rouge océan : le soleil descend.*[88] *Vi kvinnor* (*nous femmes*) est le titre d'un poème, pas un programme politique. Par la force des choses, ou comme dirait Catharina Régina von Greiffenberg, *par le destin le plus contraire,* le rapport essentiel dans cette poésie est d'ailleurs moins une relation avec l'autre (physique avec l'homme, morale avec les soeurs) qu'un échange spirituel de soi à soi via la poésie.

Mais si l'affirmation de soi suppose la force, la vie à son plus haut degré, la forme de l'identité est ici la plus interrogative qui soit. Ces injonctions à soi, ces appels repris à la volonté, à la fortitude, sont le fait d'un être mal assuré de ses assises. Edith intitule un texte *Je* . On

---

[86] *Le féminisme et l'amour dans la littérature norvégienne, 1850-1950,* Minard, Lettres Modernes, 1968.

[87] P. 167.

[88] P. 59.

pourrait s'attendre à ce que le moi s'y définisse. Au contraire il s'y problématise, y révèle son ambiguïté, ici par le biais des images récurrentes de l'étrangeté et de la prison, deux termes s'appelant l'un l'autre (l'étranger étant pour Edith le lieu où elle est emprisonnée): *Je suis une étrangère dans ce pays/au fond de la mer oppressante/(..)/Etais-je une pierre jetée au fond?/Etais-je un fruit trop lourd pour sa branche* .[89] Tout savoir semble interdit à l'âme : *Mon âme ne sait pas dire la vérité et n'en connaît aucune,/Mon âme ne sait que pleurer, rire et se tordre les mains /(...)/Mon âme ne sait peser ni le pour et le contre, ni maintenir* .[90] Aux antipodes de l'assurance des savoirs, la poésie se place du côté de l'ignorance, du manque et révèle son être interrogatif. *Edith Södergran la dépourvue* peut écrire Régis Boyer.[91] Ainsi l'autobiographie ne va pas *de soi*. Elle n'est pas arpentage complaisant des propriétés du moi mais recherche anxieuse, douloureuse, expérience du risque là ou le futur est bloqué du fait de la maladie (*mon avenir dans ma poitrine* [92]). Comme le héros du *Dernier chapitre* de Knut Hamsun (1923), comme celui de *La montagne magique* l'année suivante (une possible influence d'Hamsun sur Mann, voire des emprunts n'étant pas à exclure), Edith fait l'expérience du sana.

Si le *sauna* est une expérience communautaire, une réalité quotidienne de l'*ethos* , au point de constituer à mon sens le point de départ obligé de toute sociologie finnoise (*au sauna conduis-toi comme à l'église* dit un proverbe), le *sana* est l'expérience de la plus grande solitude. Le sauna donne la force, à l'image de ces verges saponifiantes de bouleaux, avec lesquelles, comme dans la scène rituelle de vengeance de *La source* bergmanienne et à la différence des autres pays du *Norden*, on se fustige le corps pour s'infuser toute la puissance vitale de

---

[89] P. 35. Lieu de perdition abyssale, le fond de la mer évoque le *ran* des sagas voire le séjour des sirènes d'Andersen.

[90] P. 91.

[91] *Poèmes complets*, P. J. Oswald, 1973, p. 9. Il existe une troisième traduction plus ancienne de P. Naërt *Poèmes du pays qui n'est pas*, Debresse, 1954.

[92] P. 157. Cf *avenir revêche, destin réfractaire* (p. 41). Inversement, le souhait le plus cher est de réouvrir la temporalité, de la dérouler (spinn). Ainsi du chat porte-bonheur (*lyckokatt*) : *il déroule en ronronnant le fil du bonheur/(...)/déroule encore un peu de mes rêves d'avenir*, p. 69.

la nature -la sève rejoignant le sang. Mais le sanatorium est le lieu de la perte pour un moi *en souffrance*. Avant qu'elle aille rencontrer l'Europe de la douleur à Davos, celui où son père l'a précédée, à Nummela, est le plus grand mouroir de Scandinavie, le lieu de la mort proche, imminente, et l'occasion d'un terrifiant côte-à-côte, d'un compagnonnage sévère où dans une solitude jamais démentie, l'être coudoie sa disparition prochaine, tutoie son effacement, franchit *une porte pour la mort -elle reste toujours ouverte*[93], descend désarmé, démuni sur les rives du Styx mythologique finnois, le Tuonela, ou dans la charrette des morts sjöströmienne. A sa manière, la poésie se fait *ars moriendi*. Si la vie est pour Birgitta Trotzig un *sentir-vivre*, elle est pour Edith un *sentir- mourir*.

La mort n'est jamais pensée comme abstraction. Elle n'est pas rejetée dans une distance où pourrait s'inscrire une mythologie, une allégorie, un esthétisme; elle est vécue comme absolue proximité. A l'âge ou les jeunes filles en fleurs, celles par exemple de l'*autre Edith*, Warthon, s'ouvrent à la vie et à la sensualité, Edith découvre *sa* mort. Sa rencontre a précédé celle de l'amour, elle en aiguise la nécessité, et celle du désir : *Comme ces courts instants où fleurit le désert/nous devons aimer les longues heures de maladie de la vie/et les années contraintes où se concentre le désir.*[94] Elle en dénonce le manque cruel. La poésie d'Edith Södergran est la moins abstraite de toutes (j'appelle poésie abstraite une poésie qui s'écarte d'un angström de la mort). La mort n'est pas pensée, elle est l'impensable, elle est une présence, presque un souffle et finalement la deuxième personne, le toi de ce moi, et le plus noir, le plus inévitable des pays södergraniens. Ces vers pourraient constituer l'exergue d'une vie : *Elle savait que son coeur devait d'abord mourir,/être réduit en miettes, car la vérité ronge*.[95] La vérité est la lente et consciente consumation de l'être mortel, celle aussi du héros de *Mort d'un apiculteur* de Lars Gustafsson. Mourir c'est être vraie. Toute poésie, le moindre vers se découpe sur fond de mort, dont la maladie et la solitude subséquente sont les signes avant-coureurs pour

---

[93] P. 47.
[94] P. 143.
[95] P. 137.

les condamnés à vie .[96] Ce qu'Edith écrit, c'est presque autant son histoire que celle de la progression de la mort en elle, c'est l'autobiographie de la mort. Si pour Rilke un *jeune poète* est un poète qui n'a pas encore donné voix à la mort, rien de tel ici. Aucune esquive du terrible, du *dragon* [97], nulle tentative de passer entre les mailles du filet, ni d'appel du suicide (*Rien n'est plus écoeurant que de mourir de sa propre main* [98]), tout juste un souhait d'enfant (*donne-moi un éventail/pour chasser les pensées qui me hantent* [99]), une frontalité lucide, une volonté sourde d'épuiser ce que chaque seconde récèle d'intense avant la *cuiller du fondeur* gyntienne. La mort se fait la plus profonde, la plus essentielle des aventures de la vie. Edith Södergran est la petite fiancée de la mort[100] .

En ce sens, le sentiment de finitude de sa poésie en fait l'absolue modernité : (...) *et qu'a fait/l'éphèmère de son unique journée?/.../ne reste plus alors que le corps/d'un éphèmère dans le repli d'une feuille* .[101] L'envie de vivre, d'être soi se comprend par cette certitude d'être écartée de la fête. Aucune possibilité de dégager une sagesse, comme le font les somptueux poèmes de Lagerkvist dans *Aftonland* ou *Le Bateau, le soir* de Vesaas ou encore ce *pays du soir* ekelöfien. La mort, c'est tout de suite, en tout début d'après-midi, c'est la *lyre de septembre* en avril : il sera bientôt trop tard. Par deux fois Edith liera son image à celle du hasard : *j'ai vu une femme qui souriante et fardée/jouait son bonheur aux dés/et voyait qu'elle perdait* .[102] Ailleurs : *Je suis une gitane venue de lointains pays/mes mystèrieuses mains brunes disposent les cartes*

---

[96] P. 83.

[97] P. 91 : *pas plus que la vierge ne craignait le dragon*; et p. 101 : *le pied sur la nuque d'un dragon mort* .

[98] P. 143. Mais : *ce jour où j'ai voulu mourir/parce que j'avais en vain tendu le bras/vers un étranger* (...), p. 113.

[99] P. 69. A opposer à l'éventail du bonheur : *la beauté, c'est le va et vient de l'éventail/éveillant le souffle du destin*, p. 105.

[100] Le terme est masculin dans les langues scandinaves. *Le* mort (mais c'est un déesse féminine, Hel, qui règne dans le royaume des morts du même nom !)

[101] P. 145.

[102] P. 23.

.[103] Cette dernière image n'est que compensatoire. C'est la mort qui dispose. Le combat est inégal. *Ah, l'inévitable frappera tel un coup d'épée* .[104]

De toutes les métaphores du transitoire, dont la plus merveilleuse me paraît être celle des *épaules faites de poussière* [105], figure celle de la flamme d'une bougie. Dans les pays du Nord, la lumière est le symbole théoriquement univoque de la vie, du retour de la vie après la longue nuit de l'hiver. De la Saint Cécile à la Saint Knut, les Scandinaves fêtent moins Noël (*juletid*) que l'allongement des jours, l'espace gagné sur la nuit. La lumière devient un véritable langage, notamment à l'Avent où les bougies (en norvégien, *levende ljus*, lumière vivante) se disposent et changent de couleur selon un rituel précis. En un sens, le rêve d'Edith serait d'être cette *fille lumière de la fôret* [106] inspirée de la Tintomara du romantique extrême Almquist (1793-1866), figure où elle se donne à lire comme en aucune autre, dans la mesure où le poème décrit l'inverse exact de sa vie et figure le mystérieux pays. Ainsi la seule autobiographie heureuse sera l'autobiographie imaginaire. Cette *fille lumière* qui investit poétiquement le monde, l'habite au sens fort, c'est-à-dire romantique, est ainsi un autoportrait inversé d'Edith.

La dimension festive associée à la lumière est absente de ces poèmes. Rien n'est dit de Noël. Aucune des scènes de familles si prenantes dans les tableaux d'Anders Zorn, chez P.S. Kröyer ou dans la Suède oscarienne de Carl Larsson (je pense aux aquarelles *La veille de Noël* de l'album *Spadarfvetet* (1904-1906), à *La sainte Lucie* de l'album *Du côté du soleil* (1910) ou encore à *La légende de la fête de la Sainte-Luce* de Selma Lagerlöf (1917). Quelle *paix dorée* pour qui va mourir ? Au nombre des images de l'éphémère, et au même titre que les *nuages errants* [107], la flamme dit moins la lumière de la vie vive que la finitude, le peu de temps finalement alloué, la permission de vivre : *à la*

---

[103] P. 165.
[104] P. 87.
[105] P. 93.
[106] P. 71. Variante de la fille-lumière, la fille en or : *Viens toi la fille en or, la vagabonde de l'automne*, p.99. Les images se croisent p. 33: *le fond d'or de la forêt*
[107] P. 61.

fenêtre, une bougie lentement se consume/et dit que là, quelqu'un est mort .[108] De ce miroir fragile qu'est la bougie, la puissance lumineuse est délaissée au profit de la fragilité, de la finitude. Le passage l'emporte sur la permanence, l'être sur l'essence. Ainsi comme chez un poète qui a subi en plein l'influence d'Edith, Gunnar Ekelöf : *Oui se fondre dans la nuit, en soi, dans la flamme de la bougie/qui me regarde les yeux dans les yeux/calmement, insondable et calme* .[109] La bougie södergranienne est tournée du côté de la mort. Comment ne pas s'étonner alors qu'Edith meure à 31 ans, comme Dagerman, le jour même de la Saint-Jean, cette *midsummer fest* où les flammes des bûchers, presque invisibles pour cause de ciel pâle, illuminent, ponctuent les côtes de toute une péninsule ? [110]

Autre variante de la fragilité, les étoiles, bougies du ciel. La fière assurance de l'étoile polaire chère au Gothicisme (*nescit occasum*) est étrangère à la frêle étoile södergranienne. Si le bonheur existe, c'est, dans un réel en tessons, à l'état de fragments : *tu entends ? une étoile est tombée!/ne marche pas nu-pieds dans l'herbe;/mon jardin est jonché d'éclats* .[111] Même catastrophe stellaire, même *désastre* ailleurs : *Inutile souffrance/inutile attente/le monde est vide comme ton rire./Les étoiles tombent* .[112] Cette pomme d'or qui assure l'immortalité et que tient Frigg dans le Walhalla, Edith ne la détient pas. Le pays entier est un semis d'étoiles, *la lointaine Finlande jonchée d'étoiles* .[113] L'unité du monde, que seul le bonheur amoureux de la vie avec l'autre pourrait fonder et garantir, est impossible. A l'image des scissions, des dislocations bergmaniennes, la fragmentation -et la fragmentation de soi

---

[108] P. 71. Voir le titre du danoisSoren Ulrik Thomsen *Mit lys braender- omrids af en ny poetik* (Ma bougie se consume-esquisse d'une poétique nouvelle), 1985.

[109] Carl Olov Sommar, *Gunnar Ekelöf, un portrait*, trad. C. G. Bjurström, Institut suédois, Paris, dactyl. , p. 8.

[110] Un écho p. 175 : *pour que dans le val près de l'eau nous allumions un gai bûcher*

[111] P. 57. Une image très proche dans Monologues (*Enetaler*, 1958) du poète danois Ivan Malinowski *"A présent tu fais un avec les asters d'un vieux jardin"*

[112] P. 63. A relier aux nombreuses scènes de couchants et plus généralement à l'imaginaire romantique.

[113] De Fages, op. cit., p.176.

par soi qu'est la maladie- , est l'indice le plus sûr du tragique : *la mer a brisé mille jouets et les a rejetés sur la plage* [114] ou encore : *rapiécé, rapiécé le tapis de la vallée* .[115]

De la même manière que le symbolisme de la lumière était inversé, celui du printemps l'est également : *Moi, prisonnière de moi, je dis :/la vie n'est pas un printemps vêtu de velours vert tendre* .[116] Comme toute promesse, le printemps est mensonge : c'est le *printemps nordique :toutes mes chimères ont fondu comme neige,/tous mes rêves ont fondu comme l'eau,/de tout ce que j'aimais il ne reste/qu'un ciel bleu et quelques étoiles pâles* .[117.] C'est cette même désillusion quant au printemps que je retrouve dans *Jenny* de Sigrid Unset : *Les soirs ne ressemblaient en rien aux longs soirs du printemps nordique, alors que l'angoisse semble émaner de la clarté insolite de l'interminable crépuscule.* C'est dire que le bonheur ne peut-être atteint que dans l'instant et ne dure pas en ce monde. S'il est, l'éternel sera dans l'instant. Le rêve heureux, naïf, d'union à deux dans la nature (un sens possible à ces images de trinité) est aussi rapide que le passage des saisons au Nord. Il s'inscrit dans le cadre des amours fugaces scandinaves. Celles d'Harry et de Monika dans le film du même nom, celles de Bjorn et d'Anna dans *Twist and shout* de Bille August, celles de Kerstin et Göran dans *Elle n'a dansé qu'un seul été* (*Sommardansen*) de Per Olof Ekström, filmées par Arne Mattson. L'amour ne dure qu'un instant, au mieux une saison, l'expérience de la durée lui est interdite. Le bonheur simple de Jof et Mia dans le *Septième sceau* est une exception. Elle confirme la règle. Encore une fois, ces visions d'un bonheur ont pu, même une esquille d'instant, un éclat de seconde, se confondre avec le réel, quand Edith est restée seule avec ses rêves et l'image d'un amour -la douleur naîtra de là- entr'aperçue. Sa tragédie est moins celle d'un amour perdu que celle d'un amour frôlé, ou -j'emprunte un adjectif au norvégien Tor Jonsson- non-né (*ufodd* [118]).

---

[114] P. 89. Cf p. 77 : *la flûte brisée que le printemps laissa sur le rivage.*

[115] P. 61.

[116] P. 115. Et p. 127 : *car ce printemps passera à côté de ton coeur*

[117] P. 75.

[118] *Nu(e)* n°2, Nice, 1996, p. 79.

Le bonheur est un bien. Comme toute vision vraie et profonde de l'amour, il cherche à s'inscrire, à fonder sa durée dans un paradis et, j'insiste, dans un paradis sexuel avec l'autre : *Dans les jardins de mon amour je ne me suis pas perdue* .[119] Trouver le bonheur, là encore accéder à un pays, c'est déjouer les plans du malheur, renverser la fatalité de la maladie en plénitude d'être. D'où son importance vitale. Vivre c'est le chercher (*söka lycka(n)* : *Implacables sont les étoiles-/nous le savons tous-n'empêche,/je chercherai le bonheur partout sur les flots bleus/et sous toutes les pierres grises* .[120] La poursuite du bonheur, avec ce qu'elle pourrait supposer d'esthétisme, de gratuité, ne se limite pas à la recherche de sensations du dandy, ni même à la chasse stendhalienne, elle se fait quête et plus encore *guerre*. La guerre qui intéresse Edith n'est pas seulement celle qui dépèce son pays et fait d'elle le témoin direct des plus brutaux affrontements du siècle (de Raivola, on aperçoit Kronstadt), c'est la guerre pour le bonheur : *la beauté c'est faire la guerre et chercher le bonheur* [121].

Loin des images martiales deux animaux sont, dans le bestiaire sentimental södergranien, les emblèmes discrets. Le chat tout d'abord, compagnon et confident, caressé de toutes les caresses refusées, ici dans deux des vers les plus touchants de l'oeuvre : *Chat porte-bonheur, ô mon chat, ronronne/et déroule encore un peu mes rêves d'avenir* .[122] Ailleurs : *Dans ce monde ensoleillé/je n'ai qu'un souhait : un banc dans un jardin/où un chat se chauffe au soleil* .[123] Ou encore *J'embrasse le petit chat qui dort sur ma poitrine* .[124] Autre animal fétiche, le coucou : *là était le gentil coucou qui avait pris mon désir au piège* .[125] Ailleurs : *Nous demandons au coucou ce qu'il attend du printemps* .[126] Une image

---

[119] P. 67.

[120] P. 145. Tout Edith est dans ce *n'empêche*.

[121] P. 105.

[122] P. 68.

[123] P. 31.

[124] P. 85.Cf :*et le chat, sa maîtresse/quelle joie ce fut pour tous deux (...) cette merveilleuse amitié de quatorze ans*, p. 177.

[125] P. 67.

[126] P. 73.

très heureuse lui est associé, sorte d'art poétique implicite : *au coucou elle avait emprunté sa boîte à musique,/elle en jouait de lac en lac* .[127] Ces deux fragiles témoins d'un possible paradis, dont j'ignore la probable valeur symbolique, n'empêchent pas que le bonheur soit éminemment double, et problématique. L'attitude par rapport au bonheur, *ce bonheur hors d'atteinte* [128] est ambiguë et révèle la riche dualité d'Edith. Il y a chez elle, en même temps qu'une soif du bonheur, une peur du bonheur.

Tout d'abord, ce bonheur est un pays qui n'existe pas : *Il n'y a pas de chemin qui mène au bonheur,/il n'y a pas d'homme heureux qui se souvienne du sentier/qui mène à la porte dérobée du bonheur* .[129] Mais il est surtout facilité : *il serait facile de suivre le même chemin* .[130] Ce bonheur qu'il est presque impossible d'atteindre est ainsi, paradoxalement, placé du versant de la facilité, avec tout ce qu'elle suppose de relâchement, de laisser-être : *Il serait aisé et simple/de suivre le chemin du bonheur* .[131] Le bonheur est en effet stase, assoupissement : *le bonheur c'est le champ assoupi dans la fournaise de midi* .[132] Il est arrêt de la dynamique vitale et *en dernière instance*, figure annonciatrice, reflet de la mort : *Ah! chasser l'oiseau du bonheur,/c'est marcher sans chemin,/attraper sans avoir de mains. Qui au royaume du bonheur devient roi/stupide, stupéfait s'en tient là* .[133] Le bonheur n'est pas souhaitable, dans la mesure où sa force émolliente empêcherait le moi de se rejoindre. *Brise ton bonheur, car il est mauvais* [134]. Dans ce monde d'illusions, le bonheur en est une. *Et si le bonheur*

---

[127] P. 71. Ce chemin ne se trouve pas seul : *je te montrerai le chemin que personne ne trouve seul*, p. 99

[128] P. 155.

[129] P. 65. Opposer la *porte dérobée* du bonheur à la porte *toujours ouverte* de la mort, p.47.

[130] P. 51.

[131] P. 81.

[132] P. 121. Et p. 83, la déesse du bonheur est *celle qui règne sur les mers tranquilles* mais aussi sur l'eau calme des lacs.

[133] P. 64.

[134] P. 121.

était un faux pressentiment ?[135] Or rien n'est insupportable à un esprit avide de vérité comme le mensonge. Surtout le bonheur est un danger pour l'âme. Il y aurait en effet une contradiction à prétendre vouloir se dépasser par la volonté (je me demande même si le radicalisme scandinave n'est pas une variante nordique du transcendentalisme américain) pour se jeter à coeur perdu dans le bonheur.

Dans le même geste qui éloigne l'homme, dans la même soif de définition, l'hédonisme est rejetté en faveur d'un héroïsme aristocratique pourtant synonyme de solitude. Qui s'élève s'isole. Le mouvement de conversion, le changement de cap est net dans ces vers évoquant la déesse du bonheur : *Tu décidas alors de ne jamais la servir/Se rapprocha de toi la douleur aux yeux profonds,/La jamais implorée* .[136] Quelque soit le prix à payer, celui d'un improbable grévé, la douleur est vertu d'inquiétude. Elle prend et donne tout à la fois. Elle maintient l'âme dans la tension de sa soif : *La douleur nous donne tout ce dont nous avons besoin-/elle nous donne les clefs du royaume de la mort,/(..)/elle donne l'unique baiser vrai./Elle nous donne nos âmes bizarres et nos curieux engouements,/elle nous offre tous les gros lots de la vie : l'amour, la solitude et la face de la mort* .[137] La vie est *vie, durée et défi* [138] : tout ce qui rappelle la force de vie (*livskraft*) est connoté positivement. La tempête (*les arbres de la fôret étouffent d'un désir de tempêtes* [139]), la houle (*la houle, c'est tout ce que j'aime* [140]), la mer (*mais la superbe, superbe mer est plus périlleuse à voir* [141] - Edith se définissant dans un texte comme la mer elle même : *tu trouves une mer* [142]), et, dans un symbolisme ambivalent, la flamme qui n'est plus

---

[135] P. 145.

[136] P. 83. Autres divinités : *l'impiyoyable déesse du jour*, p. 151 ou *le dieu des éclairs*, p. 159. Nous ne sommes pas loin de l'animisme de la religion viking.

[137] P.121.

[138] P. 103.

[139] P. 45.

[140] P. 113.

[141] P. 77. Cf p. 83 les images du naufrage romantique : *celle qui règne sur les mers déchaînées, les navires qui sombrent,/ sur les condamnéss à vie et les lourdes malédictions*

[142] P. 27.

mouvance moribonde que la mort mouchera, mais vecteur d'être : *Je suis une flamme exploratrice et gaillarde* [143]. La fierté est coeur de l'être : *Je n'ai que mon altière couronne,/ma fierté qui s'exalte./Ma fierté qui s'exalte prend sa lyre sous son bras/et tire sa révérence* [144] Par-là s'éclaire l'un des traits essentiels du caractère nordique : sa capacité à faire de nécessité vertu, à vivre la plénitude du manque, comme le prouve l'histoire de la Suède du pain d'écorce (tel était le nom que donnait Diktonius à la quatrième symphonie de Sibelius) qui est encore celle d'André Bellesort. *Arcem tendere..* Comme la Finlande, la poésie *fait avec.* Vertu nationale finnoise, l'intraduisible *sisu* (tenacité ? cran?) bientôt celle, dans les olympiades des années 1920, de Paavo Nurmi sur la cendrée, est à comprendre ainsi. Edith a su vivre cette *noblesse pauvre* chère à Agnès von Krustensterna. Le moi retourne la fatalité de sa solitude en fierté. Vue sous cet angle, la tentation de se donner à un autre peut se lire comme un signe de faiblesse : *ne te dépouille pas de ta fierté/ne te glisse pas, toi qui est nue/tendrement dans ses bras, quitte-le plutôt avec des larmes* [145].

Cette force, cette abondance de vitalité, où les trouver ailleurs que dans le cycle naturel ? Comment étudier un seul texte nordique sans le relier à la présence, ou à l'absence -dès lors singulière et infiniment problématique- de la nature ? Comme l'écrit Régis Boyer : *On court le risque de passer à côté de l'essentiel dès qu'on s'intéresse aux Scandinaves, si l'on oublie qu'au fond de leur psychisme il y a un amour inexpliqué, invisćéré de la nature, de la vie* [146] L'entier de la démarche poétique d'Edith a le dehors de la nature pour cadre, loin de l'intérieur domestique familial si cher aux écritures nordiques, où se vivent tant de drames (Borgen), et qui expliquerait à lui seul l'audience de Proust. Le dehors est le signe d'une rupture première avec le cadre familial et la société des hommes, l'indice d'une solitude, la marque que

---

[143] P. 43.

[144] P.147.

[145] P. 81.

[146] Dans sa présentation des *Ames fortes* et de *Noces* de P. Lagerkvist, G. F., 1986, p. 6.

le moi ne peut participer au *concert social* (je pense pour cette idée de l'orchestre comme métaphore de la société au *Vers la joie -Till glädje -*de Bergman mais aussi à *L'oratorio de Noël -Juletoratorio-* de Tunström). Tout se joue dans le grand dehors du monde, au plus près de l'éternel, de la mer et des étoiles. Protégé au dedans, le moi est exposé au dehors. Le lyrisme personnel s'épanouit en lyrisme naturel. Comme l'écrit le norvégien Claes Gill : *Je ne sais rien en dehors de ceci,/ceci seul : que la vie me vit (jeg leves).*[147] Ici le moi se projette dans un arbre, symbole si fort dans la littérature d'un monde bâti *sur les racines du frêne Yggdrasill* (Leconte de Lisle, *Poèmes barbares*). La sève du monde passe aussi bien dans les êtres que dans les végétaux. Entre eux une communauté : *ma main a même sang que le printemps* .[148] Le vivant rejoint la vie, ce *pan* si chers aux vagabonds marginaux d'Hamsun.*In eine Blume hab ich mich verliebt* dit un poème d'Edith.

Pour la poésie nordique, le moi n'existe qu'autant qu'il est relié *in medias res* aux forces vives, sauvages de la nature. La poésie est pratique nuptiale au monde. Elle ne se sépare pas d'une tendresse bien scandinave pour ce qui vit, fleurs, plantes, animaux, bref pour toutes les formes du vivant dans leur diversité. La solitude même est solitude cosmique : *mes seuls compagnons seront la forêt, le rivage et le lac* .[149] Ce qui peut sembler extérieur à l'être, constituer son ailleurs, en est en fait le coeur. Pour peu qu'on refuse de la caricaturer par son seul amour du vivant, la poésie est au sens strict un *naturalisme*, une approche de la réalité (*verkligheten*) du monde sensible : *Nous voudrions maintenant te dire le secret de ta vie :/la clef de tous les secrets se trouve/dans l'herbe de la butte sous les famboisiers* .[150] Il est moins question de mode que de monde. Voir ce qu'entend Lundkvist par *poète dans le vent* (*diktaren i vinden*) : *il est de vent lui-même,/ses paroles sont de vent,/vent son*

---

[147] *Les imperfections de la vie*, traduction et présentation de Régis Boyer, Orphée La Différence, p. 71.

[148] P. 41. Mais *l'arbre étranger*, p. 99 pourrait bien être le discours d'un séducteur, ou l'arbre de la tentation.

[149] P. 171.

[150] P. 167.

vouloir, vent son pouvoir .[151] Les univers civilisationnel, historique, urbain - ce dernier témoin privilégié ·de l'occupation russe- n'apparaissent pour ainsi dire pas. La ville n'est pas dans la littérature nordique le lieu de la réalisation et de l'éclosion heureuse de l'être mais le cadre problématique de son étiolement. Le lieu des *marques* dans *Sult* d'Hamsun (*Faim* et non *La Faim*) :*Christiania, cette ville singulière que nul ne quitte avant qu'elle lui ait imprimé sa* marque. On retrouverait cette hantise de la ville chez un autre finnois svédophone, Johan Borgum : *tu as raison, cette ville est affreuse : bruyante, sale, au bout du rouleau (...) la pollution forme une sorte de brume* .[152] Considérant la ville ou la modernité dont elle est l'indice architectural, le scandinave, ainsi Rolf Jacobsen, voit d'abord ce qu'il a à y perdre de son âme. Helsinki, fondée par Gustave Vasa, rebâtie par C.L Engel et ici sous son nom suédois, appelle la mort : *La mort est à Helsigfors/Elle capte les étincelle sur les toits* .[153] Au contraire, l'être à tout à gagner -à commencer par lui-même- à se rapprocher au plus près, au plus nu de la nature comme le dit, pour toute la lyrique du Nord, Hamsun dans les pages finales de *L'Eveil de la glèbe*, celles que lit Marie Hamsun dans le *Hamsun* de Per Olof Enquist : *Isak était le nom d'un homme. Il séme, il est tel un roc. Il fait un avec la nature. Il vit en harmonie avec la nature.* C'est le geste émouvant de Niels chez Jacobsen : *Il jeta ses bras autour d'un tronc d'arbre, appuya sa joue contre l'écorce et pleura* . Tourner le dos à la ville et embrasser la nature sont dans la lyrique nordique l'envers et l'avers d'un seul et même mouvement. Fuir la ville et la société des hommes me paraît en tous cas un geste présent dans les lettres finnoises. C'est, obéissant au même idéal de liberté, celui des *Sept frères* d'Aleksis Kivi (1870) fuyant dans la forêt la férule d'un pasteur, celui encore, avec des accents écologistes plus francs, de Vatanen dans *Le Lièvre de Vatanen* d'Arto Paasilinna (1975) voire, mais moins, celui des *road movies* des frère Kaurismäki. Edith : *au*

---

151 *Feu contre feu*, traduction et présentation de J. CL. Lambert, Orphée La Différence, 1991, p. 121.

152 in Nouvelles nouvelles, Voyages en Septentrion, h. s., s. d., p. 45.Voir aussi M.Yourcenar sur Ibsen, *Les yeux ouverts*, entretiens avec Mathieu Galey, 1980, p. 47 : *Il m' a beaucoup appris sur l'indépendance totale de l'homme, comme dans* Un ennemi du peuple *où le héros est seul à s'apercevoir que la ville est polluée.*

153 P. 156.

milieu d'étrangers qui sur les collines bleues/élèvent jusqu'au ciel des villes nouvelles/je parle doucement aux arbres prisonniers [154]. Au dénuement matériel extrême et à la ruine où vécut Edith se superpose une éthique de la nudité. *Ma vie était aussi nue/que les roches grises* [155]

Cette poésie de l'intériorité est la moins psychologique qui soit, elle ne s'enlise pas dans le narcissisme. Narcisse est la figure mythologique la plus étrangère à Edith. Rentrer en soi, on l'a vu, c'est d'un même mouvement s'ouvrir au monde. La poésie est *cosa vitale*. Pour rejoindre ce flux, cette circulation naturelle, le moi doit d'abord se quitter. Ce passage, Edith Södergran l'appelle *le neutre : Je ne suis pas femme. Je suis neutre/(...)/je suis un rai de soleil écarlate qui rit.../(...)/ je suis le sang qui chuchote à l'oreille de l'homme* .[156] Etre neutre, c'est n'être ni l'un ni l'autre, c'est n'être rien; c'est être l'un et l'autre, c'est être tout. Echappant à la prison de sa particularité, le moi indivis rejoint le général, l'existence l'essence, le personnel l'impersonnel. Comme l'écrit de Sibelius un autre finlandais svédophone, Bo Carpelan : *Il existe dans la musique de Jann, un côté impersonnel, au meilleur sens du mot. Ce dont parle sa musique est ce qu'il existe de plus universel : solitude, bonheur, souffrance, sentiment d'éternité, fusion avec la nature. Et l'art véritable quand il est le plus personnel ne renferme-t-il pas cette universalité, ce côté impersonnel ?*[157] Le moi écrit l'autobiographie du monde. Dans cette description, l'homme est absent mais sa présence se dit partout : *Quelques sapins se taisent /le long d'un chemin qui soudain s'arrête/dans un cimetière sous la brume./Un oiseau pépie- qui est là.* [158] Dans l'attitude de vigilance attentive et de tendresse alarmée qui la caractérise, Edith, devenue le verbe attendre, se met à

---

[154] P. 29.

[155] P. 59.

[156] P. 179. Gunnar Ekelöf : *la vie est rencontre des contrastes/ la vie est ni l'un ni l'autre/ la vie est ni jour ni nuit/ mais crépuscule du matin et du soir* in C. O. Sommar, op. cit. , p. 9

[157] *Axel*, traduction des mêmes L. Albertini et C. G. Bjurström, Gallimard, 1990, p. 354.

[158] P. 97.

l'écoute du futur et de l'inconnu, des *runes d'argent de la lune* [159], à l'unisson de la nature : *Maintenant je puise la sagesse dans la sève du pin/maintenant je puise la vérité dans le tronc désséché du bouleau,/maintenant je puise la force dans le brin d'herbe le plus tendre* . [160] Le monde est bien son autre privilégié. *Dédaigne toute vaine goire/car désormais le pin et la bruyère seront tes maîtres* . [161] *La nature est l'interlocuteur essentiel de Södergran* note avec justesse Lucie Albertini. [162] Les vraies noces (*brollöp*) d'une femme se célèbrent avec elle, tant il est vrai que *seulement les rayons du soleil savent honorer dignement le tendre corps d'une femme* [163]. Une amitié se crée (*vänskap*), une connivence (*hemligt samförstand*) se fait jour : *Je suis seule couchée parmi les arbres près du lac/je vis en amitié avec les vieux sapins de la rive/en connivence avec tous les jeunes sorbiers* . [164] Surtout un dialogue spirituel s'établit entre âme et nature. La solitude est transcendée : *(...) alors le rivage m'a dit / Vois, ici tu t'es promenée, enfant, et je suis toujours le même* [165]. Ailleurs : *l'arbre étranger (...) chuchote doucement.* [166]*Un silence s'étend sur le lac,/chuchotement à l'affût entre les arbres* . [167] La nature nourrit l'être, le fait croître, ici

---

[159] P. 179.

[160] P. 171.

[161] P. 175.

[162] Présentation, p. 10.

[163] P. 39.

[164] P. 119. Karin Boye s'en tient à une *liaison profonde (djup förbund)*. *Tous nous est amour* dit au nom de tous les hommes du Nord, l'islandais Sigurdur Palsson.Ou encore le danois Malinowski : *L'univers ? C'est un acte érotique!/Tout est amour* (Le vent dans le monde, *Vinden i verden*, 1988) Edith : *Je n'ai qu'un nom pour tout et c'est amour* (p. 119)

[165] P. 175.

[166] P. 99.

[167] P. 73.

[168] P. 178. Le poète Lybeck recours à la même métaphore pour évoquer la fragilité du pays dans sa lutte pour la liberté : *Rêve de liberté/ Frêle comme l'aile scintillante/ D'une libellule.* Voire l'incipit du *Mon nom sera Stig Dagerman* de Björn Ranelid, Albin Michel, 1995, trad. Ch. Bjürström : *Mon âme ne pèse pas plus que le rêve d'un papillon, mais elle contient tellement de choses que pour la circonscrire, Dieu*

dans l'image la plus tendre du recueil : *Alors la forêt laissa tomber ses graines dans le coeur des hommes/et dans leurs yeux nagèrent des lacs scintillants/et papillonnèrent sans cesse les papillons blancs .*[168] Il est notable que le bonheur soit lié à l'image éphémère du papillon blanc, qu'il faudrait opposer aux papillons noirs de la folie chez une autre finnoise, Leena Lander. Ce mouvement d'échange, au sens biologique du terme, est innutrition, transfusion. *Le goût sucré du plein été/perlait de chaque arbre/et dans mon coeur qui s'ouvrait/une petite goutte se glissait.*[169] Le moi se dit d'abord à travers les éléments du monde : *Je suis la dernière fleur de l'automne/je suis la plus jeune graine du printemps mort .*[170] Le monde est parole : *et l'obscure rumeur du ruisseau/qui parle d'un bonheur présent .*[171] *Les fôrets s'inclinent et bruissent vers la terre* [172] Ailleurs : *celle qui cause est un ruisseau bavard .*[173] Si cet extrait lie, même négativement, parole et nature, c'est que les paroles elles-mêmes, celles de l'autobiographie comme les autres, relèvent du monde vivant : *Chaudes paroles, belles paroles, paroles profondes./Pareilles au parfum d'une fleur* [174.]. Ailleurs *les chuchotements s'attardent encore parmi les sapins* [175] ou *les pleurs*

---

doit prendre son grand compas. Les analyses sur la flamme vaudrait pour le lépidoptère : le papillon est la flamme de l 'espace.

[169] P. 63.

[170] P. 43. Noter l'oxymore sémantique gorgé de sens. Même germination léthale, celle d'une vie mort-née p. 37 : *dieu est le grain fertile du néant.* Vie et mort s'entremêlent étroitement : *cet été trois rosiers poussent sur trois tombes, p. 97.*

[171] P. 125.

[172] P. 57. Intraduisible *sus* scandinave ! Mais la parole du monde peut être ambiguë : *Pourquoi ces menaçants murmures dans le vent,* p. 67 ou p. 77 : *ce qu'ordonne le vent* La nature nordique n'est pas, n'est jamais univoque.

[173] P. 45.

[174] P. 89.

[175] P. 79.

silencieux/des buissons du rivage [176]. Le moi doit pour lui recueillir cette parole, tenter de la traduire. Etre attentive pour Édith, c'est surtout être à l'écoute : *toi qui écoutes la forêt* .[177] Dans le poème *Portrait* , le moi se dit par deux images naturelles : celle de l'oignon, utilisée par Ibsen à l'acte cinq de *Peer Gynt* pour dire le délitement de l'être, et celle de la dune : *J'ai prié mon Ami de peindre mon portait sur la dure coque/D'un côté il a peint un jeune oignon enfoui dans le brun terreau/et de l'autre une douce et ronde dune* .[178] Dans un cas comme dans l'autre, le moi se définit par les éléments naturels. L'autobigraphie est inséparable des forces vivantes où elle s'inscrit. Ce passage dans le monde ne l'interdit pas, il en élargit les cadres. Cette présence de la nature peut faire du poème une simple juxtaposition de notations, à la finesse digne d'un haïkaï, ainsi dans ce *Nocturne : Pureté argentine du clair de lune,/onde bleue de la nuit/déferlement sans fin des vagues,/ scintillement de la nuit* . [179] Comme si seule cette nature pouvait permettre à la vie d'atteindre son point d'intensité le plus haut. Celle-ci n'est vivante que gorgée de sa force, que portée jusqu'à incandescence : *mes lèvres sont devenues braises* .[180] Les poèmes traduisent alors les moments vifs, vivants, vitaux de la vie, *chaque abondance, chaque braise, chaque débordement* .[181] Il faut alors souligner avec Boyer l'étonnante similitude entre les vers d'Edith et ceux de Karin Boye[182], et s'interroger sur la spécificité possible d'une lyrique féminine scandinave, tant les vers d'une poétesse pourraient avoir été écrits par l'autre. Même volonté de droiture tendu au cordeau (*cordes tendues, aplomb d'étoiles* [183]), même guerre féminine où les images vikings de la

---

[176] P. 31.

[177] P. 99.

[178] P. 129. Par pur hasard, l'oignon et la dune sont aussi des thèmes anderseniens, le premier dans la légende de l'oignon qui l'inspire dans le conte *Anne Lisbeth*, le second dans *L'histoire des dunes*

[179] P. 31.

[180] P. 39.

[181] P. 105.

[182] *Pour l'amour de l'arbre*, traduction et présentation de R. Boyer, Orphée La Différence, 1991.

[183] P. 39. Mais aussi p. 85 : *Ma vie danse sur la corde raide, très haut.*

force, de l'irruption sont mises au service d'un combat spirituel. Le poème *Nulle part* (*ingenstans*) semble une reprise du texte d'Edith, à l'image de tant de vers de Boye que je livre sans commentaire pour établir la gémélité, la sororalité des voix : *je suis malade d'une soif pour laquelle la nature ne créa point de boison; mon pauvre être d'osier; ô soeur du désir; j'ai rencontré un étranger qui se taisait/toi ma douce, douce mort/l'haleine de la mort.*

La hantise scandinave est la crainte d'un monde détruit, où se lisent toujours les flammes de l'incendie de la Consommation du destin des Puissances chère à la mythologie des anciens scandinaves, la conflagration apocalyptique Ragnarök, où le dieu-géant du feu incendiera le monde, décrite dans les vers de la Völuspa dans L'Edda poétique et dont j'aperçois ici les lueurs : *Terrible, le grand incendie qui a réduit en cendres ma jeunesse*.[184] Il n'est aucune oeuvre majeure scandinave qui en fasse l'économie. Je la trouve chez B. Trotzig (*La Maladie*) : *des flammes de sang jaillissaient en geignant et gémissant hors des cavités grises, le monde brûlait, cet incendie était la fin, le monde entier brûlait et c'était la fin*.[185] Cette peur d'un monde perdu, celle aussi de *La Honte* bergmanienne où la guerre veut dire la destruction, la cassure du monde, est à mon sens l'inverse de l'amour, et comme sa conséquence. Il faut beaucoup aimer un monde pour craindre de le perdre. Je retrouve cette crainte -autrement- chez le danois Hoeg (*Smilla et l'amour de la neige*) : *le soleil se refroidira, il n'y aura plus d'été et la neige tombera sans discontinuer, une impitoyable éternité blanche. Ce sera un hiver infini et le loup Skoll engloutira alors le soleil*.[186] Notons que l'apocalypse est ici moins révélation que destruction. Mais tout autant qu'une frayeur escatologique, il s'agit de la terreur d'un univers anémié, dévitalisé, coupé de sa sève, comme si la tuberculose s'étendait au monde entier. La maladie s'élargit en maladie du monde : *le roi devenait pâle, changeait de conversation.../Quand vint le printemps, le roi n'alla pas dans son jardin/Il garda la chambre qui*

---

[184] P. 87.

[185] Gallimard, du monde entier, 1977, p. 31.Traduction : J. Goffin.

[186] Seuil, 1995, p. 278. Traduction : A.Gnaedig et M. Selvadjian. Quelque soit son échelle, bougie ou incendie du monde, l'élément igné, symbole de vie, porte la mort.

donnait au nord.../Bleu pâle, le printemps regardait à travers les vitres
.[187]

Plus qu'un canon de la beauté féminine, le blanc symbolise la pâleur. Le monde de la maladie est blanc (pâle : *bleka*) ou noir (obscur : *morka*) ou encore achrome (et que penser alors de ce mystérieux *chevalier sans couleur* [188]?). Que, fidèle à son infidélité, mon Ami me trahisse, et le monde n'a plus de couleurs : *Et plus rien n'est pour moi ni haut ni bas,/ni noir ni blanc/depuis qu'au bras de mon bien aimé j'ai vu/une femme en blanc* .[189] Même pâleur pour l'une des *quatre portes*, la mélancolie. Edith, alors, invente peut-être une mélancolie blanche. *L'infinie blancheur est mélancolie comme ce crépuscule de neige/où la mère de Blancheneige, assise à sa fenêtre,/appelait de ses voeux le rouge et le noir.*[190]*Dans la forêt mélancolique/habite un dieu malade./dans la forêt obscure, les fleurs sont pâles* .[191] La pâleur est liée à la mort dans cet oxymore déroutant : *et tous ceux qui sortaient de là étaient vigoureux et pâles/prêts pour la mort* .[192]

Au revers, la vie dans son sens plein (*mening*) est couleur. Couleur et achromisme s'opposent comme santé et maladie, comme vie et mort, comme poésie et prose. Ce que le moi moribond appelle de ses voeux, de ses mots, de son *désir de couleurs* (*färgernas längtan*) c'est la couleur vitale : *à cause de ma pâleur, j'aime le rouge, le bleu, le jaune* [193]. Le monde dit sa vie par les couleurs. Le chromatisme c'est la vie qui vit, qui veut vivre, c'est l'acmé de l'être. Ce que le myosotis ou ces *tenaces petites fleurs aux couleurs éclatantes* demandent à Dieu, c'est *un éclat plus vif.*[194] Qu'apporter à un malade sinon la parure du monde :

---

[187] P. 107. Si le roi est pâle, c'est qu'il ne désire plus.

[188] P. 91.

[189] P. 57.

[190] P. 45.

[191] P. 67.

[192] P. 23. Cf p. 49 : *nos soeurs portent des robes bariolées.* Autre oxymore, p. 81 : *Pour qui a vu la fange dans le bref printemps de la joie,il ne reste plus/ qu'à geler dans le feu*

[193] P. 45. Le rêve d'un monde de toutes les couleurs ? *j'ai vu du rouge, du jaune, toutes les couleurs*, p. 77

[194] P. 103.

Pour toi, j'ai cherché dans la grande forêt de printemps/une branche lourde de fleurs, une seule .[195] La beauté est déploiement des forces vitales dans la chatoyance de leur richesse multicolore : *la beauté, c'est la parure du perroquet* .[196] Ce que recherche Edith sur le blanc de la page, ce sont les couleurs vives d'un paradis.

Au-delà du traité des couleurs gothéen, ce symbolisme des couleurs me paraît en partie redevable à l'anthroposophie de Rudolf Steiner, dont les écrits et les conférences ont eu à l'époque d'Edith un retentissement très aigu en Scandinavie. Au nombre de ces couleurs, deux s'appellent et se répondent, tissent des affinités électives jusqu'à former un couple chromatique, qu'on retrouverait chez Bergman avec les images du lait et celles, irrationnellement surinvesties pour un scandinave (faut-il relire les *Fraises sauvages* ?) des fruits des bois : le blanc et le rouge, l'album et la rubrique. *Quand arriva le chevalier la vierge était rouge et blanche* .[197] Ailleurs : *ma main a même sang que le printemps./Saisis ma main, saisis mon bras blanc* [198] ou *Tu as jeté la rose rouge de ton amour/sur mon blanc giron* [199] ou encore : *des rouges flammes ont éclos/sur ma joue blanche* .[200] Par ailleurs, et comme en Russie à la même époque, les Rouges bolchéviques et les Blancs du maréchal Mannerheim, futur président de la République, en décousent dans la guerre civile[201]. Si la pâleur est signe de dégénerescence, le rouge (*le rouge vif* dirait Karoline von Gunderode) est la vie qui veut vivre[202]. *Viens toi la pâle, toi qui convoites le sang,*

---

[195] P. 127.

[196] P. 105.

[197] P. 91.

[198] P. 25.

[199] Ibid.

[200] P. 5. ou p. 33 : *une couronne rouge de vigne vierge près de l'oreiller.* (ou la vigne vierge chère à Munch tisse entre elles les image de la virginité et de l'afflux de sang) ; p. 51 : *de rouges flammes ont éclos /sur ma joue blanche*

[201] Cf Axel, op. cit., p. 486 : *A Tammerfors, les Rouges ont capitulé et les Blancs ont célébré un culte.* Ville = Guerre.

[202] *Qu'on ne s'étonne pas en conséquence, de la teinte rouge qui si fréquemment baigne ces poèmes.* Boyer op. cit., p. 6.

viens .[203] Ailleurs : *La force de la moitié de ton sang suffit/Qu'il monte dans tes veines/et se lance à l'assaut, le monde t'appartient.*[204] Le sang est le seul bien d'un être : *Je n'ai que ma cape resplendissante/ ma témérité rouge* [205] . Il est promesse de vie (*Rouge le matin monte de l'océan* [206]), ou ici promesse d'envol : *C'est alors qu'un rouge-queue s'envola du sorbier près du puits* .[207] Le désir de couleurs est désir de sang. Rudolf Steiner : *L'élément vivant veut se révéler à nous lorsque le rouge, le rouge actif, nous affronte de telle manière que ce rouge nous pouvons bien le dénommer : l'éclat du vivant* .[208] La force de la volonté est la réponse de la vie à la mort, de la santé à la maladie. Dans un pays qui n'a jamais connu le servage, le destin propose, le moi dispose, ici par le biais d'une opposition verbale marquée : *le destin décréta : blanche tu vivras, rouge tu mourras !/ mais mon coeur décida : rouge je vivrai* .[209] Ce que recense l'autobiographie, dès lors, ce sont les moments les plus vivants de la vie, ceux où, fidèle à son projet essentiel, elle est croissance et germination. Le rouge est le sang du monde, de la vie, mais aussi bien de la mort, fin naturelle de la vie : *la mort circule, le rose aux joues* [210]. La rose rouge ne peut pas non plus ne pas évoquer le roman de J. Linnankoski *Le chant de la Fleur rouge*(1905) *fleur étrange poussée au bord d'un lac, au sein de vastes forêts* et qui pourrait être une métaphore de la poésie, ou ce qui revient au même, de l'âme d'Edith. Les images de la mort, l'heure où dire adieu au chat, au coucou, aux papillons blancs du bonheur, sont associées chez Edith à la douceur d'une délivrance. La mort est *douce mort* (*milda döden*) : *La mort a les traits tendres et les joues amènes,/elle pose*

---

[203] P. 99.
[204] P. 161.
[205] P. 147.
[206] P. 151.
[207] P. 177.
[208] Conférence à Christiania (Oslo), 8 mai 1923 in *Mission cosmique de l'art*, Editions anthroposophiques romandes, Genève, 1982, p. 156.
[209] P. 95.
[210] P. 109.

sa main douce sur ton coeur . [211] Ailleurs : *Il me faut encore attendre la douce mort/qui libérera mon âme* .[212] C'est ainsi au moment de sa disparition, de sa lente consumation que le moi atteint la synthèse qu'il recherchait. Il se rejoint au moment de s'effacer.

Mais surtout le rouge, encore une fois tellement à l'oeuvre dans l'oeuvre, est sang du désir. Eros est un dieu rouge. Aimer, c'est entrer dans sa *ronde rouge* [213]. C'est souhaiter *la rose rouge de ton amour qui fânera bientôt* [214] La fleur bleue romantique, trop sentimentale pour le désir sans fin (*ändlos längtan*) d'Edith Södergran s'est faite fleur rouge, ou, c'est le titre de ce poème, *signe distinctif* du moi : *Il m'a donné une rose rouge sombre-/la plus petite du monde./Elle me distingue de tous,/ on la voit sur ma robe blanche* .[215] Les femmes sont *les plus ardemment rouges* [216] La *noche oscura*, la nuit mystique du très haut amour pozzien est ici une nuit rouge. D'où, dans une mythologie florale : *La beauté, c'est s'adonner à la volupté comme la rose* .[217] Et la splendeur d'un texte si violemment érotique de l'éros rose, simplement intitulé *La rose* : *Je suis belle car j'ai grandi dans le jardin de mon bien-aimé./Les pluies du printemps m'ont abreuvée de désir,/Le soleil m'a rempli de feu-/me voilà ouverte, j'attends* [218]. Je ne connais que ce texte de Birgitta Trotzig pour aller aussi loin, aussi profond dans la belle vérité du sexe, dans *l'extase des roses* [219] : *dans la cellule, dans l'obscurité de l'arbre//la fleur rouge sur le mur, une bouche sombre/qui grandit; un sexe, oeil grave/ profond qui dévore* . [220] Le rouge est l'exacerbation du désir, mais la vérité, celle aussi que connaît la femme dans la vérité

---

[211] ibid.

[212] P. 29.

[213] P. 135.

[214] P. 25.

[215] P. 149.

[216] P. 39.

[217] P. 105.

[218] P. 125.

[219] P. 37.

[220] *Europe*, avril 1994, n°780, p. 133.

menstruelle de son sang. Est-ce le secret d'Eros? *Je vis dans le rouge, je vis mon sang* [221] Comme chez Marie Bachkirtseff, à qui elle fait souvent penser, l'attente est peut-être la caractéristique la plus nette de l'attitude d'Edith Södergran, sans que l'on sache qui de la nostalgie ou du désir l'emporte tant ces deux notions s'épousent dans l'intraduisible *längtan*, rime naturelle au nom Södergran, coeur de cette poésie et du caractère d'un pays, aussi suédois que la *saudade* est lusitanienne ou la *Sehnsucht* germanique.

Comme cette dernière pour l'Anselme du *Vase d'or* hoffmannien, la *längtan* est souffrance d'un pays perdu (*Quelque part, là-bas, dans un pays lointains .*[222]), pays qui n'est pas, ou qui n'existe pas, selon les traductions, et dont Edith n'a cessé de vouloir franchir le seuil, qui est l'un des variantes du *waste land* elotien (*et là je veux rester assise à chercher du regard/la fumée des cheminées de ma patrie* [223]), pays à retrouver (*et, suivant mes anciennes traces, je suis repartie vers la mer* [224]), pays idéal et dont les oiseaux migrateurs chers à Blicher (*Traekfuglene*) ou à Vesaas nous apporteraient dans la *navette* [225] de leur envol, de lointaines nouvelles : *à l'horizon/des oiseaux argentés s'envolent et c'est là que mon désir repose/avant de rentrer chez lui, à tire d'aile* [226].

Si la nostalgie est douleur, douleur de l'âme qui mime la douleur corporelle, on saisit mieux l'intérêt d'un univers sans elle, (*utan längtan* ou *fri fran längtan*) : *Il fait si bon s'endormir sans rien souhaiter/ (...)/ En automne la journée ne désire plus rien .*[227] Ailleurs : *fille lumière,*

---

[221] Cité par Loup de Fages, op. cit. , p. 185.

[222] P. 143.

[223] P. 35. Cf p. 103: *Un oiseau était prisonnier dans une cage dorée (...) Et l'oiseau chantait un hameau perdu perché en haut des montagnes. Le pays qui n'existe pas ? Le pays de l'amour ? Les fleurs : Peut-être sont-elles la fumée qui monte/en volutes du foyer chaud, celui de l'amour,* p. 89. La lyre est en tous cas l'instrument de la nostalgie. La hantise d'un monde vide est une constante : *Inutile attente/ inutile souffrance/le monde est vide comme ton rire* (p. 63)

[224] P. 89.

[225] P. 141.

[226] P. 55.

[227] P. 33.

elle est sans nostalgie . [228] L'arrêt de la douleur nostalgique, du mal du pays intérieur, est alors le signe du bonheur, l'accès au paradis, celui qu'à défaut de l'atteindre, Edith souhaite à celui qu'elle aime : *Je rêve que sur le pont d'un navire mon amour regarde/sans nostalgie voler les hirondelles* .[229] Le paradis répondrait alors à cette définition : l'endroit où la nostalgie n'a plus lieu d'être, ou la qualité de la présence est telle qu'il n'y ait, ultime contradiction, plus rien à désirer. Que par ailleurs la nostalgie soit recherche du pays de l'enfance, plus d'un texte le dirait : *Je veux revenir sur mes vieilles tombes/(...)/Je séjourne encore parmi les délices d'antan* [230]. Il s'agit peut-être de retrouver les contes de l'enfance (quel scandinave peut-y échapper ?) : *les contes que tu écoutais, enfant/pleurent dans ton coeur.* [231] Le rêve est peut-être de les rejoindre, tant il est vrai que *ce qui arrive dans les contes peut m'arriver aussi* .[232] Mais Edith n'est pas la Selma de *Morbacka* . L'enfance n'est pas but à réatteindre, Ithaque. Cette lecture ressortirait trop des *drapeaux en berne du quotidien* .[233] Cet antan (*gamla dagar*) est plus un jadis qu'un naguère. Cette aspiration, même inutile attente, est celle de l'étranger : *Mon âme aime tant les pays étrangers/qu'on dirait qu'elle n'a pas de patrie* .[234] Et surtout du *pays qui n'existe pas*, ne peut pas exister : *Je languis après le pays qui n'est pas/car tout ce qui est, je suis lasse de le vouloir./En runes d'argent, la lune/me parle du pays qui n'est pas,/le pays où chacun de nos souhaits/se trouve miraculeusement*

---

[228] P. 71.

[229] P. 112.

[230] P. 29.

[231] P. 59. P. 79 : *la triste légende/que la forêt raconte.* Mais aussi de s'y perdre, comme les enfants dans la forêt : *Dans les grandes forêts je me suis longtemps perdue/à la recherche des légendes de mon enfance,* p. 67. Lié aux plus grands scandinaves ((Andersen, Blixen, Lagerlöf) le conte est la voie royale de cette littérature.

[232] P. 77. Et p. 51 : *j'ai vu le lac bleu comme un conte de fées.*

[233] P. 61.

[234] P. 81. Cf Gunnar Ekelöf *Mon âme aime à tel point les mots étrangers/ qu'on dirait qu'elle n'a pas eu de langage* in C. O. Sommar, op. cit., p. 20. C'est dans *l'Elégie de Mölna* que les emprunts ou les citations d' Edith, mais aussi d' Horace, Ibn al-Arabi, Joyce ou Bellman sont les plus visibles.

exaucé,/le pays où tombent nos chaînes .[235] Le *längtan* est plus désir que nostalgie. Trait suffisamment rare chez un scandinave, le coeur de l'être n'est pas l'angoisse, comme chez Edvard Munch, Pär Lagerkvist et plus tard le danois Ole Sarvig (*alors je cours, je cours fou d'angoisse*) ou Stig Dagerman, qui va jusque à en faire le sentiment propre au poète, mais bien le désir dans sa sauvagerie : *n'es-tu jamais restée tendue, derrière la grille/à regarder comment sur les sentiers rêveurs/le soir se dilue dans le bleu* .[236] Autre attente, autre attention, autre vigilance infinie ici, si caractéristique de la posture södergranienne : *quand vient la nuit/debout sur le perron, j'écoute* [237] . Arriver à bon port serait mourir quand tout dans la vie continue, que la vie vit : *quand les paroles touchèrent l'eau, elles étaient déjà mortes* [238]. On n'est jamais riche que de son désir : *N'amassez pas l'or et les pierreries/comblez vos coeurs de désir/Qui brûle comme braise adente* [239]. Vivre, c'est maintenir la permanence du "désir demeuré désir", d'une tension, d'une soif entre un ici invivable et un là-bas hors de portée : *je chanterai pour que mon désir demeure,/lui qui jamais encore ne s'est reposé.*[240] Le recueil se clôt sur les images des vagues du désir : *Tu vas m'ouvrir un pays merveilleux/où au pied des colonnades de palmiers/passent les vagues du désir.*[241] Le désir est pure tension non résolutive. Il existe de se

---

[235] P. 179. Ainsi se dessinent les éléments d'un possible paradis södergranien : rêves réalisés, liberté, qui sont aussi ceux, cette fois dans la réalité, de la *fille de la lumière fôret*, avec lequel ce texte forme un doublet. A adosser à la traduction de Boyer : *Je languis du pays qui n'existe pas/ Car tout ce qui est, je suis lasse de le désirer/La lune me parle en runes argentées/du pays qui n'existe pas/Le pays où notre désir sera merveilleusement satisfait/Le pays où nos chaînes tomberont* . Voir les échos chez Ekelöf: *C'est un lointain pays/ Il n'y a aucune proximité/Si l'on y arrive, on trouvera/justement un pays lointain/il n'y a rien d'autre*, in C. O. Sommar, op. cit., p. 14.

[236] P. 33.

[237] P. 57.

[238] P. 79.

[239] De Fages, op. cit. p., 112.

[240] Présentation, p. 14.

[241] P. 181.

chercher, il n'a d'autre complétude que son incomplétude; il se nourrit à l'infini vers l'infini de son propre mouvement, il s'abreuve à sa propre soif.

Des questions restent, concernant notamment le rapport d'Edith à la religion(*Mais moi j'enlace de mes bras une croix/et je pleure* [242]) vers laquelle elle tend de plus en plus à la fin de sa vie. Mais dans la fulgurance de son parcours, dans la perfection de sa trajectoire vitale, dans son -Finlande oblige- *design*, Edith éclaire le cheminement autobiographique. L'autobiographie est sélective, elle choisit les moments essentiels d'un parcours bref. Edith meurt à trente et un ans. Autoportrait à la couleur rouge, l'autobiographie dit le plus important. Les poèmes eux-mêmes sont de *petites chansons/drôles et dolentes, rouges comme le soir* [243]. L'autobiographie est naturelle. La diction du moi ne se sépare pas, ne peut se séparer du cadre où elle se sertit, condition de l'intimité spirituelle avec soi. Surtout l'autobigraphie est recueillement féminin. Il se peut même que le projet autobiographique, par l'intériorisation qu'il suppose soit féminin dans son principe. Elle est poésie, vécue comme le féminin de la langue. S'il y a un long commerce entre autobiographie et prose, si les textes canoniques du genre sont en prose, il n'y a pas de déterminisme strict. Quelques soient les ruptures de la forme, qui évoquent celles du journal, la poésie a son mot à dire. Surtout elle est désir. Dans sa violence et dans l'urgence de ses diktats, le désir est le foyer de l'être : *et son désir à elle était mimosa farouche* . [244] Dans cette image s'entrecroisent le jaune solaire et la vivacité, la permanence du désir, seule antidote à la maladie dans un jeu de forces dont Edith est le lieu. Le vrai sentiment ce n'est pas l'amour, c'est le désir, c'est le désir de l'amour. Le désir est élan. Des trois esprits ibséniens selon Brand (esprit veule, léger ou sauvage) Edith est l'âme sauvage *à l'élan tel qu'il embellit presque le mal*. En ce sens Tacite a eu raison de parler de la sauvagerie des *Fenni* . La poésie désire le monde. Quête de l'authenticité, portrait d'une voix, projet de vérité, de transparence, l'autobiographie n'est-elle pas désir de se réécrire ? Non pas tels que les autres, les étrangers, me voient de l'extérieur, mais

---

[242] P. 49.
[243] P. 129.
[244] P. 137.

tel que je suis, ou du moins tel que je m'aperçois. Qe peut-on savoir de moi si l'on n'est pas moi ?

Au final, quelle image garder d'Edith? Certainement pas celle d'une femme de lettres, tel que le disent les trop rares histoires littéraires qui se souviennent d'elle. *Un être qui fut identique à ses poèmes* ? (Jarl Hemmer) ? Une poète de l'essentiel comme le laissent entendre son biographe Tideström et sa traductrice Nelly Sachs ? *Une révolution* (Mirja Bolgar)? Je préfére laisser parler Frédéric Durand : *Jamais encore un poète n'avait su aussi parfaitement fondre l'exaltation de la langue et de soi-même, la simplicité primairement concrète de l'image et le sens visionnaire et métaphysique qui pressent avec stoïcisme la mélancolique mais inéluctable approche de la mort* [245]. Son influence est toujours actuelle, comme le montre le version romancée de sa vie que propose cette année Brenner chez Belfond, et dépasse la Finlande orientale. Elle est capitale en Suède, déterminante chez Vessas, et pour tous le lyrisme scandinave moderne. Les années vingt sont un âge romantique et lyrique (Lagerkvist et Birger Sjöberg) en réaction au roman réaliste. Ce qui rendrait compte de la considération surprenante apportée au Nobel 1913, le Rabindranah Tagore de *L'offrande lyrique*. L'autobiographie permet d'écrire la vie poétique de l'âme dans ses attentes, ses rêves les plus secrets. J'aperçois dans ces textes le moment rare où, faisant l'économie d'un discours ou d'un art poétique pour traduire au mieux le moi dans la pureté du romantisme, la poésie est parole de vérité profonde, approche sincère et loyale des questions éternelles, et de la seule d'entre elles qui vaille : comment être, c'est-à-dire comment aimer ? La poésie est la matière même d'un chant conçu comme une question au monde, un appel angoissé à l'autre, où l'âme, s'interdisant le repos, toujours cherche, toujours demande. Il n'y a d'autobiographie que profonde, telle celle qu' Edith écrit sur ces terres qui n'appartiennent plus aujourd'hui à la Finlande. Le poème est poème de l'essence du poème et fonde les bases d'une habitation poétique du monde. La poésie dit et fonde ce qui demeure. Par une constriction

---

[245] Les littératures scandinaves, PUF, 1974, p. 98.
[246] *Du Nord de l'Europe à* l'histoire compliquée, *entre l'Allemagne et la Russie(...)*
Il y avait des landes, des lacs, des bouleaux et des rennes, les Russes, les Polonais, les Suédois. J. D'Ormesson, *La douane de mer*

sémantique, une allégeance à l'essentiel qui est celle des sagas, la parole, celle d'Edith , celle avant elle des scaldes, a su contourner l'héritage de la rhétorique, ou plutôt le faire servir à son propos pour ne plus capter que l'essentiel rouge, ce qui dans la vie est du destin. La parole ne duplique pas u savoir connu, elle se porte en avant. Chargé d'un sens oraculaire, voire magique, les mots ont pour mission de dire, d'exprimer. Idéal andersenien, le *digter* est bien celui qui transmue les apparences par la vertu de son art. La poésie est langue natale, native de l'essentiel, elle est l'économie d'un langage dont la prose est le luxe. Langue de la fragilité, du désarroi de l'être jeté dans le temps, loin de la prétention des rhétoriques, elle décante le réel. Comme la finnoise du conte *La reine des neiges* d'Andersen, elle ne laisse rien se perdre, elle épuise la qualité sensible d'une vie qu'elle sait devoir quitter. Elle est le chant de l'âme en quête, la voix du Nord qui refuse d'écouter l'histoire, s'ouvrant par là-même les portes de l'éternel et de l'universel, où même les condition sociales, ce qui fera la gloire -et la solitude- des écrivains prolétariens suédois- Dans ce si peu d'espace qui sépare Edith du *tourbillon de la folie*, ce que Veijo Meri appelle pudiquement *les événements de 1918* (ceux aussi de la *Sainte misère* de Sillanpää) et de *l'histoire compliquée* [246], j'aperçois pour la poésie la chance d'une autonomie par rapport au bruit et à la fureur, une liberté souveraine. Sans être une *writer's writer*, Edith est poétesse de la poésie, une autre de ses soeurs. Elle laisse aux cosmopolites porteurs de feu, les *Tulenkantajat*, dont le jeune Mika Waltari, le soin d'incarner les lendemains. Il est remarquable qu'elle soit tenue pour la source du modernisme nordique, continuateur de la percée moderne (*moderne gjennembrud*) chère à Georg Brandès, et l'origine de la lyrique scandinave de ce siècle, sans avoir proposé, à ma connaissance, d'écrits théoriques. Elle laisse à Gunnar Björling les expérimentations langagières. *Je ne veux pas me sentir gênée-/au diable donc tous les styles nobles,/je retrousse mes manches./La pâte de la poésie fermente* ...[247]. Nous sommes loin de l'épopée, forme première de la renaissance finnoise. Loin d'elle, l'expressionnisme des scandinaves Elmer

---

[246] *Du Nord de l'Europe à l'histoire compliquée, entre l'Allemagne et la Russie(...)
Il y avait des landes, des lacs, des bouleaux et des rennes, les Russes, les Polonais, les Suédois.* J. D'Ormesson, *La douane de mer*
[247] P. 153.

Diktonius, Gunnar Björling. Peu lui importe je crois d'appartenir à la première génération des écrivains indépendants de la Finlande. La poésie n'est pas un genre litéraire, elle est une conduite totale de l'être au monde. La poésie dit son rêve, ce qui fait d'Edith une poétesse encore plus *aimée* qu'admirée. Loin de tout amour, elle existe d'aimer. La poésie ne fait pas semblant. Elle est le sens le plus haut à donner à notre passage sur terre. Le sens profond de la bribe à vivre. Mais Edith ne nous donnait-elle pas elle-même la clé en écrivant : *Je suis celle qui ouvre le mystère* [248].

Quoi qu'il en soit, la force de cette poésie dont ces vues ne sont qu'une simple approche, est prodigieuse. Le moindre vers est saturé de sens possibles : *Savent-ils que chaque carte tombée de ma main/est porteuse de mille sens* ? [249] J'aimerais alors céder la parole à une autre poétesse, finnophone cette fois, Eeva-Liisanner, laissant ici se dérouler, dans la clarté de son vocalisme, une langue rarement entendue : *Teen elämästani runon, runosta elämän,/runo on tapa elää ja ainoa tapa kuolla*
De ma vie je fais un poème, du poème
une vie/Le poème est la manière de vivre, et l'unique manière de mourir.[250]

---

[248] De Fages, op. cit. , p. 169.

[249] P. 165.

[250] *Le Rêve, l'ombre et la vision*, Orphée La Différence, 1994, p. 27. Traduction du regretté Jean-Jacques Lamiche. Pour aller plus loin sur Edith, consulter le livre de Fages ou la biographie en suédois de G. Tideström. NB : Il ne m'a pas été possible de reporter tous les caractères suédois, danois ou norvégiens.

LA PART DE L'AUTOBIOGRAPHIE DANS
LES ANNÉES DE ZETH DE SONALLAH IBRAHIM

Adel TAKLA
Université de Benha, Egypte

L'autobiographie dans le domaine de la littérature arabe n'a paru dans les écrits qu'au XXe siècle.

D'ailleurs le roman comme art est un genre qui a vu le jour dans la littérature égyptienne, avec le XXe siècle. C'est un genre importé de l'Europe.

Le premier récit autobiographique qu'a connu l'Egypte est *Le livre des jours* de Taha Hussein ; celui-ci fut envoyé en France pour continuer ses études ; il y a connu les différents genres d'écriture littéraire. Il fut le premier en date à aborder ce genre. Sont venus après lui d'autres écrivains qui ont suivi son exemple, sans suivre pour autant sa façon de tracer la vie quotidienne ; ils ont adopté d'autres formes d'expression.

Tawfik al-Hakim a écrit en 1937 *Les Mémoires d'un substitut de campagne* où il a relaté une partie de sa vie pratique lorsqu'il était substitut du procureur général. Yahià Haggi publia en 1955 *Sang et boue* pour décrire une période de sa vie : celle qu'il a passé en Haute Egypte. Louis Awad a écrit *Les Pages de la vie* en 1985 et il avait publié en 1966 *Al-Anquà* ou *le Phoenix*, roman autobliographique.

L'objet de cette étude est ce que j'appelle l'autobiographie à travers l'autre. Cet autre peut être une personne, un événement social ou politique ; il peut aussi prendre la forme d'un intertexte, d'une parodie ou d'un pastiche.

Zeth[1] de Sonallah Ibrahim fait partie de ce genre d'écriture qu'on peut classer sous le titre déjà cité.

Le mot *Zeth* employé comme prénom dans ce texte n'est pas un nom propre usuel en Egypte ; il est un substantif dont le sens est "le soi". Déjà par le titrage, l'écrivain annonce la nature de son récit : elle est autobiographique. Cette narration n'utilise pas le "je" mais nous savons tous que ce pronom ne désigne pas toujours le vrai narrateur. La première page du roman dévoile la nature de ce texte. L'écrivain com-

---

[1] *Les années de Zeth*, actes Sud, roman traduit de l'arabe (Egypte) par Richard Jacquemond, 1993.

mence par le commencement de la vie de Zeth ; c'est-à-dire par le cri du nouveau-né, il s'arrête devant la première tape sur le derrière qui sera volumineux. Le narrateur entre en contact avec les critiques et les lecteurs pour mettre devant eux la nature de son récit et déclarer son art narratif :

> "La conception moderne de l'art du récit, conception tout à fait sensuelle et masculine, met sur le même plan les diverses ouvertures que ce soit du point de vue de *l'opération que vous savez* ; c'est-à-dire le récit ou de celui de la conclusion inéluctable à laquelle elles aboutissent (ou non) et invite l'auteur à choisir, parmi ces ouvertures, celle qui a sa préférence, qui s'accorde à son tempérament et à ses capacités, et qu'il attaquera sans détour, bouclant l'affaire en quelques pages" (p.13).

Ce terme de "l'opération que vous savez" sera employé une nouvelle fois quand il parlera de "l'opération sexuelle", expression utilisée dans la langue arabe.

L'écrivain-narrateur est là, c'est lui qui décide comment débuter son récit, juge déjà l'art de la narration et invite le lecteur son complice à le suivre dans cette voie. Il vise une sorte de pur amusement, un exercice distractif, pour lui aussi bien que pour le lecteur. Le travestissement de l'auteur en se donnant le nom de Zeth n'échappe pas au lecteur perspicace. Ce travestissement un peu burlesque accentue le caractère comique du texte. La lecture du texte en arabe est un amusement. Le lecteur égyptien ne tarde pas à saisir ce ludisme mis en relief non seulement par le travestissement de l'écrivain mais aussi par la parodie et le pastiche qui parsèment le texte. Bien sûr la traduction française n'est pas en mesure de transmettre au lecteur français cet esprit de comique né de la parodie, autrement dit l'écrivain emploie des phrases dont le sens est sérieux, des expressions courantes, des lieux communs tout en modifiant leur sens original et cela tout en conservant le texte bien écrit pour l'appliquer à une autre situation.

Si l'écrivain a soutitré son récit "roman", il ne faut pas le prendre au sérieux. J. Lanzmann a déjà fait la même chose avec son récit auto-biographique *Le têtard*. D'ailleurs le mot "Roman" n'a plus un seul sens bien défini comme c'était le cas au XIXe siècle, ce genre littéraire est en état de changement continu. Il n'est plus soumis à des règles fixes, il n'est plus contrôlé par une seule conception. D'ailleurs le mélange des genres littéraires est un fait accompli à partir de J. Joyce et même bien avant lui à partir de Zola si je l'ose dire. L'épopée et la poésie ont trouvé leur place dans ce qu'on appelle "le nouveau roman". Le cas de Doubrovski dans *Fils* est flagrant, le "W" de Perec se présente pour souligner que le récit autobiographique n'est plus comme il l'était chez Montaigne ou chez Rousseau. L'autobiographie ne peut se passer de la fiction romanesque : le fait d'organiser les événements autobiographiques est déjà une manière empruntée au genre roma-nesque.

Sonallah Ibrahim n'est pas une exception. Sa narration est faite dans un ordre logique, elle mélange les textes journalistiques au récit principal pour concrétiser le réel. Son roman se compose de 19 chapi-tres : tous les chapitres pairs sont des textes tirés des quotidiens et des hebdomadaires égyptiens. Le choix des citations n'est pas spontané mais il est pensé et repensé pour servir le texte global qui raconte une vie à travers les événements sociaux ou politiques de l'Egypte. Les chapitres impairs reproduisent une image d'une vie à l'égyptienne, dans un pays où, à la fois, le hasard, le destin, la politique et les change-ments sociaux façonnent la vie. Les chapitres impairs forment le vrai roman et les chapitres pairs ne sont qu'un intertexte. La plupart des citations de Sonallah Ibrahim sont tirées des quotidiens égyptiens El Ahram ou El Akhbar mais avec un manque de précision né de l'absence totale des dates de publication. Ces citations pourraient paraître insi-gnifiantes pour celui qui ne connaît pas de près la vie en Egypte au temps de Nasser ou de Sadate. On pourrait conclure que la moitié ou presque de son roman est formée de textes de seconde main, sans pour autant dévaluer l'œuvre littéraire car chapitres pairs et chapitres impairs s'interpénètrent et forment un tout et constituent une démonstration de la véracité des faits racontés par l'écrivain. Les chapitres impairs, c'est-à-dire ceux qui se rapportent aux événements personnels de Zeth relatent des événements politiques importants dans la vie des égyptiens. On a l'impression que l'écrivain coupe le récit principal, celui qui décrit la vie de Zeth, pour commenter ces événements. Exemple : à la page 26 de la traduction française nous lisons "Aujourd'hui 26 février 1980, Sadate a ouvert une ambassade aux israéliens à Dokki et ils y ont levé leur drapeau ...".

Cette phrase est prononcée par Saad Idris Halawa un person-nage d'un texte rédigé par El Cheikh Imam : nous sommes devant une citation au second degré, si j'ose m'exprimer ainsi. El Cheikh Imam est un poète égyptien qui écrivait en arabe dialectal et est connu par ses écrits contre les gouvernants égyptiens. En signalant dans son texte l'accord Camp David qui venait d'être signé entre Sadate et Bigin, Sonallah Ibrahim ne fait qu'inscrire les grands événements qui ont marqué la vie des Egyptiens, entre autre celle de Zeth.

Cette situation de coexistence entre deux textes, celui de l'auteur et celui d'un autre, a pour effet de placer le lecteur en position permet tant un repérage des dates des événements et soulignant le caractère autobiographique du texte principal. Le repérage des dates est aussi perçu par les vêtements des femmes : La mini-jupe que portait Zeth marque le règne de Nasser, les voiles soulignent le règne de Sadate.

Dans les années soixante il n'y avait pas de Coran dans la maison de Zeth, mais dans les années soixante-dix l'appartement sera garni de Coran de tous genres (p.21). Le premier chapitre du roman n'est qu'un parallèle entre deux régnes celui de Nasser et celui de Sadate. Les textes journalistiques qui constituent le chapitre 2 sont choisis pour désigner l'islamisation de la société, comme réaction à la laïcité nassérienne : exemple: "Le Cheikh El Chaarawi à propos de l'Islam, du capitalisme et du communisme":

"il y a entre l'islam et les athées un antagonisme de fond, alors que ce qui l'oppose au christianisme et au judaïsme n'est qu'un différend quant à la représentation de la divinité" (p.35).

Un peu plus loin dans le même chapitre on lit :

"El Salam Shopping Centre
Le premier grand magasin spécialisé dans
l'habillement de la femme voilée" (p.44)

Le nom de Cheikh El Chaarawi est cité plusieurs fois non seulement dans ce chapitre mais aussi dans d'autres chapitres. Ce nom est le symbole d'une période de l'histoire de l'Egypte actuelle marquée par la normalisation avec l'état hébreu et en même temps par une montée islamique. Viennent à l'appui de l'écrivain ces textes journalistiques que nous venons de citer, présentant par là une preuve indéniable de la véracité de la description faite par l'écrivain-narrateur.

La comparaison entre les deux règnes ne cesse pas d'être établie par l'intermédiaire d'objets, de vêtements et de nouvelles manières de vivre. Ainsi le remplacement des murs des cuisines et des salles de bains, peints à l'huile dans la période nassérienne par des carreaux en céramiques et l'installation "des combinations" à la place des chasse d'eaux dans les cabinets de toilettes ne sont chez l'auteur que des signes de changements et de différences entre deux règnes. A la fin du chapitre 3 nous lisons la phrase suivante:

"Gamal Abdel Nasser cessa de venir avec sa pioche, mais Anwar El Sadate poursuivit ses visites nocturnes, ses carreaux de céramiques à la main. Car Zeth à court de fonds, avait dû interrompre la pose du carrelage, à deux rangées du plafond et combler l'intervalle à l'aide de la traditionnelle peinture à l'huile" (p.70).

L'autobiographie n'est pas donc séparée de l'histoire d'Egypte : les grands événements politiques et sociaux ont leur place dans la vie de l'écrivain-Zeth et dans la vie du pays.

L'individu fait partie de l'histoire de son pays. Il est marqué par les décisions des politiciens. Ainsi s'inscrit dans *Zeth* - le roman, les relations de l'Egypte avec les Etats-Unis : Un chapitre est consacré à ce sujet, c'est le chapitre IV encastré dans le texte global du roman et tous les éléments constituants de ce chapitre ne sont que des citations prises dans les quotidiens de la période. L'humour n'est pas absent de ces textes. L'ordre établi par l'écrivain produit cet humour noir. Lisons quelques paragraphes de ce   chapitre :

> "Le président Moubarak remercie les Etats-Unis et affirme que leur aide est désintéressée et sans contre-partie" (p.70).

Le *New-York Times* dit :

> "L'aide américaine à l'Egypte a accru la dépendance alimentaire et militaire du pays vis-à-vis des Etats-Unis, à un point tel que les dirigeants égyptiens devront y réfléchir à deux fois avant de prendre une quelconque position susceptible de provoquer la suspension de l'aide" (p.71-72).

Quelques lignes plus loin nous lisons :

> "Le président Moubarak avant son départ pour Washington : "Nous recevons 850 millions de dollards d'aide des Etats-Unis, dont 500 millions servent à payer les intérêts de notre dette militaire à leur égard" (p.72).

L'aide américaine non conditionnée est tout de suite attaquée et dévoilée par une citation tirée d'un journal américain le *Washington Post* ; ce sont des commentaires de l'affaire Achille Lauro : les américains ont intercepté l'avion civil égyptien transportant les palestiniens qui ont attaqué le navire :

> "Grâce aux appareils d'écoute qu'elle a installés dans le bureau du président égyptien, la C.I.A. a pu obtenir les informations qui ont permis de contraindre l'avion égyptien à atterrir sur la base américaine en Italie" (p.75).

Tout le chapitre est construit de cette façon. Ainsi les phrases des autres sont ordonnées d'une façon significative pour produire un effet que l'auteur essaye de faire naître chez le lecteur ; l'écrivain dit ce qu'il veut par l'intermédiaire des phrases qui ne sont pas les siennes et paraît prendre ses distances vis-à-vis de ces paroles. Sonallah Ibrahim ne fait pas exception dans ce domaine, qui lie la vie privée aux événements historiques de son pays.

Lanzmann l'a fait dans *Le têtard*, Louis Awad l'a fait dans son oeuvre autobiographique intitulée : *Les Pages de la vie*. L'écrivain utilise l'humour, l'allusion parodique et parfois le calembour comme des planches de salut.

Pour illustrer l'humour, je cite :

> "Le président Moubarak lance un appel pour la construction d'une voiture populaire cent pour cent égyptienne" (p.71).

Quelques lignes plus loin on lit :

"Un constructeur japonais bien placé pour remporter l'appel d'offres international pour la production de la voiture populaire cent pour cent égyptienne" (p.72).

Le chapitre VI du roman composé des textes publiés dans la presse égyptienne ou étrangère est consacré à la corruption de quelques responsables qui appartiennent à la période sadattienne ; entre autre un frère du président Sadate, le président de l'assemblée du peuple et d'autres personnes haut-placées. Après ce dévoilement de la corruption Sonallah Ibrahim cite une déclaration du Cheikh El Azhar :

"La femme musulmane ne doit montrer que son visage et ses mains" (p.103).

Les scandales qui ont eu lieu dans les grands projets n'échappent pas à l'auteur et trouvent leur place par l'intermédiaire des citations prises dans les journaux.

L'intertexte va plus loin encore, lorsqu'on trouve dans le même chapitre des cadres vides qui supposent l'existence d'une quelconque photo lesquels sont suivis des détails concernant la supposée photo. Le chapitre 8 continue la mise en relief de la corruption sociale et politique : La chute des sociétés d'investissements islamique, les scandales des banques qui travaillent sous l'égide de l'Islam, la publicité faite par ces banques ; tout cela augmente le sens de l'humour noir de l'écrivain et l'amertume du lecteur.

Les accusations dressées par le journal *El Chaab*, porte-parole du parti *Le travail*, parti islamique, contre le ministre du pétrole sont citées pour compléter l'image d'un pays décadent. Il y a donc une différence de niveau d'expression entre les chapitres pairs et les chapitres impairs. Dans les chapitres pairs : un niveau d'écriture de seconde main renouvelée et remise en un autre ordre, de sorte qu'il puisse donner un certain sens ; et dans les chapitres impairs un autre niveau d'écriture qui paraît bien ordonné et écrit dans un style propre à l'auteur et qui donne à l'oeuvre son aspect romanesque. Le texte suit un système particulier qui dévoile une pratique textuelle nouvelle dans le domaine du roman égyptien et aussi dans le domaine du récit auto-biographique.

L'histoire de Zeth racontée dans les chapitres impairs est une histoire construite de toute lettres mais aussi elle est l'écho des chapitres pairs construits des textes déjà publiés dans les journaux, ces chapitres lui donnent une nouvelle dimension.

Les chapitres qui relatent l'histoire de Zeth peuvent être lus loin des chapitres pairs. Ils constituent un vrai roman réaliste au sens moderne du mot. Un roman réaliste parce qu'il est le registre de toute une époque de l'Egypte moderne, celle de Sadate et Moubarak, vécu par le personnage-héros.

Je ne suis pas sûr que *Zeth* soit le premier récit autobiographique écrit de cette façon ; mais c'est vraiment le premier texte autobiographique égyptien qui a pris cette forme. Ce mélange du récit autobiographique et de la fiction romanesque donne au texte de Sonallah Ibrahim un caractère hypertextuel, car ce texte est au fond une parodie du récit autobiographique, parodie qui donne à l'oeuvre un certain goût.

Ce texte aurait pu être écrit dans un ordre différent L'auteur omniscient aurait pu faire lire les textes journalistiques par les personnages du roman. Ce nouvel ordre proposé aurait fait une autre forme littéraire, une forme qui ne le ferait pas sortir de l'ordre général ; mais Sonallah Ibrahim a eu le courage de séparer les citations du roman, tout en les incrustant dans la partie romanesque.

Un récit autobiographique est donc un récit peuplé des autres, c'est un texte où figure l'Autre et non pas seulement "le soi". C'est aussi un récit romancé. Si on le prive de cet atout, il ne peut plus être un texte littéraire. Et puisque l'art trouve sa place dans ce genre, on ne peut plus donc en éliminer la part de la fiction.

Sommaire

Jacques DOMENECH : Avant-propos. ....I.

.I. ROMAN ET AUTOBIOGRAPHIE CHEZ ROUSSEAU

François JACOB (U. Besançon),
Les Confessions, ou l'aire de la romance............................ 7
Anne CHAMAYOU (U. d'Artois),
Du sujet épistolaire au sujet autobiographique : l'invention du
mythe dans La Nouvelle Héloïse................................... 21
Laurence VIGLIENO (U. Nice, Lett. mod.),
Les voix de Jean-Jacques et la voix de l'autre dans Les Dialogues.....29
Jean-François PERRIN (U. Grenoble III),
La régénération de Benjamin : du Lévite d'Ephraïm aux Confessions 44
Frédéric S. EIGELDINGER (U. de Neuchâtel, Suisse),
Les Lettres à Sara de Rousseau, entre fiction et autobiographie........ 59
Anna JAUBERT (U. Nice, INALF),
Comment s'énonce l'identité ? Des stratégies de discours
significatives.. 69
Paule ADAMY-FERNANDEZ (Vanves),
Les enfants de Rousseau : réalité ou fiction ? 83

.II. CONTEMPORAINS ET EPIGONES DE ROUSSEAU

Marie-Hélène COTONI (U. Nice, Lett. mod.),
L'autoportrait dans la Pamela de Voltaire.............................99
Geneviève GOUBIER-ROBERT (U. de Provence),
De l'usage de l'autobiographie dans la polémique
autour des Confessions : les Mémoires de Madame de Warens
et de Claude Anet par Doppet..................................111
Gérard LAHOUATI (U. de Pau et des Pays de l'Adour),
Du Citoyen de Genève au Citoyen de Venise :
Jacques-Jérôme Casanova juge de Jean- Jacques Rousseau..........127
Frédéric BASSANI (U. Paul Valéry-Montpellier III),
Rétif de la Bretonne, Jean-Jacques Rousseau et l'autobiographie.....149
Catriona SETH (U. Rouen),
Entre autobiographie et roman en vers : les Poésies érotiques
de Parny...171
Huguette KRIEFF (U. de Provence),
Les Mémoires de Jean-Baptiste Louvet, confessions d'un
romancier girondin..181
Michel DELON (U. Paris X Nanterre), Sade autobiographe..........193

.III. **APRES LES** *CONFESSIONS*, **AU-DELA DES** *CONFESSIONS*

Béatrice DIDIER (ENS, Ulm-Sèvres),
Les paratextes des Mémoires d'Outre-Tombe et le spectre de
Rousseau..205
Carmela FERRANDES (U. Bari, Italie),
Maine de Biran et Rousseau : les charmes de l'écriture et
de la réflexion...215
Marie-Claire GRASSI (U. Nice, IUT),
Rousseau, Amiel et la connaissance de soi............................ 229
Roger CHEMAIN (U. Nice, Lett. mod.),
Dire l'indicible à la première personne : expérience concentrationnaire
et récit autobiographique...243
Tanguy L'AMINOT (C.N.R.S., PARIS IV-Sorbonne),
Autobiographie, fiction romanesque et politique :
la collection "Taglaïts"(1960-1968) 253
Béatrice BONHOMME (U.Nice, Lett. mod.),
Nouvelle Autobiographie et Fiction chez les "Nouveaux romanciers":
l'exemple de Marguerite Duras..271
Anca SIRBU (U. Iasi, Roumanie),
La poétique de la confession chez Julien Green......................289

.IV. **AUTOUR DES** *CONFESSIONS* : **LE DOMAINE ETRANGER**

Pierre BARUCCO (U. Nice, Italien),
L'avènement de l'unique selon Cellini ou Sous le signe du bélier....305
Alain MONTANDON (U. Blaise Pascal, Clermont-Ferrand),
Autobiographies de l'homme intérieur. Rousseau, Moritz
et Jean Paul...325
Renée MOLITERNO (U. Nice, Italien),
Les Mémoires de Carlo Goldoni..339
Evanghélia STEAD (U. Nice, Lett. mod.),
Confessions fin de siècle...351
Oussama NABIL (U. El Azhar, Le Caire, Égypte),
Sarah d'Al-Akkad: entre les théories occidentales et
l'optique égyptienne..387
Pierre GROUIX (ENS, Fontenay),
JE. Menée autobiographique d'Édith Sodergran (1892-1923)........411
Adel TAKLA (U. Benha, Égypte),
La part de l'autobiographie dans Les Années de Zeth de
Sonallah Ibrahim..461